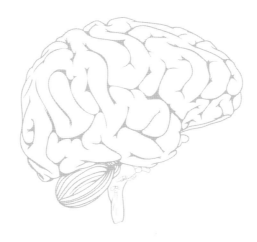

핵심정신의학

Essentials of Psychiatry

핵심정신의학

첫째판 1 쇄 인쇄 | 2019 년 9 월 09 일
첫째판 1 쇄 발행 | 2019 년 9 월 23 일

지 은 이	김현수 , 송후림 , 김우정 , 홍민하 , 장진구 , 고미애
발 행 인	장주연
출 판 기 획	김도성
책 임 편 집	안경희
편집디자인	양은정
표지디자인	김재욱
일 러 스 트	김경열
발 행 처	군자출판사

등록 제 4-139 호 (1991. 6. 24)
본사 (10881) **파주출판단지** 경기도 파주시 회동길 338(서패동 474-1)
전화 (031) 943-1888   팩스 (031) 955-9545
홈페이지 | www.koonja.co.kr

ISBN 979-11-5955-480-3

정가 35,000 원

저자 서문

의과대학에서 정신의학은 이른바 메이저 과목에 속합니다. 내외산소만큼은 아니더라도 학점 배정이 크고 상당한 시간을 들여 공부하는 과목입니다. 정신의학에 매력을 느껴 향후 정신과 전공을 희망하는 학생들도 많이 보입니다. 그런데 왜 성적은 생각만큼 잘 나오지 않는 걸까요?

다양한 이유가 있겠지만, 주치의로서 환자를 직접 본 경험 없이 텍스트로만 정신의학을 공부해야 하는 현실적인 한계 때문일 것입니다. 정신과를 전공한 저자들도 돌이켜보면 학창 시절에 정신과 성적이 뛰어나게 좋았던 것 같지는 않습니다. 그런데 정신과에 들어와 환자를 실제로 열심히 보다 보니, 여러 가지 의학 지식 가운데 무엇이 더 중요하고 무엇이 덜 중요한지가 일목요연하게 다가왔습니다. 굳이 책상에 앉아 교과서를 펼쳐 놓고 공부를 하지 않아도, 힘들게 암기를 하지 않아도 임상 경험을 통해 지식은 저절로 체득되었습니다. 텍스트를 볼 때는 요점이 선명하게 들어오고, 도저히 이해가 되지 않았던 교과서의 어려운 대목들도 자연스럽게 해석이 가능해졌습니다. 여러 종류의 시험들에 관여하면서 문제 출제의 시스템과 과정에 대한 이해도 넓어졌습니다. 그리고 나니 과거 학창 시절에 대한 아쉬움과 함께 현재 축적된 우리의 경험과 지식을 전국의 의과대학생들과 나누고 싶은 소망이 생겼습니다.

<핵심정신의학>의 집필은 이 같은 단순한 이유로부터 시작되었습니다. 처음의 목표는 임상 경험을 통해 체득한 노하우를 투영해서 교과서를 새롭게 재구성하는 것이었습니다. 하지만 기존의 교과서 체계를 따르지 않고서는 수험용으로 사용하기 어렵다는 현실적인 한계가 있었습니다. 그래서 기존에 나와 있는 교과서를 기본으로 하되 그중에 어떤 것들이 핵심적인 내용인지를 짚어주고, 요약과 정리를 제공하며, 이해가 어려운 부분은 쉽게 설명해주는 튜터 형식의 참고서가 탄생하게 되었습니다. 학생들 수준에서 상위의 지식이라고 생각되는 부분에는 '실력' 표시를, 기존의 국가고시 기출 문제들을 검토해서 시험에 잘 나오는 부분은 '기출' 표시를 하여 보다 강조했습니다.

<핵심정신의학>은 명지병원 정신건강의학과의 모든 스텝과 전공의들이 참여하여 약 10개월에 걸쳐 공동으로 작업한 결과물로서 정신건강의학과 의국 20주년을 기념하기 위한 것이기도 합니다. 명지병원은 1987년 개원 이래 경기북서부를 대표하는 병원으로 성장해 왔습니다. 2010년에는 정신과 병동에 대한 기존의 고정관념을 획기적으로 바꾼 반개방형 병동 해마루를 오픈했고, 2013년에는 치매안심센터 조기인지중재 프로그

램의 모델이 된 백세총명학교를 개설했습니다. 이외에도 원내에 국내 최대 규모의 예술치유센터를, 원외에 경기도 광역치매센터와 경기북서부 해바라기센터, 서울시 자살예방센터, 강서구 정신건강복지센터를 운영하며 공공의료에도 활발하게 기여하고 있습니다. 20년간 관동의대와 서남의대의 주 교육수련병원으로서의 역할을 담당했으며, 현재는 한양의대의 교육협력병원이자 국내 유일의 메이요 클리닉 케어 네트워크 병원입니다.

특히 정신건강의학과는 관동의대와 서남의대뿐 아니라 가톨릭의대, 경희의대, 단국의대, 순천향의대, 아주의대, 연세의대에서 다년간 학생 교육과 전공의 수련을 맡았던 스텝들이 모여 국내 최고의 교육수련 환경을 세팅해 놓았습니다. 현대 정신의학의 메인이라고 할 수 있는 약물 치료를 비롯한 생물학적 치료를 중심으로 하되 인지행동치료 프로그램과 국내 4대 정신치료 학파 가운데 3개 학파로부터 수퍼비전을 받는 시스템을 확립하여 심리사회적 치료의 수련도 소홀히 하지 않는 장점을 갖고 있습니다. 전공의들을 의사면허자로 존중하고, 업무 시간을 준수하면서 교육수련에 집중하는 것은 명지병원 정신건강의학과의 자랑스러운 전통입니다. 이러한 환경에서 의욕적으로 4년을 보내고 나서 우수한 능력을 갖추고 졸업한 전공의들은 현재 전국 각지에서 최고의 전문의가 되어 활동하고 있으며, 앞으로도 계속 그럴 것입니다.

오늘이 있기까지 명지병원 정신건강의학과 의국을 물심양면으로 성원해주신 이왕준 이사장님과 김세철 의료원장님, 김진구 병원장님께 존경과 감사를 보내며, 멋진 책이 나올 수 있게 해주신 군자출판사의 장주연 사장님과 김도성 차장님, 배혜주, 안경희 선생님께도 감사의 인사를 드립니다. 또한 이 책은 뛰어난 성적으로 전문의 시험에 합격한 우리의 4년차 오진욱, 박주호 선생님의 헌신적인 수정 작업을 통해 마무리되었습니다. 그들의 앞날에 무궁한 발전과 보람이 함께 하기를 바랍니다.

명지병원 정신건강의학과
김현수, 송후림, 김우정, 홍민하, 장진구, 고미애

목 차

정신의학의 역사
History of Psychiatry

박주호 오진욱 장진구 송후림

Chapter

I

Introduction

▶ 정신의학의 역사를 살펴보면 대중들이 정신의학에 대해 갖고 있는 편견이 어떻게 발생했는지를 이해할 수 있게 됩니다. 시험에 잘 나오지는 않지만, 각 시대를 열었던 중요한 인물들의 이름과 그 업적은 알아두면 좋습니다.

1. 고대 그리스-로마시대

1) 히포크라테스(Hippocrates, BC 460~370)

(1) 뇌와 정신의 관계를 이해: "인간의 기쁨이나 행복, 웃음과 농담, 고통과 슬픔, 눈물은 뇌에서 일어나는 현상이다. 인간의 미치거나 혼란에 빠지는 것, 공포와 불안을 느끼는 것도 모두 뇌의 작용이다."

(2) 질병은 혈액, 타액, 황담즙, 흑담즙의 불균형 상태로 인해 발생한다는 고전적 기질론인 4체액설을 수용하였으며, 불균형을 바로잡기 위해 목욕, 식이요법, 약초 등을 이용했다.

(3) 정신질환도 신체적 질병과 마찬가지로 고통스럽기 때문에 인도주의적 치료가 필요하다고 강조했다.

2) 갈렌(Galen, 129~200)

(1) 해부학적 관찰을 통해 뇌가 정신의 중추임을 파악하고 대뇌는 감각의 중추이고 소뇌는 근육 운동의 중추라고 주장했다.

(2) 4체액설을 4기질 이론으로 수정 발전시켜 개인의 성격 특징을 담즙질(choleric), 다혈질(sanguine), 흑담즙질(melancholic), 점액질(phlegmatic)로 분류하여 유형이란 개념을 최초로 도입했다.

(3) 갈렌의 이론은 이후 약 1,500년 동안 서양의학계의 정설로 자리잡았으며, 이로 인해 사혈이 주된 치료가 되었다.

2. 중세와 르네상스 시대

1) 서양에서는 기독교적 견해에 따라 정신 이상을 마귀 들린 상태, 혹은 죄 지은 자에 대한 하나님의 징벌이라고 믿었다. 정신병의 치료 역시 의사가 아닌 성직자가 담당했다. 이 시기에 마녀로 몰려 화형 당한 사람이 수만 명이었고, 그 중에서는 다수의 정신질환자가 포함되었을 것으로 추정된다.
2) 아랍에서는 알라지(Muhammad ibn Zakariya al-Razi, 865~925)가 의학정전(Carbon of Medicine, Al-Qanun-fi-il-Tabb)을 저술했으며, 우울증, 조증, 불면, 성기능장애, 간질 등의 증상과 그 치료법을 기록했다. 그는 인간의 감정이 맥박에 미치는 영향을 연구, 정신신체장애나 생리심리학의 분야를 개척했다.
3) 15세기부터는 정신질환자들을 수용하는 정신병원이 생겨났지만, 여전히 정신질환자들을 광인, 위험한 존재로 간주해서 격리, 감금하는 현상이 지속되었다.

3. 고전주의 시대

1) 필리페 피넬(Phillippe Pinel, 1745~1826)

파리의 정신병원에서 30~40년간 쇠사슬에 묶인 채 지내던 환자들을 해방시켰다. 동시에 정신 질환의 분류와 증상 연구에 힘썼으며, 유전적 요인과 환경적 요인이 복합적으로 작용하여 정신질환이 생긴다고 보았고 환자들의 사회적 복귀에 꾸준한 관심을 쏟았다. 이와 같은 업적으로 피넬을 근대 정신의학의 효시라고 부른다.

2) 요한 라일(Johann Christian Reil, 1759~1813)

1908년 마음(psyche)과 치료자(iatro)를 조합하여 정신의학(psychiatrie)이라는 말을 최초로 만들고, 정신과 학술지를 창간했다. 이 시기를 근대 정신의학의 공식적인 출발점으로 보고 있다.

4. 생물정신의학의 발전

뇌의 언어 중추를 발견한 브로카(Paul Broca)와 베르니케(Carl Wernicke) 등이 1세대 생물정신의학에 크게 기여하였다.

1) 에밀 크레팰린(Emil Kraepelin, 1856~1926)

정신질환을 각각의 증상과 소견, 예후 등 객관적으로 관찰되는 특징에 따라 기록, 체계적으로 분류하는 기술정신의학(descriptive psychiatry)을 개척했으며, 정신질환을 치료가 가능한 조울정신병(manic-depressive psychosis)과 치료가 불가능하고 결국 치매로 진행되는 조발성 치매(dementia prae-cox)의 두 가지로 크게 구분했다.

2) 오이겐 블로일러(Eugen Bleuler, 1857~1939)

조발성 치매 환자가 모두 치매로 이행하는 것은 아니며 치료도 가능하기 때문에 정신분열병(schizophrenia)으로 명명할 것을 제한했다.

5. 정신분석학의 탄생

1) 지그문트 프로이트(Sigmund Freud, 1856~1939)

(1) 히스테리 환자를 치료한 장 마틴 샤르코(Jean-Martin Char-cot)의 최면술을 통해 무의식이 사람의 행동과 감정에 큰 영향을 준다는 것을 발견하고 요셉 브로이어(Josef Breuer)와 함께 카타르시스(catharisis) 치료법을 개발했다.

(2) 이후 꿈의 해석을 통해 무의식이 누구에게나 존재하는 보편적인 것임을 알게 되어 자유연상기법(free association)을 통해 무의식의 세계에 접근하는 방법을 소개했다.

(3) 리비도(libido)이론을 주장했다.

(4) 정신의 구조를 이드, 자아, 초자아로 구분하였다.

(5) 무의식의 개념은 근대철학의 근간인 주체를 해체시켜 20세기에 가장 영향력 있는 사상가로도 꼽힌다.

2) 칼 융(Carl Jung, 1875~1961)

(1) 정신분석학 이론을 수정 → 분석심리학(analytic psychology)을 창안했다.

(2) 집단무의식(collective unconsciousness), 심리적 원형(archetype), 개인화(individuation) 등의 이론을 제시했다.

3) 알프레드 아들러(Alfred Adler, 1870~1937)

(1) 프로이트의 리비도 이론을 비판했다.

(2) 권력의지(will to power), 열등감 콤플렉스(inferiority complex)와 같은 용어를 만들었다.

4) 멜라니 클라인(Melanie Klein, 1882~1960)

(1) 소아정신질환 치료에 정신분석학을 도입했다.

(2) 놀이치료(play therapy)를 개발하여 아이가 표현하는 무의식적 갈등, 공포, 애증을 탐색한다.

5) 해리 스택 설리반(Harry Stack Sullivan, 1892~1949)

(1) 대인관계를 관찰함으로써 개인의 욕망이나 충동을 알 수 있다고 믿었다.
(2) 인간관계이론(interpersonal relationship theory)을 발전시켰다.

6. 현대정신의학

1) 인슐린 혼수요법(Insulin coma therapy)

인슐린을 투여하여 경련과 혼수상태를 유발한 후 당을 투여하여 정상으로 되돌렸다(Manfred Sakel, 1900~1957).

2) 전기경련요법(Electroconvulsive therapy)

망상과 환청이 심한 조현병 환자에게 최초로 시행(Ugo Cerletti, 1877~1963 / Lucio Bini, 1908~1964)

→ 이후로 난폭하고 쉽게 흥분하는 정신병 환자에게 뇌 전두엽 절제술을 시행했다(Antonio Egas Moniz, 1874~1963).

3) 약물치료의 시작

(1) 리튬(lithium)이 조증(mania) 치료에 시도가 되었으며 클로르프로마진(chlorpromazine)이 조현병 치료에 효과 있음이 밝혀진다.
(2) 1960년대 초에는 벤조다이제핀(benzodiazepine)계 항불안제가 임상에 사용되었다.

4) 행동치료, 학습이론의 대두

(1) 스키너(B.F. Skinner)의 조작적 조건화(operant conditioning)
(2) 벡(Aaron Beck)과 엘리스(Albert Ellis)에 의해 시작된 인지치료는 정신치료의 중요한 분야로 인정되었다.

5) 탈병원화와 정신보건의 대두

(1) 1950년대에 영국의 맥스웰 존스(Maxwell Jones)가 폐쇄적인 대규모 정신병원에서의 획일적 치료보다는 지역사회복귀를 돕는 치료 공동체(therapeutic community) 운동을 일으켰다.
(2) 입원기간을 획기적으로 단축하는 탈병원화(deinstitutionalization) 운동이 일어나, 이외 환경치료(milieu therapy), 개방병동정책(open ward policy) 등이 활발히 도입되었다.

정신장애의 신경생물학
Neurobiology of Mental disorders

공병훈 오진욱 장진구 송후림

Chapter

II

Introduction

▶ 뇌는 인간 정신 현상의 중추로서 모든 정신장애가 발생하는 핵심 영역입니다. 특정 정신 기능은 뇌의 특정 부위와 연관되어 있습니다. 그 중 운동, 시각, 청각, 체성 감각 등은 비교적 단순한 양상으로 뇌부위와 연관되어 있으며 기억, 언어, 정서 등은 보다 복잡한 양상으로 뇌부위와 연관되어 있습니다. 뇌의 전반적 구조를 해부학적, 영상의학적으로 이해하고, 그 구조가 어떤 기능적인 역할을 하고 있는지를 연결지어 살펴보아야 합니다.

▶ 정신과적으로 가장 관심을 많이 받는 부위는 고위 중추인 대뇌 피질로서 인간과 동물을 가장 구분짓게 해주는 부위인 전두엽(frontal lobe), 그 중에서도 전전두 피질(prefrontal cortex)에 대해 잘 알아둘 필요가 있습니다. 그리고 감정과 본능을 관장하는 변연계(limbic system), 그 중에서도 기저핵(basal ganglia)에 대한 이해 역시 필요합니다.

▶ 뇌 활동은 다양한 신경세포와 신경회로들의 전기적, 화학적 정보 전달의 결과물이므로 신경화학적 측면에 대한 이해도 중요합니다. 특히 dopamine, serotonin, norepinephrine과 같은 monoamine들은 교과서 전체에서 반복되어 나오는 신경전달물질이므로 생성과정과 대사과정에 대해서 알아두는 것이 좋습니다.

▶ 인간의 정신에 대해 큰 그림을 그리기 위해서는 구조적, 기능적, 신경화학적 측면을 통합하여 이해하는 것이 요구됩니다. 그리고 한글 명칭도 중요하지만 추후 원서에 익숙해져야 하므로 영문 명칭을 꼭 알아둡시다.

1. 뇌의 구조 및 기능

1) 구조적, 발생학적 구분

  (1) 뇌: 대뇌(cerebrum), 소뇌(cerebellum), 뇌줄기(brain stem)로 구분

  (2) 소뇌: 충부(vermis)와 양측의 측엽을 지칭

  (3) 뇌줄기: 중뇌(midbrain), 교뇌(pons), 연수(medulla oblongata)로 구성

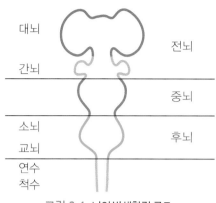

대뇌

간뇌

소뇌

교뇌

연수

척수

전뇌

중뇌

후뇌

그림 2-1. 뇌의 발생학적 구조

표 2-1. 뇌의 발생학적 구분과 파생구조

일차뇌소포(primary vesicle)	이차뇌소포(secondary vesicle)	파생구조(derivatives)
전뇌(prosencephalon)	종뇌(telencephalon)	대뇌피질(cerebral cortex)
		대뇌백색질(cerebral white matter)
		기저핵(basal ganglia)
	간뇌(diencephalon)	시상상부(epithalamus)
		시상하부(hypothalamus)
		시상(thalamus)
		시상밑부(subthalamus)
중뇌(mesencephalon)	중뇌(mesencephalon)	중뇌(midbrain)
후뇌(rhombencephalon)	후뇌(metencephalon)	소뇌(cerebellum)
		교뇌(pons)
	수뇌(myelencephalon)	연수(medulla oblongata)

2) 기능적 구분

(1) 감각계: 외부 자극을 일차적으로 처리하고 수많은 외부 자극을 선별하여 수용하는 뇌구조

체성감각계, 시각계, 청각계, 후각계, 미각계 등 오감별로 감각 피질이 존재하며, 체성감각의 경우 촉각, 압각, 통각, 온각, 진동각, 위치각 등 다양한 신체 감각이 뇌에서 처리된다.

(2) 운동계: 정신 활동의 결과를 받아 신체 활동을 관장

(3) 연합계: 감각계와 운동계의 정보 처리를 통합하는 부위

최근 뇌영상 기술의 발전으로 연합계를 포함한 모든 뇌영역을 대상으로 단위 정신기능별 뇌기능 지도가 제시되고 있다. 주목할 만한 점은 기능 하나에 뇌영역 하나를 짝짓기보다 기능 하나를 위해 여러 뇌영역들의 신경망이 작동한다는 개념이 일반화되고 있다는 것이다. 이러한 신경망의 예로는 디폴트모드신경망(default mode network), 돌출정보신경망(salience network), 중앙집행신경망(central executive network), 사회뇌신경망 (social brain network) 등이 있다.

2. 구조적 신경해부학

1) 종뇌(Telencephalon)

(1) 대뇌피질(cerebral cortex)

대뇌피질은 발생과정에서 제한된 용적에 최대의 표면적이 되도록 주름이 생겨나 표면의 이랑(gyrus)과 골짜기의 고랑(sulcus) 형태로 발전했다. 이러한 이랑과 고랑의 구조 양상이 비교적 일정한 양상을 취하므로 그 위치에 따라 명칭이 부여될 수 있어 뇌에는 수많은 이름의 이랑과 고랑이 존재한다. 지형적(geographical) 구획은 세포건축적 구획을 반영하기도 하므로 기능적 분류와도 연관되어 있다.

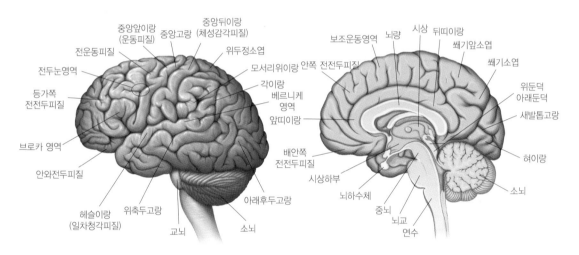

그림 2-2. 뇌의 구조

① 전두엽(frontal lobe)

　i) 운동피질(motor cortex): 수의적 근육운동을 관장하며, 미세운동, 특히 손가락, 손, 발가락, 발, 혀, 얼굴 등의 움직임을 조절한다.

　ii) 전운동피질(premotor cortex): 근육의 협응 운동을 관장하며, 적절한 운동 순서를 선택하는 일을 한다.

　iii) 전전두피질(prefrontal cortex): <u>다양한 정보를 통합 처리하는 연합 피질로서 정신기능과 관련하여 주요한 관심 부위이다.</u> 4부위로 다시 나뉜다. 실력

　　• 등가쪽 전전두피질(dorsolateral prefrontal cortex, DLPFC): 정보의 통합과 조정, 짧은 기간의 기억, 계획 수립, 문제 해결 등의 집행 기능에 핵심적인 역할

　　• 안와전두피질(orbitofrontal cortex): 정서 및 행동 조절에 중요한 역할

　　• 안쪽 전전두피질(medial prefrontal cortex, MPFC): 타인의 마음을 읽을 때 혹은 자기관련처리를 할 때 핵심적인 역할

　　• 배안쪽 전전두피질(ventromedial prefrontal cortex, VLPFC): 의사결정과 행동억제를 관장

브로카 영역(Broca area): 우세 반구의 아래 전두이랑에 위치하며, 언어 생성에 중요하다. 이 영역이 손상되면, 언어를 이해는 할 수 있으나 표현할 수 없게 된다(expressive aphasia). 실력

TIP 전두엽 증후군(frontal lobe syndrome): 일반적으로 종양이나 외상 수술적 처치의 결과로 전전두 피질이 손상된 사람들은 내부적 정보와 환경적 단서를 통합하는 목적 지향적인 행동능력의 결함을 나타낸다. 그래서 아이처럼 미숙하고, 대인관계가 부적절해지며, 무책임한 양상으로 성격이 변화하는 경향을 보인다. 이들에 있어 지능 저하는 뚜렷하지 않으나 의욕, 계획력, 사회적 판단력 등의 손상이 두드러진다. 만일 노년기에 이 부위부터 치매가 발생하면 기억력에 큰 손상이 없는 상태에서 행동 문제가 두드러지게 된다.

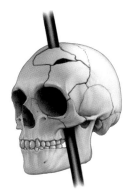

그림 2-3. Phineas Gage. 19C 초반 철도 공사 중 사고로 인한 전두엽 손상 이후 성격 변화와 행동 양상의 변화가 보고된 사례로 전두엽 기능을 밝히게 된 단초가 되었다.

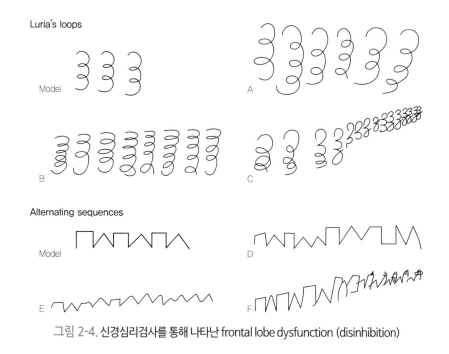

그림 2-4. 신경심리검사를 통해 나타난 frontal lobe dysfunction (disinhibition)

② 측두엽(temporal lobe)

　i) 사물의 모양과 색깔을 지각하고 움직임 정보를 처리한다.

　ii) 얼굴 인식을 담당하여 타인의 마음 읽기에 중요한 역할을 한다.

　　• 베르니케 영역(Wernicke area): 언어 이해에 중요한 영역으로 이 부위가 손상되면 읽고 쓸 수는 있으나 소리로 된 말을 이해하지 못함(receptive aphasia or sensory aphasia) 실력

　　• 측두엽 뇌전증(temporal lobe epilepsy): 측두엽에 뇌전증이 발생하면 환취, 환미, 기시증, 비현실증, 이인증, 반복행동 등이 특징적으로 나타나며, 이로 인해 조현병과 구분이 어려울 때도 있음

③ 두정엽(parietal lobe)

　촉각을 담당하고 촉각 정보를 해석하며, 시각과 청각 자극을 연합하는 작용을 한다.

　시공간 정보를 처리하여 다른 사람의 동작이나 자세의 인지에도 관여하고 이에 따라 읽기, 쓰기, 언어 이해 등의 복잡한 언어기능에 중요하다. 이 부위가 손상될 경우 무시(neglect) 현상이 나타난다. 실력

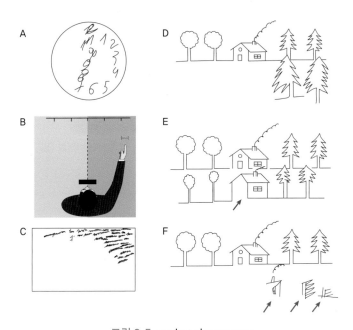

그림 2-5. neglect phenomena

④ 후두엽(occipital lobe)

　주로 시각 정보를 처리한다.

(2) 기저핵(basal ganglia)

① 대뇌 심부에 있는 일련의 핵 집단. 대뇌의 각 부위와 다른 뇌 부위(시상, 소뇌 등)의 연결통로로 활용된다.

② 꼬리핵(caudate nucleus), 조가비핵(putamen), 창백핵(globuspallidus), 흑색질(substantianigra), 시상하핵(subthalamic nucleus) 등으로 구성되어 있다.

③ 운동 선택을 포함한 협응 기능으로 운동 동작 과정에서 운동피질과 전운동피질 기능과 연계되어 평가와 수정을 포함한 되먹이 역할을 수행 → 특히 lenticular nucleus (putamen + globus pallidus)가 이러한 기능을 수행한다.

④ 운동 학습과 일상적 습관의 기본이 되는 절차 기억의 수행으로도 이어진다.

⑤ 인지조절에도 관여, 특히 caudate nucleus이 전전두피질과 연결되어 있어 전전두피질의 집행기능을 조절하는 역할 수행한다.

⑥ <u>기저핵의 대부분은 도파민 신경세포로 구성되어 있으며, 특히 substantia nigra에서 많은 양의 도파민을 생성한다. 시상하핵은 기저핵 중에서 유일하게 글루타메이트를 생산한다.</u>

⑦ <u>기저핵의 이러한 다양한 기능으로 인해 기저핵의 병변이 있는 파킨슨병, 헌팅턴병과 같은 운동장애에서 정신증상이 많이 동반된다.</u> 반대로 조현병과 같은 정신장애에서 약물 부작용으로 기저핵의 기능이 억제되어 운동장애가 나타나기도 한다.

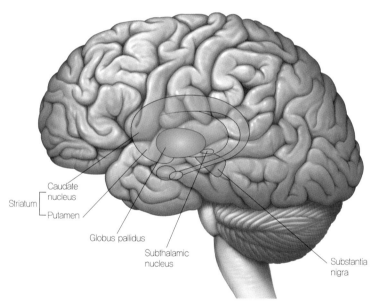

Caudate nucleus
Striatum
Putamen
Globus pallidus
Subthalamic nucleus
Substantia nigra

그림 2-6. 기저핵(basal ganglia)의 구조

표 2-2. Basal ganglia의 기능과 관련 질환 [실력]

	Basal ganglia의 구조			
	Striatum (Caudate+Putamen)	Pallidum	Substantia nigra	Subthalamic nucleus
특이사항	전전두피질과 연결 집행기능을 조절		Dopamine 생성	Glutamate를 생산
관련질환	강박증, 틱	윌슨병, CO 중독	파킨슨병	무도병

2) 간뇌

(1) 시상(thalamus)

말초 감각계의 정보를 받아서 피질로 정보를 전달하는 감각 경로이자 피질운동 정보를 뇌줄기와 척수로 중계하는 운동 경로로서 연합 정보를 중계하는 연합 경로가 모두 시상과 연결되어 있다.

이로 인해 시상핵의 위치에 따라 뇌의 여러 부위들과 서로 다르게 연결되어 다양한 기능에 관여한다. 예를 들어 운동 조절, 기억 기능, 고등 인지기능 조절, 수면 및 각성, 의식 소실, 혼수 등과 연관되어 있다.

(2) 시상하부(hypothalamus)

- 시상과 뇌하수체 사이에 위치한 대표적 변연계 구조이다.
- 각종 호르몬 분비 인자 유리를 통해 내분비계와 자율신경계 활성을 조절하고, 섭식행위, 성행위, 체온, 수면-가성 주기 등을 조절한다. 정신신체장애에서 정신-자율신경-면역-내분비계와 연관된 증상의 매개 부위로 항상성을 조절한다.

① 시상방핵과 뇌실방핵: 바소프레신과 옥시토신의 생산과 유리에 관여
② 상교차핵(suprachiasmatic nucleus): 일주기 리듬(circadian rhythm) 유지와 관련
③ 솔방울샘(pineal gland): 멜라토닌을 분비하여 24시간 주기 수면-각성주기에 관여

3) 중뇌 및 후뇌

- 중뇌와 그 아래쪽으로 후뇌에 속하는 교뇌(pons) 및 연수(medulla oblongata)로 구성되어 있다.
- 호흡, 심혈관 활동, 수면, 의식 등 기본적인 생명 유지와 관련되는 기능을 수행한다.

(1) 망상활성계(reticular activating system, RAS): 중뇌에서 연수까지 길게 뻗쳐 위치한 핵들의 집합체로서, 상행성 감각 신경원, 소뇌, 기저핵, 시상하부, 대뇌피질 등으로부터 정보를 받고, 시상하부, 시상, 척수로 정보를 투사하는 경로이다. 실력
① 수면, 집중력, 기억, 습관성의 형성과 관련되며 각성 상태를 유지하게 하며, 아민(amine)계 경로 신경원의 세포체가 이 뇌줄기에 집중되어 있다.
  i) 교뇌 뒤쪽에 위치한 노르에피네프린 핵의 집합체인 청반(locus ceruleus)
  ii) 중뇌 하부와 교뇌 상부에 위치한 세로토닌 신경원의 집합체인 봉선핵(raphe nucleus)

4) 소뇌(Cerebellum)

(1) 후뇌에 속하며, 가운데 부분의 소뇌충부(cerebellar vermis)와 양쪽의 소뇌반구 그리고 뇌 다른 부위들과 연결섬유로 이루어진 소뇌다리(cerebellar peduncle)로 이루어져 있다.
(2) 소뇌는 대뇌 기능을 미세 조정하는 역할을 하며, 이러한 역할에 적합하도록 복잡하고 독특한 세포건축적 구조와 대뇌피질, 변연계, 뇌줄기, 척수 등과의 밀접한 연결 체계를 갖추고 있다.
(3) 대뇌피질-교뇌-소뇌로 이어져 감각운동성 정보를 수정하는 먹임 경로와 처리된 정보를 대뇌반구로 되

돌려 재분배하는 소뇌-시상-대뇌피질 되먹임 경로를 갖고 있으며, 이러한 경로를 통해 소뇌는 신체 운동 측면에서 공간적 움직임을 인지해 미세 조정을 수행하여 운동 조절 및 자세 조정 역할을 한다.

(4) 정서, 기억, 언어 등의 정신 기능을 조절하는 작용을 통해 감정 이입, 언어의 인지 및 생산, 주의 집중과 기억 등 광범위한 정신작업을 수행한다.

표 2-3. 특정 기능과 관련된 해부학적 구조 실력

주의 및 각성 체계	언어체계	기억 체계	정서, 감정, 동기
망상활성계(RAS) (섬망과 연관)	브로카 영역(전두엽, 언어표현) 베르니케 영역(측두엽, 언어 이해), 각회(agular gyrus, 읽고 쓰는 능력)	측두엽 편도: 공포와 연관 해마: 기억 저장 배내핵(dorsomedial thalamic nuclueus), 유두체(mammillary body): 코르사코프 증후군	변연계

3. 신경전달물질

1) 단가아민 신경전달물질(Monoamine neurotransmitter)

(1) 도파민(dopamin)

아미노산인 타이로신(tyrosine)으로부터 전환되며 보상체계, 의욕체계, 주의력, 공격성, 학습 등과 관련되어 있다. 도파민 과활성(dopamine overactivity) 가설이 조현병의 원인으로 통용되고 있으며, 도파민 분비를 증가시키는 암페타민 중독시 조현병과 유사한 증상이 나타날 수 있다. 주요우울장애의 무의욕, 양극성 장애의 조증, 술, 아편, 대마, 담배 등 각종 물질 중독에 있어서도 도파민이 관여하고 있다.

주된 신경 경로는 다음의 4가지 경로로 요약된다. 기출

① 중뇌-변연계 경로(mesolimbic pathway)

ventral tegmental area (VTA)로부터 nucleus accumbens (NA)로 이어지는 이 경로가 활성화되면 조현병의 양성증상이 발생하며 항정신병약물의 주된 치료적 작용 부위이다. 물질이나 행위 중독시 활성화되는 보상 경로이기도 하다.

② 중뇌-피질경로(mesocortical pathway)

이 경로의 기능이 저하되면 조현병의 음성증상이 발생한다.

③ 흑질-선조체 경로(nigrostriatal pathway)

substantia nigra로부터 striatum으로 연결되는 파킨슨병과 관련된 경로로서 이 경로의 신경 전달이 항정신병약물에 의해 차단되면 추체외로증상(extrapyramidal symptom)이 유발된다.

④ **결절-누두 경로(tuberoinfundibular pathway)**

이 경로의 신경 전달이 항정신병약물에 의해 차단되면 프로락틴의 분비가 증가하여 무월경과 유즙 분비가 유발된다.

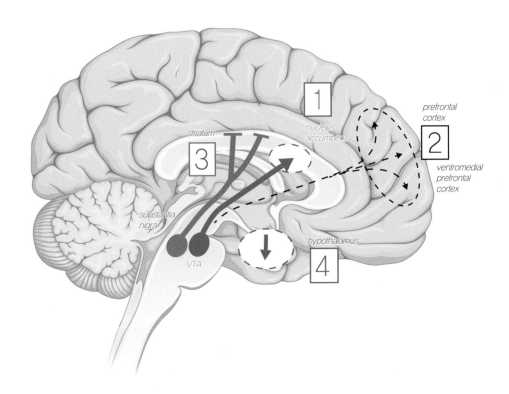

그림 2-7. Dopamine pathway

(2) 노르에피네프린(norepinephrine)

① 아미노산인 타이로신(tyrosine)으로부터 전환되며 각성, 공포 반응과 스트레스 반응에 관여한다. 특히 감정과 밀접한 관련이 있어 이 신경전달물질의 교란이 주요우울장애이나 양극성장애와 같은 기분장애의 한 원인으로 생각된다. 즉 우울증은 노르에피네프린이나 도파민의 기능이 저하된 상태이며, 조증은 노르에피네프린이나 도파민의 기능이 항진된 상태라고 해석된다.

② 노르에피네프린 신경세포핵 가운데 가장 큰 것은 뇌교 후상측에 위치한 청반(locus ceruleus)으로서 청반 등에서 나오는 상행경로는 대뇌피질, 시상, 시상하부 및 소뇌를 비롯한 뇌 전역으로 널리 투사되고 연수로부터 시작된 하행경로는 척수로 내려가서 자율신경계에 관여한다.

(3) 세로토닌(serotonin)

① 바나나에 많이 들어있는 아미노산인 트립토판(tryptophan)이 전구체로서 신경계뿐 아니라 위장관계, 혈소판 등에도 수용체가 넓게 분포되어 있어 다양한 기능과 연관되어 있다. 대개 억제성으로 작용하는 신경전달물질로서 수면, 섭식, 통증, 체온조절, 심혈관 반응, 성행위, 불안, 우울 등을 조절한다.

② 세로토닌의 저하는 공격성, 충동성, 자살과 관계가 있으며, 세로토닌 길항제인 Lysergic acid diethylamide (LSD)는 환각을 유발한다.

③ 세로토닌의 재흡수를 막아 세로토닌을 증가시키는 선택적 세로토닌 수용체 길항제(SSRI)가 우울증 치료제로 사용되고 있다.

④ 세로토닌 핵은 연수와 뇌교와 중뇌에 걸쳐 널리 분포하며 8개의 봉선핵 군(raphe nuclei complex)을 이룬다. 상행 경로는 기저신경절, 변연계, 뇌하수체, 뇌간, 소뇌, 대뇌피질을 포함한 중추신경계 전역으로 투사되고 하행경로는 연수에서 시작되어 척수로 내려간다. 세로토닌의 핵들은 후뇌에서 노르에피네프린의 핵들과 유사한 위치에 분포하며 상행경로와 하행경로로 이루어진 신경경로도 유사하다.

> **참고** 멜라토닌(melatonin): 야간에 솔방울샘(pineal body)에서 세로토닌을 전구체로 합성된다. 24시간 일주기 리듬을 조절하는 역할을 하며 계절성 정동장애의 치료나 비행시차 극복을 위해 사용된다.

(4) 아세틸콜린(acetylcholine)

① 주로 기억 및 학습에 관여하고, 렘수면을 조절하여 각성에 영향을 준다. 뇌에 광범위하게 분포하고 결합하는 수용체에 따라 흥분성 혹은 억제성으로 작용한다.

② 신경세포핵들은 주로 전뇌의 기저부에 위치하는데 meynert 핵이 가장 크며, 이는 주로 대뇌피질로 투사된다. 기타 diagonal band of broca, septal nucleus, 해마와 대상회로 투사되는 신경핵기저신경절 내의 주요 구조로 들어가는 신경핵이 있다.

③ 알츠하이머병에서 전뇌 기저부의 아세틸콜렌계 세포소실이 심하게 나타나며, 아세틸콜린 분해효소 억제제는 알츠하이머병 등 치매의 치료제로 사용된다.

④ 아세틸콜린의 수용체는 니코틴성(nAchR)과 무스카린성(mAChR)의 두 가지가 있으며, 아트로핀(atropine), 스코폴라민(scopolamine)이 대표적인 무스카린 길항제이다. 항콜린제나 항콜린 작용이 있는 정신 약물의 부작용으로 시야 혼탁, 구갈, 변비, 배뇨 곤란 등이 발생한다. 항콜린제는 학습이나 기억의 장애를 야기하고 과복용시 콜린성 위기(cholinergic crisis)를 초래한다.

(5) 히스타민(histamine)

① 중추신경계에서 매우 제한적으로 시상하부의 조면유두체핵(tuberommamillary neucleus)에서 만들어져서 대뇌피질, 변연계, 시상, 척수로 투사한다.

② 수면-각성주기, 호르몬 분비, 심혈관 조절, 체온 조절, 섭식, 기억기능에 관여한다.

③ 삼환계 항우울제 사용시 나타나는 이상반응
→ 주로 H1 수용체를 통해서 나타남 / 진정, 체중 증가, 저혈압 등

2) 아미노산 신경전달물질들(Amionopeptide neurotransmitter)

(1) 글루타메이트(glutamate)

- 뇌에서 주로 빠른 흥분성 신경정도를 중재한다.
- 뇌에 가장 많은 흥분성 신경전달물질

① 신경회로

　i) 피질-선조체 경로(corticostriatal pathway): 전전두엽 대뇌피질~기저신경절

　ii) 시상-피질경로(thalamocortical pathway): 시상~대뇌피질

　iii) 측두엽 회로(temporal lobe circuit): 새로운 기억 형성에 관여

② 기능

　i) 흥분성 독작용 또는 세포사망과 관련

　ii) NMDA 수용체: 학습 및 기억과 관계

　　• 펜사이클리딘(PCP)의 작용부위: 조현병 유사증상 일으킴

　iii) 기억과 가장 관계가 있는 해마에 NMDA 수용체 가장 많이 분포

(2) γ-aminobutyric acid (GABA)

> **TIP** 글라이신과 함께 억제성 신경전달 물질이라는 것을 기억합시다. 불안장애에 사용하는 벤조디아제핀계 약물의 target이기도 합니다.

- 뇌에 가장 많은 억제성 신경전달물질
- 불안장애, 조현병, 알코올 의존, 경련질환 등에서 GABA계 이상이 발견

① 신경경로

　i) 국지성 회로(local circuit), 긴신경경로(long tract)

　ii) 대뇌피질과 변연계: 대부분 국지성 회로

　iii) 꼬리핵(caudate nucleus), 조가비핵(putamen): globus pallidus, subtantia nigra로 가는 긴 신경경로

② 기능

　i) 글루타메이트와 서로 상호보완적 기능

　ii) GABA는 항불안작용과 관계가 깊으며, 일부 간질은 GABA 결핍상태에서 기인

　iii) 긴 신경경로(caudate~globus pallidus)의 소실은 무도형 운동을 일으킴

(3) 글라이신(glycine)

① 억제성 아미노산

② 주로 척수와 뇌간에 분포, 시상, 대뇌피질, 해마에도 분포

3) 신경펩타이드(Neuropeptide)

(1) 옥시토신(oxytocine)과 바소프레신(vasopression)

- 시상하부에서 만들어져 뇌하수체 후엽에 저장되어 있다가 분비
- 학습과 기억에 관여하며, 감정의 조절에도 관련

① 옥시토신: 자궁수축에 관여하고, 애착 형성에 중요하여 성격에도 영향을 미친다.

② 바소프레신: 항이뇨호르몬

(2) 콜레시스토키닌(cholecystokinin, CCK)

- 뉴로텐신과 마찬가지로 도파민 분비를 억제
- 조현병, 공황장애, 거식증 등의 병태생리에 관여한다고 추정

① CCK-4: 불안과 공황장애를 유발

② CCKB 길항제: 항불안작용

사례 예시 / 기출 문제

1-01. 43세 남자가 충동조절의 어려움으로 병원에 왔다. 2년 전 머리를 심하게 다친 후, 성격이 변하여 주변 사람들에게 유치한 유머를 하고, 폭력적이며 무책임한 행동을 자주 보였다. 신경심리검사에서 주의력 저하와 작동기억의 손상이 있었다. 관련된 부위는?

① 이마엽(frontal lobe)

② 마루엽(parietal lobe)

③ 관자엽(temporal lobe)

④ 뒤통수엽(occipital lobe)

⑤ 시상하부(hypothalamus)

〈해설〉

이마엽(전두엽)의 기능을 알고 있어야 풀 수 있는 문제입니다. 이마엽은 크게 주의력, 집행기능(executive fx), 억제(inhibition), 동기(motivation), 이성적 사고 등 인간이 동물과 구별되는 능력에 관여합니다. 이마엽이 외상에 의해서 손상되면 위의 기능에 손상이 오게 되어, 부적절하거나 어리석은 행동이나, 무관심하고 양심없는 행동, 자제력이 없어 성적문란과 공격성 등을 보일 수도 있습니다. 이를 이마엽증후군(frontal lobe syndrome)이라고 합니다.

최신정신의학 6판, p. 45~46

1-02. 사람의 하루주기리듬(circadian rhythm)을 주관하는 생물학적 시계인 하루주기조정자(circadian pacemaker)가 위치하고 있는 부위는?

① 솔기핵(raphe nucleus)

② 꼬리핵(caudate nucleus)

③ 청색반점(locus ceruleus)

④ 렌즈핵(lentiform nucleus)

⑤ 시신경교차상핵(suprachiasmatic nucleus)

일주기 조정자는 시상하부의 시신경교차상핵(SCN)라 추정되고 있습니다.
더불어 수면에 관여하는 물질인 멜라토닌이 송과체에서 생산되고 세로토닌으로 부터 합성된다는 것도 꼭 기억하세요.

신경정신의학 2판, P. 335

1-03. 다음 중 수면, 집중력, 기억, 습관형성, 각성상태 유지와 관련 있는 뇌 부위는?

① 솔방울체(pineal gland)
② 바닥핵(basal ganglia)
③ 솔기핵(raphe nucleus)
④ 청색반점(locus ceruleus)
⑤ 그물활성체계(reticular activation system)

〈해설〉

Arousal, or the establishment and maintenance of an awake state, appears to require at least three brain regions. Within the brainstem, the ascending reticular activating system (ARAS), a diffuse set of neurons, appears to set the level of consciousness

Synopsis 11th ed. p12

• 솔방울체는 수면에 관여하는 멜라토닌을 분비하는 곳
• 바닥핵은 주로 운동기능과 관련
• 솔기핵은 세로토닌 관련
• 청색반점은 노르에피네프린 관련

그물활성체계는 위의 각성상태와 관련이 깊은 곳입니다.

1-04. 다음 중 섭식행위, 수면과 각성, 생체리듬, 성행위, 감정, 면역기능 등과 밀접한 관련이 있는 부위는?

① 다리뇌(pons)
② 소뇌(cerebellum)
③ 시상하부(hypothalamus)
④ 편도(amygdala)
⑤ 해마(hippocampus)

시상하부의 기능은 아주 다양합니다. 각종 호르몬 분비 인자를 내는 기관으로 내분비선과 자율신경계를 조절하고 섭식행위, 성행위, 체온, 수면-각성 주기 등을 조절합니다.

편도는 구조적으로는 해마와 아주 근접해 있고, 감정적 경험과 관련된 기억의 형성에 중요한 역할을 합니다.

정답   1-1. ①   1-2. ⑤   1-3. ⑤   1-4. ③

1-05. 고등학교 2학년 여학생이 책을 읽으면서 자꾸 잊어버리는 것 같아 반복적으로 확인하며, 그렇게 하지 않으면 불안해서 견딜 수가 없다고 한다. 이로 인해 오히려 학업 성적이 떨어졌지만, 반복적으로 확인하는 것이 지속되어 스스로도 불편함을 느끼고 있다. 위의 정신 병리와 관련된 뇌 구조물은?

① 편도(amygdala)
② 해마(hippocampus)
③ 띠다발(cingulum)
④ 솔방울체(pineal body)
⑤ 시상하부(hypothalamus)

1-06. 다음 주 공포, 기억통합을 담당하는 부위는?

① 편도(amygdala)
② 해마(hippocampus)
③ 띠다발(cingulum)
④ 솔방울체(pineal body)
⑤ 시상하부(hypothalamus)

<해설>

강박장애와 관련된 뇌 부위를 알고 있어야 풀 수 있는 문제입니다. 양전자방출단층촬영(PET) 연구에 의하면 강박장애 환자의 전두엽, 기저핵(특히 미상핵 caudate) 그리고 띠다발(cingulum)에 대사와 혈류가 증가되고 약물치료나 행동치료 후에 이러한 소견이 정상으로 되었다는 보고가 있습니다. 불안장애와 관련하여 세부적인 해부학적 문제가 나온 것인데, 기본적인 신경해부학적 지식으로는 어려운 특수한 문제이니 불안장애와 관련하여 따로 알아 두시기 바랍니다.
신경정신의학 2판, p.234

편도는 해마와 구조적으로 아주 가까이 위치하고 있으며, 공포와 기억통합에 관여하는 부위입니다. 편도에 병변이 있으면 사회 체계를 인식하는 것이 곤란하고 공격상을 표현하거나 공포감지에 영향을 미친다는 보고가 있습니다. 공황장애 등과 관련이 있습니다. 기능적 신경해부학과 관련하여 알아 두시면 되겠습니다.
신경정신의학 2판, p.26
[참고] synopsis 11th, 1478
• fear – amygdala
• disgust – anterior insula와 관련이 있습니다.

정답   1-5 ③   1-6 ①

인간정신의 발달
Development of Human Mentality

서원우 박주호 장진구 홍민하

Chapter

III

Introduction

▶ 발달(development)이란 인간이 생존에 필요한 기능을 습득하고 환경에 적응해가는 과정을 뜻합니다. 발달 단계별로 해결되어야 할 사건, 위기가 있고 이것이 해결되어야 다음 단계로 진행이 순조롭습니다. 프로이드, 에릭슨, 피아제 등이 각각 정신성적, 정신사회적, 인지적 발달 과정을 제시한 바 있으며 시험에도 자주 나오는 주제입니다.

▶ 정신 발달 과정을 소아청소년과에서 배웠던 정상 신체 발달 과정과 연계해서 통합적으로 알아두면 좋습니다. 전반적으로 읽고 이해하되 마지막 부분에 표로 정리되어 있는 부분은 시험에 잘 나오므로 최대한 암기해 두어야 합니다.

1. 정신사회적 발달 이론

1) 피아제(Jean Piaget)의 인지 발달 이론

(1) Piaget는 소아의 인지 발달은 능동적으로 외부 세계와의 상호작용을 통해 생각하고 지식을 얻으며 이루어진다고 생각하였다.

(2) 영아가 자극을 받아들이고 반응을 하며 외부의 사물을 인지하는데 사물을 이해하는 지각의 틀을 도식(schema)라 한다. 영아가 새로운 자극에 대해 기존 도식을 가지고 이해하는 것을 동화(assimilation)이라 하고 기존의 도식을 변화시키는 것을 조절(accommodation)이라 한다.

→ 동화와 조절의 반복을 통해 새로운 균형 상태를 이루며 인지체계를 발전시켜 간다.

〈피아제의 인지 발달 단계〉

① 감각운동기(출생-2세) 기출

영아들이 감각적 관찰을 통해 학습을 시작하고 활동하고 환경을 조작하는 것을 통해 운동기능을 조절하는 시기이다. 이 단계에서 아동의 행동은 자극에 의해 반응하는 것에 불과하다.

Ex) 어머니의 유두를 찾고 수유를 위해 입 모양을 변경하는 학습과정 - sucking reflex.

- 대상 영속성(object permanence)의 획득: 사물이 보이지 않아도 존재한다는 것을 안다. 기출
- 까꿍 놀이, 모방행동을 한다.
- 사물을 지칭하기 위해 심적 표상(mental representation)을 활용한다.

> **TIP** 대상 영속성(object permanence): 사물은 자신의 관심과 독립적으로 존재한다는 것을 이해하는 능력. 대상 항상성(object constancy)과는 다른 개념임을 유의하자. 대상 영속성을 획득하면, 대상이 눈에 보이지 않아도 존재한다는 것을 알게 되고(mental image 유지), 타인에 대한 정신적 표상을 가지게 되어 돌보는 이가 눈 앞에 보이지 않아도 상상할 수 있고 익숙한 보호자와 낯선 타인을 구분하는데 기초적인 바탕을 형성하게 된다.

② 전조작기(2~7세)
- 조작(operation)이란 어떤 논리적인 사고를 통해 수행하는 행위를 의미한다. 즉, 전조작기란 조작이 가능하지 않은 이전의 단계라는 의미이다. 이 시기에는 대략 언어를 사용하면서 자신이 내재적으로 가지고 있는 표상을 여러 형태의 상징으로 표현하게 된다. 전조작기 사고의 특징은 아래와 같다.
- 언어, 심상 등 상징적 기능을 이용해 대상과 사건 표현
- 상징적 사고
- 직관적인 사고(연역적, 논리적 사고는 불가)
- 물활론적 사고: 사물이 살아 있다고 느낌
- 자기 중심적(ego-centric)하여 다른 사람의 입장을 이해하지 못한다.
- 도덕적 딜레마를 이해하지 못해 고의로 1개의 접시를 깬 것보다 10개의 실수로 접시를 깬 것이 더 나쁘다고 생각한다.

③ 구체적 조작기(7~12세)
- 이 시기의 아동들은 대상들과 사건들에 대해 구체적이고(concrete) 현실적이며(real), 지각할 수 있는 (perceivable) 영역에서 판단하고 행동한다(조작적 사고가 가능). 조작적 사고(operational thought)는 전 단계의 자기중심적(ego-centric)사고와 달리 외부세계의 정보에 주목하는 능력을 의미한다. 구체적 조작기 사고의 특징은 아래와 같다.
- 논리적 사고가 가능해 삼단 논법 추리를 할 수 있다.
- 보존의 사고가 가능해져 모양이 바뀌어도 특성이 유지되고 보존된다는 것을 인식한다.
- 규칙을 따를 수 있다.
- 가역성(물 ↔ 얼음)을 이해한다.

④ 형식적 조작기(12세~후기 청소년기)
- 논리적, 체계적 상징적 방법으로 사고를 하며 추상적 사고와 연역적 추리가 가능하다.
- 가설을 세우고 귀납을 통한 검증이 가능하다.

• 개인의 능력과 경험에 따라 도달하는 시기가 달라진다.

2) 애착 이론(Mary Ainsworth, John Bowlby) 기출

• 생후 처음 본 대상을 따라다니는 새끼 오리 무리 사진을 본 적 있을 것이다. 이처럼 애착은 아이와 양육자 사이의 감정적 상태로 아이가 양육자(주로 엄마)를 찾거나 매달리는 행동을 의미한다.

(1) 생 후 첫 달에 시작하며 엄마와 유아의 애착이 인간관계를 맺는데 필수적이고 향후 발달 및 성격 형성에 중요하다.

(2) 각인은 타고난 애착체계로 동물이 태어나자마자 몇 시간 동안 엄마에게 달라붙는 행동을 말하며 인간의 애착행동은 수 년에 걸쳐 이루어진다.

〈불안정 애착(insecure attachment)의 여러 종류〉 실력

→ 회피적(avoidant), 양가적(ambivalent), 와해형(disorganized) 애착이 있다.

Type	Character
회피적(avoidant)	무뚝뚝하고 공격적인 양육을 경험했을 때 나타나며 사람과의 접촉을 피하고 위협을 느끼면 양육자 근처를 다가가기보단 배회함
양가적(ambivalent)	위험이 없어도 탐색적 놀이를 하지 못하고 비일관적 부모에게 매달림
와해형(disorganized)	어렸을 적 학대받고 감정이 결여된 부모 밑에서 자란 경우로 위협이 있을 때 기괴한 행동을 나타냄

3) 분리 개별화 이론(말러) 기출

• Margaret Mahler는 유아가 부모로부터 분리되어 자율성을 가진 독립된 개체로서 성장하게 되는 과정을 분리 개별화 과정이라 칭했다.

(1) 분화기(differentiation, 6~9개월): 공생에서 벗어나기 시작함

(2) 연습기(practicing, 9~15개월): 걸음마 단계로 신체적 분리를 경험하며 고양된 기분상태를 느낌

(3) 재접근/화해기(rapproachment, 15~24개월): 엄마와 공생 관계에 머무르고 싶은 소망과 자율성을 얻고자 하는 소망 사이에서 갈등을 겪으며 이런 심리적 위기를 해결하는 시기

(4) 개체 공고화기(consolidation, 24~36개월): 대상 항상성을 형성해 엄마가 보이지 않아도 엄마에 대한 믿음을 가지고 위안을 얻을 수 있음

4) 학습 이론

(1) 고전적 조건화(classical conditioning, Pavlov) 이론 기출

특정 반응을 이끌어내지 못하던 자극(중성자극)이 그 반응을 무조건적으로 이끌어내는 자극(무조건자극)과 반복적으로 연합되면서 그 반응을 유발하게끔 하는 과정이다.

Ex) Pavlov 이론은 개가 고기를 입안에 넣을 때도 침을 흘리지만, 반복적으로 고기를 줄 때 고기를 보거나 냄새를 맡지 않았음에도 발소리, 종소리만으로도 침을 흘린다는 이론이다.

① 실험 전에 고기는 무조건 자극(unconditioned stimulus, US), 침을 흘리는 반응은 무조건 반응(unconditioned response, UR), 종소리는 중립자극

② 실험 후 종소리는 조건자극(conditioned stimulus, CS), 이후 종소리에 침 흘리는 반응은 조건반응(conditioned response, CR)

③ 무조건 자극 없이 조건자극만 반복하면 조건반응이 점차 줄어들어 없어짐 → 소거(Extinction)

④ 소거에 의해 조건반응이 완전히 없어지진 않아서 휴식 후 다시 조건자극을 주면 처음보다 약한 조건반응이 일어난다.

〈자극일반화(Stimulus generalization)〉

: 하나의 조건 반응(CR)이 한 자극으로부터 다른 자극으로 이전되는 과정

Ex) 벨소리에 조건화된 개는 튜닝 포크에도 반응한다. 신호등을 보고 나서 다른 신호등이 다른 위치에 다른 모양으로 있어도 같은 신호등임을 안다.

(2) 조작적 조건화(operant conditioning) 이론

어떤 조작행동에 대해 선택적으로 보상함으로써 그 행동이 일어날 확률을 증가시키거나 감소시키는 방법

TIP 긍정적 강화와 부정적 강화 그리고 처벌

① 긍정적 강화(positive reinforcement): 조작적 행동을 한 뒤에 원하는 보상을 제공하는 것

Ex) 교사가 학생들의 발표를 유도하기 위해 발표를 할 때마다 추가점수를 제공하거나 사탕을 하나씩 주는 것

② 부정적 강화(negative reinforcement): 조작적 행동을 한 뒤에 혐오자극을 제거하는 것

Ex) 화장실 청소를 하도록 되어 있는 아이에게 '오늘 수업에 열심히 참여하면 화장실 청소를 하지 않아도 좋다'라고 하는 것

③ 처벌(punishment): 조작적 행동을 약화시키거나 억제시키기 위해 혐오 자극을 제공하거나 쾌자극을 제거하는 것

	Positive event	Negative event
Produces event	Reward learning ⬆	Punishment ⬇
Prevents event	Omission ⬇	Avoidance Escape ⬆

그림 3-1. 긍정적 강화와 부정적 강화 실력

2. 성격과 정신 병리

성격은 환경에 적응하는 개인의 고유한 역동적 구조로 타고난 기질과 성장 과정에서 형성되는 특성을 포함한다. 지그문트 프로이트의 초기 연구로 아동기 경험이 성인기 행동에 영향을 미친다는 것을 발견하였고 그는 자신의 연구를 정신분석이라 명명하였다. 이후 안나 프로이트, 에릭 에릭슨, 마가렛 말러, 장 피아제 등 다양한 이론이 발견되었고 최근에는 피터 포나기의 정신화 이론으로 이어졌다.

1) 프로이트(정신분석의 탄생과 성격발달 이론)

TIP 프로이트는 정신분석의 창시자라 할 수 있지만, 현재는 많은 이론적 발전이 있었기 때문에 큰 그림에서만 이해하면 됩니다. 뒷부분들은 그의 이론 이후 발생한 여러 학파들의 이론을 간략하게 정리한 것입니다. '무의식'을 처음 발견한 프로이트가 주장한 정신성적 발달 단계의 순서를 이해하고, 지형학적 모형을 이해하면 되겠습니다.

- 프랑스 샤르코의 밑에서 최면을 배우고 개원하며 브로이어의 Anna O를 함께 보며 히스테리아를 처음 제시하였다.
- 초창기엔 유아기의 성적 유혹으로 인한 충격적 사건이 히스테리, 강박증, 공포증 등에 발병하는 중요한 원인이라 생각하였다.
- 이후 의식, 전의식, 무의식으로 인간의 정신세계를 구분(지형 이론-topographical theory)하고 무의식은 1차 과정 사고(primary process thinking), 의식은 2차 과정 사고(secondary process thinking)의 지배를 받는다고 보며 무의식과 의식을 비교하였다.
- 꿈의 3요소: 꿈 작업(dream work), 발현몽, 잠재몽으로 구분
- 후반부에는 지형 이론에서 더 나아가 이드, 자아, 초자아의 개념으로 인간 정신의 구조를 설명하였다(구조 이론-structural theory).

(1) 이드(id)

태어날 때부터 존재하는 원시적 생물학적 충동을 포함한 본능적 욕구들을 통칭한다. 무의식의 대부분을 구성, 모든 심리적 현상의 에너지 공급원이 된다고 이야기하였다. 프로이트는 처음에 성 본능(sexual drive)과 공격 본능(aggression)을 이야기했지만 나중에 가서는 삶의 본능(eros)과 죽음의 본능(thanatos)으로 구분하였다.

(2) 자아(ego)

현실 원칙에 입각하여 모든 정신현상을 총괄하는 기능으로 이드, 현실 사이에 갈등하며 타협 추구하며 타협 실패 시 증상으로 나타난다. 성숙한 성격으로 성장하기 위해선 자아의 건전한 발달이 필수적이다. 건강한 자아가 가지는 기능은 지각, 사고 감정, 행동, 기억, 현실검증 능력 등이 있다.

(3) 초자아(superego)

도덕적 판단 기준을 제기하는 양심과 이상을 추구하는 부분으로 항상 자아에 압력을 가한다. 무의식적인 면도 많고 자아 이상(ego-ideal)도 초자아의 한 부분이다.

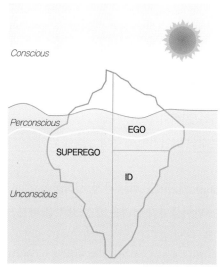

그림 3-2. 프로이드의 구조이론

(4) 방어 기제 [기출]

자아가 불안을 처리하여 마음의 평정을 회복시키려는 노력으로 대개 무의식적 수준에서 이루어진다. 조지 베일란트의 성격 발달 과정에 따른 방어기제의 성숙 정도를 수준에 따라 4단계로 구분하였다.

① 병리적 방어기제
- 전환, 부정, 분열
- 전환(conversion): 의식에서 거부된 정신내용이 신체 현상으로 변화되며, 상징적 의미가 있음
  Ex) 시어머니에게 꾸중을 듣고 오른손 마비를 보임
- 부정(denial): 특정 사건이 지닌 의미를 무의식적으로 부인. 고통스러운 현실을 인정, 직면하기를 회피함으로써 불안, 불쾌한 감정으로부터 자신을 보호
- 분열(splitting): 자기(self)와 대상(object)에 대한 심상(mental representation)이 극단적으로 상반된 성질에 따라 구분이 존재하며 모든 것이 좋고 나쁘다는 이분법적 구도로 사물을 인식

② 미성숙 방어기제
- 투사, 합일화, 퇴행, 신체화
- 투사(projection): 자신이 받아들일 수 없는 충동이나 생각을 외부 세계로 옮기는 정신과정으로 자신의 흥미나 욕망이 다른 사람들에게 속한 것처럼 지각됨

- 합일화(incorporation), 함입(introjection): 동일시의 일종으로 더 원시적인 방어기제로 자타 구분이 안 되는 상태에서 대상과의 동화가 합일화, 자타가 어느 정도 구분될 때 대상과의 동화는 함입함
- 퇴행(regression): 자신이 감당할 수 없는 현실에 마주쳤을 때 보다 미성숙한 정신 기능의 단계로 되돌아가는 심리적 과정
- 신체화(somatization): 자신의 심리적 어려움을 신체현상으로 옮겨 표현, 전환과 비슷하나 신체화에는 상징적 의미가 없음

③ 신경증적 방어기제
- 억압, 반동형성, 전치, 합리화, 지식화, 고립, 취소
- 억압(repression): 가장 기본적인 방어기제로 무의식 속에 받아들이기 어렵고 고통스러운 내용을 가두어 둠
- 반동 형성(reaction formation): 개인이 느끼는 감정, 생각들이 그 것과 반대되는 내용들로 대체
- 전치(displacement): 자신이 받아들이기 어려운 감정, 생각을 다른 곳으로 돌리는 것으로 종로에서 뺨 맞고 한강에서 눈 흘기는 꼴
- 합리화(rationalization): 개인이 수용할 수 없는 동기들을 무의식적으로 감추고 있는 상태에서 행동 및 태도를 정당화하기 위해 합리적이고 의식적 설명을 하는 정신과정
  Ex) '여우와 신포도' 이야기 – 포도 따먹기를 포기한 후 '저 포도는 시어서 먹지 못하겠다'고 합리화
- 지식화(intellectualization): 불안을 통제하고 긴장을 감소시키기 위해 자신의 본능적 욕망을 지적활동에 묶어 두는 것으로 철학적 종교적 주제에 사로잡히거나 사색에 빠지는 것. 건전한 지적 활동은 삶을 풍요롭게 하지만 병적일 경우 강박적, 편집증적 증상을 불러일으킬 수 있음
- 고립(isolation): 고통스러운 생각, 사건을 그것과 연관된 감정으로부터 떼어내 고립시킴으로써 자신을 보호. 아무런 감정적 동요없이 담담하게 성적 흥분 또는 적개심을 일으킬 수 있는 사건이나 생각을 장황하게 늘어놓는 것
- 취소(undoing): 의례적 행위를 통해 성적 공격적 의도를 제거하거나 자신의 행동에 대한 책임을 면제받고자 하는 기제

④ 성숙한 방어기제
- 억제, 승화, 동일시, 이타주의, 유머, 예상
- 억제(suppression): 억압이 무의식적이면 억제는 의식적으로 안 떠오르게 노력하는 것임
- 승화(sublimation): 본능적 욕동을 최초의 목표나 대상으로부터 보다 사회적 가치를 지닌 것으로 옮겨 놓음으로써 억압의 필요성을 제거(청소년들이 춤을 배우는 것)
- 동일시(identification): 개인의 여러 가지 측면을 닮고 배우는 것으로, 부모와의 동일시를 통해 초자아의 발달이 일어남
- 이타주의(altruism): 타인을 건설적으로 돕는 행위로 일종의 반동 형성이지만 스스로 만족해 함
- 유머(humor): 자신의 불쾌한 감정을 다른 사람들에게 웃음을 주는 즐거운 과정으로 대체함

- 예상(anticipation): 미래 일어날 수 있는 사건 예측, 현실적 해결책을 구상하여 미래에 대한 스트레스 요인을 처리할 수 있음

> **TIP** 특징적으로 방어기제 사용 정리 **기출**
> - 망상: 투사, 부정, 반동형성
> - 꿈: 압축, 전치, 상징화
> - 강박증: 고립, 취소, 반동형성, 지식화
> - 전환장애: 전환, 투사, 동일시, 억압

(5) 정신 성 발달 이론 **기출**

구강기, 항문기, 남근기, 잠재기, 성기기로 정신성적 발달을 구분하였다.

표 3-1. 프로이드의 정신 성 발달단계

Stage	Character
구강기(oral stage)	생후 첫 1년 동안 입과 입술은 신생아가 모유를 빠는 과정에서 배고픔을 해결하고 쾌락을 제공, 전적으로 다른 인물에게 의존하며 욕구 충족 지연 경험을 통해 자기와 남을 구분하며 구강기 욕구의 만족 및 좌절 여부는 의존적 태도를 위주로 하는 구순적 성격의 특성을 결정
항문기(anal stage)	2~3세 반, 4세까지로 대변을 싸고 참는 것에 집착하며 항문 부위에 리비도가 집중. 대변 조절로 부모와의 갈등을 겪으며 부모에 대한 양가감정이 두드러지며 공격성이 증가함. 지나친 대변 조절은 강박적 성격(인색함, 완고함, 꼼꼼하며 깔끔함)을 형성하게 됨
남근기(phallic stage)	3세~5세 말까지 지속 성기에 호기심이 생김. 오이디푸스 콤플렉스(아동이 이성의 부모에 특별한 애정과 집착을 느끼며 동성의 부모에 경쟁, 적개심을 드러내는 시기) 동성 부모로부터의 보복에 대한 공포로 거세 공포를 경험하기도 함. 오이디푸스 콤플렉스의 정상적 해결을 통해 초자아를 형성함
잠재기(latent stage)	7세~사춘기까지 성에 대한 관심이 줄어듦. 운동, 학교생활, 공부처럼 사회적으로 수용되는 일에 에너지 투입할 수 있음. 동성 간 동일시와 자기 성의 확립에 보다 많은 관심을 보임
성기기(genital stage)	정신 성 발달단계의 최종으로 사춘기와 더불어 시작. 2차 성징이 나타나며 잠재기 동안 억압되어 있던 오이디푸스 콤플렉스의 재활성화가 일어나기 쉬운 시기. 청소년기 및 성인기에 경험하는 심리적 갈등은 아동기 동안 특별한 소망 표현이나 충족 실패에서 비롯될 수도 있음

2) 에릭 에릭슨(Erik Erikson)의 정신사회적 단계 이론

에릭슨은 정통 정신분석 이론을 계승하였으나 개인의 발달은 사회성과 더 관련 있다고 보았다. 그는 각 단계마다 해결되어야 할 과제들이 주어지고 그 과제들이 만족스럽게 해결되어야만 단계적 발달과정이 진행되어 기능을 수행할 수 있다고 주장하였다.

표 3-2. 정신사회적 단계 이론 기출

단계별 발달과제	단계별 연령	관련 정신 병리
신뢰 vs. 불신	출생~1세	정신병, 중독, 우울
자율성 vs. 수치심	1~3세	편집증, 강박, 충동성
주도성 vs. 죄책감	3~5세	전환장애, 공포증, 회피
근면성 vs. 열등감	6~11세	무기력
정체성 확립 vs. 혼란	11~20세	비행, 성정체성 문제
친밀감 vs. 소외감	21~40세	조현형 성격장애
생산성 vs. 정체감	40~65세	중년기 위기
통합성 vs. 절망감	65세 이상	극한 소외감

3) 현대 자아심리학 실력

- 프로이트 이후 하트만, 크리스, 에릭슨 등이 프로이트의 이론에서 부족하거나 결핍된 부분들을 보완해 나갔다.
- 하트만: 자아의 기능에 대한 이해를 넓힘(적응, 일차/이차 자아 자율기능, 중성화)
- 적응은 '유기체와 환경 사이의 상호관계'로 하트만은 정의, 유기체가 환경과 조화를 이루는 방식은 크게 환경에 맞추어 자기 자신을 변형시키는 자기변형(autoplastic), 자신에 맞추어 환경에 영향을 주거나 환경 자체를 변화시키는 타자변형(alloplastic), 그리고 보다 호의적인 환경을 찾는 것 이렇게 세 가지이다.

4) 대상 관계 이론 실력

- 1950년대 중반 이후 정신분석 이론 흐름의 주류를 형성하였다.
- 영국에서 대상관계 이론이 시작되었고 클라인, 페어베언, 위니캇 등이 있다.
- 기존의 프로이트 이론은 오이디푸스 갈등을 다루며 신경증 수준의 환자 치료에 적합하나 대상관계 이론은 보다 심한 정신병리를 가지고 있고 오이디푸스 전 단계의 정신 병리에 초점을 둔다.
- 분리, 투사적 동일시에 대한 이해를 돕는다.

5) 자기 심리학 실력

- 자아 심리학, 대상관계 이론에 이어 현대 정신분석학에 세 번째로 중요하며 하인즈 코헛에 의해 시작되어 자기애에 대한 새로운 이해로 출발하였다. 프로이트는 자기애를 대상사랑으로 발전하기 전 단계로 보며 자기애는 프로이트에게 있어 미숙하거나 병적인 상태로 간주되었다. 코헛은 자기애가 성장 과정에서 필수적인 것이며 평생 지속되는 것이라 생각하였다.

6) 대인관계 정신분석 실력

- 생애 아주 초기부터 사람은 어머니와 관계 속에서 삶을 시작하며 사람은 일차적으로 대상-지향(object seeking)적인 존재라 생각하였다. 대상관계이론과는 다르게 실제 외적 실체로서 대인관계를 강조하며 자기심리학과는 다르게 타인을 자체의 고유한 자율성을 가진 개인으로 인식한다.

• 대표적으로 해리 스택 설리반이 여기에 속한다.

7) 분석 심리학 실력

• 융에 의해 설립된 정신분석체계
• 프로이트가 정신결정론(지금의 경험은 과거의 경험에 의해 결정됨)적 입장을 보인 것과는 달리 분석심리학은 정신의 의미를 아는 것과 어디로 이끌어가려고 하는지 아는 것을 중요하게 생각한다.
• 개인적 특성과는 상관없이 누구에게나 발견되는 집단무의식과 그것을 구성하는 원형, 한 사람이 살아가면서 억압한 개인 무의식, 감정적으로 강조된, '콤플렉스', 다른 사람들에게 보여지는 모습인 페르소나 등의 개념이 융에 의해 도입되었다.

표 3-3. 발달단계와 발달 과정 기출

너무 중요한 기출 내용들로 위의 내용들을 정리 요약한 표입니다. 만년 족보로 연령대 별로 이론을 통합하여 숙지하는 것이 중요합니다.

삶의 주기	인간의 발달	정신 성 발달(Freud)	정신 사회 발달(Erikson)	인지 발달(Piaget)
영아기 (0~1세)	2~3M : social smile 6~8M : stranger anxiety 10M : separation anxiety	<구강기> -적절하게 충족 시 자신감, 관대함 -고착 시 의존성 자기 중심적, 수동적	**신뢰 vs. 불신** -기본적 신뢰를 성취하는 것이 과제 -과제 실패시 기본적 불신 상태에 빠짐	<감각운동기> : 생후 2세까지 -운동 및 감각 반사, 현실 주관적으로 인식 -대상 영속성의 획득 (9~11개월) -상징화 과정
걸음마기 (1~3세)	-걷기 시작, 두 손을 자유롭게 사용 -1살부터 대소변 훈련 시작	<항문기> -배설 행위를 두고 부모와 투쟁 -배변 훈련을 통해 자율성, 훈련 중 칭찬과 징벌로 부모에 양가감정 -고착 시 완고, 인색, 완벽주의, 가학적	**자율성 vs. 수치, 의심** -부모가 도와주면 세계를 자율적으로 통제할 수 있다고 느끼나 과도하게 통제하면 수치심 느끼고 의심함	<전조작기> :2~7세 -직관적 수준의 사고로 논리는 못 갖추었으며 -상징적 사고, 물활론 적 사고, 자아중심적 사고를 함
학령전기 (3~6세)	-어머니와 독립 개체로 출발, 다른 가족이나 아버지에게 관심	<남근기> -Oedipal complex -Castration fear (거세 공포) -초자아 형성 -거세 불안이 해소되지 않으면 권위에 지나친 복종, 두려움, 매사에 경쟁적	**주도성 vs. 죄책감** -공격적 공상들이 적절히 다루어지면 주도성과 야심이 발달하나 지나치게 징벌되면 죄의식을 느낌 -신체적 자유와 지적 호기심 충족이 필요함	
학령기 (6~12세)	-가정을 벗어나 학교 및 새로운 단체에서 인간관계 형성함 -죽음의 영구성을 배움	<잠복기> -이성에 대한 관심 감소하고 동성과 어울리며 또래 관계를 확립	**근면성 vs. 열등감** -성인들의 기술을 습득하고 자신의 과업을 완수하여 근면성 성취 -열등하다는 지적 및 과보호는 열등감을 발전	<구체적 조작기> :7~11세 -삼단논법, 규칙 등 논리적 사고 -보존개념을 인식 -수량, 사물의 가역성 이해

삶의 주기	인간의 발달	정신 성 발달(Freud)	정신 사회 발달(Erikson)	인지 발달(Piaget)
청소년기 (12~20세)	-질풍노도의 시기 혹 은 청소년기 격동 (adolescent turmoil) -지식화, 이상주의, 성비 행, 극심한 쾌락주의가 초기에 있다 후기엔 정 체성 확립	<성기기> -2차 성징 및 성인으로 서의 성 확립 -심리적 독립, 개인 주체 성 확립	**정체성 vs. 혼돈** -자신이 누구인지 생 각하며 정체성 확립하 나 실패 시 혼동이 와 성 정체성장애, 가출 등 가능	<형식적 조작기> : 11세 이후 -추상적 사고, 연역적 사고 이해 -철학, 종교, 윤리 등 이해 가능
청년기 (20~40세)			**친밀성 vs. 소외감** -이성, 결혼 등 의미 있 는 관계를 맺으며 실패 시 사회로부터의 고립	
중년기 (40~65세)	-Jung은 40세를 인생의 정오(noon)라 함.		**생산성 vs. 정체** -자녀 양육, 업적 등 사 회적 생산을 하지만 실 패 시 정체에 빠지게 됨	
노년기 (65세~)	-인생을 크고 넓게 보는 원숙함		**통합성 vs. 절망감** -인생을 회고하며 모든 것을 수용하는 통합을 하려 하나 실패 시 절망 감을 느낌	

1-01. 종소리에 침을 흘리도록 조건화된 강아지가 부저 소리에도 침을 흘리는 현상은?

① 변별(discrimination) 　② 강화(reinforcement)

③ 일반화(generalization) ④ 연관(association)

⑤ 소거(extinction)

<해설>

② 강화는 특정 행동을 더 하거나 하지 않도록 하는 것

③ Stimulus generalization: 하나의 조건 반응(CR)이 한 자극으로부터 다른 자극으로 이전되는 과정

⑤ 소거는 자극에 대한 반응을 하지 않도록 하는 것

1-02. 흰 개에게 물린 아이가 이후 흰 곰 인형만 보고도 무서워했다. 다음 중 해당되는 것은?

① 각인 　　　　② 고전적 조건화

③ 조작적 조건화 ④ 모형화

⑤ 학습된 무력감

비슷한 자극에 의해서 반응이 일어나는 것은 일반화이며 이는 고전적 조건화에 해당하는 것입니다.

2-01. 11세 여아가 지나치게 정리 정돈에 몰두하고, 학업과 친구 관계를 소홀히 하여 병원에 왔다. 아이는 인형을 키 순서대로 정리하는 것을 매우 중요하게 여겨, 누가 장난감의 순서를 바꿔 놓으면 매우 불안해한다고 한다. 엄마는 첫아이라 철저하게 양육했는데 왜 이런 문제가 생겼는지 답답해하였다. 이 아이의 문제와 관련된 프로이트의 정신성적 발달단계는?

① 구강기　　　　　② 남근기
③ 성기기　　　　　④ 잠재기
⑤ 항문기

키 순서대로 정리, 장난감 순서를 바꿔 놓으면 불안해하는 것은 강박적 성격이며, 이는 항문기에서 문제가 있을 때 발생할 수 있는 성격입니다.

2-02. 아기와 엄마가 본능적으로 이루어 가는 신체적, 심리적 친밀 행동으로 인간뿐만 아니라 다른 동물에서도 관찰되는 현상은?

① 동화(assimilation)　　② 애착(attachment)
③ 고착(fixation)　　　　④ 조절(accommodation)
⑤ 조건화(conditioning)

문제는 애착에 대한 문항입니다.

• 고착은 프로이트의 정신성 발달 단계에서 특정 발달 단계를 제대로 넘어가지 못하여 리비도가 그 단계에 머무르는 것을 의미합니다.

• 동화, 조절, 조건화는 피아제의 이론 및 조건화에 대한 설명입니다.

2-03. 에릭슨(E. Erikson)의 정신사회발달단계에서 75세 노인이 목전에 다가온 죽음의 문제를 받아들이지 못하고 자신의 인생이 쓸모없고 무의미한 것으로 인식할 때 느끼게 되는 것은?

① 고립감　　　　② 열등감
③ 수치심　　　　④ 절망감
⑤ 죄책감

2-04. 엄마가 아이의 인형을 담요로 덮었다. 인형이 시야에서 사라졌는데도 아이는 여전히 인형이 있다는 것을 알고 찾는다. 발달개념은?

① 애착(attachment)
② 기본적 신뢰(basic trust)
③ 탈중심화(decentralization)
④ 이행기대상(transitional object)
⑤ 대상영속성(object permanence)

정답　　2-1 ⑤　2-2 ②　2-3 ④　2-4 ⑤

정신병리
Psychopathology

이혜민 오진욱 장진구 송후림

Chapter

IV

Introduction

▶ 정신병리는 정신질환에서 흔히 관찰되는 병적 정신 현상, 즉 비정상적인 행동, 사고, 감정, 지각, 의식, 판단 등을 의미합니다. 특정 질환에는 특별한 병리의 증상과 징후가 있습니다. 우선 "정상"의 의미에 대해 이해하고, 주요 정신질환에서 발견되는 정신병리의 특성을 간략하게 파악하도록 합니다.

▶ 환자의 정신 상태는 의식, 사고 내용, 사고 과정, 정서 상태, 행동 등 세부 항목을 종합적으로 고려하여 평가합니다. 즉 환자를 파악할 때 의식은 어떤지? 사고의 내용은? 사고 과정은? 등을 조사합니다. 각각의 세부 항목을 알아두어야 하고, 사고 과정의 장애와 사고 내용의 장애를 구분하는 것이 중요합니다.

▶ 환자의 정신과적 이상 소견을 정신병리학적 용어로 기술할 수 있도록 기본적인 용어를 익히도록 합시다.

1. 의식

• 의식(consciousness)이란 외부와 내부의 자극을 감지하고 전달하는 모든 과정과 중추 신경계에서 이런 자극을 해석하고 판단하는 과정을 의미한다.

• 의식은 alertness (arousal), attention, awareness의 세 가지 영역에서 평가할 수 있다.

1) 의식의 혼탁 (Clouding of consciousness)

사고, 주의력, 지각, 기억의 장애가 비교적 경도의 손상을 보인다. 즉, 지각 능력이 손상되어 주변의 상황을 명료하게 파악하지 못하며 이런 상태에서 일어났던 일에 대해서 나중에 기억을 하지 못하는 경우가 많다. 대뇌의 감염이나 외상, 기타 중추신경의 기능장애를 초래하는 질환에서 나타날 수 있다.

2) 졸림(Drowsiness)

졸린 상태가 지속된다는 것은 다음 단계로 손상이 좀 더 진행한다는 것을 의미한다. 분명히 깨어는 있지만 감각 자극이 없는 상태로 두면 금방 잠에 빠진다. 임상에서는 중추신경계 억제 효과를 가진 약물을 과다 복용한 후에 흔히 관찰된다.

3) 혼미(Stupor)

주변 상황을 전혀 인식하지 못하며, 상당한 정도의 자극에 대해서도 반응을 하지 않는다. 때로는 외부 자극에 영향을 받지 않고 아무 목적도 없이 불안한 움직임을 보이는 상태로 일시적인 변화를 보이기도 한다. 간혹 긴장증을 동반하는 조현병(catatonic schizophrenia)에서 긴장증적 혼미(catatonic stupor)로 나타나기도 한다.

4) 혼수(Coma)

의식기능이 지속적으로 완전히 없는 경우로, 외부의 어떠한 자극에도 거의 반응 없이 생명유지에 필요한 심폐 기능만이 남아 있는 상태이다. 통증자극에 어떠한 반응도 보이지 않는다.

> **TIP** 섬망(delirium)
> 의식의 혼탁, 지남력장애, 주의력 결핍, 불안 및 정서적 불안정, 지각장애 등을 특징으로 하는 증후군이다. 지남력장애는 주로 시간에 대한 파악 기능의 상실에서 시작하여 장소, 사람의 순서로 심화된다. 야간에 더 심해지고 증상의 기복이 심해서 하루 중에도 몇 차례 명료한 상태와 섬망상태가 반복될 수 있다.
> - 명료한 심혈관계, 호흡기, 간이나 신장 등 장기부전이 있는 경우 노인, 중환자실 환자, 수술 후 환자, 알코올이나 약물금단 등에서도 흔히 나타난다.

2. 사고

사고는 인간의 고등 정신기능으로서 내부와 외부 자극에 대해 연상과 이해, 해석과 판단을 하는 총체적 기능을 말한다. 사고의 장애는 사고 과정(process)의 장애와 내용(content)의 장애로 나누어 분류한다.

1) 사고 과정(Thought Process) 기출
(1) 사고의 비약(flight of idea)

연상작용이 지나치게 빨리 진행되는 상황을 말한다. 조증 상태에서 자주 나타나는 사고 진행이다.

① 우원증(circumstantiality)
말하고자 하는 바에 도달하더라도 불필요하게 상세한 지엽적인 이야기들로 많은 시간을 보내게 되는 경우이다.

② 이탈(tangentiality)

목표한 바에 결국 도달하지 못하는 경우이다.

(2) 사고의 지체(retardation of thought)

생각의 시작과 진행이 느린 상태로 말을 아주 천천히 하며 생각이 잘 떠오르지 않아 자발적으로 말하기도 어려워한다. 주요 우울장애나 조현병 환자에서 자주 관찰된다.

(3) 사고의 두절(blocking of thought)

사고의 진행이 멈춰 버리는 것을 사고의 두절이라고 하는데 도중에 마치 생각이 떠오르지 않는 것처럼 갑자기 말을 중단해 버리는 현상으로 나타난다. 조현병의 특징적인 소견이다.

(4) 사고의 일관성(coherence)

① 연상의 이완(loosening of association)

사람은 말을 할 때 자신의 생각을 정리하여 타인이 이해하기 쉽도록 일정한 주제를 유지하는데 이를 사고의 일관성이라고 표현하며, 사고 사이의 논리적 연결이 모호한 상태를 연상의 이완이라고 한다.

② 탈선(derailment)

사고가 앞의 내용과 간접적으로만 관련되거나, 혹은 전혀 무관한 주제로 빠지는 것이다.

③ 지리멸렬(incoherence)

연상의 이완이 극단적으로 심하여 적절한 문장 법칙과 논리적 연결성이 없을 때, 조현병 환자에게서 흔히 관찰되는 현상이다.

④ 보속증(perseveration) [기출]

새로운 자극이 주어지더라도 이전 자극에 대한 반응이 지속되는 상태(다른 질문을 했음에도 불구하고 이전 질문에 대한 답으로 떠올렸던 생각을 계속 답으로 내놓는 것)이다.

(5) 신어조작증(neologism) [기출]

조현병에서 주로 나타나는 증상으로서, 환자가 자신만의 의미를 가진 새로운 단어나 표현을 만들어 내는 현상을 말한다.

2) 사고의 내용

(1) 망상(delusion)

외부 현실에 대한 부정확한 근거에 추정한 잘못된 신념(false belief)을 말한다. 이 신념은 거의 모든 사람이 잘못된 생각이라고 믿고 있고, 잘못되었다는 것이 이론의 여지가 없으며 명백한 증거가 있음에도 불구하고 고집스럽게 유지된다. 이러한 신념은 개인이 속한 문화권의 구성원들이 통상적으로 받아들이지 못한다.

① 피해망상(persecutory delusion)

　조현병에서 가장 흔하게 볼 수 있는데 자신 또는 자신과 가까운 사람이 공격, 희롱, 사기, 박해 등을 당하거나 음모에 말려 들었다고 믿는 망상으로, 누군가가 자신이나 가족을 해치려고 하거나 감시하고 있다고 표현하기도 한다.

② 과대망상(grandiose delusion)

　자신의 힘, 능력, 중요성을 실제보다 과장하여 생각하는 망상으로 신이나 유명인사와 특별한 관계가 있다고 믿기도 한다. 정신병적 양상을 동반하는 양극성장애의 조증 상태에서 흔히 관찰된다.

③ 관계망상(delusion of reference)

　주변환경의 사건이나 대상, 또는 다른 사람들이 특별하고 특이한 의미를 갖는다고 믿는 망상을 일컫는다. 신문이나 TV에서 자신과 관련된 이야기를 은연중에 암시하고 있다거나 남들의 대화를 자신에 관한 것(대개는 자신을 흉보는 것)이라고 믿는 것이다.

④ 색정망상(erotomanic delusion)

　보통 상위 신분인 다른 사람과 자신이 사랑하는 사이라고 믿는 망상이다.

⑤ 질투망상(delusional jealousy)

　자신의 성적 동반자가 부정하다는 믿음이다.

⑥ 빈곤망상(delusion of poverty)

　너무 가난하여 굶어 죽게 되었다고 믿는다.

⑦ 죄책망상(delusion of guilt)

　나는 이 세상에서 살 가치가 없는 사람이라는 망상적 믿음이다.

⑧ 신체망상(somatic delusion)

　수많은 검사에도 불구하고 자신이 에이즈에 걸렸다고 믿는 경우나 얼굴이 비뚤어졌다고 믿어 성형외과를 끝없이 찾아 다니는 경우이다.

⑨ 조종망상(delusion of being controlled)

　자신의 생각이나 행동이 어떤 외부의 힘에 의해서 조종된다는 망상이다.

⑩ 사고전파(thought broadcasting)

자신의 생각이 방송되어서 다른 사람이 자신의 생각을 알고 있다는 망상적 믿음이다.

⑪ 사고주입(thought insertion)

자신이 생각한 내용의 일부가 자신의 것이 아니고 타인에 의해 자신의 마음속에 주입된 것이라는 믿음
이다.

⑫ 사고유출(thought leakage)

자신의 생각이 밖으로 빠져나간다는 믿음이다.

(2) 집착과 강박사고

① 집착(preoccupation)

어떤 특정한 생각에서 벗어나지 못하고 있는 상태이다.

② 강박사고(obsession)

반복되고 지속적인 생각, 충동 또는 이미지를 말한다. 이는 침투적이고 원치 않게 경험되고 대부분의
사람에게 현저한 불안과 고통을 동반한다. 강박사고를 경험하는 사람은 생각, 충동 또는 이미지를 무시
하거나 억누르기 위해 애쓰거나, 다른 생각이나 강박행동을 통해 생각이나 충동 또는 이미지를 중화하
려고 애쓰게 된다.

(3) 건강염려증(hypochondriasis)

실질적으로 신체에 어떤 질병이 없고 이상이 없다는 의사의 상세한 설명에도 불구하고 비정상적으로 자
신의 건깅상태에 관심이 집중되어 병이 반드시 있을 것이라고 생각하는 것이다.

3. 기분(정동)

감정(emotion)은 정신,신체,행동의 요소를 포괄하는 복합적인 느낌(feeling)이며, 기분(mood)은 지속적 내
적 감정상태(pervasive, sustained emotion subjectively experienced and reported)이다. 정동(affect)은 감정의 외
적 표현(obseved expression of emotion)이다. 기분이 조금 더 광범위한 개념이다. 최근의 기분(mood)은 좋지만
현재의 정동(affect)은 다를 수도 있다. 이 부분에서는 환자가 감정을 적절하게 느끼는지(appropriateness), 얼마
나 느끼는지(quantity), 어떻게 변화하는지(range) 등을 파악한다.

1) 정동의 부적절성

어떤 상황이나 사고 내용과 상응하지 못하는 감정상태(inappropriateness)로 조현병 환자들에서 흔히 볼 수 있다(예를 들어 피해망상을 가지고 있으면서 두려워하기보다는, 밝은 표정으로 이야기하는 것).

2) 둔마 정동과 무감동

(1) 정동제한(restricted affect): 정동의 폭이 약간 감소한 상태

(2) 정동둔마(blunted affect): 정서 표현의 강도가 현저히 감소된 상태

(3) 정동상실(flat affect): 정동의 폭이 완전히 없어진 상태(만성 조현병 환자에서 흔함)

(4) 불안정 정동(labile affect): 정동의 폭이 크고 빠르고 쉽게 변하는 상태(조증 환자에서 흔함)

3) 우울한 기분

(1) 슬픔이나 흥미 없음의 정도가 비정상적으로 심하고 오래 지속될 경우 우울(depression)한 상태

(2) 불쾌한 기분(dysphoric mood): 즐겁지 못하고 나쁜 기분

(3) 무쾌감(anhedonia): 즐거움을 경험할 수 있는 능력의 상실 상태

(4) 멜랑콜리(melancholia): 심하게 우울한 상태

4) 유쾌한 기분

(1) 다행감(euphoria): 과대한 기분과 함께 극도로 고양된 상태, 경조증상태에서 관찰됨

(2) 고양감(elation): 다행감에 행동상의 항진이 동반된 상태 즐겁고 자신감 넘치는 기분으로 평소보다 쾌활한 모습을 보이는 경우, 합리적 사고와 판단에 장애가 생겨 쉽게 흥분하거나 주변사람들과 의견충돌을 일으킬 수 있음

(3) 황홀감(ecstasy): 어떤 일도 안 될 것이 없을 것 같은 무한한 자신감을 느끼는 상태며, 일종의 종교적인 체험과 같은 무아지경의 상태, 조증상태나 조현병, 해리현상등에서 흔히 발견됨

(4) 팽창된 기분(expansive mood): 자신의 느낌을 표현하는데 정제가 없고 자기자신의 중요성을 과대 평가하는 경우

(5) 과민한 기분(irritable mood): 쉽게 짜증내고 화를 내는 경우

5) 불안

실제 외부 위협의 유무에 관계없이 주관적으로 느끼는 두려움의 상태로 대개 심계항진, 발한, 창백, 호흡곤란, 긴장 등의 신체적 현상을 동반한다.

(1) 초조(agitation): 조바심과 안절부절 못하는 행동이 외적으로 관찰되는 경우이다.

(2) 공황(panic): 불안과 공포가 심하고 다양한 신체증상과 초조가 동반되어 곧 죽을 것 같은 느낌이 들 정도의 극심한 상태이다.

6) 양가감정(ambivalence)

특정 대상이나 상황에 대하여 정반대의 감정이나 태도, 욕구를 동시에 갖고 있는 것이다.

4. 행동

1) 지나친 활동

(1) 정신운동 초조(psychomotor agitation): 내적 긴장에 의해 생기는 과도한 운동 및 활동

(2) 과다활동(hyperactivity): 가만히 있지 못하고 끊임없이 활동하는 모습

2) 저하된 활동

(1) 정신운동 지체(psychomotor retardation): 행동의 빈도나 강도가 모두 저하된 침체 상태

(2) 모든 것을 귀찮아 하고 움직이지 않으려 하며 심한 경우는 눈조차 뜨지 않고 전혀 말을 하지 않는 함구증(mutism) 상태가 되기도 한다.

3) 반복행동 [기출]

(1) 상동증(stereotypy): 의미 없어 보이는 것 같은 행동을 반복하는 것, 반복적으로 손을 비벼댄다던지, 가만히 서 있지 못하고 왔다갔다하는 경우

(2) 보속증(perseveration): 다양한 외적 자극에 대응하여 다양한 반응 행동을 보이려는 의도적인 노력에도 불구하고 반복적으로 같은 동작만을 지속하는 경우, 전두엽장애 환자에서 흔히 관찰되는 행동양상

(3) 음송증(verbigeration): 의미 없는 단어나 짧은 문장을 되풀이하는 것

(4) 긴장증(catatonia): 하나의 자세에서 다른 자세로 바꾸지 못하는 것

(5) 납굴증(waxy flexibility): 긴장증의 극심한 형태로서 수동적으로 만들어신 자세를 고수하는 것

4) 강박행동

강박사고에 대한 반응으로, 또는 엄격하게 적용되어야만 하는 규칙에 따라 수행해야만 된다고 느껴져서 하는 반복적 행동(예: 손씻기, 정렬하기, 확인하기). 이러한 행동은 불안이나 고통, 또는 일부 두려운 사건이나 상황을 막는 것에 목표를 두고 있으나, 현실적으로 불안이나 고통을 중화시키거나 예방하는 것과는 거리가 멀고, 명백하게 과도하다.

5) 자동증

자기 의지는 없는 것처럼 남의 지시에 무조건적으로 복종하여 마치 로봇처럼 행동하는 것이다.

(1) 반향언어(echolalia): 상대방이 이야기하는 것을 그대로 따라 하는 것

(2) 동작모방증(echopraxia): 병적으로 다른 사람의 행동을 모방하는 것

(3) 거부증(negativism): 타인의 요구에 반대되는 행동을 하거나, 저항적인 표시로 반응을 하지 않는 것

5. 언어

언어란 생각이나 감정의 외적 표현이므로 언어장애를 보이는 경우, 그 근원인 사고의 장애를 반영하는 것, 또는 발성상의 장애를 나타내는 것일 수도 있다.

1) 언어 압박(pressure of speech): 말의 흐름이 매우 빠르고 많아서 중단시키기가 어려운 상태(조증 상태에서 흔히 보임)
2) 언어 빈곤(poverty of speech): 말의 양이 적고 어떤 질문에 단음절의 반응만 보이는 경우

6. 지각

1) 실인증(Agnosia)

감각기관이 제 기능을 다하는데도 불구하고, 고위 중추의 문제로 인해 감각의 의미를 파악하지 못하는 것을 의미한다.

Ex) 색상인식 불능증(color blindness), 동작인식 불능증(motion blindness), 얼굴인식 불능증(prosopagnosia)

2) 환각(Hallucination)

대상이 없는 지각으로 본인의 의지와는 관계없이 생기며, 정상지각과 구분할 수 없다. 결과적으로 그 원인을 외부세계로 귀속시키게 된다.

착각(illusion)은 실제 하는 대상이 있으나 이를 잘못 지각한 것이고, 환각(hallucination)은 실재하는 대상이 없는 지각으로 차이점이 있다.

(1) 환청(auditory hallucination)

외부로부터 아무런 자극이 없는데도 불구하고 귀에서 어떤 소리가 들리는 것. 환각 중에서 가장 흔하고, 조현병에서 흔히 관찰된다.

(2) 환시(visual hallucination)

① 시각으로 보이는 잘못된 지각으로 기질적 정신병(organic psychosis)에서 자주 관찰되며, 조현병과 같은 기능성 정신병(functional psychosis)에서도 관찰된다.
② 섬망, 특히 알코올에 의한 진전섬망(delirium tremens)의 경우 환시가 흔하며, 섬망 환자들은 흔히 천장에 귀신이 보인다, 문앞에서 가족들이 찾아왔다는 식의 환시를 보고한다.
③ 후두엽이나 측두엽에서 비롯되는 간질의 전조증상 혹은 편두통의 전조증상에서도 흔히 환시가 나타난다.

(3) 기타환각

① 환취(olfactory hallucination): 냄새에 대한 잘못된 지각, 측두엽 병소, 조현병 시 나타남

② 환미(gustatory hallucination): 맛에 대한 잘못된 지각, 대개 환취와 동시에 나타남. 다양한 기질적인 이상에서도 나타남

> **TIP** 정상인이 경험하는 환각
>
> 정상인의 약 5%에서도 환각을 경험합니다. 잠에 들려고 할 때나 깨려고 할 때 나타나는 입면시 환각(hypnagogic hallucination), 출면시 환각(hypnopompic hallucination) 역시 정상인에서 흔히 나타날 수 있는 환각입니다.

7. 기억

기억은 기록(registration), 보유(retention), 재생(recall)의 과정을 거친다. 즉 정신적인 체험을 받아들이는 기록, 기록된 것을 유지시키는 보유 , 필요에 따라 회상하는 재생의 과정을 거친다.

1) 기억의 등록

단기기억에 관여하는 곳은 주로 전두엽과 해마이다.

2) 기억의 저장

해마는 용량의 한계가 있기 때문에 기억의 저장을 위해서 해마의 기억은 두정엽 같은 대뇌피질로 옮겨져야 한다. 이 과정은 수개월 혹은 수년에 걸쳐 일어나며, 해마는 의식적 회상이나 꿈속에서와 같은 무의식적 회상에 의해 정보를 다시 불러내고 이 과정에서 대뇌 신경망을 빈복해시 활성화시킴으로 기억을 공고화(consolidation)시킨다.

3) 기억 등록의 이상

전향적 기억상실(anterograde amnesia): 뇌의 병변이 발생한 이후의 일을 기억하지 못하고, 그 이전의 일은 정확하게 기억, 두부손상으로 해마에 구조적장애를 입은 환자

4) 기억 유지의 이상

후향적 기억상실(retrograde amnesia): 어떤 뇌 손상을 입었을 경우 그 시기 이전의 일을 거슬러 올라가면서 상실하는 경우

5) 기억착오(Paramnesia)

해마 혹은 대뇌에 저장된 기억은 반복적으로 의식으로 또는 꿈속에서 회상되며, 이는 재가공을 거쳐 새로운 기억으로 기록된다.

(1) 작화증(confabulation): 자신이 기억 못하는 부분을 조작적으로 메우는 현상. 노인성 정신병에서도 나타나지만 Korsakoff 증후군에서도 보일 수 있음

(2) 회상성 조작(retrospective falsification): 무의식적 동기 때문에 과거 기억 중 자신의 이익에 맞는 것만 선택적으로 기억하거나 잊는 것, 또는 잘못 왜곡하여 기억하는 것

(3) 병적 거짓말(pseudologia fantastica): 자신의 공상속에서 이루어진 일을 마치 과거에 자신이 경험한 것처럼 거짓말을 하는 것

사례 예시 / 기출 문제

1-01. 25세 남자가 2일 전부터 전혀 움직이려 하지 않아서 응급실로 내원하였다. 면담 시 자발적으로 자세를 바꾸지 않았고 검사 시 타인이 바꾸어 놓은 자세를 유지하였다. 이에 해당하는 정신 병리는?

① 실어증

② 상동증

③ 반향언어

④ 보속증

⑤ 납굴증

② 상동증: 객관적으로 아무 의미도 없어 보이는 똑같은 행동을 변함 없이 반복합니다.

③ 반향언어: 주어진 말을 따라하는 경우입니다.

④ 보속증: 다른 행동이나 말을 하려고 하지만 정신기능의 장애로 새로운 동작이나 말로 넘어가지 못하고 반복적으로 같은 행동을 하는 것. 전두엽이 손상된 환자에서도 보일 수 있습니다.

⑤ 납굴증: 타동적으로 취해진 자세를 유지하려는 경향 때문에 관절에서의 움직임이 밀랍과 같은 것입니다.

1-02. 다음 대화에서 관찰되는 정신 병리는 무엇인가?

> **의사:** 지금이 무슨 계절이죠?
>
> **환자:** 여, 여름
>
> **의사:** 여기가 어디죠?
>
> **환자:** 음, 여, 여름
>
> **의사:** 그럼, 오늘은 무슨 요일이죠?
>
> **환자:** 음, 어, 여...여름

① 작화증

② 보속증

③ 사고단절

④ 사고비약

⑤ 우원증

① 작화증: 자신이 기억 못하는 부분을 조작적으로 메우는 현상입니다(단, 의도적으로 조작하는 것은 아닙니다.).

② 보속증: 의사가 새로운 질문을 했는데도 불구하고 계속적으로 몇 개의 단어를 반복해서 되풀이하는 경우입니다.

③ 사고단절: 사고의 진행이 갑자기 멈추어 버리는 것. 조현병 환자에서 보일 수 있습니다.

④ 사고비약: 사고의 연상이 비정상적으로 빨리 진행되어 생각의 흐름이 주제에서 벗어나 자연적으로 탈선하여 마지막에는 하려는 생각의 목적지에 도달하지 못하는 상태입니다.

⑤ 우원증: 많은 불필요한 묘사를 거친 후에야 말하고자 하는 목적에 도달합니다.

1-03. 33세 남자환자가 정신과 병동에 입원한 다음날 "나는 외계인을 만나서 대화를 나눴다" "남북한 통일을 위해 중대 임무를 가지고 있는데 컴퓨터와 FAX로 청와대와 정보교환을 해야 한다" "나는 석유재벌이다. 이 병원에서 제일 크고 좋은 특실을 달라" "나의 신변을 보호하기 위해 24시간 전담 경찰이 필요하니 불러 달라" 등의 말을 하였다. 정신과적 면담에서 보이는 사고의 흐름 중 가장 옳은 것은?

① 보속증
② 음송증
③ 사고의 비약
④ 사고의 이탈
⑤ 사고의 우원증

<해설>

① 보속증: 의사가 새로운 질문을 해서 시정시켜보려는 노력에도 불구하고 계속적으로 한 단어, 또는 몇 개의 단어만을 반복해서 되풀이하는 경우입니다.
② 음송증: 의미 없는 단어나 짧은 문장을 반복해서 발성합니다.
③ 사고의 비약: 사고 연상이 비정상적으로 빠르게 진행하는 것으로 조증에서 흔합니다.
④ 사고의 이탈: 결국 목적한 생각에 도달하지 못하는 경우입니다.
⑤ 사고의 우원증: 많은 불필요한 묘사를 거친 후에야 말하고자 하는 목적에 도달합니다.

flight of idea와 tangentiality의 정의는 정신과 교과서에 있는 영어 표현 그대로 이해하는 것이 더 좋을 것 같습니다.

Flight of ideas. A succession of multiple associations so that thoughts seem to move abruptly from idea to idea; often (but not invariably) expressed through rapid, pressured speech
Tangentiality. In response to a question, the patient gives a reply that is appropriate to the general topic without actually answering the question. Example:
Doctor:
"Have you had any trouble sleeping lately?"
Patient:
"I usually sleep in my bed, but now I'm sleeping on the sofa."

정답 1-1. ⑤ 1-2. ② 1-3. ③

정신과적 면담 및 평가
psychiatric interview and assessment

손동훈 박주호 장진구 송후림

Chapter

V

Introduction

▶ 정신건강의학과 진료에서 일어나는 환자–치료자 간의 관계형성 그 자체는 치료적으로 작용할 수 있습니다. 그러므로 진단적 면담과 치료적 면담을 반드시 구분할 필요는 없습니다. 의사로 살아가면서 기본적인 부분이니 상식 수준에서 일반적으로 환자를 대할 때 어떻게 면담을 해야 하는지 이해하고, 특수한 정신질환을 앓고 있는 환자를 대할 때는 어떤 차이가 있는지 공부합니다.

1. 일반적 원칙

1) 정신과 면담의 목적

(1) 수단적 측면

적절한 질문을 통해 정보를 얻는 것으로, 이를 토대로 치료 계획 등을 설명하고 함께 토의하는 것을 포함한 측면이다.

① 증상이나 행동의 변화, 과거 사건, 개인력, 과거병력 등 사실을 조사한다.

② 환자가 이들 각각에 부여하는 감정과 의미를 파악 → 실질적으로 정동적 측면과 연결되어 있다.

(2) 면담 초기

환자가 자유롭게 자신의 감정과 생각을 토로하도록 하면서 적절한 순간에 <u>공감(empathy, 상상 속에서 자신을 타인의 마음에 대입시켜 느끼는 것)을 표시한다.</u>

(3) 면담의 목적

① 의사는 필요로 하는 모든 정보를 수집한다.

② 환자는 자신과 관련된 모든 정보를 얻고 이해한다.

③ 이를 통해 필요한 결정에 도달한다.

④ 긍정적인 치료 관계를 수립하고 유지한다.

⑤ 환자는 건강에 가장 도움이 되는 사고방식을 습득한다.

⑥ 환자의 증상이나 고통을 개선하며 긍정적인 치료적 변화를 이끌어내고 강화한다.

2) 정신과 의사-환자 관계의 특성

환자는 증상과 관련된다고 생각하는 것들을 털어놓고 싶어하면서도 동시에 낯선 사람에게 자신을 감추고 싶은 소망을 갖게 됨. 환자들은 다양한 선입견이나 기대를 가지고 면담을 시작하며 이는 정보의 양과 질 모두에 영향을 미친다.

3) 의사의 태도와 라포(rapport) 형성

의사는 항상 진실하고 따뜻한 마음을 가지고 유연하고 열린 태도로 환자를 대해야 한다. 환자가 이런 의사의 노력을 받아들여 마음이 통하고 어떤 일이라도 터놓고 말할 수 있다고 느끼는 상호관계를 라포(rapport)라고 할 수 있다.

4) 보편성과 개별성

모든 사람에게 보편적인 감정, 동기, 반응양식 등이 있으나 사람마다 편하게 느끼는 대인관계 방식이 있으므로 각 개별 존재에 대한 이해를 바탕으로 올바른 면담을 진행해 나가야 한다.

5) 면담기술 기출

(1) 의사는 환자를 대할 때 사려 깊고 능숙하되 인간적인 따뜻함과 자연스러움이 배어 나오도록 하며 환자를 위해 최선을 다한다는 태도를 전할 수 있어야 한다.

(2) 소통이 매우 어렵더라도 방해받지 않고 편안하게 자신을 드러낼 수 있도록 도와주고 극도로 기이한 증상이나 경험을 얘기하더라도 전문가로서 이해하고 공감이 필요하다.

(3) 환자가 위협을 하거나 불쾌한 행동을 하더라도 환자에게 공격받거나 거절당한다는 느낌을 주지 않도록 한다.

(4) 침범당한다는 느낌을 줄 만한 질문을 할 때에는 방향을 예고하거나 일반적으로 당혹감을 느낄 수 있는 질문이라는 것을 미리 제시해 주는 것이 도움이 된다.

(5) 환자의 편을 들어주는 것은 피해야 하며 정신치료 상황이 아니라고 해도 의사는 중립성을 유지하고 환자 스스로 자신과 자신이 겪는 문제의 주체임을 인식하고 독립해 나갈 수 있도록 도와줘야 한다.

(6) 같은 질문이라도 '왜'라고 묻는 것보다 '어떻게'라고 묻는 것이 비난받는다는 느낌을 줄일 수 있다.

　　Ex) "왜 여러 번 직장을 옮기셨나요?"라고 묻기보다는 "어떻게 하다 여러 번 직장을 옮기게 되셨나요?"라고 묻기

(7) 섣부른 위로나 충고는 오히려 불신을 조장할 수 있다.

6) 면담 환경

외부로부터 방해받지 않고 비밀 보장되는 느낌이 줄 수 있는 곳이 이상적이다. 가능하면 휴대전화는 끄고, 의사와 환자가 비껴 앉도록 배치한다. 의사가 먼저 자리를 잡고 환자에게 편한 자리를 고르도록 함으로써 환자의 성격이나 대인관계 양상에 귀중한 단서를 얻을 수 있다.

7) 면담의 구조

면담 초기에는 의사가 면담을 주도하고 통제하기보다는 환자가 자발적인 정보제공자로서 자신에게 질문을 던지고 관찰할 수 있도록 한다. 이해가 안될 때는 알아듣는 척하는 것보다는 더 자세히 진술하도록 한다.

8) 질문의 형식

비지시적 → 지시적인 방향으로 진행한다.

(1) 비지시적 방향: 환자가 자유롭게 답할 수 있는 개방형 질문을 주로 사용. 면담의 초점이 흐트러질 수 있는 단점이 있음

(2) 지시적 방향: 환자가 얘기하는 내용이나 행동의 범위를 제한하는 것으로, '예, 아니오'로 대답할 수 있는 폐쇄형 질문을 주로 사용. 구체적인 사실 파악 시 사용함

9) 면담의 단계

(1) 초기

① 개방형 질문을 사용해서 주소(chief complaint)를 탐색한다.

② 지지적인 태도로 대하면서 환자들의 소통 능력을 촉진하되 때에 따라서는 면담 시간을 짧게 한다.

③ 인지기능이 저하, 사고 과정의 장해, 심한 불안 등으로 의사소통 능력이 떨어진 환자는 좀 더 구조화되고 지시적인 질문이 필요하다.

④ 정신병리를 측정할 때 의사는 자신이 했던 감정적, 인지적 경험과 이를 평가하는 능력을 기준으로 환자의 내적, 주관적 상태를 재구성한 후, 이것이 맞는지 질문하고 반응을 관찰하여 환자가 동의하는지를 확인한다.

⑤ 정신 병리 평가를 정확히 위해 다양한 증상과 징후, 각 정신 질환의 특징적인 임상양상을 알고 있어야 한다.

⑥ 환자가 왜 이 시점에 병원에 왔는지, 환자가 자신과 자신의 문제를 어떻게 보고 있는지 확인한다.

(2) 중기

① 중기에는 체계적으로 세부 사항을 질문 → 잠정적인 진단이나 정신 역동을 수립

② 정신상태검사는 대개 중기 후반에 실시한다.

③ 생물학적, 정신적, 사회적, 환경적 요인의 영향을 알아보기 위해 과거 병력, 가족력, 개인력을 청취한다. 이를 토대로 변화를 끌어낼 수 있는 부분이 있는지 아니면 나아지기 어려운 질병을 받아들이도록 할 것인지 치료의 초점을 결정한다.

(3) 말기

① 파악한 것을 요약해서 들려주면서 자신의 느낌이나 생각을 신중하게 이야기하여 불분명한 것을 확인하거나 추가 질문을 한다.

② 공식적인 진단명을 알려주는 것은 조심할 필요가 있음. 정보가 축적되면서 진단이나 치료계획을 수정해야할 때도 있고 환자나 가족들이 단편적인 지식만을 가지고 잘못 판단할 위험이 있기 때문이다(특히 정신과적인 질환은 longitudinal하게 경과관찰 후에 진단을 내릴 수 있는 경우가 대부분).

③ 치료를 권고할 때 역시 점진적으로 강도를 높이는 것이 좋음.

　　Ex) "약물이 도움이 될 수 있으니 같이 상의해 보면 좋겠습니다." → 약 복용에 동의하지 않을 시 "지금 상태로서는 약물치료가 반드시 필요하니 심각하게 고려하셔야 합니다."

④ 예후에 대한 질문도 안심시키기 위해 기간을 줄여서 말한다거나 곧이 곧대로 이야기하기 보다 조심스럽게 접근을 하여야 한다.

10) 환자 이외의 정보 제공자와의 면담

환자와의 관계를 확인. 정보제공자의 보고 내용이 항상 객관적이고 신빙성이 있다고 볼 수는 없으나 환자와는 관점이 다른 정보를 얻을 수 있음. 특히 환자로부터 얻은 정보의 신뢰성이 의심스러울 경우(예, 환자가 정신병적장애가 있는 경우) 도움이 된다.

2. 정신과적 병력조사(Psychiatric history taking)

1) 인적 사항, 현병력, 과거 병력, 가족력, 개인력, 병전 성격으로 구성되며 되며 대개 주소부터 시작하여 면담을 진행해 나가는 것이 라포 형성에 도움이 된다.

2) 인적사항(Preliminary identification)

성명, 연령, 성별, 결혼상태, 직업, 종교, 거주환경 등의 기본 정보

3) 주소 또는 주 문제(Chief complaints or problems)

병원에 찾아오게 된 주된 이유. 환자의 말을 그대로 인용하여 한두 문장 이내로 기술

4) 현병력(Present illness)

현재 질병 삽화의 증상 발생 이후의 전개과정을 시간 경과에 따라 나열

(1) 발생시점(onset)

① 환자의 발병 전 또는 평소 기능 수준에 대한 질문으로 언제부터 저하되었는지 물어본다.

② 만성환자의 경우 비교적 안정된 상태가 유지되었던 최근 시기를 기준으로 악화시점을 결정한다.

(2) 유발요인(precipitation factor)

발병을 촉진하거나 악화시키는 환경 요인 또는 스트레스를 탐색한다. 최근 생활환경에 변화가 있었거나 지속되던 문제가 악화되었는지 질문한다.

(3) 증상의 영향(impact of symptoms)

증상이 대인 관계 및 사회적 기능에 어떠한 영향을 끼쳤는지 조사한다. 발병 이후 책임을 덜거나 간접적인 이득을 통해 이차적인 이득이 발생했는지도 알아본다.

(4) 정신과적 체계별 문진(psychiatric review of systems)

자발적으로 진술하지는 않았으나 현재 겪고 있는 증상을 체계적으로 질문. 입면, 수면 중 각성, 수면시간, 꿈, 수면주기, 입맛, 체중변화, 기력이나 피로감, 성욕과 성기능, 기분의 일중변동 등을 검토한다.

5) 과거병력

(1) 정신과 과거력: 발병 시점, 주요 증상, 유병 기간, 기능장애의 정도 및 대처 방식, 치료의 종류, 입원 여부와 그 시점 및 기간, 치료에 대한 동기와 병식, 순응도, 치료제의 이름과 용량, 효과와 부작용 및 시간

(2) 물질 사용력(substance use history): 물질 사용 문제가 있는 환자들은 흔히 이를 부정하거나 축소하는 경향을 보이므로 의사는 비판하는 느낌을 주지 않도록 주의

(3) 신체질환의 과거력(past medical history)

6) 가족력(Family history)

(1) 많은 정신질환에는 가족적, 유전적 소인이 있으므로 부모, 형제, 자녀뿐 아니라 조부모, 사촌 등 생물학적 친족의 정신질환과 자살유무를 확인한다.

(2) 가족 구성원의 성격, 환자와의 관계와 같은 특징을 기술, 환자의 질환에 대한 가족 구성원의 태도, 이해도, 지지도 조사 등이 있다.

7) 발달력 및 개인력(Personal history)

발달 과정을 시간 순서대로 추적하여 주요사건, 그로부터 받은 영향, 대처방식을 파악함으로써 현재의 환자가 어떻게 만들어졌고 어떤 사람인지를 이해한다.

8) 병전 성격(Premorbid personality)

성격은 변하지 않는 배경과 같으므로 병전 성격과 비교할 수 있어야 현재의 모습이 질병 특유의 증상인지 평소 모습이 과장된 것인지를 감별할 수 있다.

3. 정신상태검사(Mental Status Examination)

1) 개요

면담과 관찰을 통해 환자의 정신 기능을 평가하고 정신 병리를 체계적으로 탐색하는 과정. 정신건강의학과 영역에서 정신상태검사는 다른 의학 분야에서 수행하는 신체검사와 동등한 의미를 가진다. 환자의 모습, 행동, 언어, 기분, 사고영역을 주의 깊게 관찰함으로써 정신 기능 상태와 정신질환에 대한 유용한 정보를 획득할 수 있다. MMSE는 MSE의 하위 검사이다.

2) 외모(General appearance), 행동(Behavior)과 태도(Attitude)

(1) 외모, 의복, 몸단장 등에서 환자의 전반적인 인상을 기술한다.

(2) 환자의 위생상태, 자세, 몸짓, 표정, 검사자에 대한 태도이다.

(3) 환자의 행동은 면담 중 환자가 현재 스트레스를 심하게 받고 있는지에 대한 여부이다.

(4) 면담에 어떠한 태도를 보이는지에 대한 일반적인 진술을 포함한다.

3) 운동 활동(Motor activity)

(1) 걸음걸이, 운동의 자율성, 이상한 자세, 운동 속도, 손글씨 등을 평가한다.

(2) 운동활동이 정상, 운동저하, 운동과다로 구분하여 평가하는 것이 진단에 도움이 된다.

4) 기분(Mood)과 정동 표현(Affect expression)

(1) 기분(mood)

환자의 지배적이고 지속적인 감정상태(pervasive & persistent). 그 경험은 주관적이기 때문에 환자 자신의 말로 가장 잘 표현됨. "오늘은 기분이 어떠세요?"에 대한 대답으로 유추해 볼 수 있다.

(2) 정동 표현(affect expression)

① 환자의 얼굴 표정과 같은 표현행동을 근거로 추정되는 환자의 감정을 의미한다.

② 임상가의 시선에서 판단한 환자의 감정. mood와 일치할 수도 있고 아닐 수도 있다.

③ 질적인 측면: depressed, dysphoric, happy, euthymic, irritable, angry, agitated, tearful, sobbing, flat 등으로 표현한다.

④ 양적인 측면: intensity

⑤ 범위: restricted (위축됨), normal, labile (불안정), flat

5) 말(Speech)

유창성(fluency), 양(amount), 속도(rate), 어조(tone), 음량(volume)

6) 지각(Perception)

hallucination, illusion, depersonalization, derealization

(1) 환각(hallucination)
① 외부자극이 없는데 생기는 지각이다.
② 입면환각(hypnagogic hallucination), 출면환각(hypnopompic hallucination)은 정상인도 경험할 수 있는 환각이다. 기면병(narcolepsy) 환자는 흔하게 경험한다.

(2) 착각(illusion): 환각과 달리 외부 존재하는 자극을 잘못 해석하는 경우

(3) 이인증(depersonalization): 자신의 내적 공간에서 스스로가 변했다거나 없어졌다고 경험하는 증상

(4) 비현실감(derealization): 환자의 외적공간, 즉 자기 외부에 있는 사물들에게 일어나는 유사한 증상

7) 사고(Thought)

(1) 사고과정(though process): 사고를 어떻게 형성하고 구조화하고 표현하느냐에 대한 것. 정확성, 형태, 양을 고려. 사고두절, 우원증, 사고이탈, 말비빔 등

(2) 사고 내용(thought content): 환자가 어떤 생각을 하는지에 대한 것. 집착, 강박사고, 망상, 공포, 건강염려증, 특정 반사회적 행동에 대한 충동 등이 있을 수 있음

8) 감각(Sensorium)과 인지(Cognition)

(1) 의식수준(level of consciousness)
명료함(alert), 졸음(drowsy), 혼미(stupor), 반혼수(semicoma), 혼수(coma)

(2) 지남력(orientation)
시간/장소/사람에 대한 지남력으로 구분

(3) 주의(attention)와 집중(concentration)
① 주의: 한 가지 주제에 초점을 맞추는 능력
② 집중: 시간이 지남에도 주의를 지속할 수 있는 능력. 집중력장애 여부 확인하기 위해. serial 7 (100에서 7씩 빼기)

(4) 기억(memory)
① 즉각회상(immediate recall): 점점 긴단위의 숫자를 불러주고 따라하게 하거나 거꾸로 말하도록 하여 검사
② 최근기억(recent memory): 세 가지 관련 없는 물건 이름을 불러주고 5~10분 후에 기억하도록 함. 전날 저녁 식사는 무엇을 먹었는지
③ 장기기억(remote memory): 2년 이상 전의 사건을 기억하는 능력

④ 치매환자: 초기에는 최근 기억 혹은 단기기억의 장애가 발생. 병이 진행되면 장기 기억의 장애 발생
　　　　• 코르사코프증후군: 단기기억과 장기기억 보존. 최근 기억이 손상됨

(5) 계산(calculation)
100-7을 5회 반복(주의집중력을 같이 특정)

(6) 추상적 사고(abstract thinking)
① 일반적인 개념과 구체적인 예시들을 연결할 수 있는 능력
② 추상적 사고가 발달하지 못한 사람은 농담이나 은유를 이해하지 못하거나 잘 표현하지 못함
③ 일반적으로 잘 알려진 속담의 뜻을 물어서 확인
　　Ex) "아니땐 굴뚝에 연기 날까?"

(7) 상식(information)과 지능(intelligence)

9) 판단과 병식
(1) 판단(judgement)
① 환자가 사회적 규범을 인식하고 이를 따를 수 있는가?
② 의학적 평가와 치료에 협조할 수 있는가?

(2) 병식(insight)
환자가 자신의 병에 대해 얼마나 이해하고 있고 이를 받아들이고 있는지에 대한 것

4. 특수상황에서의 면담

1) 정신병적 증상이 의심되는 환자
(1) 어떤 소리가 들린 적이 있는지, 누가 이야기하는 것 같은 경험이 있는지를 면담한다.
(2) 환자가 그런 망상을 진실인 것으로 믿는다는 것을 이해하면서도 그런 믿음에 의사는 동조하지 않음을 나타내 보여야 함
① 우울하고 자살 가능성을 가진 환자: 환자의 절망감을 주의해야 하며, 자살에 대한 구체적인 계획을 물어봐야 함
② 공격적이고 초조하고 난폭해 보이는 환자 `기출`
　　• 환자와 의사의 안전이 최우선적으로 고려. 의사나 환자 모두 출구로 쉽게 빠져나갈 수 있도록 의자를 배치하여야 하며 통로가 막혀 있어서는 안된다.
　　• 난폭할 시 절대 홀로 면담하지 않으며 안전요원을 근처에 불러서 면담에 임해야 한다.

- 난폭행동으로 환자의 신체를 결박한 상태로 오는 경우에는 우선 환자와 언어적 의사소통이 가능한지, 현실 감각에 장애가 있어서 효과적인 면담이 불가능한지 여부 결정 → 만약 현실검증력이 떨어진다면 투약부터 실시해야 할 수 있음. 이후 환자의 결박을 풀어줄 것인지 결정한다.

1-01. 정신과적 면담 기술에 대한 설명으로 옳은 것은?

① 환자가 꺼려하는 질문은 하지 않는다.

② 개방형 질문보다는 폐쇄형 질문을 한다.

③ 청소년 면담의 경우 부모를 먼저 만난다.

④ 눈높이에 맞게 앉아서 정면으로 똑바로 마주친다.

⑤ 정신연령이 아닌 실제 나이에 맞게 면담한다.

〈해설〉

① 환자가 꺼려하는 주제를 물어보는 것을 두려워하지 않아야 합니다. 특히 자살사고가 있는 환자는 꼭 확인하는 것이 중요합니다.

② 개방형 → 폐쇄형 순으로 질문을 한다. 처음에는 주로 개방형 다만 환자의 구체적인 진술을 얻기 위해서는 폐쇄적인 질문을 하는 것이 용이합니다.

③ 청소년 환자라도 환자를 먼저 보고 부모를 만나는 게 좋습니다.

④ 너무 직접적인 마주침은 면담에 효과적이지 않습니다.

⑤ 정신과 면담 시 정신연령보다는 실제 나이에 맞추어서 면담하여야 합니다. (정답)

1-02. 정신과적 면담 기술에 대한 설명으로 옳지 않은 것은?

① 환자가 어려워하거나 거북해 할 만한 화제는 묻지 않는다.

② 애매모호한 대답에는 명확히 짚고 넘어간다.

③ 개방성 질문과 폐쇄성 질문을 함께 사용한다.

④ 면담 초기에 치료적 관계 형성이 중요하다.

⑤ 면담 종료 시 환자에게 질문할 기회를 준다.

환자가 꺼려하는 주제를 물어보는 것을 두려워하지 않아야 한다. 특히 자살사고가 있는 환자는 꼭 확인하는 것이 중요합니다.

정답   1-1. ⑤   1-2. ①

〈해설〉

1-03. 정신과적 면담에 관한 기술 중 가장 적절한 것은?

① 환자의 말을 많이 적는 것이 좋다.
② 환자보다도 의사의 의자 높이가 약간 높은 것이 좋다.
③ 망상에 대해 비합리성을 조목조목 말해 주어야 한다.
④ 환자와 정보제공자는 따로 보는 것이 좋다.
⑤ 어떤 경우에도 환자의 비밀을 누설해서는 안 된다.

③ 망상에 대해 논리적 접근보다는 환자의 불안을 경감시켜 주는 것이 중요합니다.
④ 환자를 먼저 면담 후 환자의 동의를 구한 뒤 가족 등을 보는 것이 정보를 얻는 것이 좋습니다.
⑤ 자살. 타해 위험이 있는 경우 치료자는 적극적으로 대처해야 합니다.

정답   1-3. ④

정신의학적 임상 검사
Clinical Examination of the Psychiatric Patient

손동훈 오진욱 장진구 송후림

Chapter

VI

Introduction

▶ 정신과에서는 흔히 혈액검사나 신체진찰 등이 필요 없다고 생각할 수 있지만, 몇몇 정신질환의 경우 신체적인 원인이 있는 경우가 있습니다. 우울감, 불안감 등은 갑상선 기능과 관련이 있고, 환청이나 환각 등의 증상은 암페타민 등의 물질 중독과도 관련이 있습니다. 모든 검사를 순서에 따라 공부를 한다고 하기보다는 질환별로 필요한 검사들(신체검사, 혈액검사 및 영상학적 검사 등)을 익히는 것이 좋습니다.

▶ 일반 신체 건강상태의 이상으로 인해 유발되는 정신상태의 이상을 감별하거나, 약물 농도의 적절한 유지 등을 위하여 임상 검사를 실시합니다. 최근에는 위험요인이나 예후 판단을 위해 사용하기도 합니다.

1. 선별 진단을 위한 실험실 검사

1) 선별 검사의 역할

(1) 정신과적 증상: 다양한 내과적 혹은 신경과적 질환들 및 각종 약물들에 의해서 발생할 수 있다.

(2) 겉으로 드러나는 증상이 유사하더라도 그 원인은 다른 경우가 많다. → 정확한 진단을 위한 선별 진단 검사는 필수

(3) 향정신성약품의 안전하고 효과적인 사용을 위해 중요하다(약물 투여 전 기저 상태에 대한 선별 검사, 약물 투여 이후의 검사 모니터링).

(4) 특히 정신과에 처음 내원하여, 과거 정신질환을 진단받았던 적이 없다면, 더욱 자세한 검사가 필요하다.

2) 기본 선별검사

(1) 병력 조사, 신체 검진, 정신상태검사, 이들 요소들을 고려한 임상가의 판단 등에 따라 선별 검사가 선택되고 시행된다.

(2) 정신건강의학과적 증상 이외에 특별한 내과적 문제나 호소가 없는 경우, 혈당, 혈액요소질소(BUN) 농

도, 크레아티닌(Cr)청소율, 소변검사 등을 포함한 선별검사가 도움이 된다.

(3) 50세 이상의 여성 환자: 갑상선자극호르몬(TSH) 검사

(4) 기본적으로 어떠한 검사를 시행할 것인지는 환자의 병력과 신체 검진에 근거하여 결정

    Ex) 약물남용의 과거력: 마약류 등에 대한 검출검사

        후천면역결핍증후군에 대한 위험요인: 인간면역결핍바이러스(HIV)에 대한 검사

※ 고위험 환자군: 노인, 수용시설 거주자, 약물 및 알코올 사용장애환자, 인지장애환자, 방임환자, 낮은 사회경제적 계층환자 등

3) 대표적인 정신질환별로 필요한 검사

(1) 우울증: 갑상선기능검사

(2) 조증: 약물검사(암페타민, 코카인 등), 갑상선기능검사

(3) 조현병: 약물검사, 뇌영상검사

(4) 불안: 갑상선기능검사, 약물검사

(5) 공황장애: EKG, chest x-ray 등 기저질환에 대한 검사가 필요하며 동맥혈검사 등을 추가로 시행하며, 필요 시 심장내과 등과 협진 시행

(6) 알코올사용장애: 간기능검사, CDT (알코올 사용하고 있는지에 대한 검사), electrolyte 등 필요에 따라 선택. 알코올금단섬망도 염두하여 활력징후 체크 및 신체검진은 필수적으로 시행

4) 기본 신경학적 검사

(1) 뇌신경 검사(cranial nerve examination)

① 1번 뇌신경(후각신경, olfactory nerve): 다양한 종류의 냄새를 맡게 하고 무슨 냄새인지 질문하면서 시행

② 2번 뇌신경(시각신경, optic nerve): 시각적 정확도나 시야를 평가하고, 안저검사를 통하여 시신경위축이나 시신경유두부종(papilledema)이 있는지 확인

③ 3번 신경(눈돌림신경, oculomotor nerve), 4번 신경(도르래신경, trochlear nerve), 6번 신경(갓돌림신경, abducensnerve): 안구의 움직임, 동공반응, 안검의 위치 등에 대한 검사

④ 5번 신경(삼차신경, trigeminal nerve): 주로 얼굴과 각막감각의 이상 여부

⑤ 7번 신경(얼굴신경, facial nerve): 얼굴 근육의 마비와 관련

⑥ 8번 신경(속귀신경, acoustic nerve): 청각 및 평형기능

    청각관련신경지(auditory branch)의 이상 시 난청, 환청 등의 증상

    전정기능관련신경지(vestibular branch)의 이상은 현훈 등 유발, 안구진탕 등의 징후

⑦ 9번 신경(혀인두신경, glossopharyngeal nerve), 10번 신경(미주신경, vagus nerve)

    : 인두 및 후두기능, 미각, 구역반사(gag reflex) 등의 조절과 관련

      9번 신경 → 주로 인두 및 후두와 혀의 뒤쪽 부분의 감각을 담당

      10번 신경은 주로 이러한 구조들의 운동요소와 관련

⑧ 11번 신경(더부신경, accessory nerve): 등세모근(trapezius muscle)의 상부와 목빗근(sternocleido-mastoid muscle)에 분포

⑨ 12번 신경(혀밑신경, hypoglossal neπe): 혀의 마비증상 등과 관련

(2) 운동 신경계 평가(motor system examination)

- 다양한 정신의학적 질환(neurocognitive disorder, conversion disorder 및 depressive disorder, schizophrenia 등에서의 catatonia)에서 운동기능이상을 동반할 수 있고, 또한 운동기능의 이상이 있는 각종질환에서 정신병리가 동반될 수 있음
- 각종 향정신성의약품들(특히 antipsychotics)도 운동기능에 영향을 미칠 수 있음
- 근육량, 근력, 근 긴장도(muscle tone) 등을 포함한 근기능 평가와, 운동협조기능(motor coordination), 각종 불수의적 운동장애에 대한 평가 등이 포함

① 근력
- 근육 수축력의 크기
- 등급
  0: 근육수축이 전혀 없음
  1: 움직임 없는 근육수축만 있음
  2: 중력 제거상태에서 사지의 움직임 있음
  3: 중력을 극복하는 사지 움직임 있음
  4: 부분적 저항을 극복하는 움직임 있음
  5: 정상적 근력

② 근 긴장도
- 환자가 이완하고 있을 때 환자의 사지나 목을 수동적으로 움직여보는 방법으로 시행
  i) 근육강직(spasticity): 안정 시 이완, 수동적으로 신장시키려 할 때 근 긴장도가 올라가는 양상
     위운동신경원(upper motor neuron)의 손상과 관련
  ii) 납관경직(lead-pipe rigidity, plastic rigidity): 수동운동을 시킬 때의 저항이운동속도와 상관없이 일정하게 유지
     파킨슨병과 같은 추체외로증후군 등
  iii) 톱니바퀴경직(cogwheel rigidity): 사지를 움직여 볼 때 간헐적으로 저항
  iv) 납굴증(waxy flexibility): 사지를 수동운동시킬 때 일정 정도의 저항을 유지하다가, 운동이 끝난 시점의 자세를 유지
     긴장증(catatonia)과 동반되어 나타나는 경우가 많음(긴장증은 주로 우울증, 조현병과 같은 각종 정신의학적 질환, 각종 뇌질환 등에서 나타남)

③ 운동협조기능

- 기본적으로는 소뇌기능과 관련이 있다.
- 대표적인 검사: 신속교대운동검사(rapid alternating movement), 수지-코 운동검사(finger-to-nose movement), 뒤꿈치-무릎-정강이자세(heel-knee-shin maneuver) 등
- 정상적인 걸음과 자세도 운동기능 및 감각기능의 원활한 협조에 의해 가능 → 걸음의 시작양상, 보폭, 높이, 속도, 양 발 간격, 대칭성, 경로이탈 여부, 가속보행(festination of gait)여부 등을 주의 깊게 평가해야 한다.
- 자세의 불안정성: 감각기능이상, 소뇌질환, 추체외로질환 등에 의해 발생할 수 있음

  Ex) 파킨슨병과 같은 추체외로 질환: 사지굽힘(flexion)양상의 자세이상이 나타나는 경향

  진행성핵상마비(progressive supranuclear palsy): 폄(extension)양상의 자세이상이 관찰

④ 연성신경학적징후(soft neurologic sign)

: 초기 발달단계에서는 정상적으로 나타날 수 있지만, 아동기 이후에도 나타나면 비정상적인 것으로 간주되는 미세한 운동 및 감각신경계의 장애이다.

- 명확하게 병소를 국소화할 수는 없으나, 미세한 뇌기능의 이상을 시사한다.
- 조현병 등의 정신의학적 질환에서 상대적으로 빈번히 관찰한다.

⑤ 불수의적운동장애

: 파킨슨증후군, 운동과다증(hyperkinesia), 떨림(tremor), 근육긴장이상(dystonia)의 형태이다.

i) 파킨슨증후군: 근육 경직과 운동완만증(bradykinesia)의 형태가 특징적

ii) 운동과다증

- 비틀림운동(athetosis), 무도병(chorea), 틱(tic), 근간대경련(myoclonus) 등의 형태
- 항정신병약물 등에 의해 유발될 수 있는 지연이상운동(tardive dyskinesia)은 무도증의 특별한 형태

iii) 떨림

- 다른 불수의적 운동장애와는 달리, 비교적 일정한 간격의 진동의 양상
- 안정시 떨림(resting tremor), 체위떨림(postural tremor), 활동 떨림(kinetic tremor) 등의 형태
- 안정시 떨림: 주로 크고 낮은 주파수(약 4~6 Hz)의 떨림
  - 파킨슨증후군에서 주로 관찰
  - 수면시에는 사라지고 깨어난 뒤 안정하고 있을 때 나타남
  - 수의적 행동을 하면 억제
- 체위떨림: 크기는 작고 높은 주파수(약 10~12 Hz)의 진동
  - 안정시에는 관찰되지 않음
  - 의도적 행동을 하려고 하거나 특정 자세를 유지하는 동안에 나타남
  - 본태떨림(essential tremor) 및 피로, 흥분, 저혈당, 갑상선항진증, 각종 약물 복용과 같은 상태의 영향을 받는 생리적떨림(physiologic tremor)이 포함

- 활동떨림: 운동시 악화되는 떨림
  - 소뇌이상에 의해 나타나는 의도적 행동시의 떨림이 대표적 예

iv) 근육긴장이상

- 길항근(antagonistic muscle)의 지속적 수축, 자세의 이상이 지속적으로 나타나는 현상
- 초기: 간헐적으로 나타나 불규칙한 떨림의 양상처럼 보임
- 특발성, 다양한 종류의 운동장애와 동반, 항정신병약물 등의 부작용

(3) 감각 신경계 평가(sensory system examination)

시상에 의해 매개되는 일차적 감각체계와 피질성 감각체계에 대한 평가이다.

① 일차적 감각체계에 대한 평가

- 가벼운 촉각자극, 통각자극, 온도, 진동 등에 대한 감각평가이다.

② 피질성 감각

- 미세한 감각의 분별 이상의 형태로 나타난다.
- two-point discrimination test: 서로 가까이 위치한 두 지점을 자극했을 때와 한 점을 자극했을 경우를 구분하기 어려워 한다.
- 입체감각인식(stereognosis), 피부그림감각(graphesthesia) 등이 있다.
- 편측무시(unilateral neglect)에 대한 평가: 양측에 동시 자극을 주고서, 환자가 편측의 자극으로만 인식하는지 여부를 관찰한다.
- 고유감각(proprioception) 손상 → 눈을 감고 섰을 때 균형의 유지에 어려움이 생기는 Romberg징후가 나타난다.

(4) 반사(reflexes)

① 근육신장반사(muscle stretch reflex)들에 대한 검사 → 감각운동계의 협조 적절성을 파악하고, 병소를 국소화한다.
② 피질척수로(corticospinal tract) 부위에 병변: 반대측의 반사 반응 증가
③ 바빈스키(Babinski) 징후: 발바닥의 외측면을 뒤에서 앞으로 긁을 때 나타나는 병적 반사

- 정상적으로는 엄지발가락이 발바닥 쪽으로 구부러짐
- 바빈스키 반사시, 엄지발가락이 발등 쪽으로 구부러짐
- 피질척수로의 질환을 시사하는 편측화 징후(lateralizing sign)

④ 미간두드리기반사(glabella tapping reflex): 1초는 1회 정도의 간격으로 미간을 계속 두드릴 때, 눈 깜빡임이 사라지지 않고 지속되는 현상

- 파킨슨병이나 미만성 뇌질환이 있을 경우 관찰

2. 특수 상황에서의 실험실 검사

1) 정신병적 장애

(1) 원인 감별을 위한 선별 검사를 시행한다.

(2) 혈청 화학 검사, 간기능 검사, 전체혈구계산, 갑상선 호르몬 검사, 매독 검사, HIV 혈청 검사, 혈중 알코올 농도, 약물 남용 감별을 위한 소변 약물 검사, CT, MRI 등의 뇌영상 검사, 뇌파 등이 있다.

(3) 원인이 명확하지 않은 경우: 뇌척수액 검사, 중금속 분석 검사, 소변 포르피린 검사, 혈액 배양검사, 류마티스 인자 검사, 항핵항체검사, 적혈구 침강 속도 등의 검사 시행에 대해 고려한다.

(4) 항정신병약물을 투여: 임신 반응 검사, 심전도 검사를 고려한다.

2) 기분의 변화

(1) 갑상선 호르몬 검사, 혈청 화학 검사, 간기능 검사, 신장 기능 검사, 전체혈구계산, 소변검사, 약물 남용 감별을 위한 소변 약물 검사 등이 있다.

(2) 기분안정제 투여: 임신 반응 검사, 심전도 검사

(3) 기분안정제, 각종 항우울제: 다양한 종류의 약물 부작용과도 관련 있으며, 투약 시작 후 정기적으로 기본적인 선별검사 시행

(4) 약물 농도 측정

① 약물 순응도의 문제가 의심되는 경우

② 약물 치료 효과가 예상과 다르게 나타나지 않는 경우

③ 약물로 인한 독성이 의심되는 경우

④ 약물 상호작용으로 인해 계획하고 있는 치료 약물 농도의 변화가 예상될 때

Ex) 리튬, 발프로산, 카바마제핀, 삼환계 항우울제 등

3) 불안

(1) 내분비학적 질환, 각종 약물 중독 및 금단, 다양한 신경학적 질환을 감별한다.

(2) 협심증, 심근경색증, 승모판탈출증, 각종 부정맥 등에 의한 증상 감별 → 심전도 검사, 홀터 모니터링, 심초음파 검사, 운동부하검사 등

(3) 각종 폐질환 → 흉부 방사선 검사, 폐기능 검사 등

(4) 필요시 뇌파 검사, 소변 포르피린, 바닐릴만델산(VMA) 등에 대한 검사를 시행한다.

4) 정신 상태의 변화

(1) 갑작스러운 의식의 변화 → 원인이 되는 내과적 혹은 신경학적 문제 가능성이 높다.

(2) 경우에 따라서 응급적 처치를 요하는 문제들일 수 있다.

(3) 필요할 경우 뇌척수액 검사, 소변 포르피린, 혈청 암모니아, 혈액배양검사, 동맥혈 가스분석 등을 한다.

(4) 뇌파 검사: 발작, 다양한 종류의 전신적 질환에 의한 2차적으로 발생하는 뇌병증 시사 소견

(5) CT/MRI 등의 뇌영상 검사: 각종 두개강내 혈종 및 출혈, 뇌종양, 뇌졸중 등의 진단

5) 인지 기능의 저하

표 6-1. 치매 환자의 검사

진단검사의학적 검사
기본 혈청 화학 검사
간기능 검사
신장기능 검사
갑상선 기능검사
혈청내 전해질, 칼슘 및 마그네슘 이온치
혈당
매독 검사
소변 검사
전체혈구계산과 감별검사(complete blood cell count with differential cell type)
혈청 비타민 B_{12}
엽산
소변 코르티코스테로이드
적혈구 침강 속도
항핵항체 검사, C_3, C_4 anti-DS DNA
동맥혈 가스 분석
사람면역결핍바이러스 선별 검사
소변내 porphobiinogens
흉부 방사선 검사
심전도
뇌영상 검사 및 신경학적 진단검사
두부 CT 혹은 MRI
두부 PET 혹은 SPECT
요추천자 검사
뇌파 검사
신경심리학적 검사

6) 물질 관련 문제

(1) 알코올, 아편, 암페타민, 코카인, 대마초, 펜시클리딘, 각종 벤조디아제핀, 바비튜레이트 등

(2) 물질사용장애환자 → 본인의 물질 관련 문제를 부정하는 경우가 빈번 → 혈액, 소변, 타액, 모발 등의 검체를 이용한 검사실 검사

(3) 소변을 이용한 검사: 혈액 검사보다 사용한 약물, 그 대사 물질이 더 오랫동안 검출

(4) 약물의 종류에 따라 소변 검사에서 검출될 수 있는 시한: 암페타민, 코데인, 모르핀 등의 아편 물질: 약 2~3일 실력

① 코카인: 6~8시간(대사 물질의 경우 2~4일)

② 벤조디아제핀계 약물: 약 3일

③ 대마초: 4~6주

④ 펜시클리딘: 1~2주

⑤ 단기 작용 바비츄레이트: 24시간

⑥ 장기 작용 바비츄레이트: 3주

⑦ 알코올: 약 7~12시간

※ 알코올, 바비츄레이트: 혈액 검사에서 가장 잘 검출

(5) 만성적인 알코올사용장애: 알코올성 간질환에 대한 검사 및 COT (Carbohydrate-deficient transferrim) 검사(음주 후 2~4주까지 검출되어 알코올 사용의 생화학적 표기 기입) **실력**

(6) 불법적 약물(정맥주사, 성적 쾌락 증진 목적): 후천면역결핍증후군, 매독, B형 간염, C형 간염 등 감염성 질환 등에 대한 평가

3. 약물 모니터링

1) 기분안정제

(1) 리튬

① 소변을 통해 배출된다.

② 사용 전: 갑상선 기능 검사, 혈청 전해질 검사, 신장 기능 검사, 심전도 검사 등

가임기 여성은 임신 반응 검사(태아에게 노출 시 기형 유발)

복용 지속: 6개월마다 갑상선 기능 검사, 전해질 검사, 신장 기능 검사, 심전도 검사 등

③ 부작용: 갑상선저하증, 신독성 및 소변 농축 능력 저하, 심장 전도장애, 백혈구증가(leukocytosis)

④ 치료적 혈중 농도 범위: 0.8~1.2 mEq/L (1.5 mEq/L 넘어서면 독성 나타날 수 있음)

치료적 용량 적정시 주 2회, 안정 후에는 한 달에 한 번 정도 측정

(2) 발프로산

① 투여 전, 간기능 검사, 혈소판 수치를 포함한 전체혈구계산, 임신 반응 검사 등

→ 투여 후 6~12개월마다, 간기능 검사, 혈소판 수치 포함한 전체혈구검사, 혈중 약물 농도

② 부작용: 간독성, 혈소판 감소, 응고장애, 신경관결손(태아) 등

③ 치료적 혈중 농도 범위: 50~150 ng/mL

(3) 카바마제핀

① 투여 전, 혈소판 수치를 포함한 전체혈구계산, 간기능 검사, 망상적혈구 수치, 혈청 철분 검사

② 부작용: 무과립구증, 재생불량빈혈, 혈소판감소증, 백혈구감소증, 간독성, 신경관결손(태아) 등

③ 치료적 혈중 농도 범위: 8~12 ng/mL

④ 혈액학적 부작용: 약물 투여 후 첫 3개월간 매주, 그 이후로는 월 1회 전체혈구검사 시행

⑤ 간독성: 간기능 검사 3~6개월 간격으로 시행

(4) 라모트리진

① rash 등 피부 관련 부작용에 주의하여 서서히 증량해야 하며, 특히 valproic acid 등 다른 약물과 함께 사용시 혈중농도변화에 유의해야 한다.

② 저칼륨혈증, 심전도상 QRS 연장 등의 독성반응

2) 항우울제

(1) 삼환계(혹은 사환계) 항우울제

① 약물 투여 이전: 심전도 검사 시행(투여 후, 1년 1회)

② 부작용: 심장 전도장애 등의 심장 부작용

(2) 단가아민산화효소차단제(monoamine oxidase inhibitors, MAOIs)

① 투여 전 혈압 측정, 투여기간 동안에도 혈압 추적 모니터링

② 부작용: 티라민(tyramin) 함유 음식 섭취에 의한 고혈압위기(hypertensive crisis), 기립성 저혈압 등

3) 항정신병약물

• 혈액학적 부작용, 간세포독성, 담즙 정체, QTc 간격 연장 등의 심장 부작용, 대사 증후군의 발생 및 악화 등

(1) 저역가 항정신병약물 → 골수 억제에 의한 혈액학적 부작용 주의 → 발작의 역치를 낮춤(투여 전 뇌파 검사 유용)

(2) 클로자핀(clozapine): 치명적인 무과립구증의 위험(1~2%)
약물 투여 후 CBC 18주간 매주, 그 후 매달 1회

(3) 티오리다진(thioridazine), 지프라시돈(ziprasidone): torsades de pointes

4. 신경내분비검사

• 내분비 기능의 이상 → 불안과 우울 같은 정신증상 유발

• 스트레스를 비롯한 여러 정신적 증상이나 고통 → 내분비 기능에 영향

• 신경내분비계: 시상하부, 뇌하수체 및 말단 내분비기관으로 구성

• 되먹임 기전, 항상성(homeostasis)

• 성장과 발달, 스트레스에 대한 반응, 생식 등 개체의 생존에 필수적 기능

• 측정: 신경화학물질이나 호르몬을 주었을 때의 반응을 측정하는 것이 효과적

1) 내분비 호르몬 축에 따른 기능이상과 검사

(1) 시상하부-뇌하수체-부신피질 축(hypothalamic-pituitary-adrenal axis)

① 스트레스와 밀접한 관련

② 부신질환: 우울, 불안, 조증, 치매, 정신증, 섬망 등 정신과적 임상 양상과 관련

　　Ex) 우울증: 혈중 코티솔 및 소변내 코티솔 대사산물 증가

③ 덱사메타손 억제 검사(dexamethasone suppression test, DST): 우울증에서 non-suppression

④ 에디슨 병(Addison's disease): 낮은 코티솔, 피로, 식욕감소, 체중감소 및 기운없음 등 호소

　　　　　　　　　심한 경우 기억력 감소, 혼미 혹은 섬망 상태

⑤ 쿠싱증후군(Cushing's syndrome): 증가된 코티솔

　　　　　　　　　　정서적 불안정, 초조 및 불안, 공황발작, 우울감, 조증 등

⑥ 스테로이드: 초조, 공격성, 우울감, 정신증의 임상양상과 관련

　　　　　운동선수, 육체미 선수들이 남용

(2) 시상하부-뇌하수체-갑상선 축(hypothalamic-pituitary-thyroid axis)

① 갑상선 호르몬: 우울장애, 불안장애, 공황발작, 치매, 정신병적 증상

　　　　　항진 → 피로감, 초조, 불면, 불안, 체중감소 및 정서적 불안정 유발

　　　　　　　(TCA & MAOI의 심장독성 / 항정신병약물의 신경독 효과 강화)

　　　　　저하 → 피로, 성욕 감소, 기억력 저하, 초조 등

② 갑상선 기능: 양극성장애의 예후나 임상양상과 관련

　　　　　저하시, 항우울제에 의한 치료효과도 제한적

(3) 시상하부-뇌하수체-생식샘 축(hypothalamic-pituitary-gonadal axis)

① 주요 우울장애의 발병률이 여성에게 더 높음

　• 양극성장애, 여성의 경우 우울 삽화의 빈도가 더 높음

② 에스트로겐: 세로토닌, 노르에피네프린, 도파민, GABA 등 각종 신경전달물질에 영향

　• 항우울작용, 신경가소성 역할

　• 감소 → 여성: 골다공증 및 치매 위험성 증가

(4) 항이뇨호르몬

① 감정적 스트레스, 통증 또는 탈수와 같은 신체 상태에 반응하여 분비를 조절

　　→ 신체 내 수분 균형을 유지

② 요붕증(diabetic inspidus, DI): 항이뇨 호르몬 감소된 상태

　　　　　　　심한 갈증, 다뇨

　Ex) 리튬 장기 복용 → 콩팥 세뇨관의 항이뇨호르몬에 대한 민감도 낮춤

　　　→ 신성 요붕증(nephrogenic DI) 유발

③ 항이뇨호르몬 부적절 분비증후군(SIADH): 호르몬 과다 분비, 저나트륨혈증, 섬망 유발

5. 전기생리검사

1) 기본 뇌파 검사

(1) 뇌파(electroencephalography, EEG)

: 대뇌피질의 전기적 활동을 측정하여 뇌의 기능적 결함을 관찰. 주로 간질의 감별에 사용된다.

① 치매, 섬망, 의식의 변화, 자동증, 두뇌손상, 환각, 해리현상 등에서도 사용된다.

② 전기경련요법(electroconvulsive therapy, ECT)에서 이상파의 발생 여부를 파악한다.

③ 수면다원검사의 주 요소이다.

(2) 과호흡, 광선자극, 수면박탈, 수면유도 등 → 이상파의 출현을 촉진

(3) 정신과 영역에서 간질을 제외하고는 진단을 위해 기본적으로 사용되지 않는다.

(4) 주파수에 따라 델파파, 세타파, 알파파, 베타파

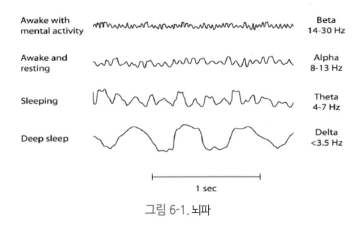

그림 6-1. 뇌파

① 알파파: 정상적으로 눈을 감은 각성상태일 때의 파형

긴장이완과 같은 편안한 상태

후두부, 두정부에서 가장 크게 기록 / 전두부에서 가장 작게

정신적으로 흥분 → 알파파 억제(alpha blocking)

② 베타파: 깨어 있을 때, 말할 때와 같이 모든 의식적인 활동시 주로 전두부

불안한 상태나 긴장 시, 복잡한 계산처리 시 우세

③ 세타파: 정서안정 또는 수면으로 이어지는 과정에서 주로 나타남 / 어린이

④ 델타파: 주로 정산인의 깊은 수면시 / 신생아

깨어 있는 사람이 델타파가 많이 나타나면

→ 대뇌피질 부위의 전반적 기능 약화를 시사(혼수상태, 마취, 약성종양 등과 관련된 기질적 원인)

2) 수면다원검사(polysomnography) 기출

: 신체에서 발생하는 뇌파, 안구운동(EOG), 근전도(EMG), 심전도(ECG) 등 동시에 발생하는 다양한 생리적 신호들과 코골이, 호흡기류, 호흡운동, 혈중산소포화도 등을 종합하여 기록한다.

- 불면증, 수면무호흡증, 주기성사지운동증, 야뇨증, 렘수면행동장애, 몽유병 등 진단
- 과다 수면증(기면증 등): 수면잠복기반복검사(multiple sleep latency test, MSLT)
- 수면의 단계(총 5단계): 각성상태, 비렘수면인 1~3단계 수면, 렘수면

(1) 1단계 수면: 각성상태의 알파파가 작은 진폭의 다양한 주파수의 형태로 변화
(2) 2단계 수면: 각성을 동반하지 않은 K 복합체(K complex), 수면방추파
(3) 3단계 수면: 큰 진폭의 서파
(4) 렘수면(REM sleep): 낮은 진폭의 다양한 주파수의 뇌파소견, 낮은 턱 긴장도, 빠른 안구운동 / K 복합체나 수면방추파가 나오지 않음

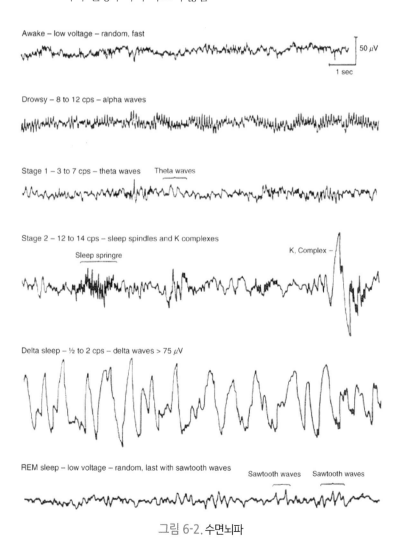

Awake – low voltage – random, fast

50 μV

1 sec

Drowsy – 8 to 12 cps – alpha waves

Stage 1 – 3 to 7 cps – theta waves　　Theta waves

Stage 2 – 12 to 14 cps – sleep spindles and K complexes

Sleep springre　　　　　　　　　　　K, Complex –

Delta sleep – ½ to 2 cps – delta waves > 75 μV

REM sleep – low voltage – random, last with sawtooth waves

Sawtooth waves　　Sawtooth waves

그림 6-2. 수면뇌파

3) 유발전위 [실력]

    (1) 뇌피질이 특별한 감각자극에 대하여 어떻게 반응하는가를 측정하는 것이다.

    (2) 특정 정보를 내포하고 있는 자극을 반복 제시한 후, 이 자극 처리와 관련한 뇌의 전기적 활동만을 얻은
       파형이다.

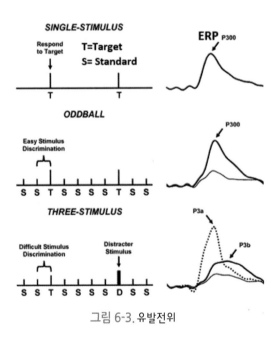

그림 6-3. 유발전위

4) 정량화 뇌파(Quantitative electroencephalography) [실력]

    (1) 주파수별 뇌파의 활성 정도와 양을 정량화하여 분포 범위와 시간에 따른 변화 정보를 제공한다.

    (2) 뇌파해석의 주관적 오류를 최소화한다.

    (3) 동일한 환자에서 치료 경과와 시간변화에 따른 결과를 비교 분석하는 것이 가능하다.

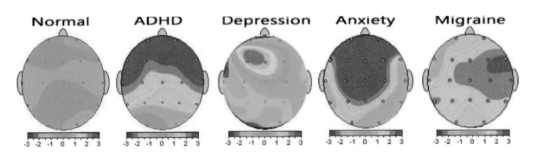

그림 6-4. 정량뇌파

6. 약물 유전학(Pharmacogenetics)

1) 약물 유전학의 정의 및 의의

(1) 유전적 소인에 의한 약물반응의 다양성에 대한 연구이다.

(2) 약물의 흡수, 분포, 대사, 배설 등을 포함하는 약력학과 약물의 작용 대상. 즉, 수용체 혹은 대상 효소에 관여하는 약동학에 영향을 주는 표현형에 대한 연구이다.

(3) 약물 유전학: 표현형으로부터 문제를 접근한다.

　　Ex) 약물 유전체학: 유전자에 그 초점을 두고 있음

(4) 개개인에 가장 효과적인 약물, 가장 효과적인 용량, 그리고 가장 낮은 부작용을 기대한다.

2) 약물 유전학 연구 과정

(1) 가장 알고 싶어하는 약물의 작용기전에 대한 이해로 시작된다.

(2) 그 기전에서 기본이 되는 후보 유전자의 동정, 유전자 변이의 동정, 임상 시험으로부터 얻은 결과로 유전자 변이들의 관계를 결정하는 것으로 진행된다.

3) 정신과 영역에서의 약물유전학 검사

(1) 치료 효율 검사

(2) 클로자핀 치료에서 이차적으로 발생하는 무과립구혈증에 대한 검사

(3) 항정신병 약물 치료와 관계된 대사 증후군 검사

(4) 이용 가능한 사이토크롬(cythochrome, CYP) 검사

7. 뇌영상검사(Neuroimaging study)

1) 구조적 영상 검사

(1) 전산화단층촬영(computed tomography, CT)

골절과 출혈을 확인할 수 있어 응급실에서 뇌외상 환자에게 우선 시행

① 장점: 체내 삽입물, 심박동기(pacemaker) 여부에 상관없이 검사를 시행할 수 있다.

　　　움직임에 따른 결과의 오차 발생률이 적다.

　　　비용이 저렴하며, 검사 소요 시간이 짧다.

② 단점: X선에 직접 노출

　　　백질(white matter) 등과 같은 연부 조직(soft tissue)을 세밀하게 보여줄 수 있는 해상도가 낮다.

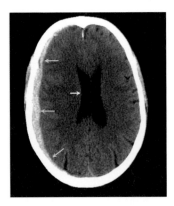

그림 6-5. acute subdural hematoma (0~2 days old)

(2) MRI

① T1 강조 영상: 백질처럼 지질 성분이 많은 조직은 고신호 강도로 밝게

　　　　　　　뇌척수액 및 뇌실처럼 수분이 많이 포함된 조직은 저신호 강도로 어둡게

② T2 강조 영상: 수분이 많이 함유된 조직은 밝게

　　　　　　　지질 성분이 많은 영역은 어둡게

③ 액체감쇠연적회복(fluid attenuated inversion recovery, FLAIR) 영상

　: 뇌실과 대뇌고랑에서 발생하는 고신호강도를 억제함

　뇌실질 부위의 비정상적인 수분 함유 변화를 민감하게 식별

④ 확산강조영상(diffusion-weighted imaging, DWI)

　: 급성 뇌경색 및 일과성허혈발작(transient ischemic attack, TIA)을 식별

　국소 신경학적 증상이 호전된 이후에도 뇌 내의 비정상적 소견 확인이 가능

　특히 부종과 탈수초화 등을 확인하는데 유용

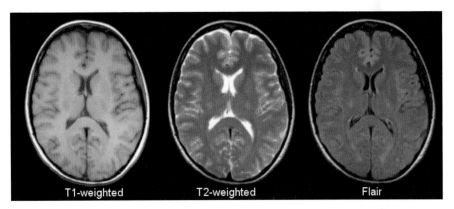

그림 6-6. 뇌MRI

2) 기능적 뇌영상 검사

(1) 기능적 자기공명영상(functional MRI, fMRI)

: 뇌신경의 활동성을 간접적으로 측정하는 뇌영상 기법

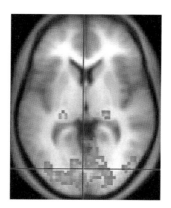

그림 6-7. 뇌fMRI

(2) 양전자방출단층촬영(positron emission tomography, PET) 실력

: 방사성동위원소(radioactive isotope)를 체내에 주입하여 촬영하는 영상 기법

가장 많이 사용되는 동위원소 → FDG

최근 florbetaben, flutemetamol 등을 사용한 amyloid PET이 Alzheimer's disease의 조기 진단에 활용되고 있다.

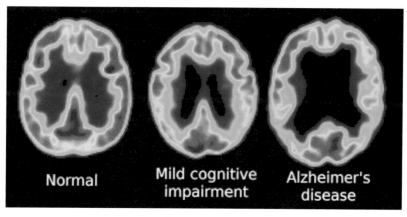

그림 6-8. 뇌FDG-PET

(3) 단일양자방출전산화단층촬영(single photon emission tomography, SPECT)

: PET과 마찬가지로 방사성동위원소를 이용하는 영상검사 방법

2개의 감마선을 검출하는 PET와 달리 SPECT에서는 단일양자를 검출

① 장점: PET보다 저렴, 동시에 두개의 다른 동위원소를 주입한 뒤 각각을 동시에 검출 가능

② 단점: PET보다 더 낮은 해부학적 구조적 해상도

③ 주로 종양의 전이위치, 혈류량과 세포의 신진대사 등 생화학적인 지표를 측정

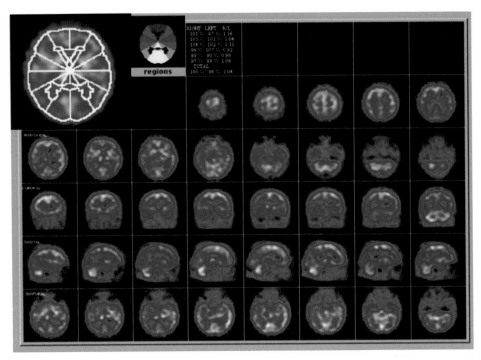

그림 6-9. Bilateral temporoparietal hypoperfusion in Alzheimer disease

(4) 확산텐서영상(diffusion tensor imaging, DTI) 실력

: MRI 기전을 바탕, 뇌에서 시상면, 수평면, 관상면 3축의 공간지표에 따른 수분의 확산도를 측정

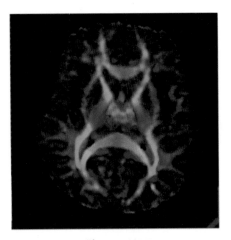

그림 6-10. 뇌DTI

(5) 자기뇌파검사(magnetoencephalography, MEG) 실력

: 수천 개의 피질 피라미드 뉴런에서 동시에 발생되는 신경 활동성을 측정하는 검사 방법

직접적으로 신경활동성을 측정함

cf. fMRI: 뇌혈류량과 산소화 따른 변화를 측정(간접적)

PET, SPECT - 뇌 대사량을 측정(간접적)

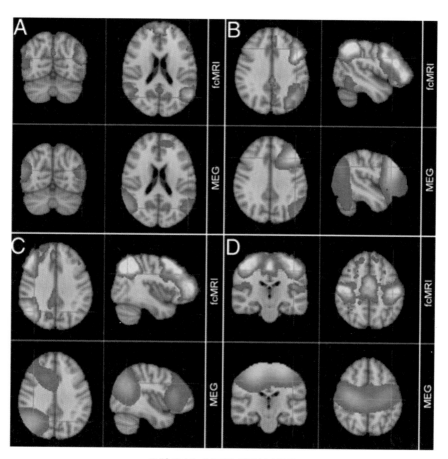

그림 6-11. fMRI와 비교한 MEG

정신장애의 진단분류체계
Classification of Mental Disorders

이혜민 박주호 장진구 송후림

Chapter

VII

Introduction

▶ 정신장애는 임상적으로 나타나는 행동 및 심리적 증후군입니다. 아주 예전에는 의사 각각이 자신의 기준으로 진단하여 진단의 신뢰도와 타당도가 떨어졌지만, diagnostic and statistical manual of mental disorder (DSM)의 개발 이후 이는 상당 부분 해소되었습니다. 과거의 DSM에서는 정신장애를 기술적(descriptive)으로 설명하고, 범주적(categorical)으로 분류하였습니다. 하지만 신경생물학의 눈부신 발전으로 정신장애를 원인(etiological)에 근거하고, 차원적(dimensional)으로 이해하려는 시도가 이루어지고 있고 이러한 추세는 DSM-5에도 상당부분 반영되고 있습니다.

▶ 정신장애 진단의 특징은 첫째, 명확한 검사 방법이 없으므로 정신과적 면담이 중요합니다. 둘째, 환자의 주요 호소증상이 일차적으로 중요한 진단의 근간이 됩니다. 셋째, 기능 저하의 문제가 진단에 중요한 요소 중 하나가 된다는 것입니다. 환자의 호소하는 증상만큼 기능 저하도 질환의 진단에 중요하다는 것을 기억해 두십시오.

1. 정신의학적 진단 분류의 특징

1) 신체 질환과의 관련성 유무(기질성 정신장애 vs. 비기질성 정신장애)

(1) 뇌졸중이나 사고로 인한 뇌손상과 같은 신체 질환에 의한 뇌 기능 이상: 기질성(organic)

(2) 조현병, 조울증 등 기질적 문제가 없을 시 기능성 정신장애(functional)라 하였으나 최근 사용되진 않는다.

(3) 최근 뇌영상의 발달로 미세한 기질적 문제를 찾아내기 때문에 단순히 이분법적으로 기질성인지, 비기질성인지 구분하는 것은 어렵고 생물학적 특성 여부에 주목하는 것이 치료에 중요할 수 있다.

2) 심리적인 특성과 생물학적인 특성(신경증[Neurosis] vs. 정신병[Psychosis])

(1) 신경증(만성적이고 지속적이며 정신증적 특성이 없는 상태로 불안이라는 특징적인 양상을 가지고 있음)이란 용어도 DSM-IV부터는 사라진다.

(2) 과거 생물학적 특성을 나타내는 멜랑콜리아 우울증, 신경증적 우울증, 조울병 등의 진단분류가 있었으나 DSM-Ⅲ부터 사라져 모두 주요우울장애와 조울병으로 통합되었다.

(3) 우울증을 원인에 따라 분류했던(멜랑콜리아 우울증, 신경증적 우울증) 것을 통합함에 따라 분류별로 치료가 달랐던 탓에 당시 큰 비판을 받았다.

(4) 정신병을 가진 환자들은 신경증 환자와는 달리 현실 판단력의 손상과 심한 심각도를 가지며 환각, 망상을 가지는 범주의 환자들로 정의된다.

(5) 약물학적 치료를 포함한 생물학적 치료에 반응이 좋다는 연구 결과가 있다.

(6) 정신병이 생물학적 질환을 대표하는지에 대해선 논란이 있다(멜랑콜리아 우울증의 경우 생물학적 우울증이나 정신병적 특징이 없음).

3) 현 정신의학 진단 체계의 문제점

(1) 현 정신의학의 진단, 특히 DSM은 많은 비판을 받고 있다.

(2) 왜냐하면 다른 의학과는 달리 혈액 검사, 뇌 영상 검사로 진단을 특정할 수 없는 한계로 증상 중심의 기준이기 때문이다.

(3) 최근 DSM-5가 개정되며 생물정신의학의 발달에 힘입어 기준의 변화를 담고 있기를 기대했으나, 생물학적 연구결과들을 반영하지 못하고 여전히 증상 위주의 진단 분류로 되어 있어 진단적 오류가 있을 가능성이 높고 오진의 가능성이 생길 수 있다.

4) 향후 진단체계의 나아갈 길

(1) 진단이 세밀해져야 치료가 따라오기 때문에 정확한 진단체계의 개발은 정신의학계의 큰 과제이다.

(2) 현재 의학은 증상 중심의 치료에 좀 더 치우쳐 있고 이는 정확한 진단 체계의 부재가 큰 역할을 했을 것이며 진단의 불확실성으로 인한 치료체계의 부족도 영향을 미친다.

(3) 한층 더 병인론적 관점에서 생각하면 현재 증상 위주의 치료에서 질환 위주의 치료 쪽으로 관점의 이동이 가능할 것으로 생각된다.

> TIP 그럼에도 불구하고 현행의 DSM-5 진단 체계를 숙지하는 것은 중요합니다. 정신장애의 진단은 정신과에서 매우 중요한 과제로서 시험 출제에도 큰 비중을 차지하고 있습니다. 진단 기준에 전형적인 사례를 상정하여 암기하는 것이 도움될 것입니다.

2. 진단분류의 유형

1) 범주적 분류(Categorical classification)와 차원적 분류(Dimensional classification)

(1) 일반적으로 원인이 알려진 의학적 상태는 질환(disease)이라 하며, 그렇지 않을 때는 장애(disorder)로 기술하며 대부분의 정신과적 상태는 원인 및 병인이 확립되지 않아 '장애(disorder)'라는 용어를 사용한다.

(2) 범주적 분류는 특징적 증상 및 징후가 확인되면 장애가 있다고 진단한다.

(3) 많은 정신장애에서 증상과 유전적 및 환경적 위험 요인들을 공유하고 있음이 공존질환(comorbidity) 연구에서 밝혀지고 있어 범주적 분류에 의해 정신장애가 완전하게 분류되지 못함을 알 수 있다.

(4) <u>범주적 분류는 해당 장애의 여부만을 판단하는 반면에 차원적 분류는 그 장애와 관련되는 정도를 일련의 점수로 표시해서 점수가 높을수록 장애를 가질 가능성이 높은 것으로 나타난다.</u>

(5) 차원적 분류는 동일한 범주적 진단을 받은 환자에서의 개별적으로 중요한 임상적 차이를 규명할 수 있으나 범주적 진단의 경우 차원적 진단에 비해 검증력이 낮고 예측된 정확도가 낮으며 동일 진단의 개인차이를 잘 반영하지 못한다.

2) 원인적 분류(Etiological classification)와 기술적 분류(Descriptive classification)

(1) 어떤 질환이 단 하나의 원인만 있다면 원인과 관련된 기전을 근거로 분류가 가능하나(**Ex.** 철 결핍성 빈혈, 세균성 폐렴) 정신장애의 경우 생물학적-심리학적-환경적 요인의 복잡한 방식으로 상호작용하여 오랜 시간에 걸려 질환을 나타내므로 원인적 분류를 하는 것은 거의 불가능하다.

(2) 기술적 분류는 원인을 명시하지 않고 증상 및 징후 또는 임상적 특성, 소견의 집합으로 진단하는 방식을 기술적으로 진단한다.

3) DSM과 ICD에서 정신장애 분류

(1) 현대 정신장애의 분류는 에밀 크레펠린(Emile Krapelin)에 의해 체계화되었다.

(2) 20세기 중반 유럽과 미국의 정신과 의사들은 정신장애를 체계화할 필요성을 인식, 1952년 DSM-I이 발표된 이래 2013년 DSM-5까지 개정되었다.

(3) 1948년 세계 보건 기구(WHO)에서 국제질병분류 제6판(ICD-6)에서 처음으로 정신장애를 별도의 범주로 다루었고(F code) 현재 ICD-11까지 개정되었다.

4) DSM의 변천 실력

(1) DSM-I (1952년)

APA에서 최초로 발행, 기질성과 비기질성으로 구분하고 비기질성에서 정신신경장애를 정의하였다.

(2) DSM-II (1968년)

DSM-I이 ICD와 일치하지 않는다고 하여 ICD-8 발간에 맞추어 DSM-II를 내놓았으나 그 전과 차이가 없었다.

(3) DSM-III (1980년)

① 반드시 있어야 할 임상적 특징과 진단이 불가능한 특징을 분명히 하였다.

② ICD-9과 호환성을 유지하고자 하였다.

③ 기존에 사용하던 정신신경장애 및 신경증이란 용어를 삭제하였다.

④ 다축적 평가를 제공한다.

(4) DSM-IV (1987년)

① 다른 정신장애는 기질성 요소를 포함하지 않는다는 것을 의미하게 되므로 더 이상 기질성정신장애를 사용하지 않기로 하였다.

② 신체장애(physical disorder)의 경우 다른 의학적 상태를 기술하기 위해 사용되었으나 정신-신체의 이분법적 접근이 더 이상 의미가 없으므로 '일반적 의학 상태(general medical condition)'라는 용어로 바뀌게 되었다.

(5) DSM-IV TR (text reivision, 2000년)

① 주요 변화 없이 최신 연구 결과를 기술, 모호하거나 오류 있는 부분을 수정하였다.

② 진단 기준 및 구조적 변화는 없었다.

5) DSM-5에서의 주요 변화

(1) 다축 구조(multiaxial structure) 삭제

다축 체계를 임상 실제에서 일률적으로 사용하지 않으며 성별, 문화적 특징이 포함되지 않는 점을 고려하여 단축 진단으로 개정하였다.

(2) 정신장애의 배치 순서

여러 정신장애들을 유사성으로 나타내는 장애들을 사용 편의와 논리를 고려한 특정 순으로 배치, 감별진단에 도움되도록 배열한다.

(3) 특별히 변화된 진단들

① 진단의 결합

- DSM-IV에선 전반적 발달장애 내에 5개의 장애가 독립적 진단 범주로 구별되었으나 DSM-5에선 자폐스펙트럼장애(autism spectrum disorder)로 결합하였다. 이는 각 진단 범주의 신뢰도가 낮으며 각각을 구별하기가 어려웠기 때문이다.
- DSM-IV에선 물질관련장애를 물질사용장애 및 의존장애로 나누었으나 DSM-5에선 물질사용장애 하나로 합쳤다.
- DSM-IV에서 다수의 신체형장애를 의학적으로 설명되지 않는 증상에 따른 다른 범주 진단을 두었으나 DSM-5에선 '신체증상장애(somatic symptom disorder)'라는 단일 진단 범주로 묶었다.

② 진단의 분리

광장공포증과 공황장애는 DSM-5가 되면서 독립된 장애로 분리되었다.

③ 진단의 확장

주요우울장애 중 '사별 배제'는 DSM-5에서 삭제되었는데, 이는 사별 후 주요우울삽화가 발생하는 경우

치료를 지연시키지 않게 하기 위해서였다.

④ 진단의 제거
- 성격장애(personality disorder)는 DSM-5에서 단축 체계로 바뀌며 다른 정신장애와 같이 주 진단으로 진단할 수 있다.
- DSM-IV에서 성격장애에 대한 연구들은 한 사람에서 대부분 1개 이상의 성격 유형이 관찰되며 같은 성격장애 내에서도 상당히 이질성이 존재하고 성격 특성이 시간이 지나면서 변화하는 경향을 보여 DSM-5에서 차원적 측정과 전통적 범주형 분류를 혼합하게 되었다.
- 조현병의 진단 기준에서 기이한 망상, 슈나이더 1급 증상을 제거하고 5가지 아형을 삭제하였다. 아형이 조현병의 이질성을 설명하는 근거를 찾지 못했으며 치료 결과나 종적 경과와 관련성이 없었다.

⑤ 차원적 평가의 도입
- DSM-5에서 진단의 차원적 접근을 적용하기 위해 교차 절단 평가를 이용, 13개의 정신병리의 중요한 측면을 평가하여 진단적 경계를 자르는 것이다.
- 신뢰도 보장, 유용성을 기대하나 아직 널리 사용되지 않는다.

⑥ ICD-11과의 조화

DSM-5과 ICD-11 실무 위원회는 두 진단 분류를 최대한 조화시키고자 하는 목표를 우선 과제로 하며 개정 작업을 하였다(두 가지 진단 분류 체계의 존재는 국가 보건 통계 관리 및 임상 시험 설계, 전세계적 적용에 방해가 됨).

6) ICD의 변화
(1) ICD 첫 판은 1893년 도입한 국제 사인 목록이라 알려져 있으며 10년 주기로 개정되었다.
(2) 6판에서 처음으로 정신 질환 및 정신 결핍이란 제목으로 정신장애가 등장하였다.
(3) ICD-10의 정신장애 분류는 DSM에서 사용되는 진단 기준과 같은 내용을 도입하였다. ICD-11도 ICD-10 체계를 계승한 것으로 DSM과의 유사성이 보다 증가했다.
(4) 각 장애의 배열을 알파벳 문자와 숫자로 구성된 부호(code)를 사용하였다.
(5) 정신장애는 F code로 분류되어 있으며, 정신과적으로는 DSM 진단 체계가 우선이나 병원 전산과 보험 등에서는 ICD 진단 체계를 사용한다. 내외과적 진단 체계와 통일을 위해서이다.

신경발달장애
Neurodevelopmental Disorder

서원우 오진욱 장진구 홍민하

Chapter

VIII

Introduction

▶ 신경발달장애(neurodevelopmental disorders)는 발달 초기에 발병하는 질환을 총칭합니다. 주로 소아정신과에서 다루는 질환군입니다. 이들 질환은 학령기 전부터 증상이 나타나고, 대인관계, 사회적, 학업적, 직업적 기능의 장애를 초래하는 발달상의 결함을 특징으로 합니다. 이런 발달상의 결함은 다양한 형태와 수준으로 나타날 수 있습니다. 신경발달장애 안에 포함되어 있는 각각의 질환은 운동기능, 인지기능, 학습기능, 의사소통기능, 실행기능 등 결함이 특징적입니다. 신경발달장애 안에 포함되어 있는 질환은 공존이 가능합니다.

▶ 특히 DSM-5에서는 전반적 발달장애(PDD)가 자폐스펙트럼장애(Autism spectrum disorder)로 통합되었습니다.

▶ 주의력결핍 과잉행동장애(ADHD)와 틱장애(tic disorder)는 매우 흔한 질환으로 실제 임상에서 자주 만나게 되므로 치료법까지 알아두는 것이 좋습니다.

1. DSM-5의 신경발달장애(DSM-IV와 비교)

DSM-IV Disorders Usually First Diagnosed In Infancy, Childhood, or Adolescence	DSM-5 Neurodevelopmental Disorders
정신 지체(Mental Retardation, MR)	지적장애(Intellectual Disabilities)로 명칭 변경
	의사소통장애(Communication disorders) • 언어장애(Language disorder) • 말소리장애(Speech sound disorder) • 아동기 발병 유창성 장애(말더듬)(Stuttering) • 사회적의사소통장애(Social communication disorder) → 과거 PDD의 한 부류. 새로 생김
학습장애(Learning Disorders, LD) 1) 읽기장애 2) 산술장애 3) 쓰기장애 4) NOS	특정학습장애(Specific learning disorder)로 명칭 변경 • 읽기손상 동반 학습장애(with impairment in reading) • 쓰기손상 동반 학습장애(with impairment in written expression) • 수학손상 농반 학습장애(with impairment in mathematics)

DSM-IV Disorders Usually First Diagnosed In Infancy, Childhood, or Adolescence	DSM-5 Neurodevelopmental Disorders
전반적발달장애 (pervasive developmental disorders, PDD) 　1) 자폐성 장애(Autistic Disorder) 　2) 레트장애(Rett's Disorder) 　3) 소아기 붕괴성 장애 　4) 아스퍼거장애(Asperger's Disorder) 　5) PDD NOS & 비전형 자폐 포함	1. 자폐스펙트럼장애(Autism spectrum disorder, ASD)로 새로 분류(PDD는 사라짐) 2. 자폐스펙트럼장애 진단 준거의 획기적인 변화 　• 차원적 접근을 시도하면서 아스퍼거장애라는 용어는 사용되지 않음 　• 자폐스펙트럼장애로 진단되지 않은 발달장애군은 Social Communication Disorder라는 새로운 진단으로 진단될 여지가 큼 　• 3세 이전 발병 기준이 'early childhood'로 완화됨 3. 레트장애 삭제
주의력결핍 파괴적 행동장애 (Attention-Deficit and Disruptive Behavior Disorders) 　1) ADHD 　2) ADHD NOS 　3) 품행장애(CD) 　4) 적대적 반항장애(ODD) 　5) NOS	1. 품행장애와 적대적 반항장애는 "Disruptive, Impulse-Control and Conduct Disorders"로 이동 2. 성인 ADHD에 대한 진단 준거가 추가됨 3. 발병 연령이 7세에서 12세로 늦춰짐
운동기술장애(Motor Skills Disorders)	1. Motor Disorders(운동장애)로 변경 2. 하위진단 구성의 변화 　• Developmental Coordination Disorder 　• Stereotypic movement disorder 　• Tic disorder(틱장애): 또한 진단이 약간 더 세분화되어 추가됨.
틱장애(Tic disorders) 　1) 뚜렛장애(Tourett's Disorder) 　2) 만성운동 또는 만성음성틱장애 　3) 일과성 틱장애	이동(Motor disorder의 일종으로 이동)
배설장애(Elimination Disorders) 　1) 유분증(Encopresis) 　2) 유뇨증(Enuresis)	이동(배설장애는 Neurodevelopmental disorder가 아닌 '배설장애(Elimination disorder)' 독립된 질환군으로 분리됨)
유아기 또는 초기 소아기의 급식 및 섭식장애 (Feeding and Eating disorders of Infancy or Early Childhood) 　1) 이식증(Pica) 　2) 반추장애 　3) 유아기 또는 초기 소아기의 급식장애	이동(이식증과 반추장애는 '급식 및 섭식장애(Feeding and Eating disorders)' 군으로 넘어갔음. 이 장애군에는 Avoidant/Restrictive Food Intake Disorder 및 Anorexia Nervosa와 Bulimia Nervosa, Binge-Eating Disorder가 포함되어 있음)
유아기, 소아기 또는 청소년기의 기타 장애(other Disorders of Infancy, Childhood, or Adolescence) 　1) 분리불안장애 　2) 선택적 함구증(Selective Mutism) 　3) 유아기 또는 초기 소아기의 반응성 애착장애(RAD) 　4) 상동증적 운동장애 　5) NOS	불리불안장애, 선택적 함구증은 불안장애(Anxiety) 하위진단으로 이동

2. 지적발달장애(Intellectual developmental disorder)

최근에는 지적장애의 심각도 평가 시 단순히 지능지수만을 참고하는 것이 아니라 <u>실제 환자의 기능이 어느 정도인지를 중요시한다.</u>

1) 역학

유병률 1~3%, 남 : 여 = 약 1.5 : 1

2) 임상 양상

임상양상에 가장 중요한 요인은 지적기능의 수준이다. 지능 저하에 의한 적응, 정서, 행동 문제, 신경학적 장애를 동반하며, 정신장애의 공존 유병률이 비지적장애인보다 높다. 심한 지적발달장애일수록 어린 나이에 진단을 받게 되고, 신경학적 장애나 정신병리 동반 비율이 높다.

표 8-2. 지적발달장애의 정도 `기출`

	경도	중등도	고도	최고도
IQ	50~55부터 70	35~40부터 50~55	20~25부터 35~40	20~25 이하
정신연령	9~12세	4~8세	2~3세	2세 미만
비율	70~75%	약 20%	3~4%	1~2%
독립생활 여부	교육 가능 (교육 시 어느 정도 독립된 생활 가능)	훈련 가능 (적절한 지도받으면 단순 작업 가능, 유치하지만 대화 가능)	완전 보호 (훈련시켜야 신변처리를 겨우 할 수 있으며 개인생활을 위해 보호 필요)	완전 보호 (의사소통 어려우며 기본 생활, 신변 처리에 보호자 반드시 필요)

3) 진단

(1) 지적지능과 적응기능 수준을 덴버발달검사, 베일리영유아발달척도, 지능검사(만 3세 6개월 이후 가능), 웩슬러 지능검사 등을 이용하여 평가한다.

(2) 가족력, 유전력, 출생력 평가 및 신체 이학적 검사를 통한 신체 기형 발견할 수 있다.

(3) 시청각장애, 언어장애, 간질의 동반을 알아보고, 뇌파 검사, 뇌자기공명영상 촬영, 대사장애 및 유전학적 검사 등을 통해 원인을 알아볼 수 있다.

4) 진단기준 핵심(DSM-5)

발달 시기에 시작되며 개념, 사회, 실행 등의 영역에서 지적기능과 적응기능 모두에 결함이 있는 상태로, 아래 3가지 기준을 충족해야 한다.

① 임상적 평가 및 표준화된 지능 검사로 지적 기능 결함의 확인
② 적응 기능의 결함으로 인해 독립성과 사회적 책임 의식에 필요한 발달학적, 사회문화적 표준을 충족하지 못함. 지속적인 지원 없이는 적응 결함으로 인해 다양한 환경에서 한 가지 이상의 일상 활동(의사소통, 사회적 참여, 독립적 생활) 기능에 제한
③ 지적 결함과 적응 기능의 결함은 발달 시기 동안에 시작

5) 감별진단

지적장애와 달리 자폐스펙트럼장애는 사회적 의사소통능력의 저하 및 반복적인 행동이 특징적이다. 반면 학습장애는 주요 학습 기능의 장애, 의사소통장애는 언어와 말 기능의 발달장애가 특징적이다.

6) 원인

(1) 지적장애의 30~40%만 원인불명으로 남아 있다. 심리-사회적-환경적, 생물-의학적 요인이 각각 혹은 복합적으로 작용한다.

   Ex) 선천성신진대사장애(다운, 클라인펠터, 터너, 파타우, 에드워드, 테이-삭스, 윌슨, 페닐케톤뇨증 등)

(2) 태아 알코올 증후군, 태아손상 등 초기 태아 발달 이상

(3) 산전 및 산후 뇌감염, 태아의 영양실조, 조산 및 미숙아, 출산 시 저산소뇌증 및 뇌손상, 핵황달 등 임신 및 주산기장애

(4) 소아기 질병(선천성 갑상선 기능 저하증, 말판 증후군, 신경섬유종증 등)

(5) 양육과 사회 및 언어 자극의 결핍

7) 치료

(1) 예방이 가장 중요하며 유전적 질환 조사, 임신 출산 사전 진단, 풍진 예방 접종 및 조기 발견, 치료 등이 도움 된다. 지적장애 환자의 치료는 지적장애 자체보다 이차적 정신질환과 후유증 및 사회적응에 대한 치료에 초점을 맞춘다. 개인 정신치료, 가족치료, 행동치료 및 약물치료와 간질 등 합병증을 치료한다.

(2) 최대한 자립적 생활을 영위할 수 있도록 지적장애의 정도에 따라 특수교육과 직업훈련 필요하다.

8) 경과와 예후

지적장애의 심각도, 장애인 개인과 가족의 심리적 기능, 지지 환경의 정도에 따라 다양하다. 지적장애 정도에 따라 독립된 생활의 정도와 보호의 필요가 달라진다.

3. 의사소통 장애(Communication disorder)

언어장애, 말소리장애, 아동기 발생 유창성 장애, 사회적(실용적) 의사소통장애로 구분된다.

1) 언어장애(Language disorder)

(1) 개념
어휘 구사력과 시제, 문법을 정확하게 사용하는 능력이 정신연령 기대수준보다 낮은 상태를 의미한다.

(2) 역학
① 학령 전기 아동에서 가장 흔한 발달 기능의 문제
② 남 > 여, 7~15%

(3) 임상 양상
① 아동 나이, 비언어적 지적 능력에 비해 훨씬 낮은 수준의 언어 표현 능력을 갖는다. 언어 이해는 비교적 정상적인 경우가 많다.
② 18개월이 되어도 엄마, 아빠와 같은 단순한 말조차 구사하지 못하고 의사소통을 몸, 손짓으로 할 경우 의심해보아야 한다.
③ ADHD, 유뇨증, 행동장애 등이 흔히 동반된다.

(4) 진단
표준화된 언어 검사 및 지능 검사를 실시한다.

(5) 감별진단
자폐스펙트럼장애, 지적장애, 다른 의사소통장애, 신경학적 장애, 선택적 함구증

(6) 원인
정확한 원인은 밝혀지지 않았고 대개 언어 기능과 관련된 대뇌 구조의 손상 또는 대뇌 기능의 미성숙과 연관이 있을 것으로 알려져 있다.

(7) 치료
일차적으로 언어치료를 시행하며, 부모교육을 병행한다.

(8) 경과 및 예후
경한 경우 대부분 회복되나 언어 발달 기능 지체의 정도가 심하고 IQ가 낮거나 동반 질환 있는 경우, 어린 나이에 발견되면 예후가 나쁘다.

2) 말소리장애(Speech sound disorder)

(1) 개념

<u>부적절하거나 분명하지 못한 발음이 있고</u>, 언어음이 나이나 지능에 기대되는 것에 비해 부정확, 지연되는 상태를 의미한다.

(2) 역학

M>F, 8세 이하 10%, 8세 이상 5%

(3) 임상양상 `기출`

① 자음에서 흔하다.
② ㅅ, ㅆ, ㅈ, ㅊ에서 흔하다.
③ 드물게 모음의 장애도 있으며 음소 생략이 가장 심한 형태이다.
④ 심한 경우 3세 정도에서 발견되나 6세까지 나타나지 않을 수도 있다.

(4) 진단

정상적 발달 상의 발음 이상, 신체 이상에 의한 발음 이상 등을 배제해야 한다.

(5) 원인

명확치 않다.

(6) 치료

언어치료가 효과적이다.

(7) 경과 및 예후

2~3세의 음소장애는 대부분 회복되나, 5세가 지난 후에도 말소리장애가 지속되고 다른 언어장애가 동반되면 체계적 평가 필요하다. 8세 이상에선 자연회복이 드물기 때문에 언어치료가 필요하다.

3) 아동기 발생 유창성장애(Stuttering)

(1) 개념

말할 때 음이나 음절을 자주 반복·지연시키거나 한 단어 사이를 쉬어서 발음하는 경우를 말한다.

(2) 역학

① 소아에서 흔하고 나이 들거나 성인되면 감소한다.
② M>F, 유병률 1%

(3) 임상 양상

2~7세에 가장 흔하다. 어휘의 수가 폭발적으로 증가하는 2~3세와 사고의 양이 크게 증가하는 5~7세 특히 많이 발생한다.

(4) 진단

① 음과 음절을 반복하거나 한 단어 내에서 머뭇거리고 자음, 모음의 소리를 길게 낸다.
② 단음 절 단어의 반복, 과도하게 단어를 힘주어 말하는 양상이 나타난다.

(5) 원인

유전적 요인과 환경적 요인의 복합적 작용이다.

(6) 치료

행동수정치료(호흡훈련, 이완요법)를 시행하여 말을 더듬더라도 쉽게, 그리고 애쓰지 않도록 격려해 공포를 줄이고 말이 끊어지지 않도록 한다. 이것은 부적절한 감정과 행동을 변화시켜 조절하도록 하는 것으로 인지행동치료법이다.

(7) 경과 및 예후

만성적인 경과를 밟아 호전과 악화를 반복하기도 한다. 증상이 경한 경우 2/3에서 자연회복된다.

4) 사회적(실용적) 의사소통장애

(1) 개념

① DSM-IV에서 기타 전반적 발달장애의 진단기준 중 의사소통 능력과 사회적 관계 형성하는 능력이 제한된 경우를(DSM-5로 오면서 communication disorder의 한 부분으로) 분리하여 명명하기 시작했다. Autism spectrum disorder과 비교해서 알아두어야 한다.
② ASD에서는 사회적 의사소통 및 상호작용의 어려움과 반복되고 제한적인 행동을 보이나, social communication disorder에서는 사회적 의사소통의 어려움만 보인다.

(2) 임상 양상

언어적 또는 비언어적 의사소통에 있어 실제적이고 활용적 능력에 제한이 많아 대화에서의 맥락을 이해한다거나 상대방의 의도를 파악하지 못해 요구를 맞추지 못하므로 사회 관계에서 의사소통 능력이 부족하다.

(3) 원인

확립되어 있지 않다.

(4) 치료

① 사회 기술 훈련, 사회적 인지기능 증진 훈련 등이 가능하다.

② 학교와 가정을 치료의 범주로 포함시킨다.

(5) 경과 및 예후

사회적 관계를 맺는 능력이 예후에 중요하다. 어린 연령에서 문제를 보이는 아동은 지속적인 사회성 문제를 나타낸다.

4. 자폐스펙트럼장애(Autism spectrum disorder)

1) 개념

- 사회적 상호작용의 질적장애, 의사소통의 장애, 상동적 행동 및 흥미와 관심 범위의 제한을 주요 문제로 나타내는 신경발달성 질환이다.
- DSM-IV TR에선 전반적 발달장애(PDD)라는 범주 안에 들어가 있었으나 DSM-5에서는 전반적 발달장애 하위 질환들을 자폐 스펙트럼장애(ADS)로 통일하였다.

2) 역학

2012년 미국 질병통제 예방센터의 통계에서 ASD는 1,000명당 13.1명으로 보고되었고, 2011년 국내 연구를 통한 유병률은 2.64%으로 보고되었다. 유병률의 차이는 ASD 진단 범주에 따른 차이이며, 일반적으로 전 세계적으로 비슷한 것으로 알려져 있다. 남아에서 3~4배 많다. M>F

3) 임상 양상

(1) 사회적 상호 관계의 장애

대인관계의 질적장애로 가족을 포함하여 다른 사람과 사회적 관계 발달에 어려움을 겪는다. 유아기 때 양육자와 눈맞춤이 잘 되지 않고, 사회적 웃음(social smile)이 없는 경우가 많고, 사람이 아닌 대상(장난감 바퀴, 엘리베이터, 그릇 등)에 관심이 많다. 사회성 부족의 결과로 대화가 어렵고 다른 사람에 대한 관심, 공감이 부족하다.

(2) 제한적인 반복된 행동이나 흥미, 활동

① 상동 행동을 반복적으로 나타내는데 손가락 튕기기, 빙글빙글 돌기, 바퀴돌리기 등이 흔하다.

② 주위 환경 변화에 대한 저항이 많아 새로운 환경, 경험을 받아들이지 않고 똑같은 것을 고집하는 경향이 있다.

　　Ex) 같은 길로만 간다거나 한 가지 음식만 먹음

③ 산만하고 부산하여 가만히 있지 못하고 머리 박는다거나 물거나 살갗을 할퀴는 등의 자해행동도 보인

다. 그 외, 지적장애가 70~85%에서 동반된다(ASD의 40~50%는 IQ 50~55 이하).

④ 특정기능(음악, 계산, 지리적 능력)에서 놀라운 정도의 기능을 보이는 ASD 환자가 10% 정도 되는 이를 savant skill이라고 한다.

4) 진단

직접 아동 관찰하고, 부모로부터 발달력 및 병력 청취하며, 기능수준을 평가한다.

5) 진단기준 핵심(DSM-5)

> 1. 다양한 분야에서의 사회적 의사소통 및 사회적 상호작용의 결함이 있다.
>   ① 비정상적인 사회적 접근, 사회적 대화 실패
>   ② 비언어적 의사소통의 결핍
>   ③ 관계 발전, 유지가 안됨
> 2. 제한적, 반복적인 행동이나 흥미, 활동이 다음 중 적어도 2가지 이상이다.
>   ① 상동증적, 반복적인 운동성 동작. 물건 사용이나 말하기
>   ② 동일성에 대한 고집, 일상적인 것에 대한 강한 집착(매일 같은 음식 먹기, 같은 길 가기 등)
>   ③ 특정 주제에 대한 비정상적으로 제한되고 강한 집착과 흥미
>   ④ 감각에 대한 과대/과소 반응 혹은 특이한 관심
> 3. 발달 초기부터 나타나야 한다(단 사회적 상황에 따라 가려지거나 후천적 학습에 의해서도 드러나지 않을 수는 있음).
> 4. 기능의 뚜렷한 저하를 보인다.
> 5. 지적장애, 전반적 발달 지연으로 설명되지 않는다.

6) 감별진단과 동반 이환장애

발달 지연, 의사소통장애 및 조기발병 조현병, 지적장애, 강박장애 등과 감별이 필요하다.

7) 원인

(1) 다양하고 확실하진 않으나 신경생물학적 요인(염색체 이상, 뇌의 구조적 또는 신경 생화학적 이상, 뇌손상이나 감염 등)이 주로 원인으로 거론된다.

(2) 초창기 자폐아의 부모는 냉정하고 이지적, 완벽하고 강박적이라고 하였으나 추후 연구를 통해 자폐아와 정상아 부모 간 성격 특성과 양육상 차이가 없음이 밝혀졌고 이러한 부모의 특성은 장애아 부모로서의 스트레스와 양육의 어려움에서 비롯된 반응이라는 의견이 우세하다.

8) 치료

(1) 발달 전반에 거쳐 문제가 발생하므로 발달을 균형적으로 증진시킬 수 있는 포괄적, 다원적, 다학제적 치료법으로 접근한다. 행동장애 및 동반장애에 대한 치료를 병행한다.

(2) 공격성, 과잉활동, 주의력 결핍, 정서적 불안정, 상동증, 자해행동 등에 대해 약물치료가 효과적이다.

9) 경과 및 예후

(1) 만성적이며 예후는 낙관적이지 않다.

(2) IQ 70 이상, 언어 빠르게 습득, 자조 기능이 잘 습득된 경우에서 비교적 예후가 좋으나 대인관계에서의 의미 있는 관계 형성 어려움은 지속된다. 실력

(3) ASD 성인 중 1~2%만 직업을 거쳐 자립된 생활 가능하고, 5~20%는 간신히 독립된 생활을 한다.

(4) 2/3은 평생 가족에 의존하거나 장기간 요양시설의 생활이 필요하다.

5. 주의력결핍 과잉행동장애

1) 개념

소아 정신과 영역에서 가장 흔한 질환 중 하나로, 주의력 부족, 과잉행동, 충동성이 특징인 만성적 신경발달 장애를 의미한다.

2) 역학

(1) 초등학생의 경우 전세계적으로 약 5%의 유병률, 성인의 경우 2.5%로 알려져 있다.

(2) ADHD 아동의 부모와 형제에서 ADHD 유병률이 일반인에 비해 2~8배 높다.

3) 임상 양상

(1) 신생아 때부터 움직임 많고 잠을 잘 자지 않고 까다로운 특성을 보이기도 한다.

(2) 유치원, 학교 등 질서, 규칙을 지켜야 하고 비교적 긴 시간 가만히 있어야 하는 것을 요구받는 환경에서 증상이 더욱 드러난다.

(3) 수업 시간에 움직임 많고 꼼지락거리며 딴짓을 하거나 교사의 지시를 따르지 않으며 기다리는 것을 잘 못하고 실수가 많으며 알림장을 제대로 써오지 못하고 과제를 끝까지 하지 못한다.

(4) 사춘기가 되면서 과잉행동은 줄어들지만 집중력 저하와 충동성은 여전히 남는다.

(5) 학습 흥미저하, 수행저하가 일어나기도 하며, 교사 및 부모와 자주 충돌하거나 또래 관계에서도 문제를 일으키는 경우가 많다.

(6) 좌절감, 분노감, 우울감을 느끼고 부정적 자아상 형성으로 이어지기도 하며, 심한 경우 성인이 되어서도 상당수는 증상이 지속된다.

4) 진단

(1) 임상진단이기에 전문가의 면밀한 면담, 행동 관찰, 설문지 등을 통한 임상평가가 가장 중요하다. 과잉행동, 주의산만, 충동적 행동에 대한 과거력을 꼼꼼히 살펴보아야 한다. 주의력결핍 과잉행동장애 평정척도와 같은 증상평가 척도는 ADHD 증상을 객관적 수치로 정량화할 수 있으며 면담에서 얻기 어려운 정보를 제공할 수도 있다.

(2) 지속수행검사(CPT), 종합 주의력 검사(CAT) 등을 시행하여 각성도, 주의 집중력을 객관적으로 평가할 수 있다.

(3) 키, 체중, 혈압, 맥박 등의 기본적인 신체검사를 시행하며, 결신발작이나 측두엽 간질을 감별하기 위해 뇌파검사가 필요하다. 갑상선기능검사, 혈중 납농도 측정이 필요할 수 있다.

5) 진단기준 핵심 (DSM-5)

1. 부주의, 과잉행동/충동성으로 기능 저하
   9개의 증상 중 6개 이상이 6개월 이상 지속, 기능에 직접적인 영향을 미침
   후기 청소년과 성인(17세 이상)은 적어도 5개의 증상이 요구됨
   1) <u>부주의</u>
      ① 과제 시 집중 못해 실수가 잦음
      ② 일, 놀이에 지속적으로 집중하기 어려움
      ③ 다른 사람이 직접 말해도 듣지 않는 것 같음
      ④ 지시를 따르지 못하며 학업, 심부름 등을 잘 끝내지 못함
      ⑤ 일 및 활동을 조직적으로 하기 어려움
      ⑥ 지속적인 집중이 필요한 일은 거부
      ⑦ 활동에 필요한 물건들 자주 잃어버림
      ⑧ 외부 자극에 예민해 쉽게 산만해짐

2. <u>과잉행동-충동성</u>
   9개의 증상 중 6개 이상이 6개월 이상 지속, 기능에 직접적인 영향을 미침
   후기 청소년과 성인(17세 이상)은 적어도 5개의 증상이 요구됨
      ① 자리에 가만히 잊지 못해 지속적으로 꼼지락거림
      ② 가만히 앉아 있지 못해 자리를 벗어남
      ③ 부적절하게 뛰어다니거나 기어오름
         (청소년이나 성인에서는 안절부절 못한다는 주관적 느낌으로 나타남)
      ④ 놀이나 여가 활동을 조용하게 하기 못함
      ⑤ 쉴 새 없이 활동하거나, 마치 모터가 달린 것 같이 행동함
      ⑥ 말을 지나치게 자주 많이 함
      ⑦ 질문 끝나기 전 불쑥 대답함
      ⑧ 자신의 순서를 못 기다림
      ⑨ 다른 사람이 하는 일을 자주 방해하거나 간섭함

   심한 A부주의 또는 B과잉행동-충동성의 증상이 12세 이전부터 나타나고, 2군데 이상의 장소에서 보여야 함

   기능 혹은 질적 저하의 증거가 확실함

6) 감별진단과 동반이환장애

(1) 3세 이전의 소아의 경우 신경계 발달이 미숙하므로 ADHD와 유사한 양상이 나타날 수 있다.

(2) 50% 이상에서 다른 공존질환 있다(적대적 반항장애, 품행장애: 40~70%/틱장애, 불안장애, 우울장애, 학습장애, 자폐성장애, 정신지체 등).

7) 원인

(1) 다면적이고 다양한 원인이 알려져 있다.

(2) 양육태도, 생애 초기 경험, 사회경제적 여건들보다는 뇌의 신경생물학적 요인이 더욱 결정적이다.

(3) 비유전적 요인으로는 출산 전후의 스트레스, 저체중, 외상성 뇌손상, 임신 중 흡연, 매우 심한 초기 박탈 등이 있다.

(4) ADHD는 분명히 가족력을 가진다. ADHD 아동의 형제는 약 30%의 발현율, 부모가 ADHD인 경우 자녀는 57%의 위험율을 갖는다.

8) 치료

ADHD는 학습, 대인관계, 가정생활 등 다양한 영역에서 문제를 유발하므로 문제 영역에 따라 세심하고 개별화된 치료 전략을 수립하여야 하며 통합적 접근을 하여야 한다.

(1) 약물치료 `기출`

비약물치료에 비해 약물치료의 효과가 탁월하다.

① 정신자극제

일차약물로 도파민작용제로 메틸페니데이트나 덱스트로암페타민이 대표적이다(6세 이상에서 승인). 국내에서는 메틸페니데이트가 가장 흔하게 사용된다. ADHD 70~85%의 경우 과잉행동과 부주의성의 호전된다. 부작용으로는 식욕감퇴, 체중감소, 두통, 불면, 복통, 틱, 자극 과민성이 나타날 수 있다.

② 비정신자극제

선택적 노르에피네프린 재흡수 억제제로 아토목세틴(atomoxetine)이 6세 이상의 아동에서 승인되었다. 불안장애 혹은 틱장애 동반 시 유용하게 쓰일 수 있다.
정신자극제에 비해 식욕감소, 수면장애가 적게 발생하며 전반적인 부작용의 빈도가 적다.

(2) 심리 사회적 치료

ADHD와 관련된 다양한 일상생활 문제, 기능 저하는 약물치료 만으로 충분하지 않다. 질환과 치료에 대한 교육, 학업 수행능력의 지원, 부모 양육 교육, 학교 가정에서의 행동조절 인지행동치료, 사회기술 훈련이 포함된다.

9) 경과 및 예후

- 대개 과잉행동은 사춘기 무렵에 좋아지나 주의력 결핍과 충동성 문제는 오래 지속되는 수가 많고 12~20세 사이에 호전되는 경우가 많으나, 60%는 성인기까지 증상이 지속된다.
- 많은 환자들은 증상의 부분적 호전만을 가지며 반사회적 행동, 물질 사용 문제, 기분장애 등에 취약성을 가지게 된다.

6. 특정학습장애(Specific learning disorder)

1) 개념

언어적, 비언어적 정보를 효과적으로 인식하거나 처리하는 뇌의 능력에 영향을 주는 유전적, 환경적 요인들의 상호작용으로 인한 신경발달 질환이다. 충분한 교육적 동기나 중재에도 불구하고 학습 기술의 토대가 되는 읽기, 독해, 작문, 연산 및 수학적 추론의 어려움이 보인다.

2) 진단기준 핵심(DSM-5)

> 1. 학습 능력 저하에 대해 직접적인 중재를 했지만 다음 중 하나가 6개월 이상 지속
>   ① 단어 읽기의 어려움
>   ② 읽는 것의 의미 이해 어려움
>   ③ 철자의 문제
>   ④ 작문의 문제
>   ⑤ 산수의 장애
>   ⑥ 수학적 추론의 어려움
> 2. 해당하는 학습기술은 성취도 검사와 종합적인 임상평가를 통해서 학업 직업 수행 및 일상생활에 현저한 어려움을 유발한다는 사실이 확인되어야 함
>
> 다른 지적장애, 정신 신경학적 장애, 불충분한 학습 등에 의해 일어난 것이 아님

(1) 읽기손상 동반 학습장애

① 개념: 학습장애 아동의 약 75%를 차지. 특징적으로 글자를 인식하지 못하거나 느리거나 부정확하게 글을 읽거나, 글의 내용을 제대로 이해하지 못하는 경우를 의미

② 역학: 국내 초등학생 예비조사에서 3.8%가 읽기장애, M>F

③ 임상 양상: 학교 입학 후인 만 7세경 발견, 지능이 높은 경우 9~10세에도 발견되지 않을 수 있음. 글을 읽을 때 철자를 빼먹거나 더하거나 왜곡되게 읽는 등의 오류를 범하고 글 읽는 속도도 느리고 이해도가 떨어짐

④ 진단: 표준화된 학습장애 선별 및 학업 성취도 평가를 시행함

⑤ 치료: 언어치료와 특수치료

⑥ 경과 및 예후: 경한 경우 조기치료 시 치료될 수 있으나, 증상이 심한 경우 중·고등학교까지 이어질 수 있음

(2) 수학손상 동반 학습장애

① 개념: 숫자 배우거나 기억하는데 어려움, 계산이 느리고 부정확함

② 역학: 수학문제 단독으로 존재하는 경우는 여아가 많은 것으로 추측됨

③ 임상 양상: 대체로 7~8세가 되면 수학손상 동반 학습장애 진단 가능

수를 세고 더하고 빼는 기본 연산 능력이 떨어지나 다른 영역에서는 정상적인 지적 기능을 나타냄. 처

음 수를 배울 때 숫자 이름을 잘 기억하지 못하며 숫자 세기·쓰기를 어려워 하며, 수학적 용어나 기호를 잘 이해하지 못함

④ 진단: 학교에서의 산수 성적을 자세히 조사, 표준화된 개별 수학학습 성취도 검사 시행

⑤ 원인: 원인은 확실치 않으나 뇌기능장애, 뇌의 미성숙 또는 인지, 정서, 교육 등 다양한 요인의 복합적 작용

⑥ 치료: 특수교육이 가장 효과적, 조기치료는 기본적 계산 능력 호전시킬 수 있고 읽기장애가 동반된 경우 호전이 지연될 수도 있음

⑦ 경과 및 예후: 보통 8세경 확인되며 중등도 이상의 수학손상 동반 학습장애를 가지고 있으면 적절한 치료받지 않는 경우 지속적 학업 수행 문제, 수치심, 좌절 등이 발생할 수 있음

(3) 쓰기손상 동반 학습장애

① 개념: 철자법, 문법과 구두점의 오류, 필적이 포함됨

② 역학: 학령기 아동에서 5~15%, 남아가 여아보다 흔함

③ 임상양상: 초등학교 저학년 시기부터 생각한 것을 글로 표현하는데 어려움이 있어 간단한 문장을 쓰는데도 문법을 틀리게 사용(철자, 구두점 오류, 문단 구성의 어려움)
  • 대체로 언어장애가 먼저 진단되고 쓰기 문제는 학령기에 나타나며 언어장애와 읽기 문제를 동반하는 경우가 많음

④ 진단: 표준화된 쓰기 능력 검사에서 쓰기 능력이 현저하게 낮을 때 진단

⑤ 치료: 철자와 문장쓰기의 직접적 교육을 포함한 특수 교육이 좋은 치료

⑥ 예후: 보통 언어장애가 먼저 진단되고 쓰기 문제 동반 학습장애가 나중에 진단됨
  • 경증의 쓰기 문제를 가진 아동은 적절한 시기에 치료받으면 상당 부분 호전되지만, 심한 경우에는 대학교까지도 지속될 수 있음

7. 운동장애(Motor disorders)

1) 발달성 협응장애(Developmental coordination disorder)

(1) 개념 및 분류

소근육 운동이나 대근육 운동이 또래 아이들보다 발달이 느리거나 불규칙하고 정교하지 못한 어려움을 겪는 경우를 의미한다.

(2) 임상 양상 및 진단

① 아동의 나이와 지능을 고려해 필요한 운동 협응 능력이 떨어질 때 진단한다.

② 진단은 병력, 신체 검진, 학교 또는 직장에서의 평가, 표준화된 테스트 등 포괄적 평가를 통해 약식 검사로 대근육 협응, 소근육 협응 등이 있다.

(3) 감별진단과 동반 이환장애

① 50% 정도에서 ADHD, 특정학습장애, 언어장애를 동반한다.

② 운동협응에 장애를 초래하는 의학적, 신경학적 장애를 우선적으로 감별하는 것이 필요하다.

(4) 원인

다인자성, 유전적 발달적 요인 모두 관여된다.

(5) 치료

<u>특정 운동과제에 대한 운동지각훈련을 목표로 한다.</u> 장애지향적 접근은 특정활동 수행하기 위해 필요한 신체 기능에 초점을 둔 치료로 감각통합치료, 감각운동지향치료, 과정지향적 치료 등이 포함된다.

2) 상동증적 운동장애(Stereotypic movement disorder)

(1) 개념과 분류

다양한 범위의 반복적 행동들로 대개 발달초기 발생한다. 특별한 기능 없는 행동으로 일상생활에 방해가 되는 경우를 의미한다.

(2) 역학

일시적 반복 운동의 경우 2~4세 아동 60%에서 관찰된다.

(3) 임상 양상

단순 상동증적 운동은 유아기, 초기 아동기에 흔하며 정상 반응으로 나타날 수 있다. 비자해 상동운동으로 손바닥 치기, 손 흔들기, 몸 흔들기 등이 자해 상동운동으로 머리 부딪치기, 얼굴 때리기, 눈 찌르기 등이 나타난다.

(4) 감별진단과 동반 이환장애

① 자폐스펙트럼장애의 증상으로 상동증적 운동이 나타날 수 있다. 상동증적 운동장애의 경우 사회적 의사소통, 상호주의의 결핍은 관찰되지 않는다.

② 틱장애와의 감별 필요하다. 틱장애는 틱 부위가 계속 변하는데 상동증의 경우 패턴이 일정하고 고정적이다. 상동증은 팔, 손, 몸 전체에 생기나 틱은 눈, 얼굴, 머리, 어깨와 관련 상동증은 율동적이며 지속시간이 길지만 틱은 일반적으로 1초 이내의 빠른 시간에 나타난다.

(5) 원인

① 환경, 유전, 신경생화학적 원인 전부 포함한다.

② 기저핵 이상으로 발생했다는 가설이 있으며 도파민, 세로토닌이 증상 발생과 연관되어 있을 가능성이 많다.

(6) 치료

① 행동치료와 약물치료가 효과적이다.

② 일상생활을 심하게 제한하거나 자해를 보일 때가 아니면 약물치료가 필요하지 않다. 약물 치료의 경우 비정형항정신병 약물이나 SSRI를 사용해 볼 수 있다.

(7) 경과 및 예후

경과는 다양하나 대개 증상의 호전과 악화를 반복한다. 걸음마기 일시적으로 생긴 상동적 행동은 4세 경 60~80%에서 사라진다.

8. 틱장애(Tic disorders)

1) 개념과 분류

(1) 틱은 갑작스럽고 빠르며 반복적, 상동적인 행동을 하는 질환이다. 상대적으로 불수의적 근육의 수축 등의 증상이 나타나며 소아, 청소년기에 매우 흔하다. 일부에서만 치료를 필요로 한다.

(2) 4개의 진단이 포함되는데, 투렛장애, 잠정적 틱장애, 지속성 틱장애, 달리 명시된/명시되지 않는 틱장애이다.

2) 역학

(1) 투렛의 경우 평생 유병률은 1%가량이다. 지속성 틱장애는 투렛에 비해 2~4배 많다.

(2) 투렛장애의 경우 동반 질환이 흔하다(ADHD, OCD, 불안장애, 주요우울장애 등).

3) 임상 양상

(1) 같은 근육에 수 시간~수 일까지 영향을 주다가 몸의 다른 부분으로 옮겨가며 수 개월~수 년에 걸쳐 많은 부분으로 퍼지기도 한다.

(2) 상대적으로 불수의적이기 때문에 수 분에서 수 시간까지 의식적으로 억제할 수 있으나 영원히 억제는 불가능하다.

(3) 틱은 호전과 악화를 반복하며 수면 중에도 나타날 수 있다.

4) 진단

(1) 18세 이전에 발병한다.

(2) 여러 운동틱과 한 가지(또는 한 가지 이상)의 음성틱이 질병경과 중 일부기간 동안 나타나고, 처음 틱이 나타난 시점부터 1년 이상 지속되면 투렛장애를 진단할 수 있다.

(3) 틱이 1년 이상 있을 경우 지속성 틱장애를 진단할 수 있다.

(4) 음성틱, 운동틱 중 하나만 있으면 지속성 운동/음성틱장애, 둘 다 있으면 투렛장애, 1년 미만의 경우 잠

정적 틱장애로 진단한다.

5) 감별진단과 동반 이환장애

(1) 감별해야 할 질환은 무도증, 근긴장성 이상운동 등이 있다.

(2) OCD, ADHD, 자폐스펙트럼장애가 흔하게 동반되며 그 외 불안장애, 우울장애 등도 흔하게 동반된다.

6) 원인

(1) 유전적, 환경적, 신경생리학적 원인이 있다.

(2) 일란성 쌍생아의 경우 53~56%의 일치율을 보인다. cortico-striato-thalamo-cortical tract의 기능 이상과 연관이 있다고 알려져 있다.

7) 치료 `기출`

(1) 치료에 가장 기본적인 것은 경과 관찰이지만 치료가 필요한 경우 약물 치료 및 행동치료를 시행할 수 있다. 초기 치료의 초점은 환자와 가족에게 정확한 정보를 제공해 문제를 이해하도록 도와주는 것이다. 병의 경과에 대해 교육해 주는 것도 포함된다.

(2) 행동 치료로는 습관역전훈련, 노출 및 반응방지훈련이 있다. 습관역전훈련은 틱에 연관되지 않은 근육들에 긴장을 가해 문제가 되는 틱을 할 수 없게 하는 경쟁 반응을 유발시키는 것이다. 노출 및 반응방지훈련은 아동이 경험하는 모든 틱을 참아내는 훈련이다.

(3) 만성 틱으로 진행된 경한 틱은 행동 치료나 알파 2 작용제(클로니딘)를 사용할 수 있다.

(4) 틱이 중등도거나 심한 경우 낮은 용량의 항도파민제재(리스페리돈, 아리피프라졸, 지프라시돈, 할로페리돌 등) 사용한다.

8) 경과 및 예후

(1) 4~7세에 호발한다. 아동기 후반~초기 청소년기에 증상이 가장 심하며 청소년기 후반, 성인이 되며 85%에서 틱 증세 완화된다.

(2) 틱증상의 심각도보다는 ADHD, OCD, 충동조절장애 등과 같은 동반되는 정신의학적 문제가 틱장애 환자의 예후에 보다 큰 영향을 미치는 것으로 알려져 있어 틱장애에 동반되는 정신의학적 문제의 평가와 치료가 예후에 무엇보다 중요하다.

사례 예시 / 기출 문제

〈해설〉

1-01. 42개월 남아가 어린이집을 가지 않겠다고 하여 엄마와 함께 병원에 왔다. 어린이 집에서 선생님이나 엄마 말은 알아듣고 잘 놀고 말 잘하지만 말을 잘하지 않고 아이들과 어울려 지내지 못한다고 한다. 면담 평가 결과 어머니와의 눈맞춤은 적절한 편이었으며 언어 이해는 40개월 수준, 언어 표현은 26개월 수준, 지능지수 83, 청각검사 정상이었다. 진단은?

① 언어장애　　　　　　② 우울장애
③ 자폐장애　　　　　　④ 정신지체
⑤ 선택적 함구증

우울장애로 판단하기에는 우울감이나 짜증을 내는 등의 표현, 신체적인 증상 등의 호소를 보이지 않습니다. 자폐장애로 보기에는 반복되고 제한적인 행동 및 관심 등이 부족합니다. 정신지체로 판단하기에는 전반적인 기능이 떨어져 보이지 않습니다.
선택적 함구증으로 판단하기에는 임상 상황에 대한 정보가 부족하며, 정상 지능에 언어이해는 괜찮으나 표현이 안되는 것으로 표현이 안되는 언어장애입니다.

1-02. 11세 남아가 학교를 가지 않으려 하고 따돌림을 당해서 병원에 왔다. 부모와는 간단한 대화를 하였으나, 의사의 질문을 이해하지 못하고, 질문에 포함된 단어만 그대로 따라했다. 의사가 장난감을 건넬 때 쳐다보지 않고 제자리에서 빙글빙글 돌기만 했다. 어릴 때부터 말이 늦었고 혼자서 로봇만 가지고 놀았다고 한다. 지능지수는 79였고, 청력은 정상이었다. 가장 적절한 진단은 무엇인가?

① 자폐장애　　　　　　② 지적장애
③ 반응성 애착장애　　　④ 주의력결핍과다활동장애
⑤ 수용 표현성 혼합언어장애

사회적 의사소통의 장애와 반복되고 제한적인 행동이나 관심사 등을 보여 자폐 스펙트럼장애로 진단하기에 적절합니다. 지적장애의 경우 더욱 광범위한 영역에서의 기능저하가 확인되어야 합니다. 반응성 애착장애의 경우, 부적절한 양육(주양육자의 잦은 변경이나 학대 등)으로 인해 환아가 타인과 관계시 억제되어 있고, 감정을 드러내지 않는 경우 진단합니다.

정답　1-1 ①　1-2 ①

1-03. 9세 남아가 학교에서 친구들과 어울리지 못하고, 좋아하는 과목만 공부하며, 낯선 장소에 가는 것을 거부하였다. 집에서는 곤충과 관련된 책을 좋아해서 하루 종일 책만 읽었다. 묻는 질문에는 적절하게 대답했지만 억양과 운율이 이상했다. 발달력에서 1세 때 엄마라 불렀고 지능지수는 98이었다. 학교는 혼자서 다닐 수 있다고 한다. 좋은 예후를 시사하는 소견은?

① 남아   ② 지능
③ 관심사몰두   ④ 언어발달 정도
⑤ 혼자서 등하교

〈해설〉

정상 지능에 사회성이 부족한 경우로 과거 DSM-IV에서 아스퍼거장애로 진단했습니다. 현재 DSM-5 진단 분류로는 자폐스펙트럼장애로 진단하는 것이 적절합니다.
좋은 예후를 시사하는 소견은 지능입니다.

1-04. 9세 남아가 산만하다고 해서 병원에 왔다. 친구들 일에 사사건건 간섭하고 말도 지나치게 많아 친구가 적다고 했다. 면담에서 질문이 끝나기도 전에 불쑥 대답하고, 가만히 있지 못했으며 운동틱과 음성틱도 함께 보였다. 적절한 치료는?

① 알프라졸람   ② 시프로헵타딘
③ 아토목세틴   ④ 졸피뎀
⑤ 발프로산

hyperactivity, impulsivity 등 증상을 보여 ADHD로 진단할 수 있습니다.

ADHD의 1st line drug은 methyl-phenidate이나 tic을 동반한 경우에는 atomoxetine, clonidine 등을 써볼 수 있습니다.

1-05. 9세 남아가 수업을 따라가지 못해서 병원에 왔다. 의사와의 눈맞춤은 적절했으며 간단한 질문에는 대답했으나 복잡한 지시는 이해하지 못했다. 5세 동생과는 잘 놀지만 또래 친구들과는 잘 어울리지 못했다고 한다. 지능지수는 62였다. 진단은?

① 자폐스펙트럼장애　　　　② 지적장애
③ 학습장애　　　　　　　　④ 선택적 함구증
⑤ 수용-표현성 혼합언어장애

〈해설〉

자폐스펙트럼장애의 경우 반복적이고 제한적인 행동이나 관심 등이 있어야 합니다. 환아의 경우 눈맞춤 등이 가능하고 간단한 질문에 대답하는 것으로 보아 사회적 의사소통이 아주 부족하다고 보기는 어렵습니다. 학습장애로 보기에는 학습에 관련 정보가 부족합니다. 답은 지적장애가 적절해 보입니다.

조현병 스펙트럼 및 기타 정신병적장애

Schizophrenia Spectrum and Other Psychotic Disorders

손동훈 박주호 장진구 송후림

Chapter

Introduction

▶ 조현병은 환각과 망상을 포함한 양성증상, 와해증상, 음성증상 등을 보이며 정신병적장애 중 비중도 가장 크고, 정신병적장애의 prototype이라 할 수 있는 질환입니다.

▶ 조현병의 역학, 원인, 임상증상, 치료, 예후, 감별진단 등 모든 부분에서 출제가 가능하니 꼼꼼히 공부해야 합니다.

1. 조현병(Schizophrenia)

1) 개념과 역사

(1) 개념

현저한 현실검증력의 저하를 보이며 사고, 감정, 인지, 행동 등의 영역에서 다양한 정신병리를 나타내는 대표적인 정신병적 질환의 하나. 임상 양상 및 경과가 다양하여 일련의 증후군으로 지칭하기도 한다.

(2) 역사

① 크레펠린(E. Kraepelin,1856~1926): 조현병의 경과와 예후에 주목. 기존의 조현병적증상을 지칭하던 모렐(Morel)의 demence precoce를 조발성 치매(dementia praecox)로 명명하고 인지기능의 변화와 이른 나이에 발병하는 점을 강조함. 조발성 치매와 조울병을 구분하는 개념 정립

② 블로일러(E.Bleuler, 1857~1939): 조현병의 특징적인 증상에 주목. 사고과정의 분리 또는 이완이 병리의 핵심이라고 여겨 'schizophrenia' [schizo (split, 분열된) + phrenia (mind, 마음]]라고 부를 것을 제안함. 4가지 증상을 조현병의 기본 증상으로 제시함[블로일러의 4A증상: 정동둔마(affective blunting), 연상이완(associative loosening), 자폐증(autism), 양가감정(ambivalence)]

③ 슈나이더(K.Schneider, 1887~1967): 진단에 있어 객관적 개념의 정립을 시도함. 진단기준을 정립시키기 위해 1급증상을 제안(3가지 환청증상과 5가지 망상증상으로 구성)

• 가청사고(audible thought): 자신의 생각이 목소리로 크게 들리는 환청

- 대화/논쟁환청(voices arguing or discussing): 자신에 대해 서로 대화를 나누거나 논쟁을 벌리는 환청
- 논평환청(voices commenting): 자신에 대해 지속적으로 논평하는 형태의 환청
- 신체피동체험(somatic passivity): 외부의 힘(예: X선, 최면)에 의해 신체적으로 영향을 받는다는 망상
- 사고박탈, 사고주입(thought withdrawal/influenced thought): 다른 사람이나 외부의 힘이 자신의 생각을 빼앗아 감. 혹은 자기 생각이 아닌 것을 자신에게 집어넣는다는 망상
- 사고전파(thought broadcasting): 자기의 생각이 널리 전파되어 다른 사람들이 알고 있다는 망상
- 망상지각(delusional perception): 정상적으로 지각한 것에 대해 지극히 개인적인 의미를 부여하여 해석하는 망상
- 조종망상(delusion of being controlled): 외부로부터 자신의 의지, 감정, 충동에 영향을 받거나 강요당한다는 망상

이러한 역사적인 제안들이 통합되어 현재의 조현병 개념 및 진단기준이 정립되었다.

TIP 원어인 schizophrenia는 정신의 분리(split mind)란 뜻으로서 인지, 감정, 사고, 행동, 현실 감각 사이의 정상적인 연결이 분리(splitting)되는 것을 특징으로 하는 붕괴되는 정신병(disintegrative psychosis)를 가리킵니다. 이러한 이유로 일본, 홍콩 등지에서는 schizophrenia를 통합실조증(統合失措症)으로 번역하고 있으며, 한국에서는 최근 원어 그대로 번역한 정신분열병(精神分裂病)에서 조현병(調絃病)으로 공식 진단명을 개명했습니다.

2) 역학

(1) 유병률

① 평생 유병률은 약 1%. 비교적 흔한 질환. 지역, 인종, 문화와 상관없이 일정하다. 기출
② 15~35세 사이에 주로 발병한다.
③ 남자가 여자보다 일찍 발병한다.
- 남성: 20세 전후, 여성: 27세 전후, 여자의 예후가 좋다.
- 여성은 중년기에 발병률이 다시 증가하여 전체 환자의 3~10%가 40세 이후 발병한다.
  (45세 이후 발병한 schizophrenia를 late-onset schizophrenia라고 하며 예후가 좋음) 실력

(2) 위험인자

① 신경발달학적 병인들: 출산 전후 감염, 고령의 아버지, 임신 시 영양결핍이나 산과적 합병증, 톡소포자충 감염 등이 위험성과 관련될 것으로 추정
② 사회문화적으로 스트레스를 더 유발할 수 있는 여러 가지 심리환경적 인자들: 낮은 사회계층, 성적 학대와 따돌림, 이민 등

(3) 타질환과의 동반 이환

① 흡연율 및 물질사용장애 비율이 높다.

② 내과적 질환이 병발된 경우가 80%에서 발견되며 평균 수명이 일반인에 비해 짧다.

(4) 사망률과 범죄율

① 20~50%가 일생 동안 적어도 한 번은 자살시도를 하며 10%가 자살로 사망

② 범죄율: 일반 인구와 차이가 없음

3) 원인

조현병이 뇌의 질환이라는 점에 대해서는 어느 정도 의견이 일치되고 있지만, 심리적, 사회적 요인 또한 발병과 경과에 중요한 역할을 한다는 점에서 이 질환의 원인과 병태생리는 매우 복합적이다.

(1) 생물학적 원인

유전적 요인: 밝혀져 있으나 전부는 아님. 조현병 환자의 일란성 쌍둥이 47% 발생하며, 형제일 때 발병 위험도는 대략 10%. 부모 모두 조현병 환자일 경우 40% 발생하며, 부모 한 명이 조현병 환자일 경우 5~10% 발생. 다인자 요인에 의한 유전성이 추정됨 [기출]

(2) 신경생화학적 요인

단일 신경전달물질의 이상이라고 보기 어려우며 여러 신경전달물질의 상호작용의 불균형으로 보고 있다.

① 도파민(dopamine) 가설 [기출]
- 양성증상: 중뇌변연계(mesolimbic)경로의 도파민의 활성 과잉 가설
- 음성증상: 중뇌피질(mesocortical)경로의 도파민 활성 저하

② 세로토닌(serotonin, 5-HT)
- 비정상적인 세로토닌계 활성은 2차적으로 도파민 분비체계의 혼란을 일으킨다. [실력]
- nigrostriatal pathway에서 dopamine antagonist로 인한 dopamine 활성저하는 추체외로부작용을 만들어 낸다. Atypical antipsychotics 약물은 serotonine antagonist로 작용하여 nigrostriatal pathway의 도파민 활성을 증가시켜 추체외로부작용(EPS)을 감소시킨다.

③ 이외에도 glutamate, GABA, norepinephrine이 관여한다.

(3) 신경해부학적 요인: 진단적인 의미는 크지 않지만 다른 기질적 질환을 배제하는데 도움을 줌

① 측뇌실(lateral ventricle)과 제3뇌실(3rd ventricle)의 확장

② 대뇌피질의 위축

③ 대뇌 반구 비대칭성(cerebral asymmetry)의 이상

④ 소뇌의 위축, 측두엽 용적 감소(hippocampal-amygdala complex) 등이 보고된다.

⑤ 변연계 구조물과 측두엽 특히 상측두엽(superior temporal gyrus)의 용적 감소가 보고된다.

(4) 신경회로: mesolimbic-mesocortical pathway

① 항정신병약의 항정신병 작용은 주로 이 부위에 대한 작용이다.

② mesolimbic pathway의 활성 과다: 양성증상(positive symptom: 망상에 관여)

③ mesocortical pathway의 활성 저하: 음성증상(negative symptom)에 관여

4) 임상양상: 크게 양성증상과 음성증상으로 구분

(1) 양성증상: 환각, 망상, 와해증상 영역으로 나누어 볼 수 있음

① 환각(hallucination)

감각기관에 대한 외부자극이 없으나 마치 있는 것처럼 지각하는 것으로, 환청(auditory), 환시(visual), 환촉(tactile), 환미(gustatory), 환후(olfactory)가 있으며 환청이 가장 흔하다. 사람 목소리가 가장 많고 그 밖의 소리나 음악으로도 경험할 수 있다.

② 망상(delusion)

사고 내용의 장애. 교육적, 문화적 배경을 고려하더라도 사실이 아닌 것을 사실이라고 확신하는 것으로 피해망상(persecutory), 관계망상(reference), 신체망상(somatic), 종교망상(religious), 허무망상(nihilistic), 성적망상(sexual)이 있다. 이 중 피해망상이 가장 흔하다.

③ 와해증상 영역(disorganization dimension)

와해된 언어, 와해된 행동, 정동 불일치로 나누어 볼 수 있다.

ⅰ) 와해된 언어(disorganized speech): 사고 과정(thought process)의 장애. 즉, 환자가 사고 과정에 문제가 있음을 언어를 통해서 확인할 수 있음 기출

- 연상이완(loosening of association): 생각이 한 주제에서 연관성이 없는 다른 주제로 진행하는 것을 의미. 하위 개념으로 지리멸렬, 말비빔, 우원증, 사고이탈 등이 있음
- 지리멸렬(incoherence): 연상 이완이 아주 심하면 전혀 이해되지 않는 생각이나 말을 함
- 말비빔(word salad): 지리멸렬보다도 연상이완이 더 심하면 여러 개의 단어나 구절을 아무렇게나 섞어 말함
- 우원증(circumstantiality): 말하고자 하는 바를 직접적으로 말하지 않고 불필요하게 상세한 설명이나 언급을 지나치게 섞어서 말하는 것
- 사고이탈(tangentiality): 우원증보다 더 심한 상태. 애초에 말하고자 하는 바와 전혀 다른 방향으로 생각이 흘러가 버림
- 음향연상(clang association): 뜻은 전혀 다르지만 소리가 비슷한 다른 단어를 연상하여 말함

- 반향언어증(echolalia): 상대방에게서 들은 마지막 단어를 병적으로 따라 말함
- 음송증(verbigeration): 어떤 특별한 말이나 구절을 의미없이 반복함
- 신어 조작증(neologism): 몇개의 단어를 합성하여 환자만이 알 수 있는 새로운 단어를 만들어 냄
- 언어빈곤(poverty of speech): 자발적으로 말하는 말의 양이 줄어듦
- 언어내용의 빈곤(poverty of content of speech): 말의 양적인 면에서는 적당하지만 의미 있는 내용은 거의 없음
- 사고차단(thought blocking): 언어빈곤의 심한 형태로 어떤 사고나 생각이 끝나기도 전에 말의 흐름이 갑자기 중단됨
- 함구증(mutism): 전혀 말을 하지 않음

ii) 와해된 행동(disorganized behavior), 괴이한 행동(bizzare behavior), 긴장성 행동(catatonic behavior): 상황에 맞지 않는 기이한 행동들을 와해된 행동이라 할 수 있으며 긴장성 행동이란 그 중에서 긴장성 혼미, 긴장성 흥분, 상동증, 매너리즘, 거부증, 반향 행동 등을 나타내는 것

- 긴장성 혼미(catatonic stupor): 환자는 깨어 있으면서도 꼼짝하지 않고 말도 하지 않는 등 모든 자극에 반응을 전혀 보이지 않음
- 긴장성 흥분(catatonic excitement): 스스로 행동을 조절하지 못하고 목적 없는 운동성 활동을 보임
- 상동증(stereotypy): 뚜렷한 목적 없이 어떤 신체적인 운동을 반복함(예: 몸을 앞뒤로 흔듦)
- 매너리즘(mannerism): 어떤 목적하에 하는 정상적인 행동 같아 보이지만 그 양상이 이상하거나 내용이 없는 것(예: 손으로 머리카락을 연신 쓰다듬어 올리거나 얼굴을 찡그림)
- 반향 행동증(echopraxia): 다른 사람의 동작이나 제스처를 따라 함
- 자동복종(automatic obedience): 간단한 명령에 로봇같이 그대로 따라함
- 거부증(negativism): 타당한 이유없이 간단한 요구도 거절
- 외에도 위생과 의복 상태가 불량, 기이한 외양 꾸밈, 사회규범을 깨뜨리는 이상한 행동

iii) 정동 불일치(incongruous affect)

사고의 내용이나 상황과 정동이 일치하지 않음. 예를 들어 평범한 내용이나 슬픈 주제에 대해 말하면서 미소를 짓거나, 또는 특별한 이유도 없이 킥킥거리며 웃음

(2) 음성증상영역(negative symptom)

정상적으로 나타나는 정신기능이 결핍된 것을 의미함. 감퇴된 정서표현, 무의욕증의 2가지 음성증상이 조현병에서 뚜렷함. 이외 무언증, 무쾌감증, 무사회증 등이 있음

① 정동둔마(affective flattening): 감정적 표현과 반응의 강도가 감소. 얼굴표정의 변화가 거의 없고 자발적인 움직임을 거의 보이지 않으며 자신의 생각을 표현할 때 제스처를 사용하지 않음
② 무언증(alogia, 운동성 실어증): 언어빈곤, 언어내용 빈곤: 말은 충분히 하지만 사용하는 언어가 애매모호. 지나치게 추상적이거나 반복적이고 상동적인 양상
③ 무의욕증(avolition): 목표지향적 행동을 시작하고 그것을 완수하는 능력이 상실된 것

④ 무쾌감증(anhedonia): 즐거움을 경험하지 못하는 것

⑤ 주의력 손상(attentional impairment): 외부로부터의 많은 자극들 중 필요한 자극만 걸러내거나 처리하지 못하여 혼란에 빠지고 통합된 사고를 하지 못함

5) 진단

(1) 진단기준 핵심(DSM-5) 기출

> A. 다음 증상 중 둘(혹은 그 이상)이 1개월의 기간(성공적으로 치료가 되면 그 이하) 동안의 상당 부분의 시간에 존재하고, 이들 중 최소한 하나는 ① 내지 ② 혹은 ③이어야 함.
> 　① 망상
> 　② 환각
> 　③ 와해된 언어
> 　④ 극도로 와해된 또는 긴장성 행동
> 　⑤ 음성증상
>
> B. 현저한 기능장해 또는 환자의 고통이 동반
>
> C. 최소 6개월 동안 증상 지속. 이러한 6개월이 기간은 진단기준 A에 해당하는 증상(활성기증상)이 있는 최소 1개월을 포함 → 조현병의 만성경과를 감안한 진단기준입니다.(크레펠린의 개념을 진단에 도입) 1개월 이상의 진단기준 A에 해당하는 증상은 활성기로써 이 외에도 전구기증상이 존재하며 이를 도합 6개월 이상이 되어야 진단할 수 있습니다. 실력
>
> D-F. 다른 원인과 진단 배제

(2) 아형(subtype)

DSM-IV-TR에서는 편집형(paranoid), 와해형(disorganized), 긴장형(catatonic), 미분류형(undifferentiated), 잔류형(residual)으로 아형을 분류한다. DSM-5에는 이러한 아형 분류가 삭제되었다. 하지만 ICD-10에는 기술되어 있으며, 조현병의 현상학을 기술하기 위해 다수의 임상의에 의해 사용되고 있다.

① 편집형(paranoid)
- 특징적인 한 개 이상의 체계화된 망상과 환청
- 피해망상과 과대망상이 가장 흔함
- 정상적인 사회생활 하는 경우가 많음. 퇴행정도가 덜하며 예후가 비교적 좋음

② 와해형(disorganized)
- 와해된 언어와 행동, 정동 불일치와 정동둔마 등이 특징
- 비교적 어린 나이에 발병. 사고는 아주 와해됨
- 현실검증 능력과 인지능력 현저히 손상
- 전반적으로 황폐화. 부적절한 사회적 행동과 정서적 반응

③ 긴장형(catatonic)
- 수 십년 전 흔했지만 현재는 아주 드묾
- 15~25세에서 흔하고 예후가 가장 좋음(약물 치료, ECT에 효과)

- 긴장성 혼미와 흥분을 오감, 심한 거부증, 괴이한 자세
④ 미분화형: 망상형, 혼란형, 긴장형 중 어느 아형의 진단기준도 만족시키지 않는 경우
⑤ 잔류형: 한때 진단기준은 만족시켰으나 현재는 심한 정신병적증상을 보이지 않음. 대신 정동둔마, 사회위축, 약간 이상한 행동, 비논리적 사고, 가벼운 연상이완 등을 보이는 경우

6) 감별진단과 동반이환장애 [기출]

(1) 기분장애(mood disorder)

일반적으로 조현병에서 기분증상은 정신병적증상에 비해 지속기간이 짧고 정동 불일치가 많으며, 기분의 전염성이 기분장애에 비해서 없다.

(2) 조현정동장애(schizoaffective disorder)

조현병의 증상에 더불어 상당기간 조증이나 우울증의 증상이 동시에 나타나는 것이다. 조현병에서 보이는 기분증상은 비교적 기간이 짧고, 조증이나 우울증 삽화의 진단기준을 충족하지 못한다.

(3) 망상장애(delusional disorder)

와해된 언어나 행동, 음성증상이 없고, 망상적 주제와 연관되는 환각이 있더라도 그 지속기간이 짧으며 조현병과 달리 망상 내용이 기괴하지 않다.

(4) 조현양상장애(schizophreniform disorder), 단기 정신병적장애(brief psychotic disorder)

DSM-5 조현병 진단기준 C에 명시된 바와 같이 6개월의 증상 지속을 요구하는 조현병보다 지속기간이 짧다. 조현양상장애는 6개월 미만으로, 단기 정신병적장애는 최소 1일~최대 1개월이다.

(5) 이차적 및 물질에 의한 정신병적장애

드문증상 또는 비전형적인 증상을 보이거나 의식 수준의 변화가 있거나 인지기능의 급격한 저하가 있으면, 기질적장애 여부를 철저하게 조사해야 한다.

(6) 성격장애

조현성, 조현형, 편집성, 경계성 성격장애가 조현병에 선행하거나, 상기 성격장애에서 조현병과 유사한 증상을 보일 수 있다. 그러나 조현병에 비해 정신병적 증상이 가볍고 대개 일시적이다.

7) 치료

정신증상을 조절하고 재발을 방지하며 사회 및 직업 기능을 유지하기 위함이다. 약물치료가 가장 효과적이고 중요하긴 하나 정신사회적 치료와 통합적으로 제공되는 것이 좋다.

(1) 급성기 치료

환청과 망상 같은 정신증상의 완화. 항정신병약물을 사용하면서 동시에 정신증상을 유발하거나 악화시키는 스트레스 환경 요인을 파악하여 중재한다. 초발 환자에서는 70~80%의 환자에서 증상이 충분히 개선될 수 있다.

① 입원치료가 필요한 경우: 대부분 일상생활이 불가능한 경우이며 치료가 지속되기 어려운 경우, 평가가 필요한 경우도 입원할 수 있다.
- 자살위험성이나 정신증상으로 인한 폭력 및 타해의 위험성이 있는 경우
- 증상과 기능저하로 자기 관리가 되지 않는 경우
- 치료가 필요함에도 병식이 충분하지 않아 처방받은 약물을 복용하지 않는 경우
- 진단이 명확하지 않아 집중적인 관찰과 검사가 필요한 경우
- 외래 치료가 효과적이지 않거나 입원 상황에서 체계적인 정신사회적 중재 혹은 ECT가 도움되는 경우

(2) 안정기 및 유지치료

급성기증상 조절 후 증상이 호전되어도 재발방지를 위해 일정기간 유지치료를 하며, 유지용량의 약물 치료와 다양한 정신사회적 치료를 병행한다(정신사회적 치료는 생물학적 치료기법(약물, 뇌자극치료, ECT)을 이외에 치료법들을 말하는 광범위한 개념이다. 조현병 환자들의 경우 인지 저하가 일어난 경우가 많기 때문에 학습이론에 입각한 사회 기술 훈련을 주로 하게 된다. 물론 환자의 특성에 따라 인지치료나 정신치료를 함께 제공하기도 한다.). 실력

① 초발 조현병 환자: 증상 소실된 경우 최소 1~2년 유지치료 권유. 약물 치료 중단한 이후에도 2년 동안은 재발 징후와 증상을 꾸준히 관찰
② 재발 조현병 환자: 5년 이상 유지치료 받도록 권고. 재발할 때마다 뇌조직 소실이 심해져 인지기능이 더욱 저하되므로 재발을 방지하는 것은 매우 중요. 약물 장기 유지 치료 시 지연성 운동장애(tardive dyskinesia, 20~30%에서 발생)와 대사성 부작용 주의

(3) 약물치료

재발 시 이전 치료에서 효과 있던 약물을 고려해야 하며 효과 판정을 위해 4~6주 충분량을 써야한다. 비정형 항정신병약물이 정형 항정신병약물에 비해 부작용 발생 측면에서 더 선호되는 경향이 있다.

① 정형 항정신병약물: 도파민 수용체 길항제(dopamine antagonist)로 주로 작용
haloperidol, chlorpromazine 등이 있음. 가격이 저렴하고 체중증가/대사증후군 유발이 비정형 항정신병 약물에 비해 적음 기출
② 비정형 항정신병약물: 세로토닌-도파민 길항제(serotonine-dopamine antagonist)로 주로 작용. Clozapine, risperidone, olanzapine, quetiapine, ziprasidone, aripiprazole 등이 있음. 정형 항정신병약물에 비해 EPS

가 적고 음성증상, 인지기능에 더 효과적. 비만, 고지혈증, 당뇨 등 대사성 부작용 발생 가능성은 상대적으로 높음

③ 치료불응성 환자의 치료: 항정신병약물 두종류를 적정기간 복용하였음에도 정신증상의 회복이 충분하지 않은 경우 치료불응성. 이때 클로자핀을 고려함

(4) 전기경련요법(electroconvulsive therapy, ECT)

조현병의 증상 개선에 약물이상으로 효과적이다. 심한 우울, 자살위험성, 긴장형증상, 약물에 반응하지 않는 심한 초조를 동반한 조현병 환자, 그리고 병력이 1년 미만일 때 유용하다.

(5) 정신사회적 치료법

약물치료가 조현병 치료의 중심이지만 정신사회적 중재가 약물치료와 통합되었을 때 조현병 치료 효과가 극대화된다. 취약성과 스트레스를 감소시키고 적응 능력과 사회적 기능을 증진시키기 위함이다.

① 사회기술 훈련: 행동치료적 접근을 통해 대인관계, 자기관리, 사회적응, 직업 수행능력의 향상
② 인지행동치료(cognitive-behavioral therapy, CBT): 망상적 신념이 약화되는 시기에 효과적
③ 가족 중재(family intervention): 질병의 경과, 증상에 대한 대처, 재발신호 및 위기대응 방식 등에 대한 정보를 제공하는 정신건강교육, 가족 내 문제 해결 기술 및 대처법 훈련, 가족에 대한 정서적 지지와 스트레스 감소를 위한 중재 등을 포함

8) 경과 및 예후

(1) 경과

① 발병양상: 급성, 아급성, 잠행성(insidious) 등 다양함
② 전구기: 청소년 또는 초기 성인기에 시작되는 수 일에서 길게는 수 년에 걸친 전구기를 지나 발병함. 전구기증상은 사회적, 지적 기능의 저하로 시작되어 우울, 강박, 의욕 저하, 대인관계장애, 예민함 등의 비특이적인 증상에서부터 의심, 관계사고, 이상한 생각, 지각이상 등 약한 정신증상까지 다양. 양성증상보다 음성증상이 두드러짐
③ 급성기: 뚜렷한 정신병적 증상
④ 잔류기: 전구증상과 비슷하나 대게 감정의 둔마와 직업적 장애가 심화됨

(2) 예후

20~30% 환자는 사회적 기능까지 회복하여 직업을 유지함. 20~30% 환자는 중등도의 증상이 지속되고, 40~60% 환자는 평생 기능이 심각하게 저하된 상태로 남게 됨

표 9-1. 조현병 환자의 예후 실력

좋은 예후	나쁜 예후
늦은 발병(late onset)	이른 발병(young onset)
뚜렷한 유발 인자	유발 인자가 없음
급성 발병(acute onset)	잠행성 발병(insidious onset)
좋은 병전 사회적, 직업적 기능	나쁜 병전 기능
일시적인 우울증상 동반	두드러진 음성증상
발병 후 빠른 시일에 치료 시작	치료받지 않은 기간이 긺(긴 DUP)
좋은 치료적 관계	나쁜 약물 순응도
재발하지 않음	잦은 재발
기혼자	미혼, 이혼, 사별
	신경학적 기능 손상이 동반
	조현병 가족력

2. 조현정동장애(Schizoaffective disorder)

1) 개념

조현병과 기분(정동)장애의 양쪽 증상이 함께 존재하는 질환(조현병으로 보기에는 기분삽화가 존재하는 기간이 길고, 기분장애로 보기에는 기분삽화 없는 시기에 망상과 환각이 나타나 기분장애로 볼 수 없음)

2) 역학

조현병보다 낮은 0.3~0.8%. 조현병처럼 여성의 발병시기가 남성보다 늦음

3) 임상양상

(1) 조현정동장애로 진단되는 환자는 조현병의 진단기준 A에 해당하는 망상, 환각, 괴상한 행동, 음성증상 등을 가지고 있다. 정신병적 증상과 함께 조증삽화 및 주요우울삽화의 진단기준에 부합하는 증상이 질병 경과 중 대부분의 기간 동안(50% 이상) 있어야 한다.

(2) 조현병에 비해 대인관계 위축, 자기관리의 어려움 등 음성증상도 조현병보다는 심하지 않고, 덜 지속적이며, 병식의 결함도 상대적으로 심하지 않다.

4) 진단

(1) 진단기준 핵심(DSM-5)

> 1. 조현병 진단기준의 <u>A항목을 만족시키는 동시에 주요기분(주요우울 또는 조증) 삽화가 있음</u>
>
> 2. 기분삽화증상이 없는 시기에 망상이나 환각이 2주 이상 존재
>
> 3. 유병기간 전체 중 기분삽화가 상당기간 존재
>
> 4. 배제진단: 물질 및 신체질환
>
> 5. 기분삽화가 끝나고 나서 정신병적 증상이 지속되는지를 확인해야 한다. 또한 조현병의 음성증상과 구분을 짓기 위하여 우울삽화 시에는 지속적인 우울감이 반드시 동반되어야 한다.

5) 감별진단과 동반이환장애

(1) 기분장애: 기분장애는 기분 삽화 없이 정신병 증상만 나타내는 기간이 없음

(2) 조현병: 기분장애 기간이 질병기간의 1/2 이상 되지 않고 음성증상과 사회적 기능이 조현정동장애보다 떨어짐

6) 치료

(1) 증상에 따라 항정신병약물, 기분안정제, 항우울제 등을 단독 또는 병용 투여하여 치료함

(2) 정신병적증상: 항정신병약물

(3) 조증증상: 양극성 기분장애에 사용되는 리튬(lithium), 발프로산(valproic acid) 등을 사용

(4) 우울증상: 세로토닌 재흡수 억제제와 같은 항우울제

(5) 양극성 우울증상: 양극성장애의 우울증 치료에 우선적으로 권고되는 리튬, 라모트리진, 퀘티아핀으로 조절

7) 경과 및 예후

예후는 조현병과 기분장애의 중간쯤으로, 전반적으로 조현병보다는 다소 양호하다. 기분장애의 예후보다는 불량하며, 조현정동장애 환자의 신경인지기능장애나 직업 기능 손상 또한 양극성장애 환자보다 심하다. 또한 기분증상이 주가 되는 환자보다 정신병적증상이 주가 되는 환자가 더 나쁜 경과를 보인다.

3. 망상장애(Delusional disorder)

1) 개념

체계적인 망상을 특징으로 환각이 없는 정신병적 장애이다(소수에서 환각이 있을 수도 있으나 있다 해도 저명하지 않거나 망상에 연관됨). 망상의 내용에 적절한 정동을 보이면서 사회적 기능은 상당히 보존하고 있다.

2) 역학

(1) 평생 유병률: 0.2%, 주로 여성

(2) 평균 발병 나이: 40세, 18~90세까지 가능

(3) 병전 성격으로 편집성 혹은 조현성 성격장애가 많다.

3) 원인

(1) 생물학적 요인: 망상장애와 조현병, 기분장애 사이의 유전적 연관성이 없음

(2) 환경적 원인: 이민, 이주, 귀머거리, 기타 스트레스

(3) 정신역동적 요인: Freud는 부정, 반동형성, 투사의 과정을 거쳐 망상이 발생한다고 주장함

4) 임상양상

(1) 망상의 형태는 비교적 잘 구조화되어 있어 기본전제가 비합리적이지 않다면, 논리적이라고도 볼 수 있을 정도로 체계적이며 사고 과정의 장애는 없다.

(2) 망상체계 밖에서는 상당히 정상적인 사고, 정동 및 행동을 보인다는 것에서 조현병과 확연히 다르다.

(3) 분노에 가득차고 의심이 많은데 이는 망상의 내용이 무시된다고 느껴질 때 나타나는 이차적 현상이다.

(4) 피해형과 질투형이 가장 흔함(피해형 > 질투형)

(5) 아형

① 피해형(persecutory type): 가장 흔한 형태. 의도적으로 주위사람이 자기에게 피해를 주거나 악의적으로 대한다고 믿음

② 질투형(jealous type): 의처증, 의부증이라고도 함. 정당한 이유 없이 배우자나 애인이 부정을 저지르고 있다고 믿음

③ 색정형(erotomanic type): 자신이 누군가에게 사랑받고 있다고 믿음. (일반적으로 지위가 높은 사람으로부터의 사랑) 스토커에서 관찰됨. 상대방이 실제로는 사랑하나 그 상황에서는 어쩔 수 없이 자신에 대한 사랑을 부인했다고 합리화함

④ 신체형(somatic type): 신체적 기능이나 감각과 관련된 망상. 자신이 악취를 풍기고 있다는 믿음이 가장 흔함. 이외에도 몸에 기생충이 산다거나 신체의 어느 부분이 기형이라는 믿음

⑤ 과대형(grandiose type): 스스로 위대한 재능이나 통찰력을 갖는다는 믿음

⑥ 혼합형(mixed type): 한 가지 주제가 두드러지지 않은 경우

⑦ 명시되지 않는 유형(unspecified type): 지배적 망상적 믿음이 명시되지 않는 경우. 뚜렷한 피해 혹은 과대 요소가 없는 관계망상

Ex) Capgras's syndrome: 자기가 아는 가까운 사람이 전혀 모르는 다른 사람이 변장하여 그 사람인 척하는 것이라 믿는 것

↔ Fregoli's syndrome: 전혀 모르는 사람이 사실은 자신이 아는 사람이 변장해 있는 것이라 믿는 것

5) 진단기준 핵심(DSM-5)

> 1. 1개월 이상의 지속 기간을 가진 한 가지(혹은 그 이상) 망상이 존재함
>
> 2. 조현병의 진단기준 A에 맞지 않음
>
>   **주의점:** 환각이 있다면 뚜렷하지 않고, 망상 주제와 연관됨(예: 벌레가 우글거린다는 망상과 연관된 벌레가 꼬이는 감각)
>
> 3. 망상의 영향이나 파생 결과를 제외하면 기능이 현저하게 손상되지 않고 행동이 명백하게 기이하거나 이상하지 않음
>
> 4. 조증이거나 주요우울장애 배제되어야 함
>
> 5. 장애가 물질의 생리적 효과나 다른 의학적 상태로 인한 것이 배제되어야 함

6) 감별진단

(1) 강박장애 및 관련장애: 강박장애를 진단받은 사람이 자신의 믿음을 전적으로 사실이라고 확신하는 경우에 망상장애로 진단하기 보다는 강박장애로 진단하게 됨

(2) 조현병과 조현양상장애: 망상장애에서 환각이 존재하는 경우 뚜렷하지 않고, 망상주제와 연관됨. 또한 망상장애에서는 망상이 체계적이며 망상과 연관되지 않은 사회적 기능손상이 없음

(3) 편집성 성격장애: 편집성 성격장애는 의심이 많고 지나치게 경계하고 조심스럽지만, 망상은 없음

7) 치료

(1) 약물치료: 모든 경우에 일차적으로 항정신병약물 사용. 반응이 있는 경우 평균 2주경에 망상체계에 유의한 변화가 옴

(2) 환자가 정신과적 도움을 수용하도록 설득하는 것이 중요하다.

(3) 지지적 정신 치료: 망상에 직접적으로 반박을 하기보다는 환자의 믿음이 생활에 어떻게 지장을 초래하는지 일깨워주면서 치료동맹을 공고히 하는 것이 중요. 초기에는 <u>망상에 대해 동의해서도 도전해서도 안됨</u>

(4) 통찰적 정신치료는 도움이 안되며 집단치료는 금기한다.

8) 경과 및 예후

(1) 대개 급성 발병이 많으며 만성화되면 회복이 쉽지 않음(치료가 적절했다면 50%에서 회복. 30%에서 유의한 호전)

(2) 좋은 예후인자: 직업적, 사회적 기능이 높은 경우, 여자, 30세 이전 발병, 갑작스러운 발병, 짧은 이환기간, 유발인자가 있는 경우 실력

4. 조현양상장애(Schizophreniform disorder)

1) 개념

조현병 증상과 유사하지만, 단지 1개월 이상~6개월 이내의 기간 동안 지속되는 경우

2) 역학

평생 유병률 0.1~0.2%. 청소년기와 초기 성인기에 흔히 발생

3) 진단기준 핵심(DSM-5)

1. 조현병 진단기준 A (핵심 양성증상을 포함하여 총 2가지 이상의 정신병적증상), D (조현정동장애나 기분장애배제), E (물질/신체질환에 의한 증상 배제)에 부함

2. 지속기간이 1개월 이상~6개월 이내

3. 예후인자의 유무에 따라 2가지 아형으로 세분하고 있고 긴장증이 동반되었을 때 조형양상장애와 동반된 긴장증 진단을 추가로 기술. 지속기간이 6개월 이내로 확정되지 않은 경우(잠정적)이라고 표기해 줌

4) 임상양상

(1) 빠르게 발병하고 긴 전구기가 없는 급성 정신병이다. 대개 삽화기간 동안에 기능이 저하되지만, 사회적 그리고 직업적 기능의 감소가 진행하지 않는다.

(2) 초기의 증상은 대체로 조현병과 유사하고 슈나이더의 일급증상이 종종 나타난다. 음성증상은 비교적 드물고 불량한 예후와 관련이 있다. 불량한 예후의 경우 조현병으로 이행할 가능성이 높아진다.

5) 치료

전반적인 치료 방향은 초발 조현병 환자의 치료에 준함. 항정신병약물의 반응이 조현병 환자에서보다 좋은 편이다.

6) 경과 및 예후

조현양상장애(잠정적)로 진단된 환자들의 약 2/3는 조현병 혹은 조현정동장애의 진단을 받게 된다. 5~15%에서는 기분장애로 진단하지만. 10년간의 추적 연구에서 조현양상장애 진단이 유지되는 경우는 5% 미만이었다. 조현양상장애로 진단이 유지되는 경우는 이들은 진단 기준에 제시되는 발병 시 양호한 예후 특징을 보이는 경향이 있다.

5. 단기정신병적장애(Brief psychotic disorder)

1) 개념

단기간(1일 이상 1개월 미만) 정신병적증상이 지속된 뒤 병전 기능을 완전히 회복하는 정신병적장애로, 스트레스와 정신병적증상 발생 사이에 시간적 선후관계가 있다. 역동적으로 스트레스로부터 회피를 목적으로 증상이 발생했다고 본다.

2) 역학

비교적 드물고(국내 평생유병률 0.4%), 20~30대 여성, 낮은 사회계층, 성격장애 환자에서 많이 나타난다.

3) 원인

불분명하며 성격장애를 가진 사람이 정신병적 발생의 생물학적, 심리적 취약성이 있을 수 있다.

4) 임상양상

(1) 환각, 망상, 와해된 언어, 극도로 와해된 혹은 긴장성 행동과 같은 정신병적증상이 갑자기 발병한다.

(2) 불안정한 기분, 혼동, 이상하거나 괴이한 행동, 울부짖거나, 말이 없는 함구증, 주의력 및 최근 기억의 손상

(3) 유발 스트레스: 문화적으로 보았을 때 누구에게나 정서적 곤란 상황이 되는 인생의 주요사건(예: 가까운 가족의 상실)

5) 진단기준 핵심(DSM-5)

---

1. 다음 증상 중 하나(혹은 그 이상)가 존재하고, 이들 중 최소한 하나는 (1) (2) (3) 중에 해당되어야 함
   ① 망상
   ② 환각
   ③ 와해된 언어
   ④ 극도로 와해된 또는 긴장성 행동
2. 장애 삽화이 지속 기간이 최소 1일 이상 1개월 이내
3. 배제 진단: 주요우울장애나 양극성장애, 혹은 조현병이나 긴장증 같은 다른 정신병적장애, 물질 및 의학적 상태로 인함

---

6) 감별진단과 동반이환장애

(1) 다른 의학적 상태 및 물질관련장애

다른 의학적 상태 및 물질관련장애에 의해서도 급성 경과를 보이는 정신병적증상이 나타날 수 있어 우선적으로 감별해야 한다(예: 쿠싱증후군, 암페타민, 코카인, 알코올 사용, 중추신경계질환).

(2) 조현병 및 조현양상장애

유병기간 및 관해여부에 따라 감별이 가능하다.

(3) 성격장애

성격장애(연극성, 자기애성, 편집성, 조현형 및 경계성 성격장애)에서 스트레스로 인해 일과성으로 정신병적 증상이 발생할 수 있다. 최소 1일이 넘으면 성격장애에 부가적으로 단기 정신병적장애를 진단한다.

7) 치료

(1) 약물치료: 항정신병약물과 벤조디아제핀계 약물이 고려됨(다른 정신병적장애들이 항정신병약물이 우선적으로 고려되는 것과는 조금 다르게 벤조디아제핀도 일차치료약물에 포함). 단기간만 사용하며 유지요법은 필요 없다.

(2) 스트레스 상황과 외상을 환자 및 그 가족의 삶과 통합시켜야 하기 때문에 가족이 치료 과정에 개입하는 것이 중요하다.

(3) 급성기 환자는 평가 및 보호를 위해 단기간 입원이 필요할 수 있다.

8) 경과 및 예후

평균 발생 연령은 30대 중반이다. 매우 짧은 경과(1개월 이내에 회복)와 양호한 예후를 보이며, 자연치유 되는 경우도 있다. 반수에서 나중에 조현병이나 기분장애 등이 관찰되기도 한다.

6. 산후정신병(Postpartum psychosis)

1) 개념

출산 1~2주 이내에 발병하는 정신병적장애. 와해된 언어, 환각/지각이상, 불안정한 정동(labile affect), 혼돈 등을 특징으로 한다. 산모의 우울, 망상 및 자신의 아이 혹은 스스로를 해할지 모른다는 사고가 특징적이다.

2) 역학

1,000명 출산 중 1~2명가량 발생하며 약 50%에서 첫 아이 출산, 비정신과적 주산기 합병증, 혹은 기분장애의 가족력이 있다.

3) 임상양상

(1) 출산 후(평균 2~3주 후) 증상이 시작된다.

(2) 초기: 피로감, 불면, 안절부절 못함, 정서적 불안정성

(3) 후기: 의심, 혼동, 지리멸렬, 엉뚱한 말, 아기의 건강이나 안녕에 대한 강박적 걱정

(4) 정신병적 양상: 아이가 죽었거나 장애아라는 망상이 전형적, 스스로 혹은 아기를 죽이라는 내용의 환청

<u>이 있을 수도 있음</u>

4) 감별진단

(1) <u>산후 우울감(baby blue)</u>: 산모의 30~75%에서 발생. 분만 3~5일 이후 발생하는 기분증상. 수일간 나타나며 경미하여 전문적인 치료는 필요 없음

(2) 산후 우울증(postpartum depression): 산모의 10~15%에서 발생. 분만 12주 이내에 발병하며 우울감, 과도한 불안, 불면 및 체중 변화가 특징

(3) 물질 남용(항고혈압제, 펜다조신 같은 진통제)이나 일반 의학적 상태(예: 쿠싱증후군, 갑상선기능저하증)에 따른 정신병적장애의 가능성을 감별해야 함

5) 치료

(1) <u>정신과적 응급상황</u>. 자살의 가능성이 있는 경우 입원이 필요하다.

(2) 항정신병약물과 리튬, 그리고 종종 항우울제를 병합하여 치료한다.

(3) 영아살해에 대한 사고에 몰두하는 경우 밀접 감독해야 한다.

〈해설〉

1-01. 20세 여자가 1년 전부터 말수가 없어지고 대인관계 회피하고, 8개월 전부터는 누군가 감시한다며 외출을 거부하였다. 1개월 전부터 식사를 거부하고 부르거나 꼬집어도 반응 없었다. 이 환자에서 우선적으로 사용 가능한 치료약은?

① 리튬
② 다이아제팜
③ 플루옥세틴
④ 할로페리돌
⑤ 발프로에이트

지문을 읽고 먼저 진단을 하시고 그 진단에 대한 치료를 찾는 문제입니다. 말수가 없어지고 대인관계 회피(조현병의 DSM진단기준 A5에 해당하는 음성증상), 감시받는다고 생각하여 외출을 안하는 모습(조현병의 DSM진단기준 A 중 망상), 꼬집어도 움직이지 않음(조현병의 DSM 진단기준 A4 긴장증적 행동)이 조현병의 진단기준 A를 만족하며 6개월의 기간 이상 증상이 지속되었기 때문에 조현병이라고 볼 수 있습니다. 주된 약물은 항정신병약물을 씁니다. 보기 중 항정신병약물은 할로페리돌입니다.

1-02. 장기적으로 만성 정신분열병의 치료에 있어서 가장 핵심적인 것은?

① 행동요법
② 약물치료
③ 전기경련치료
④ 정신치료
⑤ 정신분석치료

보기의 모든 치료들을 환자에 따라서 적용해 볼 수는 있으나 핵심적인 치료는 약물치료가 되겠습니다.

정답   1-1. ④   1-2. ②

1-03. 다음의 정신분열병(조현병) 역학에 관한 설명 중 옳은 조합은?

> 가. 전 세계적으로 평생 유병률은 1% 전후로 동일
> 나. 형제가 정신분열병일 때 발병 위험도는 대략 10%
> 다. 일란성 쌍둥이에서의 일치율은 약 50%
> 라. 환경의 영향은 미약함

① 가, 나, 다 ② 가, 다
③ 나, 라 ④ 라
⑤ 가, 나, 다, 라

정신분열병(조현병)의 발생기전은 심리사회학적인 요인도 작용하며 여러 요인이 통합적으로 작용하는 것으로 이해되어야 합니다. 따라서 라는 틀린 보기입니다. 나머지는 옳은 보기입니다.

1-04. 20세 남자가 2년 전부터 친구들이 괜히 자신을 쳐다보고, 이유없이 왕따를 시키는 것 같다며 학교생활에 적응하지 못하였다. 7개월 전부터 누군가 자기를 미행한다며 학교에 가지 않으려 하였고, 검정색 자동차만 보면 무서워하면서 도망가는 모습을 보였다. 3개월 전부터 몸에서 냄새가 나서 친구들이 비웃는다며 몸을 계속 반복적으로 씻었고, 사람들이 자신을 욕하는 소리가 들려서 괴롭다고 하였다. 진단은?

① 강박장애 ② 망상장애
③ 적응장애 ④ 정신분열병(조현병)
⑤ 주요우울장애

피해망상(누군가 자신을 미행한다는 믿음, 친구들이 자신을 비웃는다는 믿음)과 환청(사람들이 자신을 욕하는 소리가 들림), 환취 의심증상(자신의 몸에서 냄새가 남) 등의 조현병 진단기준 A에 해당되는 증상이 동반되며 6개월 이상의 기간을 충족하므로 조현병으로 볼 수 있겠습니다. 경과 초기에 이유없이 왕따 시키는 것 같다는 피해사고는 전구증상일 가능성이 높습니다. 몸을 계속 반복적으로 씻는 증상은 있으나 이는 환취나 피해망상으로 인한 것일 가능성이 높고 환청이 동반되어 있으므로 강박장애는 배제해볼 수 있습니다. 망상장애에서도 환각이 동반될 수는 있으나 저명하지 않으며 망상이 조현병보다 더욱 구체적이고 일상생활 기능이 보존되어 있습니다.

2-01. 26세 여자가 밤마다 누군가 방에 들어와 자기를 성폭행하고 죽이려 해서 불안하다며 병원에 왔다. 2개월 전 운전하다가 접촉사고를 낸 후 이 증상이 시작되었다. 가벼운 사고라서 의식소실이나 외상은 없었지만, 상대 운전자와 법적 시비가 붙어 스트레스를 받았다고 한다. 진료 중에도 "죽인다, 죽어라"라는 말소리가 들린다고 하며, 어딘가 자기를 감시하는 카메라가 있지 않느냐고 묻기도 했다. 진단은?

① 조현병
② 망상장애
③ 적응장애
④ 조현양상장애
⑤ 외상후스트레스장애

〈해설〉

조현병 진단기준 A인 환청 및 망상에 해당하는 증상이 만족하나 증상 및 기능손상이 6개월 이상 지속되어있지 않기 때문에 조현병보다는 조현양상장애로 보는 것이 적합합니다.

2-02. 50세 남자가 6개월 전부터 아내의 외도를 의심하다가 불면증이 심해져 병원에 왔다. 부인이 외도를 하지 않았는데도, 하루에도 수십 번씩 부인에게 전화를 걸고 부인을 미행하였다고 한다. 직장생활이나 다른 대인관계에는 문제가 없었고, 정신질환의 병력도 없었다. 진단은?

① 조현병(schizophrenia)
② 망상장애(delusional disorder)
③ 강박장애(obsessive-compulsive disorder)
④ 조현성인격장애(schizoid personality disorder)
⑤ 편집성인격장애(paranoid personality disorder)

위 환자는 다른 사회적, 직업적 기능손상이 없으며 부인에 대한 질투형 망상만 존재하며 1개월 이상 지속되는 모습이므로 망상장애가 진단에 적합합니다.

정답   1-3. ①   1-4. ④   2-1. ④   2-2. ②

양극성 관련 장애
Bipolar and Related Disorders

이혜민 오진욱 장진구 송후림

Chapter

X

Introduction

▶ 양극성장애는 주요 우울장애와 함께 기분장애의 대표적인 질환입니다

▶ 양극성장애에는 제I형 양극성장애와 제II형 양극성장애, 순환성장애 등의 다양한 아형이 포함됩니다. 증상과 경과를 통해 아형을 구분할 수 있어야 합니다.

1. 양극성장애의 원인

우울장애보다는 유전적 측면이 강하며 생물학적 요인이 큰 역할을 합니다. 유전 및 생물학적 요인 이외에도 환경적, 심리적 요인의 복합 작용으로 발생한다고 보고 있습니다.

1) 유전적 요인 실력

(1) 환자의 1차 친족은 5~10배 높은 양극성장애 유병률을 보이며 주요 우울장애에 걸릴 확률도 2배 정도 높다.

(2) 양극성장애가 있는 일란성 쌍생아는 일반인보다 훨씬 높게 양극성장애의 확률을 가지고 있다.

(3) 일란성에선 일치도가 75%, 이란성에선 10-20%로 유전적 요인이 강하긴 하지만 환경 및 스트레스 등의 다른 요인들이 상호 작용할 가능성이 있다.

2) 생물학적 원인

(1) 노르에피네프린, 도파민 등 단가 아민이 연관되어 있다는 견해가 있으나 우울장애보다는 불명확하다.

(2) 호르몬(hypothalamic-pituitary-adrenal axis, hypothalamic-pituitary-thyroid axis), Ca 및 Na 이온 채널, 세포 내 신호 전달(inositol monophosphatase, protein kinase C, glycogen synthase kinase -3) 등이 복합적으로 작용한다고 본다.

(3) 뇌 영상에서 전두엽-피질하구조, 전두엽-변연계 신경회로의 변화가 있으며 이는 양극성장애에서 보이는 감정 조절 및 인지 기능 이상을 뒷받침하는 증거이다.

3) 정신사회적 원인

(1) 환경의 스트레스가 기분삽화 발현에 영향을 주며 질병과정의 초기에 그 영향이 더 크다.

(2) 발병의 원인이라 하기보다 잠재된 질병 성향을 촉발한다는 데 더 중점이 있다.

(3) 정신역동이론에 따르면 조증은 우울증에 대한 반동형성이다.

2. 제 I 형 양극성장애(Bipolar I disorder)

1) 역학

(1) 양극성장애의 평생 발생률은 문화에 상관없이 대체적으로 일치한다.

(2) 유병률은 일반적으로 0.6~2.5% 사이이다.

(3) 성별의 차이는 없는 것으로 알려져 있지만 조증삽화는 남성에서, 우울삽화는 여성에서 더 흔하며 남성에서 첫 삽화는 조증삽화가 더 많고 여성의 경우 주요우울삽화가 더 많다.

(4) 발병 나이는 주요우울장애(늦은 30대)보다는 조금 빠른 20대에 발병한다.

(5) 이혼/독신 가정, 높은 사회 경제적 그룹에서 다소 높다.

(6) 급속순환형의 경우 발병 나이가 빠를수록, 여성인 경우가 많은 것으로 보고된다(이유는 명확하지 않음).

2) 진단기준 핵심(DSM-5)

> 1. 제I형 양극성장애의 진단기준
>   ① 적어도 한 번의 조증삽화를 만족한다.
>   ② 조증삽화 및 주요우울삽화는 조현정동장애, 조현병, 조형양상장애, 망상장애로 설명되지 않아야 한다.
>
> 2. 조증삽화의 진단기준
>   ① 비정상적으로 들뜨거나, 확장된 기분, 과민감 등이 1주간 지속된다.
>   ② 다음 중 3가지 이상
>   • 자존감의 증가, 과대성
>   • 감소된 수면욕구
>   • 말이 많아지고 끊기 어려울 정도로 계속 말을 함
>   • 사고비약, 사고분주
>   • 보고되거나 관찰되는 주의산만
>   • 목적 지향적 활동 증가 또는 정신 운동 초조
>   • 고통스러운 결과를 초래할 수 있는 활동에 몰두(충동구매, 성적문란, 사업추진 등)
>
> 3. 사회적 또는 직업적 기능에 현저한 장애 또는 자신이나 타인에게 해를 입히는 것을 막기 위해 입원이 필요한 경우 또는 정신병적 양상이 동반되는 경우이다.
>
> 4. 물질의 생리적인 작용의 결과나 다른 의학적 상태에 의한 것이 아니다.

3) 임상양상 기출

(1) 양극성장애의 발병 양상

① 제1형 양극성장애는 한 번의 조증삽화만 있어도 진단 가능하다.

② 일반적으로 조증삽화와 주요우울삽화가 번갈아 일어나고 각 삽화 중간에는 보편적으로 증상이 없다는 것이 진단의 원형이지만, 실제로는 삽화간 잔류 증상이 꽤 많은 것으로 보인다.

③ 단극성 우울증에 비해 비교적 어린 시기에 발병, 늦은 나이에 발병하는 경우는 가족력이 적고 기질적 이상이 있는 경우가 많으므로 이차적인 의학적 원인을 찾아야 한다.

④ 첫 삽화는 일반적으로 우울삽화로 시작되는 경우가 85%이다.

⑤ 유발 요인들은 첫 삽화의 발현과 연관성이 높고 단극성 우울증에 비해선 질병 발현에 미치는 영향이 적다.

⑥ 수면과 각성 사이클의 변화와 24시간 주기 리듬의 방해는 조증 및 경조증삽화의 유발 요인으로 작용을 하므로 수면기간과 질을 관리하는 것이 중요하다.

(2) 순환과 삽화의 기간

① 우울삽화는 일반적으로 2~5개월 지속, 조증삽화는 평균 2개월 지속되며, 혼재성삽화의 경우 5개월 ~1년간 지속된다.

② 대부분의 환자들이 20년간 최소 3회 이상의 삽화를 경험하는 것으로 보고되었으나 질병의 이환기간이나 치료에 얼마나 잘 반응하느냐에 따라 삽화 횟수는 차이가 클 수 있다.

③ 삽화 간 기간도 양극성장애가 단극성 우울증에 비해 짧으며 질병이 진행될수록 점차 짧아진다.

(3) 조증증상

① 기분 및 정동

• 조증의 기분은 평균적으로 과민한(irritable) 기분이 가장 많고(71%), 그 다음으로 유쾌한 기분(63%) 또는 대범한 기분(60%), 불안정한 기분(49%), 우울한 기분(46%)이 나타난다.

• 조증의 기분은 변하기 쉬워서 신뢰할 수가 없다.

• 많은 환자들은 기분이 너무 좋은 상태를 보이다가도 굉장히 신경질적으로 변하기도 하며 기분이 바뀔 때 매우 적대적으로 변할 수도 있다. 따라서 불안정한 기분과 적대감은 조증에서 흔히 나타나는 임상증상이다.

② 사고과정 및 언어

• 빠른 정신운동활동(psychomotor activation)은 조증의 현저한 특징인데 과도한 에너지와 활동, 말이 많은, 빠른 말투 및 압출언어(pressured speech)와 같은 특징으로 나타난다.

• 사고 과정이 빨라져서 주관적으로 사고의 비약(flight of idea)을 경험한다. 말이 너무 빠르고 많아 연상이 어려워져 연상의 이완이 나타날 수도 있다.

③ 외양 및 행동, 생체증상

- 피로한 줄도 모르고 여러 가지 활동에 참여하며, 대개 판단력이 떨어진다(예: 거리에서 설교하거나 춤추기, 불필요한 장거리 전화 걸기, 수익이 불투명한 사업에 참여, 도박, 충동적인 여행 등).
- 조증 환자들은 전형적으로 성적 욕구가 항진되어 있기 때문에 성적인 문제가 자주 발생하고 결국 결혼생활의 위기로서 수 차례의 별거나 이혼이 발생할 수 있다.
- 조증 환자의 약 80%에서 수면욕구가 줄어들어, 조금만 자고 깨도 원기 왕성함을 느낀다. 이따금 그들은 3~4일 동안 실제로 잠을 자지 않고 지내면서, 조증 활동이 위험할 정도로 증가되기도 하며, 그 결과 육체적으로 탈진하기도 한다.

④ 정신병적 증상

- 2/3의 환자에서 일생 동안 적어도 한 가지의 정신병적 증상이 있는 것으로 알려져 있다.
- 과대망상을 비롯, 여러 가지의 망상이 나타날 수 있다(특별한 정신적 능력, 빼어난 외모와 관련된 망상, 명문 가문, 혹은 기타 높은 신분, 피해망상 등).
- 황홀경과 종교적 특성의 환각, 기간이 짧고 일시적이며 일관성 없는 양상
- 일반적으로 조증의 정신병적 특징은 기분과 일치한다(mood-congruent psychotic features).

(4) 양극성 우울증의 증상

① 일반적으로 정신운동지연(psychomotor retardation)이 특징적으로 나타나며 우울증은 회복되어 증상이 없어지거나 조증으로 전환될 수도 있다.
② 보통 정서와 행동의 거의 모든 면(사고와 언어의 속도, 기력, 식욕, 체중, 성욕, 즐거움을 느끼는 능력 등)에서 지연되거나 감소하는 특징이 있다.
③ 무기력감, 과민한 기분, 분노, 편집증, 불안도 흔히 나타나며 '두뇌 회전이 안되고', '머리가 멍하고 느려져 멍청해지며', '정신집중이 안된다'고 호소하기도 한다.

TIP 다음은 주요 우울장애가 의심될 때 양극성장애에서의 주요 우울삽화인지 양극성장애가 아닌 단극성 우울증인지 감별할 수 있는 포인트들이다. 다음과 같은 점들이 있을 경우, 조증 혹은 경조증삽화의 과거력이 없더라도 양극성우울증의 가능성이 높으며 그에 준하여 치료를 하게 된다. 실력

표 10-1. 주요우울삽화에서 단극성 우울증보다는 양극성 우울증을 시사하는 소견

1차 친족 중 양극성장애의 가족력 있음	정신병적 주요우울삽화
약물로 유발된 경조증 병력	25세 미만에 발병한 주요우울삽화
기분 고양 기질(hyperthymic)이 있음	산후우울증의 과거력
3회 이상의 반복되는 주요우울삽화	항우울제 효과가 떨어지거나
3개월 미만의 비교적 짧은 주요우울삽화	세 가지 이상의 항우울제 반응이 없는 경우
비전형적 우울증상(식욕 과다, 수면 과다)	

4) 경과와 예후

(1) 회복에 걸리는 시간

① 대개 조증은 자연회복에 2~5개월이 걸리는 것으로 알려져 있고, 5년간의 예후를 관찰한 연구에 따르면 6개월 이내의 회복률은 74%, 1년 이내는 81%, 5년 후에는 94%의 환자들이 회복되는 것으로 알려져 있다.

② 치료를 받은 경우 평균 5주의 시간이 걸리며 양극성우울증의 경우 평균 9주, 혼재성이나 급속순환형의 경우 평균 14주이다.

(2) 경과와 예후의 예측 인자

① 이른 나이에 발병한 소아청소년 양극성장애

이른 나이에 발병한 소아청소년 양극성장애는 예후가 좋지 않으며, 좀 더 빈번한 삽화, 많은 공존질환, 증상이 심각한 조증과 우울증을 겪는다. 때문에 증상의 호전과 기능의 회복이 성인에 비해 낮으며 80% 이상이 재발을 경험한다.

② 이전 삽화의 횟수와 순환 형태

이전의 삽화 횟수가 많을수록 향후 삽화 횟수가 증가하는 것으로 알려져 이전 삽화의 횟수는 경과 예측의 중요한 요소가 된다. 따라서 급속순환형은 경과나 예후가 좋지 못한 경우가 많다.

③ 발병 전 사회 적응 능력과 기능

발병 전 사회 적응 능력과 기능은 중요한 예측인자로 작용하는데, 적응력이 좋고 기능이 좋았으면 예후가 좋은 편이다.

④ 그 외 요인들

- 치료 순응도는 경과 및 예후에 긍정적인 영향을 미친다.
- 물질 남용이 동반되면 부정적인 영향을 미친다.
- 기분과 일치하지 않는 정신병적증상(mood-incongruent psychotic features)을 보이는 경우 분열정동장애와 연관성이 있을 가능성이 높고 부정적이 예후와 관련 있다.

⑤ 특정 유형의 경과와 예후

- 혼재성 삽화의 경우 순수 조증에 비해 치료가 어려우며 삽화의 기간도 순수한 조증과 우울증에 비해 더 길고 더 많은 삽화를 경험하며 증상 회복까지 시간이 좀 더 걸리며 자살의 위험도가 높고 예후가 나쁘다.
- 급속순환형의 경우 약물 치료에 대한 반응이 나쁘고 삽화의 횟수가 많아서 예후가 좋지 못하다.
- 정신병 증상의 유무는 조기 발병과 연관성이 있다는 의견이 많으며 정신병적 우울증이 동반된 혼재성, 급속 순환형의 경우 회복에 더 많은 시간이 걸린다.

⑥ 공존질환과 예후

- 2/3의 경우 공존질환이 있으며 없는 경우보다 예후가 나쁘다.
- 공존질환은 혼재성삽화와 우울삽화의 횟수를 증가시키며 높은 빈도의 자살시도와 관련된다.
- 공존질환 중 불안장애와 물질관련장애가 흔하다.
- 물질 남용의 경우 40~60%가량이며 삽화 횟수도 많고 약물 순응도를 떨어뜨리며 대부분 예후가 나쁘다.
- 주의력결핍과잉행동장애(ADHD)가 동반되기도 하며, 발병 나이가 어리고 삽화 횟수가 많고 자살 시도도 더 많다.

3. 제II형 양극성장애(Bipolar II disorder)

1) 역학

(1) 유병률

대략 0.5%. 진단이 잘 이루어지지 않았기 때문에 높지 않다고 볼 뿐이며 실제 유병률은 상당히 높다는 보고들이 늘고 있다.

(2) 성별

여자가 남자보다 많다.

(3) 자살

10~15%에서 발생하며 무단 결석, 학업 수행 및 직업의 실패, 이혼 등이 많이 동반된다.

2) 임상 양상

(1) 주요우울삽화 및 경조증삽화가 번갈아 나타나며 제I형 양극성장애보다는 조금 더 일찍 발병된다. 주요 우울장애나 제I형 양극성장애보다 자살 시도가 더 많고 더 많이 성공하는 것으로 알려져 있다.

(2) 경조증삽화는 정신병적 양상이 없으며 가벼운 정도의 조증증상으로 심각한 장애는 없다.

3) 진단기준 핵심(DSM-5) 기출

(1) 최소 한 번 이상의 경조증삽화와 주요우울삽화
(2) 단순히 제I형 양극성장애의 경한 형태라고 이해하면 안된다(많은 시간 우울증으로 지내며 기분의 불안정성으로 인해 직업 및 사회적 기능에 심각한 장애를 동반).

(1) 제II형 양극성장애의 진단기준

① 적어도 한 번의 경조증삽화와 적어도 한 번의 주요 우울삽화가 있어야 한다.

② 조증삽화는 한 번도 없어야 한다.

③ 경조증, 주요우울삽화는 조현정동장애, 조현병, 조형양상장애, 망상장애로 설명되지 않는다.

④ 우울증의 증상 또는 우울증과 조증의 잦은 교체로 인해 사회적, 직업적, 또는 기타 중요한 기능 영역에서 심각한 고통을 일으킨다.

(2) 경조증삽화의 진단기준

① 비정상적으로 들뜬, 과민한 기분 그리고 에너지의 증가가 적어도 4일 연속으로 지속된다.

② 조증삽화의 B 항목과 동일하다.

③ 명확한 기능의 변화

④ 타인에 의해 관찰된다.

⑤ 기능장애가 심하지 않고 입원 필요한 정도가 아니며, 정신병적 양상은 없다.

⑥ 삽화가 물질의 생리적 효과로 인한 것이 아니다.

4) 경과 및 예후

(1) 제2형 양극성장애는 제1형 양극성장애에 비해 비교적 가벼운 형태로 보이기 때문에 예후가 좋을 것으로 생각하기 쉬우나 여러 연구결과나 임상 경험을 통해 볼 때 조증의 심각성만 다를 뿐 오히려 우울증의 기간이나 횟수가 더 많다는 보고가 있어 실제 생활의 기능적인 측면에서는 어려움이 많다.

(2) 임상적인 측면에서 보면 진단이 되지 않거나 주요 우울장애 등으로 진단이 잘못되는 경우가 많아 항우울제를 사용하여 급속순환형이 되는 등 경과가 나빠지는 경우가 있다.

4. 순환성장애(Cyclothymic disorder)

1) 역학

평생 유병률은 약 1%로 추정, 약 50~75%의 환자는 15~25세에 발병한다.

2) 임상양상

(1) 경조증과 경한 우울증이 같이 있는 제II형 양극성장애의 경한 형태로 DSM-5에서는 경조증과 우울증이 매우 자주 생기는 만성적인 변화가 많은 기분의 장애로 규정된다.

(2) 전체적으로는 증상이 경미한 것 이외에는 제2형 양극성장애와 비슷하게 보이며 대체로 직업생활을 성공적으로 할 수 없고, 제1형 양극성장애보다 기분의 순환이 빠르며, 기분의 변화도 불규칙적이고 갑작스럽다.

양극성 관련 장애 I Bipolar and Related Disorders

3) 진단기준 핵심(DSM-5) 기출

적어도 2년(소아와 청소년에서는 1년) 동안 다수의 경조증 기간(경조증삽화의 진단 기준을 충족시키지 않는)과 주요우울증 삽화의 기준을 충족하지 않는 많은 우울증상이 있으며, 적어도 2년 동안에 경조증 또는 우울의 기간이 그 기간의 반 이상이고, 2개월 이상 증상이 없이 지낸 적이 없는 경우 진단한다.

4) 경과와 예후

(1) 10~20대 초기에 서서히 증상이 나타나는 경우가 많다.

(2) 1/3이 주요기분장애로 전환되는데 대개의 경우는 제2형 양극성장애이다.

5. 그 외 양극성 관련 장애 실력

- 크게 물질/약물 치료로 유발된 양극성 관련 장애와 다른 의학적 상태(another medical condition)에 의해 유발된 양극성 관련 장애로 분류해 볼 수 있다.
- 항우울제/경련 치료 후 발생하는 경조증이나 조증의 경우엔 실제 양극성장애가 있는 경우로 간주하고 '다른 원인에 의해 발생한 양극성 관련 장애'로 진단하지 않는다.
- 의학적 상태에 의해 생긴 조증/경조증의 경우 신체 질환 생긴 후 약 1개월 이내 나타난 경우를 이야기하지만 만성적 신체 질환에 의해서도 발생 가능하다.

6. 감별진단 및 동반이환질환

1) 감별진단

주요우울장애, 조현병, ADHD, 성격장애 등을 감별해야 한다.

(1) 주요우울장애

① 양극성장애 환자의 69%가 오진을 받았는데 이 중 60%가 단극성우울증으로 진단을 받는다.

② 주요우울장애의 경우 과거 조증/경조증 삽화의 여부를 먼저 확인해야 할 필요가 있다.

③ 양극성우울증을 단극성우울증으로 잘못 진단했을 경우 항우울제 사용으로 인한 조증/경조증삽화의 유발, 삽화의 순환 주기를 짧게 하여 경과를 악화, 적절한 약물 치료의 시작을 지연시킨다. 심한 경우에는 자살의 가능성을 높이는 것으로 알려져 있다.

(2) 조현병

① 기분증상과 정신병적 증상 간 시간적 관련성을 파악해야 한다.

② 조현병은 정신병적 증상이 우세하며 기분삽화 없이도 발생이 가능하다.

③ 삽화에서 회복된 직후 양극성장애의 경우 기능이 조현병에 비해 비교적 혹은 매우 정상 수준에 도달한다.

(3) ADHD

양극성장애는 삽화적이나 ADHD는 만성적 경과를 밟으며, 7세 이전의 조기 발병, 시작과 끝이 명확하지 않으며 비정상적인 과대감이나 의기양양한 기분이 없고 정신병적증상을 동반하지 않는다.

(4) 성격장애

① 증상이 삽화적인지 중요한 사람과의 관계가 어떤지를 평가해야 한다.

② 양극성장애의 경우 삽화 사이 시기 동안 대인관계에서의 심각한 병리는 잘 보이지 않는다.

③ 경계선성격장애의 경우 양극성장애가 많은 경우 공존하고 있다고 한다.

2) 동반이환장애

(1) 기능 손상의 경우 다른 질환의 동반이환(comorbid)하는 경우 더 커지므로 동반이환 여부가 임상에서 중요하다.

(2) 동반이환이 있는 경우

Ex) 불안장애, 물질사용장애 등 양극성장애의 증상을 가리기 때문에 치료 시작 시기가 늦어지고 만성화의 위험성이 높아지며 자살 혹은 조기사망의 위험성 역시 높아질 수 있다.

(3) 또한 기분삽화에서 회복할 가능성이 줄어들며 동반이환된 질환을 치료하는 것(**Ex.** 불안장애에서의 항우울제 사용)이 오히려 양극성장애를 악화시킬 수 있다.

7. 치료

• 시기에 따라 양극성장애의 경우 증상이 달라져 치료 전략이 달라지기도 한다.

• 약물치료가 중요하며 정신치료, 정신건강교육, 가족 치료, 스트레스 관리 및 대처 등의 교육도 중요하다. 여러 치료 방법을 동시에 적용했을 때 효과가 가장 좋다.

1) 약물치료 기출

• 급성기(조증삽화, 우울증삽화, 혼재성삽화) 및 유지기(예방) 치료로 나뉜다.

• 조증삽화의 경우 1차 치료제는 리튬(lithium), 발프로산(valproic acid)과 같은 기분안정제 및 비정형 항정신병약물(atypical antipsychotics)

• 기분안정제와 비정형 항정신병 약물의 조합이 조증의 1차 치료 전략이다.

• 이론적으로는 단독 치료가 권장되나 임상적으로는 병합 치료가 널리 선호된다.

표 10-2. 미국 FDA에서 양극성장애 치료에 허가된 약물과 시기 실력

약물	조증 치료	우울증 치료	유지 치료
Lithium	1970		1974
Valproic acid	1995		
Carbamazepine ER	2004		
Lamotrigine			2003
Chlorpromazine	1973		
Olanzapine	2000		
Risperidone	2003		2009 ¥
Olanzapine-fluoxetine Combination (OFC)		2003	
Quetiapine	2004	2006	2008
Aripiprazole	2004		2005
Ziprasidone	2004		2009
Lurasidone		2013	
Asenapine	2009		

¥: long acting injection

▷ 조증, 우울증, 유지치료에 모두 미국 FDA 승인받은 약물은? Quetiapine.

→ Quetiapine을 사용하면 한 큐(Q)에 조증, 우울증 및 유지치료를 잡을 수 있네요.

▷ 양극성우울증의 급성기 치료에 미국 FDA 승인받은 약물은? Quetiapine, OFC, Lurasidone.

→ QOL. 우울하면 QOL(Quality OF Life)이 떨어지겠죠? 양극성우울증엔 QOL을 써서 QOL을 회복시킵시다.

(1) 리튬(lithium)

① lithium의 항조증 효능은 오래 전부터 입증되었으나 반응률은 4~50% 정도이다.

② 전형적인 조증에서 효과가 좋으며 혼재성삽화에서는 valproic acid보다 떨어졌다. 실력

③ 순수한 유쾌성조증, lithium이 과거 치료 반응이 좋았을 경우, 정신병적 양상이 없음, 급속 순환형 (rapid cycling)이 아닌 경우, 증상의 심각도가 덜하고 물질 남용이 공존하지 않았을 때 lithium의 효과가 좋다. 실력

④ 일반적으로 0.6~1.5 mEq/L 이나 급성기 조증에선 1~1.5 mEq/L 로 높게 한다.

⑤ 하루 600~900 mg/day 로 시작, 1,200~1,800 mg/day 로 점차 증량 실력

⑥ 고농도에서 독성(toxicity)이 매우 잘 나타남 → 구역감, 구갈, 진전(tremor), 다뇨(polyuria), 인지기능 장애, 설사, 신경학적 이상 반응(보행실조, 안진, 근육 위축 등)

⑦ 혈중 농도 2 mEq/L 이상에선 발작, 의식의 변화, 섬망, 순환기장애

⑧ 갑상선, 신장, 심장 기능은 반드시 점검

⑨ 임신 중 사용은 태아에 기형을 유발할 수 있으므로 사용하지 않는 것이 좋다.

(2) 발프로산(valproic acid)

① 최근 내약성 측면에서 안전하다는 이유로 lithium보다 선호된다.

② 750 mg/day 로 시작, 보통 1,200~1,500 mg/day 에서 적정 혈중 농도(50~125 μg/mL) 실력

③ 구역감, 진정, 진전, 체중 증가, 탈모현상

④ 간독성 및 췌장염, 혈소판 감소증 발생 가능성이 있다.

⑤ 임신 중 신경관 결손(neural tube defect)이 발생할 수 있어 가급적 피한다.

(3) 카바마제핀(carbamazepine)

① 항조증 효과와 심각한 부작용 및 약물 상호작용으로 점차 사용이 줄어 요즘은 2차 약물로 분류된다.

② aplastic anemia, agranulocytosis, Stevens-Johnson syndrome 발생 가능하다.

③ 임신 중 태아 기형 유발 가능성 있다.

(4) 라모트리진(lamotrigine)

① 조증에선 아니지만 양극성우울증에선 효과가 있었다.

② 치료 초기 경미한 피부 발진이나 심각한 피부 부작용 발생 가능하며 증량 속도와 깊은 관계가 있어 천천히 증량해야 한다.

③ 첫 2주 동안에는 25 mg/day, 다음 2주 동안엔 50 mg/day, 5주째 100 mg/day 발프로산과 같이 투여하는 경우 이보다 절반 용량으로 줄여서 용량을 올린다. 실력

TIP 최근 FDA category는 폐지되어 더이상 등급을 애써 외우지는 않아도 되지만, 기분안정제의 경우 통상 기존 FDA category D~X에 속하는 약물로서 비교적 태아위험성이 확실히 알려져 있습니다.

(5) 비정형 항정신병약물

① 단독 투여 가능하나 대개 기분안정제와 병합하여 투여한다.

② 항우울 효과를 인정받아 단독 혹은 다른 약물들(항우울제 혹은 기분안정제)과도 투약 가능하다.

③ 졸리움, 체중 증가, 어지럼증, 변비, 기립성 저혈압 등 발생 가능성이 있다.

④ 대사증후군(비만, 이상지질혈증, 당뇨)의 위험성을 고려해야 하며 aripiprazole 및 ziprasidone은 비교적 적은 편이다. 실력

⑤ 임신 중 위험도는 Category C로서 기분안정제보다는 안전한 편이다.

(6) 양극성우울증의 약물 치료

① 조증에 비해 자주 나타나고 치료 반응이 나쁘다.

② 일부 비정형 항정신병약물이 기분안정제 보다 좋은 항우울 효과가 있다.

③ 리튬의 경우 자살을 막는 효과 있어 자살 고위험군에 효과적이며, 발프로산도 항우울 효과가 있다.

④ Lamotrigine은 조증보다는 양극성 우울증에서 효과적이다.

⑤ 항우울제의 사용은 아직 논란이 있으며 사용해야 한다면 전환의 위험성이 적은 bupropion이나 SSRI를 사용해야 하며 전환을 막을 수 있는 기분안정제 혹은 비정형 항정신병 약물을 같이 투여해야 한다. `실력`

⑥ 1차 약물로 권장되는 것은 리튬 및 라모트리진, 퀘티아핀, 발프로산은 2차 약물이다. `실력`

⑦ 올란자핀과 루라시돈도 양극성 우울증에서 고려 가능하다. `실력`

(7) 혼재성삽화의 약물 치료 `실력`

① 전반적으로 약물의 치료 반응이 떨어지고 증상의 정도가 심하며 자살 위험성, 물질 남용의 가능성이 크다.

② 발프로산이 리튬보다 효과적이라는 연구에 따라 대개 발프로산을 권장한다.

③ 발프로산과 비정형 항정신병약물의 병합

(8) 치료 약물에 의한 경조증으로의 전환 또는 순환 가속

TCA가 가장 높으며 SNRI의 (경)조증 전환이 더 흔하다고 보고된다.

2) 비약물학적 치료 `실력`

- 전기경련요법(electroconvulsive therapy), 경두개자기자극술(transcranial magnetic stimulation)
- 정신치료, 집단치료, 가족치료, 인지행동치료, 정신건강교육

3) 입원 치료

- 정확한 진단이 필요할 경우, 자해 및 타해의 위험성 있을 때, 환자가 안전을 도모할 수 없을 때

사례 예시 / 기출 문제

〈해설〉

1-01. 22세 여자가 한 달 전부터 잠을 자지 않으면서 하루 종일 쇼핑에만 빠져 병원에 왔다. 대화를 하다가도 쉽게 예민해지면서 화를 잘 내고 싸움을 자주 하여 병원에 왔다. 평소보다 말이 많아졌으며 사고비약을 보였다. 진단은?

① 행실장애　　　　　② 정신분열병
③ 충동조절장애　　　④ 양극성장애
⑤ 주의력결핍과다활동장애

우선 증상을 보이는 기간을 확인해야 합니다. Bipolar I disorder를 진단하기 위해서는 1주일 이상의 기간이 충족되어야 합니다(or 입원이 필요할 정도의 심한 증상이 있어야 합니다). 환자는 밤에 잠을 자지 않고 예민하고 화를 잘 내는 모습, 사고의 비약, 평소보다 말이 많아진점, 싸움을 자주 하게 되는 점 등으로 보아 양극성장애 진단이 적절합니다.

1-02. 26세 여자가 10년 전부터 간간히 우울하고 의욕이 없어서 내원하였다. 1~2개월 전부터는 우울하고 죽고 싶은 기분이 들고 식욕이 증가하였고, 이어서 5~6일 동안은 고양된 기분으로 말이 많아지고 계획을 많이 세우며 잠을 자지 않았다. 진단은?

① 주요우울장애　　　② 양극성장애I형
③ 양극성장애II형　　④ 기분순환장애
⑤ 기분부전장애

주요우울삽화가 있었고, 최근 4일 이상의 경조증삽화가 발생한 것으로 보아 양극성장애 II형으로 진단할 수 있습니다.
일주일 이상 기간 동안, 더욱 심한 조증삽화가 있을 경우 양극성장애 I형으로 진단할 수 있지만 현재로서는 양극성장애 II형이 더욱 적절한 진단입니다.

1-03. 27세 여자가 서서히 시작되는 우울감과 자신의 일에 대한 걱정을 주소로 내원하였다. 수 개월 전에는 자신감이 넘치고 열정적으로 일을 하면서 사람들과 잘 어울렸다. 6년 전부터 반복적으로 이러한 경향을 보였다고 한다. 가장 적절한 진단은?

① 분열정동장애   ② 기분순환장애
③ 주요우울장애   ④ 양극성장애 I형
⑤ 양극성장애 II형

1-04. 조현병과 비교하였을 때 양극성 조증에서 나타나는 특징적인 증상은?

① 반향언어증   ② 음송증
③ 사고 이탈   ④ 언어 압출
⑤ 정동 불일치

전형적인 조증의 경우 기분 고양감이 들며 말이 많고 빨라집니다(언어 압출).

1-05. 35세 여자가 3주 전부터 의욕 저하, 무기력감, 우울감이 심해져 병원에 했다. 5년 전에 평소와 다르게 기분이 들뜨고 잠이 줄어들고 활동이 많아졌으나 직장은 다녔다고 하며 증상들은 5일만에 좋아진 적이 있다고 한다. 일차 약물은?

① 디아제팜   ② 발프로산

③ 벤라팍신   ④ 페니토인

⑤ 메틸페니데이트

〈해설〉

과거 경조증삽화(hypomanic epi-sode)가 있었던 것으로 보이고 현재는 우울삽화를 만족하는 것으로 보입니다. 이 경우 항우울제를 단독으로 사용할 경우 manic switch의 가능성이 있어 조심해야 합니다.

양극성장애의 우울삽화에서 사용할 수 있는 약은 QOL (quetapin, OFC, Lurasidone) 등이 있고 그 외 기분안정제 등을 사용할 수 있습니다.

정답   1-5. ②

우울장애
Depressive Disorders

이혜민 박주호 장진구 송후림

Chapter

XI

Introduction

▶ 정신의학에서 이야기하는 우울한 상태란 일시적으로 기분만 저하된 상태를 뜻하는 것이 아니라 사고의 형태나 흐름, 사고의 내용, 동기, 의욕, 관심, 행동, 수면, 신체활동 등 전반적인 정신기능 이 동시다발적으로 저하된 상태를 말합니다.

▶ 이렇게 기분의 변화와 함께 전반적인 정신 및 행동의 변화가 나타나는 시기를 우울 삽화(depressive episode)라고 합니다. 삽화기간 중에 증상이 거의 매일, 거의 하루 종일 나타난다는 것이 중요한 특징이고 정도가 심하고 지속적인 우울 삽화를 주요우울삽화(major depressive episode)라고 하며 주요우울장애 진단의 요건입니다. 해마다 중요하게 다루어지는 내용들이고 흔히 우울증이라고 불리는 주요우울장애 등의 임상양상 및 치료에 대해서는 정확히 알아두는 것이 좋겠습니다.

1. 파괴적 기분조절부전장애(Disruptive mood dysregulation disorder, DMDD)

1) 개념
(1) 언어 혹은 행동으로 공격성, 분노를 드러내며 감정 조절의 어려움을 보이는 상태
(2) 만성적이고 심각하며, 지속적으로 예민성을 보여야 한다(최소한 2가지 이상의 상황에서 주 3회 이상, 적어도 1년 이상 지속되는 경우 진단-이는 발달단계에서 정상적인 분노발작과 구분하기 위함).

2) 역학
(1) 아동에서 6개월에서 1년간 유병률은 2~5% 정도로 추정한다.
(2) 여아보다 남아에서 유병률이 더 높고, 유병률은 나이가 많아질수록 감소한다.

3) 원인

이 장애의 원인에 대한 연구는 아직 부족하다. 현재까지 알려진 것으로는 이 장애와 가장 비슷한 임상양상을 보이는 기분조절부전에 관한 연구이다. 심한 기분조절부전이 있는 경우 얼굴 감정 처리 과제에서 정상군에 비해 편도의 활성이 줄어들어 있었다. 또한 심한 기분조절부전군에서 좌절을 경험하는 동안 공간적 주의, 보상처리, 감정적 현저성과 관련된 뇌영역의 활성이 심하게 감소하였다.

4) 진단기준 핵심(DSM-5)

1. 고도의 재발성 분노발작이 언어 또는 행동적으로 나타나며, 상황이나 도발 자극에 비해 그 강도나 지속 시간이 극도로 비정상적이다.
2. 분노발작이 발달 수준에 부합하지 않는다.
3. 분노발작이 평균적으로 일주일에 3회 이상 발생한다.
4. 분노발작 사이의 기분이 지속적으로 과민하거나 거의 매일 대부분의 시간 동안 화가 나 있다.
5. 진단기준 A~D가 12개월 이상 지속되면, A-D에 해당하는 모든 증상이 없는 기간이 연속 3개월 이상 되지 않는다.
6. 진단기준 A와 D가 세 환경(예: 가정, 학교, 또래집단)중 최소 두 군데 이상 나타나며 최소 한 군데에서는 고도의 증상을 보인다.
7. 이 진단은 6세 이전 또는 18세 이후에 처음으로 진단될 수 없다.
8. 위 증상의 발생이 과거력 또는 객관적인 관찰에서 10세 이전에 나타나야 한다.

5) 임상양상

(1) 파괴적 기분조절부전장애의 핵심 증상은 만성적이고 지속적인 극도의 이자극성이다.

(2) 잦은 분노 발작은 좌절에 대한 반응으로서 언어적 또는 행동적으로 나타난다.

(3) 다른 하나는 분노 발작 사이에 존재하는 만성적이고 지속적인 과민한 기분 또는 화가 난 기분이다. 이러한 기분은 거의 매일, 하루 내내 나타나는데 객관적으로 알아차릴 수 있다.

6) 감별진단

(1) 이 장애와 감별해야 할 장애로는 적대적 반항장애, 간헐적 폭발장애, 양극성장애 등이 있다. 이들은 파괴적 기분조절부전장애의 동반장애로 진단해서는 안 된다. 파괴적 기분조절부전장애가 있는 경우 적대적 반항장애의 진단기준을 충족시킬 수 있다. 그러나 적대적 반항장애에서는 파괴적 기분조절부전장애에서 나타나는 기분증상은 드물다.

(2) 간헐적 폭발장애가 있는 경우에도 심각한 감정의 폭발을 보일 수 있는데 지속적인 기분의 파탄이 없다면 간헐적 폭발장애로 진단할 수 있다.

(3) 파괴적 기분조절부전장애와 달리 아동의 제I형 양극성장애와 제II형 양극성장애에서는 평소 모습과 뚜렷한 차이를 보이는 기분 변화의 삽화 기간이 나타난다. 즉 파괴적 기분조절부전장애에서는 극도의 과민성이 지속적으로 나타나는 반면, 양극성장애에서는 과민한 기분 또는 안도감이 삽화적으로 나타난다.

7) 치료

이 진단은 양극성장애의 과잉진단과 항정신병약물의 과도한 사용을 막기 위해 만들어졌고, DSM-5에서 처음으로 공식 진단명이 되었다. 따라서 항정신병약물 치료에 신중해야 하지만, 극도의 과민성과 공격성을 조절하기 위해서 비정형 항정신병약물이나 기분안정제의 사용이 도움이 될 수 있다.

8) 경과 및 예후

파괴적 기분조절부전장애의 증상은 나이가 들어가면서 점차 줄어든다. 이 장애가 있는 아동은 나중에 우울장애나 불안장애가 생기는 경우가 많다. 파괴적 기분조절부전장애의 과거력이 있는 성인은 다른 정신질환군에 비해 건강 문제가 더 많았다.

2. 주요우울장애(Major depressive disorder)

1) 개념

조증이나 경조증의 삽화 없이 주요우울삽화만이 일회성으로 혹은 반복적으로 나타나는 경우 주요우울장애라고 한다. 우울장애의 핵심 정의는 정서(affect)의 변화이다. 정서는 내부의 감정 상태(mood)에 따른 객관적 및 행동적인 표현으로 정의되며, 얼굴 표정이나 다른 신체운동 등을 통하여 외부에서 관찰될 수 있다.

2) 역학 [기출]

(1) 일반적으로 서구권에서는 남자의 경우 5~10%, 여자의 경우 10~25% 정도가 일생에 한 번 이상 주요우울장애에 걸리는 것으로 알려져 있다.

(2) 한국 성인의 평생 유병률은 3.3~5.6%로 파악되고 있다.

(3) 주요우울장애는 여자에서 2배 정도 많이 발생한다(산후우울장애, 갱년기우울장애, 월경전불쾌장애 등에서 알 수 있듯이 여성호르몬이 영향을 미칠 것으로 생각된다).

(4) 자살과 밀접한 관련이 있다. 일반적으로 자살기도자의 70%는 정신장애를 가지고 있으며, 그 중 70%는 주요우울장애 환자인 것으로 추정하고 있다. 주요우울삽화 기간 중에는 항상 자살에 대한 가능성을 염두에 두어야 한다.

3) 원인
(1) 유전적 요인

① 우울장애의 발생에 유전학적 요인이 중요한 역할을 차지하는 것으로 보인다.

② 쌍생아 연구결과에 의하면 우울장애의 유전율은 40~50%에 이르며, 가족연구 결과에 의하면 직계가족끼리 우울장애의 평생 유병률은 2~3배 정도 높다고 한다.

(2) 신경생화학적 요인 `기출`

① 생화학적

세로토닌, 노르에피네프린, 도파민 시스템은 대뇌 전반에 작용하여 인간의 감정, 사고, 행동에 지대한 영향을 미친다.

- 세로토닌

우울장애 환자에게 있어서 세로토닌 활성이 저하되어 있다는 것은 잘 알려져 있다. 현재 대표적인 항우울제인 세로토닌재흡수억제제(SSRI)가 우울장애에 효과를 나타내는 것 역시 세로토닌 저하가 우울장애와 관련되어 있다는 증거이다.

- 노르에피네프린

노르에피네프린은 변연계와 대뇌피질에서 각성을 유도하고 유지하는 역할을 수행하며, 편도체와 해마에 영향을 미쳐 정서적 기억과 스트레스에 대한 행동감각에 영향을 끼친다.

지속적인 스트레스에 노출될 경우 노르에피네프린의 신경전달이 감소하며 이는 우울장애에서의 무기력, 무쾌감증, 성적 욕구의 감소를 일으킨다.

- 도파민

- 도파민은 기분 변화 외에도 운동이나 동기, 활동성, 보상회로 등에 작용하여 중요한 역할을 한다.
- 도파민 농도를 올릴 수 있는 amphetamine, bupropion과 같은 약물이 우울증상을 감소시킨다는 점들이 알려지면서 우울장애와 도파민의 관련성을 공고히 하고 있다.

② 내분비

- 시상하부-뇌하수체-부신피질 축 항진

- HPA축의 비정상적이고 과도한 활성이 우울장애 환자의 거의 절반이상에서 발견된다.
- 우울증 환자에서 코르티솔 생성 증가를 흔하게 볼 수 있다(정상인은 DST시 cortisol 분비가 suppression되며, DST시에도 cortisol 분비가 감소하지 않는 non-suppression은 우울증 환자의 검사 결과이다).

- 갑상선호르몬

일부 우울증 환자에서 TSH 농도가 상승되어있거나 TRH에 대한 TSH 반응이 저하되어 있다.

- 성장호르몬

성장호르몬의 분비는 소마토스타틴 및 시상하부 신경펩타이드, CRH 등에 의해 억제된다. 우울증에서는 뇌척수액에서의 소마토스타틴 수준의 저하가 보고되었다.

> `TIP` 주요우울장애는 임상적으로 진단하므로 이 검사들은 일상적으로 수행될 필요는 없습니다.

③ 수면 및 생체리듬장애

- 우울장애 환자에서 나타나는 수면장애는 입면장애, 중기 불면증, 조기기상 등이 대표적이다. 일부에서는 수면 과다가 나타나기도 한다.

- 전체수면시간의 감소, 잦은 각성, 서파수면의 감소, REM 수면 잠복기의 감소, REM 수면의 증가 등이 관찰된다.

④ 신경해부학

우울장애는 스트레스 상황에서 변연계에 대한 대뇌피질의 조절 결핍에 의한 것으로 설명될 수 있다. 최근 활발히 시행되는 신경영상 연구에서는 편도체, 해마, 전대상엽, 전전두엽등의 영역에서의 기능적 혹은 구조적 이상 소견이 관찰되었다.

(3) 심리사회적 요인 [기출]

① 스트레스
- 스트레스로 인한 생물학적 변화가 환자가 가지고 있던 유전학적 및 생물학적 소인과 상호작용하여 뇌의 신경전달물질과 신호전달체계에 변화를 초래하게 되어 결국 우울증상이 발현되는 것으로 볼 수 있다.
- 주요우울장애를 일으키는 스트레스 요인은 개인별로 차이가 있겠지만, 일반적으로 심리적 스트레스 중에서 가장 큰 영향을 미치는 것은 상실이다. 배우자, 부모, 자녀 등 가까운 가족의 죽음, 실직, 건강의 상실 등이 주요우울발병에 선행하는 대표적인 스트레스라고 할 수 있다.

② 정신역동

프로이트에 의하여 제기되었고, 아브라함 등에 의하여 확장된 정신분석이론에 따르면 구강기에 대상의 상실을 경험하게 되면, 그 고통을 감당하기 위한 방어기제로 함입(introjection)이 동원되며 상실한 대상에 대하여 지녔던 분노나 공격성이 자기 자신에게 향하게 되어 우울증이 발병한다고 보았다.

③ 인지이론
- 아론 벡은 우울장애의 인지 모델로 인지 삼제(cognitive triad), 정보처리의 오류, 부정적 자기스키마(negative self-schema)를 우울장애의 세가지 핵심요소로 설정하였다.
- 인지 삼제(cognitive triad): 자신, 세상, 미래에 대해 지닌 부정적인 인식과 해석, 기대, 기억
- 정보처리의 오류-부정적 측면만 선택적으로 받아들이는 선택적 집중, 나쁜 측면만 일반화하는 과일반화, 축소 및 과장 등이 있다.
- 우울장애의 발생은 스트레스 상황에서 잠재해있던 부정적 자기 스키마가 활성화되어 지속적으로 왜곡된 정보처리를 유도하고 이에 따라 부정적 인지가 쌓여 우울장애의 여러 증상을 유발한다고 볼 수 있다.

④ 행동이론

학습된 무력감 모델로 개인이 여러 번 원하는 결과를 얻지 못하고 힘든 일을 계속 피하지 못하면, 이는 스스로 조절이 불가능하다는 생각을 하게 되고 이는 아무 행동도 못하고 우울증상을 경험하게 되는 결

과를 초래하게 된다는 것이다.

4) 진단기준 핵심(DSM-5) 기출

1. 다음 중 5가지 이상이 2주 기간 내에 나타나고 과거의 기능과 차이를 나타내며, 1, 2 중 한가지는 있어야
   함. 소아 청소년의 경우 1이 짜증, 예민한 기분으로 대체될 수 있다.
   1) 하루 종일 우울한 기분
   2) 삶에 대한 흥미감소
   3) 체중감소나 증가
   4) 불면이나 과다수면
   5) 정신운동
   6) 피로감
   7) 무가치감 또는 과도한 죄책감
   8) 사고력이나 집중력 감소
   9) 자살사고나 자살시도

2. 증상이 사회적, 직업적 또는 다른 중요한 기능 영역에서 임상적으로 현저한 고통이나 손상을 초래함

3. 물질이나 다른 의학적 상태에 의한 것이 아님

4. 정신분열정동장애, 조현병, 조현형장애, 망상장애나 다른 정신병적 장애로 더 잘 설명되지 않음

5. 조증이나 경조증삽화가 없어야 함

5) 임상양상 기출

(1) 기분증상

① 대부분 우울하다고 표현하며 매사에 재미, 흥미, 관심, 의욕, 동기를 잃었다고 표현하기도 한다. 흔히 아
  침에 눈 뜨고 나서 심하고 오후로 갈수록 덜하다.

② 우울감은 불행감, 괴로움, 슬픔, 낙담, 공허감 등의 형태로 표현되기도 한다. 우울감은 매우 고통스러운
  감정으로 극심한 신체적 통증보다 더욱 고통스럽게 느껴질 수도 있다.

③ 우울감 이외의 기분증상으로 무감동, 흥미나 즐거움의 상실 등이 있다.

(2) 사고 및 인지증상

우울사고의 핵심특징은 모든 부분에 대한 환자의 관점이 극단적으로 부정적이라는 것이다. 환자가 느끼
는 자책감에는 타당성과 균형감이 없어 모든 일을 자기 자신의 책임으로 돌린다.

① 비망상적 반추사고(nondelusional rumination): 우울한 내용
  • 과거의 안 좋은 일에 대해 반복적으로 떠올리며 후회, 자책 또는 원망
  • 자신감이 없어지고 자신이 쓸모 없는 인간이라고 생각
  • 미래에 대한 비관 또는 지나친 걱정

② 자살사고
- 우울장애 환자의 2/3에서 자살사고가 존재하며 10~15%는 실제로 자살을 시도한다.

③ 망상
- 피해망상: 주변사람들이 비웃거나 놀린다고 생각
- 건강염려증: 자신이 몹쓸 병에 걸렸다고 생각
- 신체망상: 신체적 이상이 있다고 생각
- 빈곤망상: 사실과는 다르게 가진 것이 없고 곧 망할 것이라고 믿음
- 허무망상: 이 세상에 가치 있는 것은 아무것도 없다고 생각

④ 이인증 혹은 비현실감이 흔하게 나타남
⑤ 기억력, 집중력, 이해력의 저하

(3) 신체증상
① 항상 피곤함
② 자율신경계증상, 두통, 소화불량, 관절통 등을 호소

(4) 수면, 식욕, 성욕
① 수면: 잠들기 힘들며, 중간에 자주 깨고, 새벽에 일찍 깨서 다시 잠들지 못하는 양상 모두가 가능 새벽에 일찍 깨어 다시 잠들지 못하는 양상이 대표적임
② 식욕: 식욕 감퇴, 식사량 감소 및 체중감소
③ 성욕: 성욕감퇴, 성생활 회피, 성기능장애, 성교통

6) 감별진단
(1) 뇌신경계 질환: 알츠하이머병에 의한 신경인지기능장애, 파킨슨병, 측두엽 간질, 뇌혈관 질환 및 뇌종양 등
(2) 내분비계 질환 특히 갑상선 및 부신질환 등의 신체질환 및 약물
(3) 우울증상이 나타날 수 있는 정신질환- 조현정동장애, 적응장애, 불안장애, 섭식장애, 조현병, 물질남용, 식이장애, 신체형장애
(4) 정상애도 반응: DSM-IV-TR에서는 사별 2개월 이내에는 주요우울장애를 진단하지 않았으나 DSM-5에서는 이 조건이 삭제됨. 즉 사별 2개월 이내라도 주요우울장애 진단을 할 수 있음

> TIP 〈정상애도반응보다 주요우울장애를 시사하는 소견〉
> - 과도한 죄책감
> - 심한 자살사고

- 무가치감에 대한 집착
- 심한 정신운동지체
- 심한 사회적, 직업적 기능저하
- 망상, 환각 등의 정신병적 증상

7) 치료

(1) 입원치료의 적응증

① 자살을 시도했거나 자살의 위험성이 높은 경우

② 신체적으로 쇠약하거나 불면증이 심한 경우

③ 정신병적 증상이 동반되어 있는 경우

④ 환자가 병식이 없거나 있더라도 치료를 거부하는 경우

⑤ 돌봐 줄 주변 사람이 없거나 가족들이 지지적이지 않은 경우

(2) 약물치료 기출

① 단독 사용 혹은 정신 치료와 병행

② 항우울제의 선택

- SSRI (fluoxetine, fluvoxamine, paroxetin, sertraline 등): 1차 치료 약물
- bupropion, buspiron: 성기능장애시 추가 사용. 오히려 성기능장애를 완화시키는 효과
- tricyclics (TCA) 또는 tetracyclics, MAOI: 2, 3차 선택 약물
- 망상 등 정신병적 양상 동반시-항정신병약물 병용

③ 부작용

- 노인들에게 hypotension의 위험
- 세로토닌 계통의 약물에서 특히 성기능 부작용
- 특히 TCA에서 cardiac toxicity
- anticholinergic effects: 구갈, 변비, 배뇨곤란, 시력장애

④ duration and prophylaxis

- 최대 용량으로 최소한 4주 사용, 항우울제는 최소 5개월 이상 유지(재발 예방)
- 항우울제의 prophylaxis: 재발을 줄임
- 항우울제를 끊을 때는 2주간 서서히 감량(반감기 고려)

> **TIP** 〈항우울제 치료지침〉 실력
>
> 1. 항우울제 선택 시 목표증상, 약물의 부작용, 일반적인 효능, 임상의 경험, 과거 약물 치료 반응도, 가족의 약물 치료반응도, 약제 비용, 반감기 및 약물 상호작용 등의 약물학적 특성 등을 반드시 고려하여야 한다.
> 2. 환자가 견딜 수 있는 최대 치료용량을 유지하는 것이 권고된다.
> 3. 치료 효과를 판단하기 위해 최소 3~5주간 약물을 복용할 필요가 있다.
> 4. 이 단기간의 항우울제 처방에 의하여 임상적으로 호전을 보이는 경우, 동일 약물을 중단하지 않고 충분한 기간 동안 유지하도록 권고한다.
> 5. 항우울제의 교체는 기존의 항우울제가 최소한의 호전반응을 보이지 못 할 때, 동일한 계열내의 항우울제나 다른 계열의 항우울제로 변경하여 우울증상의 호전을 기대하는 것이다.
> 6. 병합요법은 기존의 항우울제에 다른 항우울제를 병용하여 사용하는 경우를 지칭한다. 효능을 증대하는 것 목적으로 하고 서로 다른 약물학적 특성에 의하여 부작용 발현의 빈도가 증가할 수 있은, 특정 부작용을 상쇄하는 효과도 기대할 수 있다.

(3) 정신치료 및 심리사회적 치료

① 역동정신치료
- 어릴 때 중요한 사람과의 의식적/무의식적으로 해결되지 않은 감정과 왜곡된 방어기제가 우울증상을 형성하는 부정적인 감정과 생각에 기여한다는 것이 이론적 핵심가설이다.
- 치료자와 환자는 통찰을 가지기 위해 치료적 관계에서 의식적/무의식적 갈등이 현재 어떻게 표현되는지 탐색하고, 과거에서 그 실마리를 찾으며, 해석과 갈등의 훈습이라는 과정을 거친다.

② 인지행동치료
- 우울한 감정을 유지시키는 왜곡된 믿음 또는 역기능적 사고를 찾아 이를 교정하면 기분증상과 우울행동이 호전될 수 있다는 것이 핵심 가정이다.
- 환자는 치료자와 협력하여 어떤 생각, 믿음, 해석이 우울증상과 관련되는지, 그것들이 어떻게 영향을 미치는지를 탐색한다. 또한 우울증상과 반대되는 생각, 믿음, 해석을 밝히고 이를 점검하는 방법을 익힌다.

③ 대인관계치료
- 대인관계치료는 환자의 현재 대인관계와 사회적 경험을 강조하며, 환자의 정신병리를 지속적으로 변화하는 심리사회적 환경에 적응하고자 하는 환자의 시도가 표현된 것으로 인식한다.
- 치료의 목표는 우울증상을 경감하고 환자의 우울증상과 연관된 현재 대인관계의 질과 사회적 기능을 향상시키는 데 있다.

(4) 비약물학적 생물치료

① ECT (electroconvulsive therapy)
- 환자가 약물치료에 반응이 없을 때

- 환자가 약물치료를 참지 못할 때
- 증상이 심하여 빨리 증상 개선이 필요할 때

  Ex) 자살 위험, 식사 거부 등
- 약물의 부작용이 문제가 될 때

  Ex) 노인, 동반 신체 질환 등
- 내인성 우울증에서 탁월한 효과
- 병세가 더 심하고 망상적인 경우 삼환계 항우울제보다 치료 효과가 좋음

② 광치료: 계절성 정서장애 치료에 효과적임
③ 경두개 자기자극술(TMS), 심부뇌자극술, 미주신경자극술

8) 경과 및 예후

(1) 경과

① 약 50%의 환자들이 40세 이전에 발병한다.
② 주요우울장애는 흔하게 재발하는 질환이다. 치료를 받으러 오는 사람 중 50~85%가 최소한 1회 이상의 재발을 경험한다.
③ 주요우울장애의 삽화가 반복될수록 재발의 위험은 증가하고, 회복하여 지내는 관해기는 짧아진다(주요우울장애 환자에 대한 10년 추적 조사 연구에 따르면 삽화마다 재발의 확률은 16%씩 증가하며, 삽화 사이의 기간은 점점 짧아지는 것으로 조사되었다).

(2) 예후

① 대부분의 주요우울장애는 완전 회복되지만, 일부에 있어서는 경도의 우울증상이 남아서 만성화되기도 하고 재발이 반복되는 경우도 많다. 일생 동안 약 85%의 환자가 만성화 되는 것으로 보이고, 1년 관해율은 40%이다.
② 초발 연령이 어리거나 지속성 우울장애가 동반되어 있거나, 다른 정신장애가 공존하거나, 재발의 횟수가 많을수록 예후는 좋지 않다.

3. 지속성 우울장애(Persistent depressive disorder)

1) 개념

(1) 기분저하증(dysthymia)은 우울장애로 쉽게 이환되는 성향이라는 의미를 가진 현상으로서 오래 전부터 알려져 왔으며, 우울장애와 비슷한 증상을 공유하나, 환자 및 가족에게 만성적인 고통을 준다.
(2) 기분저하증은 이전에는 신경증적 우울증(neurotic depression), 성격적 우울증(characterological depression) 혹은 기질성 우울증(temperamental dysphoria) 등으로 불렸다.

DSM-IV까지 기분부전장애(dysthymic disorder)로 표기되었고, DSM-5부터는 지속성 우울장애(persistent depressive disorder)로 표기한다.

2) 역학

(1) 지속성 우울장애의 유병률은 인구의 1.5~3%로 추산하며, 여성에서 더 흔한 것으로 조사된다.

3) 원인

(1) 주요우울장애에서 발견되는 생물학적 이상소견은 지속성 우울장애에서도 대개 관찰되나, 그 정도나 발생되는 비율은 주요우울장애보다 적다. 지속성 우울장애에서 주요우울장애나 기타 우울장애보다 지속성 우울장애의 가족력이 있을 가능성이 높다.

(2) 심리사회적 요인으로는 구강 의존적인 개인에게서 우울증상이 쉽게 발생하는 경향을 나타내는 것으로 보이는데 이들은 지속적인 자기애적 만족을 필요로 하는 경우가 많은 것으로 생각된다. 대부분의 지속성 우울장애 환자들은 자신감이 결여되어 있으며 무력감을 느끼는 경우가 많다.

4) 진단기준 핵심(DSM-5)

이 장애는 DSM-IV에서 정의된 만성 주요우울장애와 기분부전장애를 통합한 것이다.

---

1. 적어도 2년 동안, 하루의 대부분 우울 기분이 있고, 우울 기분이 없는 날보다 있는 날이 더 많으며, 이는 주관적으로 보고하거나 객관적으로 관찰된다.

2. 우울 기간 동안 다음 2가지 이상의 증상이 나타난다.
   1) 식욕 부진 또는 과식
   2) 불면 또는 과다수면
   3) 기력의 저하 또는 피로감
   4) 자존감 저하
   5) 집중력 감소 또는 우유부단
   6) 절망감

3. 장애가 있는 2년 동안 연속적으로 2개월 이상, 진단기준 A와 B의 증상이 존재하지 않았던 경우가 없었다.

4. 주요우울장애의 진단기준을 만족하는 증상이 2년간 지속적으로 나타날 수 있다.

5. 조증이나 경조증삽화가 없어야 한다.

6. 조현병스펙트럼장애와 겹쳐서 나타나는 것이 아니다.

7. 물질이나 다른 의학적 상태로 인한 것이 아니다.

8. 증상이 사회적, 직업적 또는 다른 중요한 기능영역에서 현저한 고통과 손상을 초래한다.

---

5) 임상양상

(1) 핵심적인 증상은 기분과 기질의 변동을 동반하는 경한 우울증상이 장기간 지속되는 것이다. 환자들은 기력저하와 동기가 저하되어 있는 음산한 기분을 느끼며, 죄의식이나 실패에 집착하며, 이를 되뇌는 성향을 보인다.

(2) 흔한 주관적인 증상으로는 슬픔, 집중력 저하, 우유부단함, 낮은 자존감을 들 수 있다. 객관적으로 관찰되는 증상으로는 식욕 및 수면장애, 활력수준의 현저한 변화 등이다.

6) 감별진단

지속성 우울장애나 경도의 우울증상을 보이는 환자에게는 신체적 건강상태의 변화를 즉각적으로 확인해야 할 필요가 있다. 지속성 우울장애의 감별진단에는 주요정신질환이 모두 포함된다. 일차적으로 주요우울장애와의 감별이 필요하다.

7) 치료

지속성 우울장애 환자의 정신과적 치료는 쉽지 않다. 지속성 우울장애 환자들은 정신과 치료를 받지 않는 경우가 많다. 일차적으로 항우울제를 사용하며, 항우울제와 항불안제의 병합치료가 필요한 경우가 흔하다. 정신치료 단독 혹은 약물치료와의 병합치료가 환자의 증상조절이나 고통 경감에 효과적인 경우가 많다.

8) 경과 및 예후

(1) 지속성 우울장애는 대부분 20세 이전에 서서히 발병하며 만성적인 경과를 보인다. 20세 이전에 조기 발생하는 지속성 우울장애는 성격장애나 물질사용장애가 동반될 가능성이 높다.

(2) 지속성 우울장애는 적극적인 치료에도 만성적인 경과를 밟는 경우가 흔하다. 증상의 심각도는 악화와 호전이 반복되는 양상이다. 높은 수준의 신경증적 경향, 고도의 증상, 전반적인 기능의 저하, 불안장애나 품행장애의 동반이 있는 경우 장기적인 예후가 나쁠 것으로 예측할 수 있다.

4. 월경전불쾌장애(Premenstrual dysphoric disorder)

1) 개념

생리가 시작되기 전에 심한 우울감, 신경과민, 긴장 등을 주요 증상으로 하는 질환이다.

2) 역학

월경전불쾌장애의 12개월 유병률은 1.8~5.8%이다.

3) 원인

아직까지 월경전불쾌장애의 원인은 명확하게 밝혀져 있지는 않지만, 일차적으로 월경주기 중 에스트로겐의 수치변화가 월경전불쾌장애의 원인일 수 있다. 에스토로겐은 세로토닌을 활성화하는 역할을 하여 서로 연관되어 있어 월경전불쾌장애 환자의 기분증상과 세로토닌 간의 연관성을 설명함에 있어 에스트로겐 감소가 그 원인이 될 수도 있다는 것을 시사한다.

4) 진단기준 핵심(DSM-5)

1. 대부분의 월경 주기에서 월경 시작 1주 전에 다음의 증상 가운데 5가지 이상이 시작되어 월경이 시작되고 수일 안에 증상이 호전되면 월경이 끝난 주에는 증상이 경미하거나 없어져야 한다.

2. 다음 증상 중 적어도 한 가지 이상이 포함되어야 한다.
   1) 현저하게 불안정한 기분
   2) 현저한 과민성, 분노 또는 대인관계에서의 갈등 증가
   3) 현저한 우울 기분, 절망감 또는 자기비난의 사고
   4) 현저한 불안, 긴장, 신경이 곤두섬 또는 과도한 긴장감

3. 다음 증상 중 적어도 한 가지 이상이 추자적으로 존재해야 하며, 진단기준 B에 해당하는 증상과 더해져 총 5가지의 증상이 포함되어야 한다.
   1) 일상 활동에서의 흥미 저하
   2) 집중하기 곤란하다는 주관적 느낌
   3) 기면, 쉽게 피곤함 혹은 현저한 무기력
   4) 식욕의 현저한 변화, 즉 과식 또는 특정 음식의 탐닉
   5) 과다수면 또는 불면
   6) 압도되거나 자제력을 잃을 것 같은 주관적 느낌
   7) 유방의 압통이나 부종, 두통, 관절통과 같은 느낌과 다른 신체적 증상

5) 임상양상

(1) 초경 후 어떤 시기에라도 발생할 수 있으며, 개인의 연령에 따라 언제든지 임상양상이 변화할 수 있다. 생리주기에 따라 변화되는 임상양상을 보이며, 불안정한 감정상태, 의욕 및 활력, 집중력, 자아인식(self-perception)의 부정적인 변화를 경험하게 된다.

(2) 증상은 생리시작 1주 전부터 발생하여, 그 강도는 서서히 증가하여 생리시작 직전에 최고조에 이르고, 생리시작과 함께 완화되어 빨리 소실된다. 생리 시작 1주 후에는 최소한의 증상만이 남는 것이 월경전불쾌장애의 전형적인 패턴이다.

6) 감별진단

(1) 월경전증후군(PMS)과 월경전불쾌장애(PMDD)는 서로 혼용되어 사용되지만 두 가지를 같다고 생각할 수는 없다.

(2) 월경 전 발생하는 유방압통, 오심, 두통, 다양한 정서반응을 지칭하는 월경전증후군에 우울감, 불안, 흥미감소, 집중력저하, 스스로 통제하기 어려운 느낌, 지속적이고 뚜렷한 분노감, 과민함 등의 기분증상이 일상생활에 심각한 기능저하를 초래할 정도일 때 월경전불쾌장애(PMDD)로 진단할 수 있다.

(3) 주요우울장애나 불안장애, 성격장애 등과 중첩되어 나타날 수도 있지만 질병의 단순한 악화에 의해 발생한 것이 아니어야 한다.

7) 치료

(1) 월경전불쾌장애의 치료에는 의학적 치료와 함께 환경적 요소에 대한 변화도 포함된다. 카페인 및 염분 제한이나 알코올 섭취의 제한 및 흡연량의 감소 등이 해당한다. 또한 정기적인 운동이나 이완요법 정신 치료도 도움이 된다.

(2) 약물치료로는 세로토닌계의 활성과 관련된 항우울제, 항불안제 및 기타 배란억제를 유도하는 호르몬 제제 등이 있다. 특히 SSRI가 월경전불쾌장애의 증상 조절에 매우 빠른 효과를 보이는 것으로 보고되고 있다.

8) 경과 및 예후

월경전불쾌장애의 증상은 보통 초기 성인기에 시작되지만, 대부분의 경우 30세까지는 치료를 하지 않는 것으로 보인다. 월경전불쾌장애의 증상은 임신이나 폐경과 같은 배란상태의 변화에 의해 흔히 완화된다.

사례 예시 / 기출 문제

1-01. 3년 전부터 파킨슨병으로 치료받던 68세 여자가 2개월 전부터 기억력이 떨어진다고 병원에 왔다. 식욕저하와 체중감소도 있었고, 간이정신검사에서 불안, 우울, 정신운동지체, 자살사고, 피해사고 등을 보였다. MMSE는 27점이었다. 진단은?

① 정신분열증　　　　　② 순환기분장애
③ 주요우울장애　　　　④ 정신분열형장애
⑤ 파킨슨에 의한 치매

〈해설〉

식욕저하, 체중감소, 우울, 정신운동지체, 자살사고를 보이고 기간도 2주 이상으로 주요우울장애에 합당하다고 볼 수 있습니다.

1-02. 6개월 전부터 우울감이 지속되고, 식욕저하, 체중감소, 불면, 자살에 대한 반복적인 생각을 주소로 35세 여자가 내원하였다. 다음 설명 중 옳은 것은?

① 재발할수록 증상이 경미해진다.
② 특별한 치료를 하지 않아도 3개월 안에 자연히 회복된다.
③ 회복기에 접어들 때 자살 위험이 높다.
④ 동반된 망상에도 항우울제 단독 치료가 효과적이다.
⑤ 약물 부작용 때문에 증상이 회복되면 바로 약물을 중단한다.

우울증에서 회복된 시기, 퇴원 직전에 자살 위험이 높습니다.

① 재발이 잦을수록 만성화되며 증상도 심해집니다.
② 치료받지 않는 경우 6~12개월 이상 지속될 수 있으며, 치료받는 경우 3개월가량 지속됩니다.
④ 망상 등 정신병적 증상이 동반될 경우 항정신병약물 투여도 고려하여야 합니다.
⑤ 증상이 회복되더라도 재발을 방지하기 위해 일정 기간 유지 용량 투여가 필수적입니다.

1-03. 10년 전부터 심부전으로 치료받고 있는 환자에게서 우울증이 발생하였을 때, 가장 적절한 치료제는?

① 비정형 항우울제

② 선택적 세로토닌 재흡수 차단제

③ 단가아민 산화효소 억제제

④ 벤조디아제핀

⑤ 삼환계 항우울제

1-04. 주요우울장애의 수면 특징으로 옳은 것은?

① 3, 4단계 수면 증가

② 총 수면시간 증가

③ REM density 감소

④ 첫 REM duration 증가

⑤ REM latency 증가

주요우울장애의 환자의 경우 REM latency (잠복기) 감소, abnormal delta sleep (stage 3, 4) total sleep 감소, sleep efficiency (수면효율) 감소, 1st REM period 증가, REM density 증가가 관찰됩니다.

정답   1-1 ③   1-2 ③   1-3 ②   1-4 ④

불안장애
Anxiety disorders

손동훈 오진욱 장진구 송후림

Chapter

XII

Introduction

▶ 불안과 공포는 혼용되어서 쓰일 수 있는 용어지만 의미가 다릅니다. 불안(anxiety)은 모호하며 내부적이고 유발 대상이 확실하지 않은 경우에도 경험하게 되는 신체적, 정서적 감정 반응인 반면, 공포(fear)는 유발 대상이나 상황이 알려져 있는 외부의 것으로 대개 명백할 때 느끼는 감정 반응입니다. 하지만 이 두가지 감정은 바로 그 순간에 주관적으로 긴장되고 과민해지는 것과 같은 불쾌한 심리상태를 느끼고 그에 수반되어 빈맥, 진전, 현기증 등 다양한 자율신경계의 생리적 반응이 나타나게 된다는 공통점도 있습니다.

▶ 불안을 주 증상으로 하여 지속적이고 생활에 지장을 받는 상태를 통틀어 불안장애라고 합니다. 불안장애는 매우 흔한 질환으로서 세부적인 여러 질환들을 감별 진단하고, 각 진단이 갖는 특징과 치료들을 알아두어야 합니다.

1. 불안(Anxiety)

1) 불안의 생물학적 원인

과민한 청반(locus coeruleus), 복외측 등쪽 솔기핵(ventrolateral dorsal raphe nuclei, VLDR) 및 복외측 수도관주위회색질(ventrolateral periaqueductal gray, VLPAG), 편도의 중앙핵(central nucleus of amygdala, DRVL/VLPAG)회로, 전두엽 등과 연관성이 알려져 있다. 이외에도 norepinephrine, serotonin, CRF, GABA 등의 영향을 받는다.

2) 정상적 불안과 병적 불안의 차이

정상적 불안은 자신 혹은 자신에게 중요한 다른 사람이 위험한 상황에 처했을 때 나타나는 불안반응이다. 이러한 반응은 위험상황에 대처할 수 있는 적절한 행동을 하게 하는 적응적 기능을 가진다.

반면 병적인 불안은 불안에 대한 신체반응이 실제 위험상황이 아닌 경우에 나타나거나 지나칠 경우를 의미한다. 병적 불안이 발생할 경우 사건에 대한 적절한 대처를 불가능하게 할 뿐 아니라 불안을 더욱 악화시킨다.

3) 불안장애의 분류

병인과 증상에 따라 다양한 질환들이 속해 있다. 대표적으로 공황장애, 범불안장애, 사회불안장애, 광장공포증, 기타 다양한 형태의 공포증, 분리불안장애, 선택적 함구증 등이 있다.

과거에 불안장애의 한 아형으로 되었던, 강박장애, 외상후스트레스장애는 DSM-5부터는 독립된 범주로 분리되었다. 반면, 분리불안장애, 선택적 함구증은 불안장애의 아형으로 포함되었다.

2. 공황장애(Panic disorder) 및 광장공포증(Agoraphobia)

DSM-5는 공황장애과 광장공포증을 독립된 두 질환으로 분리하여 이해하고 있다. 두 질환이 공존하면 같이 진단한다.

공황 발작(panic attack)은 다양한 정신 질환의 상태에서 경험할 수 있는 하나의 사건이고 공황장애에만 특이적인 것은 아니다. 공황 발작을 경험했다고 해서 공황장애라고 진단을 내리지는 않는다. 공황증상이 반복되고 병적인 행동양상을 동반할 때 공황장애로 진단할 수 있다.

1) 공황장애

(1) 진단기준 핵심(DSM-5)

> 1. 공황발작: 극심한 공포와 고통이 갑작스럽게 발생하여 수 분 이내에 최고조에 이르러야 하며, 그 시간 동안 다음 중 4가지 이상의 증상이 동반된다.
>   ① 심계항진, 가슴 두근거림 또는 심장 박동수의 증가
>   ② 발한
>   ③ 몸이 떨리거나 후들거림
>   ④ 숨이 가쁘거나 답답한 느낌
>   ⑤ 질식할 것 같은 느낌
>   ⑥ 흉통 또는 가슴 불편감
>   ⑦ 메스꺼움 또는 복부 불편감
>   ⑧ 어지럽거나 불안정하거나 멍한 느낌이 들거나 쓰러질 것 같음
>   ⑨ 춥거나 화끈거리는 느낌
>   ⑩ 감각이상(감각이 둔해지거나 따끔거리는 느낌)
>   ⑪ 비현실감(현실이 아닌 것 같은 느낌) 혹은 이인증(나에게서 분리된 느낌)
>   ⑫ 스스로 통제할 수 없거나 미칠 것 같은 두려움
>   ⑬ 죽을 것 같은 공포
>
> 2. 공황장애
>   반복적인 예상하지 못한 공황발작을 최소 한 번 이상 경험하고, 공황발작이 다시 올 것, 공황발작의 결과에 대해 과도한 걱정을 한다.

(2) 역학

① 젊은 성인기, 여성에게 흔하다(평균 25세).

② 공황장애를 겪다보면 우울증상이 흔히 동반되고, 25%가량에서 우울증이 공존한다. 불안장애와 동반

된 우울증상은 삽화가 길어지고 자살 위험성이 증가한다. 공황장애 환자가 <u>자살사고를 갖거나 자살을 시도하는 경우도 있는데 이는 공존하는 우울증, 경계선 인격장애, 알코올 사용장애와 연관이 있다.</u>

(3) 임상양상

① 공황발작

② 예기불안

공황발작이 다시 올 것에 대한 두려움. 공황발작을 경험한 상황에 노출될 것을 상상하거나 <u>노출되기 전 공황발작과 비슷한 증상을 경험한다.</u>

③ 회피증상

공공장소나 이전 공황발작이 생겼던 곳에서 다시 공황발작이 올 것에 대한 두려움. 지하철, 버스, 터널, 고속도로, 공황증상과 유사한 내적 신체감각이 생기는 활동을 피함. 여성, 우울증 동반, 단순공포증과 사회공포증이 동반 시 회피증상이 흔함. <u>회피증상이 지속될 경우 예후가 좋지 않다.</u>

(4) 감별진단

① 물질의 영향으로 비롯된 증상의 감별이 필요하다. 특히 카페인, 각성제들은 공황발작을 유발할 수 있으며, 알코올 금단증상에서도 발작이 나타날 수 있다.

② 신체질환과 연관되어 비슷한 증상을 유발하는 심혈관, 호흡기, 신경학적 및 내분비 질환 등의 검사가 필요하다.

③ 공황 발작은 공황장애가 아닌 다른 불안장애에서도 동반될 수 있다.

표 12-1. 불안장애의 감별점

1. 공황장애: 특정 자극이나 상황과 상관없이, 자발적으로, 예상치 못하게, 반복적인 공황발작
2. 특정공포증이나 사회공포증 등의 공포증: 불안증상 유발 원인을 환자가 정확히 알고 있음 유발자극에 노출되거나 노출이 예상될 때 불안반응
3. 특정공포증: 높은 곳, 좁은 곳, 뱀이나 거미 등의 동물 등 특정 자극이나 상황에 노출시 불안
4. 사회공포증: 다른 사람의 주시나 평가에 대한 공포가 더 특징적
5. 범불안장애: 공황장애의 경우, 공황발작이 수 분 내 빠르게 증가, 대개 10여 분 동안 짧게 지속되지만 범불안장애의 경우, 불안은 서서히 나타났다가 오래 지속
6. 외상후스트레스장애: 외상적 사건을 불러일으키는 상황에 노출되었을 때 공황발작 경험

(5) 치료

① 약물치료

- 급성기 공황발작은 벤조디아제핀(benzodiazepine) 사용으로 빠른 안정 효과를 얻을 수 있다. 하지만 의존성, 남용 및 금단증상이 흔히 발생할 수 있어 장기 사용은 주의해야 한다.

- 장기적 재발 방지를 위해 선택적 세로토닌 재흡수 억제제(SSRI)를 공황장애의 일차 선택제로 사용할 수 있다.

② 정신사회적 치료 `기출`

인지행동치료가 대표적이다. 내수용조건화, 인지이론에 바탕을 두고 공황에 대한 정신교육, 인지재구조화, 노출치료(체계적 노출) 등의 단계로 진행한다.

2) 광장공포증

(1) 진단기준 핵심(DSM-5)

1. 대중교통 이용

2. 공원과 같은 열린 공간에 있는 것

3. 영화관 같은 밀폐된 공간에 있는 것

4. 줄을 서 있거나 군중 속에 있는 것

5. 집 밖에 혼자 있는 것

위와 같은 5가지 상황 중 2가지 이상의 상황에서 극심한 공포와 불안을 느끼고, 그로 인해 증상을 유발하는 상황을 회피하려는 반응을 보이는 상태가 최소 6개월 이상 지속됨.

(2) 감별진단

① 다른 불안장애, 외상후스트레스성장애 등과 감별이 필요하다.

② 특히 특정공포증과의 감별이 중요하다. 특정공포증은 공포, 불안, 회피가 DSM-5의 광장공포 상황들 중 한가지에만 국한되어 나타난다는 것이 차이이다(광장공포증은 최소 2가지 이상의 상황에서 나타남).

(3) 치료

① 공포가 예상되는 상황에서 속효성, 지속성이 짧은 벤조디아제핀의 예방적 사용이 도움이 될 수 있다. SSRI를 사용할 수도 있다.

② 공황장애와 마찬가지로 인지치료, 행동치료를 시행한다. 핵심적 기법은 노출(상상노출, 점진적 노출, 실제노출 등)

(4) 예후

공황장애와 무관하게 발병하는 광장공포증의 경우 보다 치료가 어렵고, 만성적이며 환자의 사회적, 직업적 기능을 거의 무력화시키기도 한다. 증상이 심할수록 재발, 만성화율이 증가한다. 우울장애 혹은 알코올사용장애 등이 동반되는 경우 치료는 더 어렵고 복잡해진다.

3. 특정공포증(Specific Phobia) 및 사회불안장애(Social anxiety disorder)

1) 특정 공포증(Specific phobia)

(1) 개념

특정 대상이나 상황에 대해 지나친 두려움을 보이는 질환을 의미한다. 공포증의 초기 개념은 프로이트가 제시한 '어린 한스(little Hans)의 사례'에서 비롯되었다. DSM-IV에서는 동물, 자연 환경, 상황, 혈액-주사-손상형의 4유형으로 분류한 바 있다.

(2) 역학

여성이 남성보다 흔하다(2배) 하지만, 혈액-주사 손상형은 남녀 비율이 동일하다. 대부분 청소년기 이전에 호발하지만, 상황형은 20대 중반에 호발한다.

(3) 진단기준 핵심(DSM-5)

> 특정 대상, 상황, 활동에 대해 과도하고 자아 이질적인 두려움을 보인다.
> 1. 특정 대상이나 상황에 대해서 극심한 공포나 불안이 유발
> 2. 공포 대상이나 상황은 대부분의 경우 즉각적인 공포나 불안을 유발
> 3. 공포 대상이나 상황을 회피하거나 극심한 공포나 불안을 지닌 채 참아냄
> 4. 공포나 불안이 특정 대상이나 상황이 줄 수 있는 실제 위험에 대한 것보다 극심, 사회문화적 맥락에서 통상적으로 받아들여지는 것보다 심함
> 5. 공포, 불안, 회피 반응은 전형적으로 6개월 이상 지속
> 부호화: 동물형, 자연환경형, 혈액-주사-손상형, 상황형, 기타형

(4) 치료

① 정신사회적 치료

노출치료를 기반으로 한 행동치료가 사용된다(체계적 탈감작, 홍수법). 통찰지향적 정신치료가 소수에서 효과가 있을 수 있다. 체계적 탈감작법이란 가장 불안을 적게 유발하는 자극에서부터 가장 심한 자극까지 위계적으로 미리 계획하여 구성된 자극들에 순차적으로 노출을 시키는 것이다.

② 약물치료

다른 불안장애와 같이 벤조디아제핀, 베타 차단제(propranolol), SSRIs 등의 약물을 사용해 볼 수 있다. 특히 수행 불안이 있는 경우, propranolol이 도움될 수 있다.

(5) 경과/예후

각 아형 별 예후가 다르다. 환자의 치료참여도가 예후에 중요한 영향을 미친다. 동물형, 자연 환경형, 혈액-주사-손상형은 소아기에 호발하는 반면, 상황형은 초기 성인기에 호발한다. 성인까지 지속된 경우, 수년간

의 장기적인 경과를 보인다(특정공포증 → 사회불안장애 → 공황장애 순으로 호발연령이 증가).

2) 사회불안장애(Social anxiety disorder, DSM-5) 사회공포증(Social phobia, DSM-IV)

(1) 개념

사회적 환경(친숙하지 사람들과 어울리거나, 대화하거나, 관찰되는 상황 등)에서 현저하고, 강한 불안이나 공포를 경험하는 질환을 의미한다. DSM-V에서는 두려움이 대중 앞에서의 발표 혹은 수행에 국한된 경우를 수행형 단독으로 세분하였다.

(2) 역학

유병률은 대상인구집단 혹은 문화권에 따라 상당한 차이를 보인다. 서양문화권에서 동양문화권보다 흔하며 젊은 연령(13~20세)에서 발병하는 경우가 많다. 여성이 남성보다 흔하다.

(3) 진단기준 핵심(DSM-5)

1. 타인들에게 관찰을 받을 수 있는 사회적 상황(친숙하지 않은 사람들과 어울리거나, 대화하거나, 관찰되는 상황 등)에 대한 현저하고 심각한 공포와 불안을 경험한다(소아의 경우 성인과의 관계가 아닌 동년배들 사이에서 증상이 발현되어야 함).
2. 타인에게 부정적 평가를 받을 수 있는 상황을 두려워한다.
3. 사회적 상황에서는 대부분 증상이 발생하고, 이러한 증상은 6개월 이상 지속된다.
4. 대중 앞에서 연설하거나, 공연할 때만 증상이 발현되는 경우 "수행형 단독"을 특정해서 명기한다.

(4) 치료

① 약물치료

일차선택약물은 SSRI 등의 항우울제다. 사회불안장애의 형태가 수행형 단독(performance only)의 경우 베타차단제(propranolol)를 수행상황 전 투여할 수 있다. 기출

② 인지행동치료

인지적 재구성 + 사회적 상황에 대한 노출로 구성되어 있다.

(5) 경과/예후

① 다른 불안장애보다 발병연령이 빨라서 대개 후기 아동기에서 초기 청소년기에 발병한다.

아동기: 사회적 상황에 나서지 않으려고 하고 수줍음과 부끄러움을 많이 타는 것으로 시작되고 만성화되는 경우가 흔하다.

② 아이의 행동을 지속적으로 제한하는 부모와 연관성이 알려져 있다(부모의 과잉보호[overprotection]와

연관) → 공황장애를 가진 부모의 아이에서 흔하다.

4. 범불안장애(Generalized anxiety disorder)

1) 개념

일상 생활의 상황이나 활동들에 대하여 거의 매일, 최소한 6개월 이상 과도한 불안과 걱정을 주로 나타내는 질환이다. 흔히 여러 신체 증상을 동반하며 직장이나 가정생활에서의 일상적인 일과에서도 불안이 나타난다. 우울증, 알코올사용장애 등의 다른 정신질환과의 동반도 흔하다.

2) 역학

여성이 남성보다 흔하며(2배 정도), 청소년기 후반, 성인초기에 대개 발병하는 것으로 알려져 있다(진단 유병률: 중년에서 최고조에 이르고 이후 점차 감소).

3) 진단기준 핵심(DSM-5)

1. 직장이나 학업과 같은 수많은 일상 활동에 대한 과도한 불안과 걱정(염려)이 최소한 6개월 이상의 많은 날 동안 지속된다.
2. 개인은 이런 걱정을 조절하기가 어렵다.
3. 불안과 걱정은 다음의 6가지 증상 중 적어도 3가지 이상의 증상과 관련이 있다.
   ① 안절부절 못하거나 긴장, 초조하고 신경이 곤두선 느낌
   ② 쉽게 피로해짐
   ③ 집중하기가 어렵고 멍한 느낌
   ④ 짜증이 잘 남
   ⑤ 근육의 긴장
   ⑥ 수면장애(잠이 들기 어렵거나 또는 유지가 어렵고 밤새 뒤척이면서 만족스럽지 못한 수면상태)

4) 감별진단

다양한 신체질환 및 중독관련 질환, 기타 불안장애들과 감별이 필요하다. 특히 신체적 질환으로는 갑상선 기능항진증, 부정맥 등이 있으며. 카페인 중독, 습관성 물질의 남용, 알코올 금단증상, 진정제, 수면제의 금단 증상과의 감별도 필요하다.

5) 치료

(1) 약물치료가 가장 우선된다. 가장 우선시되는 것은 벤조디아제핀 계열 약물사용을 통한 증상완화다. SSRI나 기타 SNRI 및 buspirone (세로토닌 수용체 효현효과) 등도 치료에 사용할 수 있다.

(2) 다양한 정신치료(인지행동치료, 지지정신치료, 통찰지향 정신치료, 행동치료 기법) 등이 활용될 수 있다. 인지행동 치료에 biofeedback 등을 함께 시행할 수 있다.

사례 예시 / 기출 문제

1-01. 40세 남자가 운동을 하면 호흡곤란이 올까 염려된다며 병원에 왔다. 2년 전 운전 중에 갑자기 호흡곤란과 두근거림, 어지러움을 경험한 후 꾸준히 파록세틴을 복용하였다고 한다. 계단을 오르거나 달리기를 하면 다시 숨이 가빠질까봐 두려운데, 이런 걱정이 지나치다는 것은 안다고 하였다. 최근에는 불안 발작을 경험한 적이 없고 운전도 잘하며 다른 증상은 없다고 한다. 치료는?

① 참여모델링
② 혐오요법
③ 습관반전훈련
④ 신체감각 노출치료
⑤ 사회기술훈련

〈해설〉

공황장애에 대한 정신치료로는 인지행동치료가 효과적입니다.

① 남이 하는 행동을 관찰하며 배워나가는 치료법입니다.
② 잘못된 행동에 대해 처벌을 가하는 음성강화기법의 일종(ex. disulfiram)입니다.
③ 틱장애 등과 같은 반복성행동장애의 치료를 위한 행동치료의 일종입니다.
⑤ 사회적 상황에 적절히 반응하고 자신의 의견을 사회에서 용납되는 방식으로 표시할 수 있도록 하는 훈련입니다.

1-02. 30세 여자가 지하철에서 갑자기 가슴이 두근거리며 숨이 막혀 죽을 것 같은 공포감이 들어 응급실에 왔다. 임신 8주였으며 심전도 및 혈액검사에서 이상 소견은 없었다. 3개월 전부터 지하철이나 버스를 타면 비슷한 증상이 나타나 외출을 꺼렸다고 한다. 치료는?

① 환기
② 습관반전훈련
③ 체계적 탈감작
④ 노출과 반응감지
⑤ 안구운동탈민감재처리

공황발작을 경험한 후 지하철, 버스 등에 대한 회피증상이 관찰됩니다. 진단은 공황장애에 합당하며 치료는 인지행동 치료입니다. 공황장애 인지행동치료의 3단계 중 노출 치료는 체계적으로 이루어집니다.

1-03. 건강해 보이는 25세 남자가 지하철을 타고 가던 중 갑자기 가슴이 두근거리고 식은땀이 나며 어지럽고 숨이 차 금방이라도 죽을 것 같은 기분이 들었다. 가장 우선적으로 고려해야 할 진단은?

① 범불안장애   ② 공포장애
③ 공황장애   ④ 강박장애
⑤ 간질

〈해설〉

공황발작을 경험한 젊은 남성입니다. 반복성 여부는 확인할 수 없지만 현재 기술에서 가장 의심할 수 있는 치료는 공황장애입니다.

1-04. 43세 남자가 갑자기 생긴 심한 불안으로 응급실에 왔다. 숨이 답답하고 어지러우며 가슴이 두근거린다고 했다. 이런 증상으로 최근 한 달 동안 세 차례 응급실에 왔으나 매번 시행한 검사는 모두 정상이었다. 환자는 또 이런 증상이 생길까 봐 걱정하였다. 재발 방지를 위한 유지 치료는?

① 벤조디아제핀(benzodiazepine)
② 베타차단제(β-blocker)
③ 아세틸콜린분해효소억제제(acetylcholinesterase inhibitor)
④ 세로토닌도파민 길항제(serotonini-dopamine antagonist)
⑤ 선택적세로토닌재흡수억제제(selective serotonin reuptake inhibitor)

급성 발작기에는 benzodiazepine으로 치료하지만, 유지치료로는 TCA, SSRI, MAOI 등의 항우울제를 사용합니다.

1-05. 25세 여자 환자가 택시를 타고 가던 중 갑자기 심장이 빠르게 뛰며 식은땀이 나고 가슴이 답답함을 느꼈다. 급히 택시에서 내렸으나 증상이 더 심해지고 이러다가 죽을 것 같다는 생각이 들어 근처 병원 응급실을 방문하였다. 내원 직후 심전도 검사 및 여러 검사에서 이상소견은 없었다. 환자는 지속적으로 불안함을 호소하고 초조해보였다. 이 환자의 치료에 대한 설명으로 옳지 <u>않은</u> 것은?

① 집단 치료가 효과적일 수 있다.
② 인지행동 치료가 도움이 된다.
③ 정신분석적 정신치료는 1차적 증상에 효과적이다.
④ 삼환계 항우울제 사용이 효과적이다.
⑤ 선택적 세로토닌 재흡수 차단제의 사용이 효과적이다.

1-06. 31세 여자가 5개월 전부터 남편 없이는 전혀 외출을 하지 못했다. 혼자서 외출할 때에 극심한 공포나 신체증상이 나타나지는 않았지만, 무슨 일이 생기거나 아무도 자신을 도와주지 않을 것 같아 불안해하였다. 진단은?

① 공황장애　　　　　② 광장공포증
③ 범불안장애　　　　④ 사회공포증
⑤ 특정공포증

정답　　1-3. ③　1-4. ⑤　1-5. ③　1-6. ②

1-07. 20세 남자가 지하철을 타고 가던 중 갑작스런 호흡곤란과 심계항진, 현기증을 주소로 응급실을 방문하였다. 2개월 전부터 여러 차례 비슷한 경험을 하였다고 한다. 이 질환에 대한 설명으로 옳은 것은?

① 서서히 발병한다.
② 만성화는 드물다.
③ 다른 정신 질환을 동반하는 경우는 드물다.
④ 커피 과다복용은 증상을 유발, 악화시킬 수 있다.
⑤ 특정 상황이나 대상에 처하게 되는 경우 발생한다.

〈해설〉

① 대부분 첫 공황발작은 예기치 못한 상황에서 급격히 발생합니다.
② 주기적으로 반복하면서 만성화하는 경향이 강합니다.
③ 40~80%의 환자에 우울증, 20~40% 환자에 물질의존이 병발됩니다.
④ 카페인이 포함된 음료 등의 환경적 요인이 선행될 수 있습니다.
⑤ 특정 대상과 연관되어 있는 것은 특정 공포증이며, 공황장애는 예측할 수 없는 상황에서 나타납니다.

1-08. 20세 여자가 지하철을 타고 가던 중 가슴이 답답하고 식은땀이 나며 심계항진을 느껴 금방이라도 죽을 것 같아 응급실을 방문하였다. 내원 후 안정을 되찾았으나 숨을 가쁘게 몰아쉬고 있었다. 3개월 전부터 2주에 한 번씩 비슷한 증상을 경험하였다고 한다. 심혈관계 및 각종 검사에서 이상소견은 관찰되지 않았다. 가장 적합한 진단은?

① 외상후스트레스장애　　② 범불안장애
③ 강박장애　　　　　　　④ 공포장애
⑤ 공황장애

반복되는 공황발작을 경험하고 있습니다. 행동변화에 대한 묘사는 없으나 가장 적합한 진단은 공황장애입니다.

1-09. 20세 남자가 가슴이 답답하고 숨이 막히면서 금방이라도 죽을 것 같은 느낌이 들어 응급실을 방문하였다. 3개월 전 대중목욕탕에서 처음으로 비슷한 증상을 경험하였고, 그 후에도 지하철, 백화점 등에서 여러 차례 비슷한 경험을 하였다고 한다. 그때마다 시행한 검사에서는 모두 정상이었다. 이 환자에 대한 치료로 적절한 것은?

〈해설〉
공황장애의 약물치료는 벤조디아제핀 및 항우울제 사용입니다. 오히려 호흡성 알칼리증을 해소하기 위해 종이봉투 재호흡을 시켜볼 수 있습니다.

가. 다이아제팜	나. 이미프라민
다. 플루옥세틴	라. 중탄산나트륨 정맥투여

① 가, 나, 다　　　　　② 가, 다
③ 나, 라　　　　　　　④ 라
⑤ 가, 나, 다, 라

2-01. 25세 여자가 남자들과 대화하거나 여러 사람 앞에서 발표할 때 심하게 불안하다며 병원에 왔다. 엄한 부모 밑에서 자라 어려서부터 긴장감이 높았고, 4년 전 동아리에서 성추행을 당한 이후 이런 증상이 시작되었는데, 점점 심해져 최근에는 대중음식점에서도 손이 떨리고 가슴이 두근거려 식사를 할 수 없다고 한다. 2개월 후에는 취업을 위해 면접시험을 보아야 하는데, 이번에는 꼭 합격하기를 바란다고 말한다. 치료는?

사회적 환경에서 느끼는 불안감을 주소로 내원하였습니다. 어린시절 부모의 양육방식도 사회불안장애의 임상양상에 합당합니다. 사회불안장애의 치료는 인지행동치료가 우선되며, 수행형의 경우 베타 차단제를 사용할 수 있습니다.

① 인지행동치료　　　　② 정신분석
③ 감각통합훈련　　　　④ 가족치료
⑤ 성치료

2-02. 25세 남자가 타인과의 만남을 어려워하고 공중 화장실에서 소변을 보는 것이 힘들다는 것을 주소로 내원하였다. 의심되는 장애에 관한 다음 설명 중 옳은 것은?

① 호발연령은 30대 후반이다.
② 어린 시절 부모의 과잉보호와 관련이 있다.
③ 예기불안이 없는 것이 특징이다.
④ 정신분석적 정신치료가 효과적이다.
⑤ 약물로는 carbamazepine이 효과적이다.

2-03. 시골로 전학을 간 10세 남아가 비둘기가 무서워 학교가기를 거부하였다. 아이는 비둘기의 깃털이 징그럽고 자신에게 달려 들까봐 무서워 학교를 가기 싫다고 다른 학교로 전학시켜 달라고 했다. 담임선생님과 또래 친구들과의 관계는 원만하였다. 진단은?

① 특정공포증   ② 광장공포증
③ 분리불안장애   ④ 급성스트레스장애
⑤ 외상후스트레스장애

2-04. 27세 남자가 공중화장실에서 소변을 보기 힘들다고 하였다. 사람의 시선을 의식하면 온몸이 긴장되고 소변이 나오지 않아서 대변을 보는 곳에서 해결해 왔다고 하였다. 이러한 증상 때문에 공공장소에 외출하기가 불편한 것 이외에 나머지 일상생활에서는 문제가 없다고 하였다. 비뇨기과 진료에서 이상소견은 없었다. 진단은?

① 강박장애 　　　　　② 범불안장애
③ 사회공포증 　　　　④ 주요우울장애
⑤ 회피성인격장애

〈해설〉

특정공포증, 상황형과 혼돈이 가능한 사회공포증(사회불안장애) 입니다. 특정공포증, 상황형은 비행기 탑승 등 구체적인 상황에 대한 심한 공포를 주소로 합니다. 사회공포증은 다른 사람의 시선에 대한 주관적 인식에서 비롯된 불안함을 주소로 한다는 점이 차이입니다.

2-05. 37세 남자가 많은 사람들 앞에서 발표할 때마다 심한 불안을 느낀다고 왔다. 2일 후에 직장에서 중요한 발표를 할 예정이다. 발표 전에 복용할 적절한 약물은?

① 부스피론(buspirone) 　　② 퀘티아핀(quetiapine)
③ 아리피프라졸(aripiprazole) 　④ 프로프라놀롤(propranolol)
⑤ 에스시탈로프람(escitalopram)

사회불안장애, 수행형 단독의 경우 베타차단제가 도움이 될 수 있습니다.

2-06. 22세 남자가 집에 혼자만 있고 사회생활에는 전혀 관심을 갖지 않아 병원을 방문하였다. 어려서부터 수줍음이 많고 내성적인 성격이었다. 고등학교 음악시간에 노래를 부르다가 목소리가 떨리고 얼굴이 붉어진다고 수군거리는 친구들의 이야기를 듣고 다른 사람들 앞에서 이야기하기가 두려웠다고 한다. 진단은?

① 광장공포증   ② 특정 공포증

③ 사회공포증   ④ 범불안장애

⑤ 외상후스트레스장애

2-07. 어려서부터 유난히 수줍음이 많았던 24세 여자가 초등학교 교사로 처음 부임하였다. 수업시간 중 얼굴이 붉어지고 칠판에 글씨를 쓰거나 책을 읽을 때 땀이 많이 나고 떨리고 가슴이 두근거렸다. 이 환자에게 도움을 줄 수 있는 치료는?

가. SSRI	나. 인지행동치료
다. MAOI	라. 정신분석적 정신치료

① 가, 나, 다   ② 가, 다

③ 나, 라   ④ 라

⑤ 가, 나, 다, 라

3-01. 50세 여자가 20대부터 사소한 일에도 신경을 쓰고 걱정을 많이 했다. 스스로 마음을 가라앉히려 했으나 소용이 없었다. 평소 머리가 아팠고 불면증을 호소했으며 자주 피곤해했다. 여러 병원에서 검사를 받았지만 이상은 없었다. 진단은?

① 강박장애   ② 건강염려증
③ 단순공포증   ④ 범불안장애
⑤ 신체화장애

초기 성인기부터 시작되어 중장년기에 진단받는 경우가 많은 범불안장애입니다. 여러 신체증상을 동반하기도 합니다. 쉽게 피로함, 근육의 긴장, 짜증, 곤두선 느낌, 집중력 저하 등은 진단의 필수요건입니다.

3-02. 매사에 걱정이 많고 불안해하여 35세 여자가 정신과 외래를 방문하였다. 10대 후반부터 아무 이유 없이 불안해하고 안절부절못하며 피로, 불면을 호소하였다. 최근에는 컴퓨터 문서작성 실기시험에 지각할까 봐 걱정이 많았다. 진단은?

① 강박장애   ② 적응장애
③ 사회공포증   ④ 범불안장애
⑤ 급성스트레스장애

초기 성인기부터 시작되어 중장년기에 진단받는 경우가 많은 범불안장애입니다. 전형적인 필수증상들과 함께, 일상생활에 대한 과도한 걱정을 하고 있어 범불안장애에 합당합니다.

정답   2-6. ③   2-7. ①   3-1. ④   3-2. ④

3-03. 2년 전부터 매사에 불안해하고 초조해하며, 가슴이 두근거리고 안절부절 못해 28세 여자가 내원하였다. 환자는 입이 마르고 소변을 자주 보며 소화불량과 상복부 불편감을 호소하였다. 이 환자에게 도움이 될 수 있는 치료는?

| 가. β-blocker | 나. Benzodiazepine |
| 다. Biofeedback | 라. Buspirone |

① 가, 나, 다   ② 가, 다
③ 나, 라   ④ 라
⑤ 가, 나, 다, 라

불안장애 전반에 관한 치료 내용을 묻는 문제입니다. 범불안장애가 의심되는 환자로 가장 흔하게 이용되는 치료는 benzodiazepine, buspirone, SSRI 등의 우울제 처방입니다. 베타 차단제는 수행수행공포나 과도한 심계항진이 있을 때, 바이오 피드백은 노출치료의 동반치료로 사용해 볼 수 있습니다. 답은 이견이 있을 수 있지만, 모두 도움이 될 수 있을 것 같습니다.

3-04. 1년 전부터 아무 이유 없이 불안하고 가슴이 두근거리며 모든 일에 지나친 걱정을 하여 25세 여자가 내원하였다. 지난 수개월 동안, 불면, 피로, 상복부 불쾌감을 호소하였다. 감별진단을 위해 반드시 시행해야 할 검사는?

| 가. 심전도 | 나. 갑상선기능 |
| 다. 공복혈당 | 라. 신기능검사 |

① 가, 나, 다   ② 가, 다
③ 나, 라   ④ 라
⑤ 가, 나, 다, 라

다양한 신체증상을 동반한 범불안장애 환자입니다. 불안을 일으킬 있는 신체질환과의 감별이 반드시 필요하며, 부정맥(심전도), 갑상선기능항진증(갑상선기능) 등은 필수적입니다. 이외에도 혈당저하의 증상과도 감별이 필요합니다.

정답   3-3. ⑤   3-4. ⑤

강박 관련 장애

Obsessive-Compulsive and Related Disorders

최인영 박주호 장진구 송후림

Chapter

XIII

Introduction

▶ 강박장애는 불안장애에 속해 있다가 DSM-5부터 독립되어 분류되었습니다. 최근 강박장애에 대한 생물학적 원인과 치료법에 대한 연구가 활발히 진행되고 있습니다. 노출 및 반응 방지 등의 특징적 행동치료 기법과 생물학적 치료도 잘 알고 있어야 합니다.

1. 강박장애(Obsessive-compulsive disorder)

1) 개념
   (1) 강박장애는 "강박사고"과 "강박행동"으로 특징지어진다.
   (2) 강박사고는 반복적, 자아 비동조적(ego-dystonic), 침습적이고, 말이 안되고, 불쾌한 것으로 정의된다.
   (3) 강박행동은 미래의 사건이나 상황을 예방하기 위한 목적을 지닌, 어떤 규칙을 따르거나 상동적인 방식으로 행해지는 행위로 정의된다.

2) 역학
   (1) 평생 유병률 약 2~3%로 비교적 흔한 질환(4번째로 흔한 정신질환. social phobia, substance use disorder, MDD, OCD 순)이다.
   (2) 남녀 비는 유사(소아청소년기는 남자가 더 흔하고, 성인기에서는 여자가 더 흔한 경향 → 남자가 여자보다 일찍 발병하지만, 나이가 들어가며 남녀의 유병률이 같아진다.) 기출
   (3) 발병 연령 남녀 모두 10대 최고점, 국내에서는 75% 이상이 30세 이전에 발병한다.
   (4) 학력, 지능이 높은 경향이 많다.

3) 원인

(1) 정신역동 이론

① Oediapl phase에서 anal phase로 regression

② 너무 일찍 시작한 혹은 지나치게 엄격한 배변훈련 등의 이유로 anal phase의 갈등을 성공적으로 해소하지 못한 아동은 oedipal phase에서 위협을 느낄 때 항문기에 고착된다. 강박증 환자들이 보이는 ambivalence는 정상 아이들이 anal pahse에서 보이는 특징이다. 항문기의 특징인 억압된 분노와 청결에 대한 집착을 갖게 되고, 얻지 못한 통제를 추구하는 성격의 기초를 지니게 된다.

③ 강박장애의 전형적인 방어기제 `TIP` 고취반 `기출`
- 고립(isolation): 고통스러운 생각에 결합 되어있는 감정을 의식에서 몰아냄
- 취소(undoing): 어떤 대상에게 품고 있는 욕구로 인해 상대가 입었다고 상상하는 그 피해를 취소
- 반동 형성(reaction formation): 받아들일 수 없는 충동이나 욕구로부터 벗어나기 위해 그와는 정반대로 행동

(2) 학습이론

① 고전적 조건화와 조작적 조건화로서 강박증상을 설명하는 이론

② 강박장애의 주요 치료법인 행동치료의 이론적 근거가 된다.

③ 강박증상을 유발하는 자극에의 노출(exposure)과 강박행동을 차단하는 반응방지(response prevention) 행동치료 기법은 병리적으로 형성된 조건화의 탈 조건화를 유발하는 치료 과정이다.

(3) 생물학적 요인

① 신경전단물질: 세로토닌 시스템 이상
- 증거: SSRI가 강 증상을 호전시킴(noradrenergic drug은 효과가 없음) `기출`
  SSRI 치료 중 증상의 호전과 CSF 5-HIAA level (serotoning 대사체) 농도의 감소 사이에 연관성이 밝혀졌다.
  강박증 환자의 CSF 내 5-HIAA 농도가 높았다.

② 신경해부학적: 전두선조 신경회로 기능적 이상(cortico-striato-thalamo-cortical pathway)
- 선조체(striatum), 안와전두피질(orbito frontal cortex), 앞띠이랑(anterior cingulate)과의 관련성이 높다.
  `TIP` 다른 불안장애들에서 amygdala pathway의 이상이 주로 밝혀진 것과 결정적 차이가 있다.

③ 우울장애와 유사성-REM 잠복기가 수면시 감소, 1/3에서 DST (덱사메타손 억제검사) 분비 억제

④ 가족력(강박장애 환자들의 1차가족 중 강박장애 유병률 35%). 유전적 소인이 높다.

4) DSM-5 진단기준 핵심

1. 강박사고나 강박행동이 존재해야 한다.
   1) 강박사고
      ① 반복적이고 지속적인 사고, 충동, 또는 영상으로서 장애 기간의 어느 시점에서는 침습적이고 원치 않는 것으로 경험되며, 대부분의 경우 뚜렷한 불안과 고통을 유발한다.
      ② 개인은 이러한 사고, 충동, 또는 영상을 무시하거나 억제하려고 노력하거나, 다른 생각이나 행위로 중화시키고자 한다.
   2) 강박행동의 정의
      ① 반복적인 행동(손씻기, 줄맞추기, 확인하기) 또는 정신적 활동(기도하기, 숫자세기, 속으로 단어를 반복하기)으로서, 강박사고에 대한 반응이거나 엄격하게 지켜져야 하는 규칙에 의해 그렇게 해야만 할 것 같은 압박을 느낀다.
      ② 행동이나 정신적 활동은 불안이나 고통을 예방하거나 경감시킬 것을, 또는 무시무시한 사건이나 상황을 예방할 것을 목표로 한다. 그러나 이러한 행동이나 정신적 활동은 그것이 중화시키거나 예방하고자 하는 목적으로 고안된 것과는 현실적인 관련이 없거나, 뚜렷하게 지나치다.
2. 강박사고와 강박행동은 시간을 소모하거나(하루 1시간 이상), 임상적으로 현저한 고통을 야기하거나, 사회적, 직업적, 다른 중요한 기능 영역에서의 장애를 초래한다.
3. 물질(약물 등)에 의해 야기된 것이 아니어야 한다.
4. 다른 정신장애의 진단으로 더 잘 설명되지 않아야 한다.

5) 임상양상

(1) 완벽주의, 도덕주의, 결단력 부족, 감정표현의 메마름
(2) 강박장애의 전형적인 증상은 강박사고와 강박행동이다.
(3) 강박사고: 반복적, 지속적이며, 침습적이고 원치 않는 내용으로서 상당한 불안이나 고통을 초래하는 것이 특징. 하지만 종종 자발적이라고 생각하는 경우도 있다(병식이 없는 경우).
   Ex) 오염이 되었을지도 모른다는 생각(m/c), 반복되는 의심(2nd most common), 끔찍한 장면과 같은 영상, 또는 누군가에게 해를 끼칠 것 같은 충동, 대칭을 맞추어야 한다는 생각 등
(4) 강박행동: 강박사고에 대한 반응으로서 그렇게 행동해야만 안심을 얻게 되는 행위를 일컫는다.
   Ex) 확인(문, 가스밸브 등, m/c), 씻기, 숫자세기 등

6) 감별 진단과 동반이환장애 실력

감별진단	유사성	감별점
불안장애	불안이나 회피행동이 있고 안심을 구한다는 점	• 불안장애의 공포 대상은 현실적이거나 구체적인 상황에 국한되어 있고, 현실적인 회피 행동 • 강박사고는 보다 비합리적이고 마술적 사고의 연결고리를 갖고, 현실적인 관련이 없는 강박행동
우울삽화	반추하는 것	기분 삽화 기간 내에 국한되어 있고, 특정 강박행동과 연결되어 있지 않다는 점
조증, 경조증 삽화	과잉행동	목적지향적이라는 점에서 구분됨

감별진단	유사성	감별점
조현병	집착적 사고, 망상적 신념	전반적인 현실검증력의 상실, 지각적 이상, 사고장애로 나타난 신념이라는 점
강박성 인격장애	정리정돈, 정확성, 꼼꼼함, 통제와 완벽 추구 등의 성격적 특징	전형적인 강박사고나 강박행동이 없음

① 동반이환장애 기출
- 강박장애 환자들의 2/3에서 다른 정신질환의 일평생 공존 이환이 관찰된다.
- 불안장애(76%), 기분장애(67%)
- 유전적으로 관련된 장애로는 틱장애(20%), 뚜렛장애(5~10%)

7) 치료
약물치료와 행동치료가 가장 중요하고 둘 다 시행하는 경우 효과적이다.

(1) 약물치료 기출
① SSRI: 1차 약물로 사용된다.
- 우울증의 치료에 비해 더 많은 용량을 더 장기간 투여해야 한다.
- 투약 중지 시 재발이 잦은 편이어서 장기투여가 필요하다.
② Clomipramine: TCA 계열 중에 세로토닌 재흡수 억제 작용이 제일 뚜렷하다.
③ 일차 치료 실패 시 병합 기능 약물: 항정신병약물, 리튬, 발프로산, MAOI

(2) 행동치료 기출
① 강박행동에 효과적이다.
② 가장 대표적인 행동치료법은 노출과 반응방지이다(exposure and response prevention).
  Ex) 강박적으로 자주 손을 씻는 환자의 경우 환자가 두려워하는 더러운 물건을 만지게 한 후 손을 씻지도 못하도록 하는 것이다. 반복적인 치료적 노출과 반응방지를 시행함에 따라 불안의 심한 정도와 불안이 감소되기까지의 시간이 단축된다.
- 노출시키는 방법은 상상적 노출, 체계적 탈감작화, 홍수법 등을 이용할 수 있다.
- 강박사고가 주 증상인 환자에게는 사고중지법을 적용할 수 있다.

(3) 기타치료
① 치료에 반응하지 않는 심한 환자에는 전기충격요법이나 정신외과수술 등을 고려한다.
② 정신외과수술: cingulotomy 실력
- 강박장애 환자 중 약 30~40%에서 효과가 있는 것으로 알려져 있다.
- 가장 흔한 부작용은 경련이고, 항경련제로 잘 조절된다고 한다.

8) 경과 및 예후

(1) 점진적 발병이 흔하다.

(2) 치료를 받지 않으면 대부분 만성적인 경과를 거친다. 기출

(3) 치료와 더불어 강박증상은 개선되지만, 효과적인 치료를 유지하면서 2년이 경과한 시점에서도 약 반 이상은 강박장애의 진단기준에 해당한다.

(4) 불량한 예후: 어린 발병 연령, 심한 강박증상, 병식의 부족, 공존질환이 동반된 경우

(5) 자살 시도: 25%에서 관찰됨

2. 신체이형장애(Body dysmorphic disorder)

1) 강박 관련 장애에 포함됨

(1) 가상의 신체변형을 걱정하고 괴로워한다.

(2) 신체 특정 부위가 못생기거나 이상하게 생겼다고 병적으로 집착하는 신체증상 및 관련 장애

2) 역학

(1) 유병률 0.7~2.4% 이르는 것

(2) 남녀 유사하거나 여자에서 약간 많다(여성에서 많지만, 남성도 음경의 크기나 근육질몸매에 대한 집착으로 나타날 수 있다).

(3) 임상환자군에서 유병률이 높다. 피부과(9~12%), 성형외과(3~5%), 구강외과(10%)

3) 원인

(1) 유전적요인 8%, 일차친족 가족력, 여성 쌍생아 유전적 요인 44%

(2) Serotonin 계 문제: SSRI가 치료에 사용된다.

(3) 정신역동: 성적, 정서적 갈등이나 열등감, 죄책감 등이 신체 일부로 전치된 것으로 이해(외모 문제가 해결이 되면 인생이 다 해결될 것이라고 대신 생각하는 것)

(4) 사회 및 문화의 영향: 미디어의 영향을 많이 받는 사화, 문화 영향이 큰 질환

4) 진단기준 핵심(DSM-5)

> 1. 다른 사람에게는 관찰되지 않거나 사소해 보이는 외모의 결함이나 결점 한가지 이상에 집착한다.
> 2. 반복적인 행동(거울확인, 과도한 치장, 피부 뜯기)이나 정신적 행위(자신의 외모를 다른 사람과 비교)
> 3. 집착이 사회적 직업적 또는 중요한 기능 영역에서 임상적으로 유의한 고통이나 치장을 초래한다.
> 4. 외모 집착은 섭식장애 등으로 더 잘 설명되지 않는다.

5) 임상양상

(1) 병적 집착은 모든 신체 부위 대상으로 할 수 있지만, <u>주로 얼굴(m/c)</u> 피부, 머리, 코에 나타난다.

(2) 일평생의 경과를 거치면서 5~7군데의 신체 부위에 집착된다.

(3) 잘못되었다, 못 생겼다, 추해 보인다, 괴물 같다는 다양한 범위 수준의 과장된 걱정을 지닌다.

(4) 절반은 망상적 신념, 2/3에서 편집사고를 동반한다.

(5) 반복해서 끊임없이 거울을 보거나 빛을 반사하는 모든 물체에 자신의 결함부위를 비추어 본다.

(6) 결함이나 불완전함을 개선시키기 위해 치장을 한다.

(7) 불필요한 수술(성형수술 중독)

(8) 강박행동, 회피, 안전행동(결함을 노출시키지 않아서 다른 사람들의 부정적 평가나 거절을 예방할 목적을 지닌 행동)

미용 시술을 하는 정상 인구와의 차이-처음부터 비현실적인 기대, 시술에 만족하지 않고 재수술 요구, 의료소송으로 의사에게 화풀이하는 경향.

6) 감별진단

(1) 망상장애를 포함한 정신병적 장애와의 감별

(2) 신체이형장애 환자의 신념은 외모에 관한 것에 국한되어 있고 와해된 행동이나 현실검증력장애가 동반되지 않는다.

(3) 섭식장애, 강박장애, 질병불안장애, 주요우울장애

7) 치료

(1) 정신과 치료에 거부적

(2) 70% 환자들이 성형외과 피부과 치과에서 미용 치료를 받지만 효과는 좋지 않다.

(3) <u>약물치료</u>: SSRI가 일차 선택제이고 강박장애와 같이 고용량을 요하는 경우가 많다.

(4) 정신사회적 치료: 인지행동치료가 효과적. 외모와 관련된 가정과 신념을 재구조화하는 인지치료와 반복행동을 대상으로 하는 노출 및 반응방지법이 적용된다.

8) 경과 및 예후

(1) 평균발병연령 16~17세, 12~13세 발병이 가장 흔하다.

(2) 대부분 점진적으로 발병하고, 치료를 받지 않으면 만성적 경과

(3) 예후는 불량: 20% 학업중단, 80% 자살사고경험, 25% 자살기도

(4) 1/3: 폭력성을 나타내며, 성형수술 불만족으로 성형외과의사에게 폭력을 행하기도 한다.

> **TIP** 신체이형장애는 병식이 없는 강박장애의 한 변형으로 이해하기도 한다. 병식이 없으니 정신건강의학과에는 잘 찾아오지 않는다. 주로 성형외과 등을 전전하다 보호자에게 이끌려 온다.

3. 저장장애(Hoarding disorder)

1) 개념

쓸모나 가치가 없는 물건을 수집하고 버리지 못하고, 물건들로 가득 차서 활동이 제한되고, 상당한 고통과 기능장애가 유발된다.

2) 역학

(1) 임상적으로 유의한 저장증상 유병률: 2~4%

(2) 55~94세의 고령층에서 34~44세 젊은 성인에 비해 3배 높다.

3) 원인

(1) 유전적 요인: 50% 일차친족의 가족력

(2) 의사결정, 조직화, 정서 조절 등에 관여하는 신경회로의 이상이 신경생물학적 요인으로 생각된다.

4) 진단기준 핵심(DSM-5)

1. 실제가치와 무관하게 소유물을 버리는 데에 지속적인 어려움이 있다.
2. 물건에 대한 주관적인 필요성과 버리는 것의 고통
3. 생활공간을 메울 정도로 소유물을 축적한다.
4. 저장이 임상적으로 유의한 고통이나 사회적, 직업적, 또는 중요한 기능영역에서의 장해를 초래한다.
5. 저장이 다른 의학적 상태로 설명되지 않아야 한다(뇌졸중, 뇌 손상).
6. 다른 정신장애로 더 잘 설명되지 않아야 한다(강박장애, 주요우울장애, 조현병, 주요신경인지장애).

5) 임상양상

(1) 핵심증상: 소유물의 쓸모나 가치와 무관하게 그것을 버리지 못함

(2) 물건에 포함된 중요한 정보를 잃게 된 두려움도 흔하다.

(3) 과도한 수집 80~90%

(4) 수집의 가장 흔한 형태는 구입, 그 다음 광고물, 타인이 버린 물건 등이 있다.

6) 치료

(1) 일차선택 치료: 인지행동치료, 증상 및 소유에 관한 오류적 신념을 탐색하고 수정

(2) 치료자나 전문가가 가택을 방문하여 잡동사니를 제거하고 버리기 실천

(3) 약물치료: SSRI, SNRI

7) 경과 및 예후

(1) <u>11~15세에 시작되어 일평생 지속되는 경향</u>

(2) 20대에 이르며 일상 생활에 지장을 초래하기 시작, 30대에는 임상적으로 유의한 장애가 발생한다.

(3) 기복 없는 만성적인 경과, <u>연령이 높아지면서 증상은 심해지는 경향이 있다.</u>

> **TIP** TV에서 종종 소개되는 질환이다. 과거에는 강박장애의 한 아형으로 분류되었으나, 점차 다른 병리기전을 가진 독립된 질환으로 이해하고 있다. 고령층의 유병률이 높다는 것이 중요하다.

4. 발모광(Trichotillomania)

1) 역학

(1) 1년 유병률은 성인과 청소년에서 1~2%에 이를 것으로 추정한다.

(2) 소아에서는 남녀 비율 유사, <u>성인에서 여성에서 10배 높다.</u>

2) 진단기준 핵심(DSM-5)

1. 반복적으로 자신의 털을 뽑아 털이 없게 된다.
2. 털 뽑기를 중단하거나 덜하려고 반복적으로 노력한다.
3. 털 뽑기는 임상적으로 유의한 고통이나 사회적 직업적 장해를 초래한다.
4. 다른 의학적 상태로 설명되지 않아야 한다.
5. 다른 정신장애로 더 잘 설명되지 않아야 한다.

3) 임상양상

(1) <u>가장 흔한 부위로는 머리와 눈썹, 속눈썹이지만</u>, 겨드랑이, 안면부, 음모나 항문부를 포함한 모든 부위에서 나타날 수 있다.

(2) 털 뽑기 행동은 의식적으로 행하는 행동과 무의식적으로 행하는 행동으로 구분되기도 한다.

(3) 1/3은 뽑은 털을 먹는다. 그 중의 1/3은 위석(bezoar)이 발생한다.

4) 치료

(1) 드물고 숨기는 경우도 많아 병원에 오는 경우가 적다.

(2) <u>일차 선택치료: 인지행동치료로서 습관전도요법(habit reversal therapy)이 유용하다.</u>

(3) 인식훈련, 자극조절, 경쟁반응훈련의 세 가지 주요 치료기법으로 구성된다.

(4) <u>약물치료: SSRI, clomipramine,</u> 비전형 항정신병약물 등이 유용함

5. 피부벗기기장애(Excoriation [skin-picking] disorder)

1) 역학

평생 유병률 1.4~5.4%로 흔한 질환, 3/4이 여성이다.

2) 진단기준 핵심(DSM-5)

1. 반복적인 피부 뜯기로 인해 피부병변이 발생한다.
2. 피부 뜯는 행동을 줄이거나 멈추려고 반복적으로 시도한다.
3. 피부 뜯기는 임상적으로 유의한 고통이나 사회적, 직업적, 또는 중요한 기능영역에서의 장해를 초래한다.
4. 물질의 생리적 효과나 다른 의학적 상태에 의한 것이 아니다.
5. 다른 정신장애로 더 잘 설명되지 않아야 한다.

3) 임상양상

(1) 얼굴, 팔, 손이 가장 흔한 부위지만, 어느 부위든 나타날 수 있고 여러 부위의 피부를 뜯기도 한다.
(2) 특정한 딱지를 떼어내기도 하고, 뜯어낸 피부조각을 조사하거나 삼키기도 한다.

4) 치료

(1) 선택치료는 발모장애와 같이 인지행동치료이고 습관전도요법이 적용된다.
(2) 약물치료: SSRI, lamotrigine, naltrexone이 도움된다.

5) 경과 및 예후

(1) 발병연령은 다양하지만, 평균발병연령 12세이다.
(2) 경과는 다양하지만, 일반적으로 치료를 받지 않으면 증상의 심각도가 변화하면서 만성적 경과를 거치기 쉽다.
(3) 20% 미만에서만 치료를 찾는데, 치료가 필요하거나 가능하다는 것을 모르거나, 부끄러워서 치료를 받지 않는 경우가 대부분이다.

1-01. 25세 여자가 세균에 오염될 것 같은 지나친 걱정 때문에 왔다. 외출할 때 장갑과 마스크를 꼭 끼고 다녀야 하며 물건을 만지면 30분 이상 손을 씻어야 안심이 된다고 하였다. 약물 부작용을 걱정하여 약은 먹지 않겠다고 하고, 증상이 빨리 호전되기를 원한다. 치료는?

① 자극조절법   ② 감각집중훈련

③ 지지정신치료   ④ 노출과 반응방지

⑤ 정신분석적 정신치료

〈해설〉

강박장애의 약물치료는 SSRI, clomipramine이고 비약물적 치료로는 행동치료가 대표적입니다. 비약물적 치료는 노출과 반응방지가 주로 사용됩니다.

1-02. 28세 여자가 평상시 자주 불요하고 초조함을 느낀다며 병원에 왔다. 학창시절부터 외출 시에 텔레비전이 꺼져 있는지, 문이 잠겼는지 반복적으로 확인하는 증상이 지속되었다. 지하철 손잡이를 잡지 못하고, 오염되지 않을까 하는 걱정에 손을 반복적으로 씻었다. 약물치료와 함께 사용할 수 있는 효과적인 치료 방법은?

① 생체 되먹임(biofeedback)

② 지극조절법(stimulus control)

③ 사회기술훈련(social skill training)

④ 혐오치료(aversion)

⑤ 노출과 반응방지(exposure and response prevention)

약물치료+행동치료, 또는 그 병용이 가장 효과적인 치료 방법으로, 가장 대표적인 행동치료법은 노출과 반응방지입니다(exposure and response prevention).

1-03. 17세 여자 고등학생이 하루에도 수십 번 손을 씻고 가족들이 자신의 방에 있는 물건을 만져 오염시킬까 봐 방에 출입하지 못하게 하였다. 환자에서 가장 의심되는 정신질환에 대한 설명으로 옳은 것은?

① 여자에서 2배 더 흔하다.
② 우울증이 흔히 동반된다.
③ 증상에 대한 병식이 없다
④ 주된 방어기제는 투사와 부정이다.
⑤ 급성 발병과 호전이 반복되는 양상이다.

1-04. 화물차 배달업에 종사하는 45세 남자가 운전 중 타이어를 자주 살피는 행동 때문에 병원에 왔다. 불합리하다는 것을 알고 있지만 타이어에 문제가 있어서 사고가 나지 않을까 하루에도 여러 차례 점검해야 출발하곤 하였다. 이 환자에게 가장 효과적인 조치는?

① 발프로에이트　　② 지지정신치료
③ 정신치료　　　　④ 세로토닌 재흡수 차단제
⑤ 측두엽절제술

정답　1-3 ②　1-4 ④

외상 및 스트레스 관련 장애

Trauma- and Stressor- related disorder

최인영 오진욱 장진구 홍민하

Chapter

XIV

Introduction

▶ 외상후스트레스장애(PTSD), 급성스트레스장애는 불안을 주 증상으로 한다는 점으로 불안장애의 일환으로 분류하였으나 DSM-5에서는 따로 떨어져 나왔습니다. 다른 정신질환들과는 달리 진단기준에 "원인"을 중요하게 고려한다는 것이 특징입니다. 따라서 다른 불안장애보다 유전적 경향은 적은 편입니다. 하지만 가족 군집성은 있기 때문에 위험 인자는 기억해 두는 것이 좋습니다. 특히 외상후스트레스장애(PTSD)는 일련의 대형사고 이후 언론에 많이 소개된 만큼 임상양상 등을 꼭 알고 있어야 합니다.

1. 외상후스트레스장애(Post-traumatic stress disorder)

1) 개념
  (1) 심각한 외상을 경험한 후에 나타나는 임상증상을 의미한다.
  (2) 외상이란 범죄, 전쟁, 폭행, 납치, 자연 재해 등과 같이 목숨을 잃을 뻔하는 것, 심한 부상을 당하는 것, 사망사건에 노출되는 것 혹은 성폭행과 같은 충격적인 경험을 하거나 이외 연관된 상황에 노출되는 것을 의미한다.
  (3) 외상적 경험을 한 뒤 반복적으로 사건을 회상하면서도 가급적 다시 기억이 떠오르는 것을 회피하려고 애쓰게 되며 심한 각성상태를 유지하고 전반적으로 부정적인 상태로 되는 등의 아주 다양한 증상을 나타내게 된다.

2) 역학
  (1) 외상사건을 겪는다고 모두 PTSD가 생기는 것은 아니다.
  (2) 일반인구에서 평생 외상사건을 겪을 확률은 39~74%로 알려져 있으며, 외상후스트레스장애 평생 발생률 9~15%, 평생 유병률 8%가량이다. 여성이 남성보다 흔하며(여성 10%, 남성 4%), 여성은 물리적 폭행이나 강간, 남성은 전쟁경험에 의한 것이 흔하다. 어떤 연령에서도 가능하나 젊은 성인에서 흔하다(이

연령군이 위험한 상황에 노출이 잦기 때문).

3) 원인

- 원인은 외상 그 자체이나, 이후 외상후스트레스증후군의 발병하기까지는 여러 요인들이 작용한다. 외상 단독으로는 장애를 일으키기에 충분치 않고, 외상 사건 이전이나 이후에 일어난 일들과 생물학적, 정신사회적 요소들이 발병에 관련된다.
- 외상 사건이 개인에게 주는 주관적 의미 또한 중요한 요소이다(survivor guilt-자신만 살아남은 것에 대한 죄책감).

(1) 취약하게 만드는 인자

- 아동기 외상의 경험, 경계성, 편집성, 의존성, 반사회적성격장애 특징이 있는 경우
- 부적절한 가족, 지지체계, 여성, 정신과 질환 유전적 취약성

(2) 심리적 요인

- 정신역동: 이전에 정지해 있던 상태로 머물러 해결되지 못한 심리적 갈등이 외상으로 인하여 재활성화되어 나타나는 것으로 설명
- 인지행동적 요인: 외상 사건을 처리하거나 합리화하는 데 실패한 것으로 설명

(3) 생물학적 요인 실력

- HPA axis과 조절 양상 이상과 연관되어 있다(low dose dexamethasone suppression test상 cortisol이 hypersupression됨. 이는 우울증과 반대되는 소견임).
- 노르아드레날린계(urine ephinepohrine 농도 증가, beta blocker 복용이 증상완화), 도파민, 내재성 오피오이드계 이상(plasma beta endorphin 농도 감소)을 시사하는 연구들이 있다.
- 주요 우울장애 및 공황장애와 생물학적 유사성을 보고한 연구도 있다.

(4) 위험인자

① 외상 전(pretraumatic)
- 6세까지의 정서적 문제, 공황장애, 우울장애 등의 정신과적 병력
- 낮은 사회경제적상태, 낮은 교육수준, 이전의 외상에 대한 노출 경험, 낮은 지능

② 외상 주위 인자(peritraumatic)
- 외상의 심각도, 생명에 위협되는 정도, 개인적 손상, 사고 직후 해리증상이 있을 때(중요)

③ 외상 후 인자(posttraumatic)
- 부정적 평가, 부적절한 대처전략, 반복적으로 이를 생각나게 할 만한 것에 노출되는 경우
- 사고 후 발생하는 부정적 사건

4) 진단기준 핵심 (DSM-5)

이 기준은 성인, 청소년 그리고 7세 이상의 아동에게 적용. 6세이하 소아는 별도 기준 참조

1. 실제적이거나 위협적인 죽음, 부상, 성폭력에 노출이 한 가지(이상)에서 나타난다.
   ① 외상성 사건에 대한 직접적인 경험
   ② 사건이 다른 사람에게 일어난 것을 생생하게 목격
   ③ 외상성 사건이 가족 친척, 친한 친구에게 일어난 것을 알게 됨
   ④ 외상성 사건들의 혐오스러운 세부사항에 대한 반복적이거나 지나친 노출의 경험

2. 외상성 사건이 일어난 후에 사건과 관련된 침습증상존재가 한가지(이상)에서 일어난다.
   ① 외상성 사건의 반복적, 불수의적 침습적인 고통스러운 기억
   ② 반복적으로 나타나는 고통스러운 꿈
   ③ 외상성 사건이 재생되는 것처럼 느끼고 행동하게 되는 해리성반응
   ④ 외상성 사건을 상징하거나 닮은 단서에 노출에 노출되었을 때 극심한 심리적 고통
   ⑤ 외상성 사건을 상징하거나 닮은 단서에 노출에 노출되었을 때 뚜렷한 생리적 반응

3. 외상성 사건이 일어난 후 자극에 대한 지속적회피가 명백하다.
   ① 고통스러운 기억 생각, 감정을 회피, 회피하려는 노력
   ② 고통스러운 기억 생각, 감정을 불러일으키는 외부적 암시(사람 장소 대화 행동)을 피하려는 노력

4. 외상성 사건과 관련 있는 인지와 감정의 부정적변화가 다음 중 2가지 이상에서 나타난다.
   ① 기억이 안나는 무능력
   ② 지속적이고 과장된 부정적인 믿음 또는 예상
   ③ 원인 또는 결과에 대하여 지속적으로 왜곡된 인지, 다른 사람 비난
   ④ 지속적인 부정적인 감정상태
   ⑤ 주요 활동에 대해 현저하게 저하된 흥미 또는 참여
   ⑥ 다른 사람과의 사이가 멀어지거나 소원해지는 느낌
   ⑦ 긍정적감정을 경험할 수 없는 지속적 무능력

5. 외상성 사건이 일어난 후 시작된 각성과 반응성의 뚜렷한 변화 다음 중 2가지 이상에서 나타난다.
   ① 민감한 행동, 분노폭팔
   ② 무모하거나 자기 파괴적인 행동
   ③ 과각성
   ④ 과장된 놀람 반응
   ⑤ 집중력의 문제
   ⑥ 수면 교란

6. 장애 2, 3, 4, 5 진단기준의 기간이 1개월 이상이어야 한다.

7. 임상적으로 현저한 고통이나 손상을 초래한 물질이나 다른 생리적 상태로 인한 것이 아니다.

5) 필수적인 특징 3가지 [기출]

(1) 재경험(re-experience) : 외상성 사건들의 반복적, 불수의적으로 떠오르며 재경험됨

(2) 회피 및 무감각(persistent avoidance or numbing): 감정적 마비 현상, 외상의 잔재를 영구히 회피하려 하거나 무감각으로 반응하게 됨

(3) 지속적으로 과민상태(persistent hyperarousal): 불안정, 주의 집중하기 어려움 등이 나타남

6) 감별진단

공황장애, 범불안장애, 강박장애 등과 감별이 필요하다.

7) 치료 `기출`

외상을 겪은 직후에는 의사소통, 사회적 지원, 의료지원이 제공되어야 한다. 외상을 겪은 환자를 처음 마주하였을 때 지지적 태도를 갖추고, 사건에 대해 이야기할 수 있도록 격려하고 다양한 대처 전략을 갖출 수 있도록 교육해야 한다. 정서적 조절과 안정화를 잘 시행하는 것이 중요하다.

(1) 정신치료 `실력`

노출치료, 인지처리치료를 포함한 인행동치료와 최면, 정신역동적 정신치료도 유용하다. 가장 효과적인 정신치료는 구조화된 외상초점 인지행동치료이다.

① 노출치료(prolonged exposure)
- 반복적으로 외상기억, 그리고 외상을 떠올리도록 하는 조건들을 노출시킴으로써 공포를 감소시키는 데 목적이 있다.
- 외상과 관련된 기억을 더 이상 회피하지 않게 되면 이후에는 외상기억을 정서적으로 처리하고 외상과 관련된 인지를 교정할 수 있게 된다.

② 인지처리 치료(cognitive processing therapy)
- 노출을 통해 공포를 줄이는 것보다 외상과 관련된 비 적응적인 인지나 사고를 변화시키는 데 중점을 둔 치료 방법이다.
- 1단계: 막힌 지점과 외상 사이을 다루는 것으로 지나치게 일반화되었으나 도움이 되지 않는 믿음을 알아내고 교육한다.
- 2단계: 1단계의 다른 믿음에 도전하기 위해 고안된 노출요소를 서술한다.
- 3단계: 좀 더 건강한 사고 방식으로 바꾼다.

(2) 약물치료: 증상이 심한 경우 약물치료가 반드시 필요
① 첫 번째 단계 치료: SSRI (sertraline, paroxetine), venlafaxine (SNRI), TCA `기출`
② 벤조디아제핀계열, 항정신병 약물, 항경련제약물
③ clonidine, propranolol: 항교감신경제 사용

(3) EMDR (eye movement desensitization and reprocessing)
양측성 시각 자극 요소와 인지행동치료적 요소를 갖춘 치료 방법으로 최근 다양하게 시도되고 있다.

8) 경과 및 예후

1단계는 외상에 대한 반응으로 일시적으로 아드레날린 항진이 있지만 지속되지 않는다. 취약한 사람은 심한 불안, 해리증상, 외상에 대한 과장된 반응, 강박적 집착을 보인다. 증상이 소실되지 않고 4~6주 이상 지속되면 acute PTSD로 진행한다(2단계).

3단계는 chronic PTSD로 진행하는 환자들은 도덕적 타락, 장애, 의기소침을 보이고, 실제 외상보다는 외상으로 인한 신체적장애에 더욱 집착, 만성적 불안, 우울, 물질남용, 금전적 보상이나 소송에 매달리기도 한다.

예후는 자연경과상(치료하지 않았을 경우): 30% 완전히 회복, 40% 가벼운 증상 지속, 10% 증상 호전 안 된다. 어리거나 고령일 수록 외상 사건에 대해 더 어려움을 나타낸다.

> TIP 만성화되는 것과 관련되는 인자
> → 불안장애, 신체화장애, 회피 증상의 정도, 외상후스트레스장애 이환 후 겪게 되는 추가적인 외상 등

2. 급성스트레스장애(Acute stress disorder)

1) 개념

외상성 사건에 노출된 이후 3일~1개월 사이에 PTSD에 상당하는 증상이 나타난다.

2) 역학

총기난사, 폭행, 강간을 포함한 대인관계 관련 외상의 경우 20~50%까지 높은 유병률을 나타낸다.

직접폭력을 제외한 외상사건에서는 20% 미만, 고도화상의 경우 10%, 자동차 교통사고의 경우 13~25%에서 경험한다. 여자에서 많다.

3) 진단기준 핵심(DSM-5)

1. 실제적이거나 위협적인 죽음, 부상, 성폭력에의 노출이 한 가지(이상)에서 나타난다.
   ① 외상성 사건에 대한 직접적인 경험
   ② 사건이 다른 사람에게 일어난 것을 생생하게 목격
   ③ 외상성 사건이 가족 친척, 친한 친구에게 일어난 것을 알게 됨
2. 외상성 사건이 일어난 후에 사건과 관련된 침습, 부정적 기분, 해리, 회피와 각성의 5개범주 중 어디서라도 9가지에서 존재한다.
   ① 침습
      • 외상성 사건의 반복적, 불수의적 침습적인 고통스러운 기억
      • 반복적으로 나타나는 고통스러운 꿈
      • 외상성 사건이 재생되는 것처럼 느끼고 행동하게 되는 해리성반응
      • 외상성 사건을 상징하거나 닮은 단서에 노출에 노출되었을 때 극심한 심리적 고통 또는 뚜렷한 생리적 반응
   ② 부정적 기분
      • 긍정적 감정을 경험할 수 없는 지속적 무능력
   ③ 해리증상
      • 주위환경 또는 자기자신에의 현실에 대한 변화된 감각
      • 외상성 사건을 기억하는 데의 장애
   ④ 회피증상
      • 고통스러운 기억 생각, 감정을 회피, 회피하려는 노력
      • 고통스러운 기억 생각, 감정을 불러일으키는 외부적 암시(사람 장소 대화 행동)을 피하려는 노력
      • 기간은 외상 노출 후 3일에서 1개월까지다.

- 기능영역에서 현저한 고통이나 손상을 초래한다.
- 물질이나 다른 의학적 상태로 더 잘 설명되지 않는다.
⑤ 각성
- 수면 교란
- 민감한 행동과 분노폭팔
- 과각성
- 집중력의 문제
- 과장된 놀람 반응

3. 장애 B 진단기준의 기간이 3일에서 1개월까지 증상 지속이어야 한다.
 (주의: 증상은 전형적으로 외상후 즉시 나타나지만, 진단기준을 만족하려면 기간이 충족되어야 한다.)

4. 중요한 기능 영역에서 임상적으로 현저한 고통이나 손상

5. 물질, 다른 의학적 상태로 인한 것이 아니며, 단기 정신병적장애로 더 잘 설명되지 않는다.

4) 감별진단

외상 후 증상을 일으킬 수 있는 기질적 원인들에 대한 감별이 선행되어야 한다. 지속적인 지남력장애, 혼돈을 보일 경우 기질적 뇌손상을 의심한다.

5) 치료

일반적인 치료원칙은 PTSD와 다르지 않다.

6) 경과 및 예후

급성스트레스장애의 예후와 관련하여 가장 주의할 점은 외상후스트레스장애로의 이환이다. 궁극적으로 외상후스트레스장애로 진단되는 환자의 절반 정도만이 초기에 급성스트레스장애를 보인다.

3. 적응장애(Adjustment disorder)

1) 개념

스트레스에 대한 정서적 반응으로 특징지어지는 질환이다. 스트레스 사건과 증상 발현 사이에 충분한 연관성이 필수적이다(외상후스트레스장애보다 대부분 증상이 경하다).

압도적인 스트레스 유발 요인에 의해 급성의 정서반응이 나타나지만 소멸 후에는 증상 역시 6개월 이내에 사라진다.

2) 역학

일반인구집단에서 유병률 1~8% 정도로 추정된다. 정신과 내원 환자 중 9~36%가 적응장애 환자로 알려져 있다. 여성이 남성에 비해 2배가량 많이 진단된다.

3) 원인

스트레스는 그 강도나 절대적인 양, 지속기간, 가역성의 측면에서 다양하며 그러한 스트레스가 어떤 사회적, 개인적 요인들 속에서 나타나는 가에 따라서 복합적인 성격을 띨 수 있다.

임상의는 환자의 성격구조뿐 아니라 환자가 속한 사회의 규범과 가치들이 스트레스에 대한 환자의 정서적, 행동적 반응에 어떤 기여를 했는지 파악해야 한다.

(1) 스트레스 요인

① 개인의 생애 주기 별 사건과 동반하여 적응장애 증상들이 나타나기도 함

② 청소년기: 학교문제, 부모의 이혼

③ 성인: 결혼문제, 이혼, 새로운 지역 이주, 금전적인 문제

④ 생애 주기별 사건관련: 처음으로 등교하기, 부모와 떨어져 독립하는 것, 군입대, 결혼, 출산 및 육아, 직업적 실패 또는 은퇴

⑤ 단일한 사건일수도 있고 복합적으로 얽혀진 것일 수도 있음

(2) 정신역동적 측면

① 스트레스의 양상, 스트레스가 갖는 의식적, 무의식적 수준의 의미, 환자의 스트레스 취약성 등을 살펴봐야 한다.

② 동반된 성격장애나 뇌의 기질적 이상은 개인의 스트레스 취약성에 영향을 미칠 수 있다.

③ 유아기 때 부모를 잃거나, 정상적인 기능을 하지 못하는 가정에서 양육된 경험, 중요한 사람들이 환자에게 지지적이지 않았던 경험 등이 스트레스에 대한 정서적 행동적 반응에 영향을 끼칠 수 있다.

4) 진단기준 핵심(DSM-5)

1. 인식 가능한 스트레스 요인에 대한 반응으로 감정적, 행동적 증상이 스트레스 요인이 시작한 지 3개월 이내에 발달

2. 임상적으로 현저하며, 다음 중 한가지 또는 모두에서 명백
   ① 증상의 심각도와 발현에 영향을 미치는 외적 맥락과 문화적 요인을 고려할 때 스트레스의 요인의 심각도 또는 강도와 균형이 맞지 않는 현저한 고통
   ② 사회적 직업적 또는 다른 중요한 기능영역에서 현저한 손상

3. 다른 정신질환의 기준을 만족하지 않으며 이미 존재하는 정신질환의 단순 악화가 아니다.

4. 증상은 정상 애도 반응을 나타내는 것이 아니다.

5. 스트레스 요인 또는 그 결과가 종료된 후에 증상이 추가 6개월 이상 지속하지 않는다.

5) 임상양상

(1) 우울 기분 동반

저하된 기분과 함께 눈물이 자주 나며 절망감이 나타내게 됨. 주요우울장애나 애도 반응과 감별

(2) 불안동반

심계항진, 신경과민, 안절부절 못함, 과도한 걱정 등이 나타날 수 있다.

(3) 품행장애동반

타인의 권리를 침해하거나 사회적 규범을 어기는 행위 등, 기물파괴, 무단결석, 폭행 등

6) 치료

- 일반적으로는 임상의는 정신치료를 우선적인 치료방법으로 여기고, 충분한 효과는 없는 경우 약물치료를 시작한다(정신치료가 약물치료에 우선하는 일차치료-인격장애와 적응장애가 대표적).
- 환자의 정서 및 행동증상이 이차적 이득에 기인하였을 가능성 역시 고려해야 한다.
- 일부 환자들에게 적응장애 증상들은 책임의 회피, 주위 사람들로부터의 관심, 공감, 이해를 이끌어 내는 보상적 기능을 갖고 있기 때문이다.

(1) 정신치료

① CBT, interpersonal therapy, 부부 및 가족치료, MBCT, 문제 해결적 접근
② 단기정신치료-심리적 중재로 적절하다.

(2) 스트레스 상황에서 긴급한 도움이 필요한 경우

① 위기 중재, 사례관리를 시도할 수 있다.
② 지지적 기법: 제안하기, 안심시키기, 환경 개선 등을 통해 개입
③ 필요한 경우 입원을 권유할 수도 있다.

(3) 심리적 중재기법

① 스트레스 요인을 제거, 감소한다.
② 스트레스 상황에 적응할 수 있게 하는 실질적인 수단을 제공한다.
③ 스트레스 요인에 대한 반응을 개선하여 증상을 감소시키거나 부적응적인 행동을 변화시키는 것이다.

(4) 약물치료

① 근거는 아직 제한적이다.
② SSRI, 항불안제 단기간 처방

7) 경과 및 예후

적절한 치료와 중재만 이뤄진다면 일반적인 적응장애의 예후는 좋은 편이다. 대부분의 환자들은 스트레스 요인이 사라지면 3개월 안에 병전 기능 수준으로 회복된다. 하지만 이 질환이 자살의 위험성을 높일 수 있다는 사실(적응장애와 관련된 자살 행동은 25~50%에서 나타남)을 유의해야 한다.

4. 반응성애착장애(Reactive attachment disorder)

1) 개념

불충분한 양육환경, 사회적 방임으로 인한 선택적 애착형성의 장애를 일컫는다. 사회적 유대관계 형성 능력의 결여되어 있으며, 활기가 없거나, 작은 키, 저체중, 불량한 청결상태를 보일 수 있으며 신체 성장의 실패를 보이기도 한다.

2) 역학

유병률 자료는 거의 없으나, 전체 인구의 1% 미만으로 추정된다.

3) 진단기준 핵심(DSM-5)

1. 성인 양육자에 대한 억제되고 감정적으로 위축된 행동이 두 가지 모두의 형태로 지속적으로 나타난다.
   ① 아동이 고통스러울 때 위안을 전혀 찾지 않거나 최소한으로 찾음
   ② 아동이 고통스러울 때 위안에 대해 전혀 반응이 없거나 최소한으로 반응함
2. 지속적인 사회적 정서적장애가 다음 중 최소 두 가지 이상 나타난다.
   ① 타인에 대한 최소한의 사회적, 정서적 반응
   ② 제한된 긍정적 정동
   ③ 성인 양육자와 위협적이지 않은 상호작용을 할 때에도 이유를 알 수 없는 과민성, 슬픔, 또는 두려움 삽화
3. 아동은 극단적형태의 불충분한 양육 중 최소 한가지 이상을 경험하여야 한다.
   ① 성인양육자가 아동의 기본적인 정서적 욕구인 위안, 자극, 애정을 지속적으로 무시하는 사회적 방임 또는 결핍
   ② 안정적인 애착을 형성하기 어려울 정도로 주 양육자의 잦은 교체
   ③ 선택적 애착을 형성하기 어려운 특이한 환경에서 양육
4. 기준 3의 부적절한 양육형태가 1의 문제행동의 원인으로 추정됨
5. 자폐스펙트럼장애의 진단기준을 만족하지 않음
6. 장애는 5세 이전에 명확하게 나타남
7. 아동은 적어도 생후 9개월 이상의 발달연령은 되어야 함

4) 치료

아동이 안전하게 양육 받을 수 있는 환경을 마련해야 한다. 치료자들은 양육자들이 부적절한 양육 방식을 개선하고, 선택적 애착이 형성될 수 있는 양육환경을 조성할 수 있도록 교육한다.

5) 경과 및 예후

적절한 양육환경으로 옮겨 간다면 정상적인 애착을 형성할 수 있다. 방임의 기간이 길거나 그 정도가 심할수록, 방임으로 인한 신체 및 정서적 손상이 많을수록 예후는 좋지 않다.

5. 탈억제성 사회적 유대감장애(Disinhibited social engagement disorder)

1) 개념

반응성애착장애가 애착 행동의 부재가 주된 증상이라면 탈억제성 사회적유대감장애는 비 선택적 사회 친화적 행동이 특징이다.

2) 역학

발병률은 상당히 드문 장애이다.

3) 진단기준 핵심(DSM-5)

1. 낯선 성인에게 적극적으로 다가가고 상호관계를 맺는 행동이 다음 중 두 가지 이상의 형태로 나타난다.
   ① 낯선 성인에게 다가가고 상호작용하는데 조심성이 부족하거나 전혀 없다.
   ② 지나치게 친근한 언어표현이나 신체행동을 한다.
   ③ 낯선 환경에서조차 양육자가 곁을 떠나도 양육자를 찾는 행동이 미약하거나 전혀 없다.
   ④ 낯선 성인을 약간의 머뭇거림이나 전혀 망설임 없이 따라가려 한다.

2. 기준 A의 행동은 단지 충동성으로 인한 행동이 아니고 사회적으로 탈억제된 행동이어야 한다.

3. 아동은 다음과 같은 불충분한 양육 중 최소 한가지 이상 경험해야 한다.
   ① 성인양육자가 아동의 기본적인 정서적 욕구인 위안, 자극, 애정을 지속적으로 무시하는 사회적 방임 또는 결핍
   ② 안정적인 애착을 형성하기 어려울 정도로 주 양육자의 잦은 교체
   ③ 선택적 애착을 형성하기 어려운 특이한 환경에서 양육

4. 기준 3의 부적절한 양육형태가 1의 문제행동의 원인으로 추정됨

5. 아동은 적어도 생후 9개월 이상의 발달연령은 되어야 함

직접 양육자와 아동의 상호작용을 관찰하여 진단한다.

4) 임상양상

무분별하게 친밀한 행동을 보인다.

5) 치료

반응성애착장애와 마찬가지로 아동이 안전하게 양육 받을 수 있는 환경을 마련해야 하고 건강한 애착을 형성하는 것이다.

사례 예시 / 기출 문제

〈해설〉

1-01. 21세 남자가 3개월 전 운전을 하다가 트럭과 충돌하였다. 사고 당시 의식 소실과 두부 외상은 없었다. 그러나 사고 1개월 후 사고가 나는 악몽을 자주 꾸고 트럭만 보면 사고 장면이 떠올라서 괴로워하였으며 차를 타는 것을 피했으며 짜증이 많아졌다. 치료는?

① 아캄프로세이트 ② 리스페리돈

③ 모다피닐 ④ 라모트리진

⑤ 플루옥세틴

사고 1달 후 재경험, 회피, 과각성을 경험하고 있으므로 외상후스트레스장애(PTSD)입니다. 약물 치료로는 SSRI, TCA 등의 항 우울제를 사용합니다.

1-02. 25세 여자가 지하철 화재사고 후 반복적으로 악몽을 꾸며 깜짝깜짝 놀라며, 또 사고가 발생하지 않을까 걱정하여 지하철을 탈 수가 없다고 하였다. 최근에는 매사에 흥미를 잃고 일에 대한 의욕도 저하되어 휴직 중이었다. 이 환자에 대한 조치로 적합하지 않은 것은?

① 가능한 조기에 업무 복귀 ② 약물치료로 TCA 사용

③ 역동적 정신치료 ④ 혐오요법

⑤ 집단치료

① 치료 원칙적으로 외상 직후 시작, 집중치료시설에서 단기간 치료, 사회로 조기 복귀
② 약물치료: TCA, SSRI, MAO
③ 정신치료 crisis intervention, 역동적 정신 치료로 제반응(abreaction) 촉진
④ 행동치료는 혐오요법 대신 상상기법/실제 노출입니다. 혐오요법은 알코올중독의 치료에 씁니다.
⑤ 집단치료, 가족치료도 도움이 됩니다.

1-03. 43세 여자가 4개월 전 교통사고로 친구가 죽는 것을 목격한 후부터 사고 장면이 자주 떠오르고 작은 소리에도 많이 놀라며 차가 두려워서 외출을 하지 않으려 한다. 치료 약물은?

① 서트랄린   ② 올란자핀

③ 부프로피온   ④ 프로프라놀

⑤ 메틸페니데이트

2-01. 50세 여자가 불요해서 병원에 왔다. 2주일 전 오토바이 사고 현장에서 피를 흘리며 쓰러진 남자를 본 뒤 증상이 시작되었다고 하였다. 사고 장면이 자꾸 떠오르고 작은 소리에도 깜짝 놀랐으며 운전하는 것을 피했다고 하였다. 또한 낯설게 느껴지는 경험과 멍하게 있는 순간이 자주 있었다. 흐르는 물이 핏물처럼 보여 손을 씻다가 뛰쳐나오기도 했다고 하였다. 진단은?

2주일 전 사고에 대해 재경험, 회피, 과각성을 경험하고 있으며 비현실감, 해리성 증상을 호소하고 있습니다. 이 급성스트레스장애에 속하며, 이러한 증상이 1달 이상 지속되면 외상후스트레스장애(PTSD)로 진단명을 바꾸게 됩니다.

① 특정공포증   ② 강박장애

③ 범불안장애   ④ 외상후스트레스장애

⑤ 급성스트레스장애

정답   1-1 ⑤ 1-2 ④ 1-3 ① 2-1 ⑤

3-01. 2년 전까지 외국에서 살다가 전학 온 중학교 2학년 여학생이 전학 온 직후부터 1달 동안 두통과 소화불량, 불안, 불면을 호소하면서 주변에 짜증을 내고 학교에 가지 않으려 했으나, 요즘은 친구들을 사귀면서 증상이 많이 호전되었다. 진단은?

① 신체화장애　　　　② 범불안장애
③ 적응장애　　　　　④ 외상후스트레스장애
⑤ 급성스트레스장애

3-02. 암환자에서 가장 흔히 동반되는 질환은?

① 조현병
② 조증
③ 강박장애
④ 적응장애
⑤ 해리장애

해리장애
Dissociative Disorder

최인영 박주호 장진구 홍민하

Chapter

XV

Introduction

▶ 독특하고 극적인 증상으로 드라마나 영화의 소재로 자주 쓰이는 질환입니다. 기억상실, 다중인격발생 등 '빙의'나 '신들림'의 형태로 동양문화권에서 나타나기도 합니다. 신체 질환의 감별 시 빠뜨리지 말아야 하는 질환으로 임상증상은 잘 알고 있어야 합니다.

▶ 해리(dissociation)란 무의식적인 방어기제로 의식, 기억 정체성 등의 성격의 정상적인 통합기능에 급격하고 일시적인 변화가 일어나서 기능의 일부 부분이 상실되는 것입니다. 정신병리에서 공부했던 방어기제인 억압(repression)과 비슷할 수 있지만, dissociation은 주로 trauma 이후 발생하고, repression은 갈등이나 받아들일 수 없는 소망에서 기원하게 된다는 차이가 있습니다.

1. 해리성 기억상실(Dissociative amnesia)

1) 개념

(1) 자신에 대한 개인의 중요한 정보를 기억하지 못하게 되는데, 일반적인 건망증으로 설명하기에는 지나치게 광범위한 것이 특징이다(특정 사건과 관련되어 심적 자극을 준 부분을 선택적으로 기억을 못할 때도 있고, 사건 전체를 기억 못하는 경우도 있다).

(2) 기억 회상(recall)의 장애이며, 새로운 정보를 학습하는 능력은 남아 있다.

(3) 뇌의 질병이나 손상에 의한 상태와는 다르게 기억은 존재하지만 마음 속에 깊이 묻혀서 회상이 되지 않는 상태가 된다.

2) 역학

(1) 해리성장애 중 가장 흔하다. 기출

(2) 일반 인구의 2~6%에서 보고되고, 남녀간의 발생률 차이는 없다. 대개 후기 청소년기에서 성인기에 시작한다.

3) 원인

아동학대가 있었던 경우 학대의 기억에 대한 기억상실을 포함한 해리증상이 발생할 수 있다.

급성 해리성 기억상실이 발생하는 기저에는 사회 심리적 환경이 매우 혼란스러운 경우가 많다(견디기 힘든 수치심, 죄책감, 절망, 분노 좌절감을 경험).

정신역동적으로 강력한 성적, 폭력적, 자살과 연관된 강박과 같은 받아들이기 어려운 욕구나 충동에서 나온 갈등으로부터 발생한다.

4) 진단기준 핵심(DSM-5) 기출

1. 중요한 개인적 정보를 회상하지 못하는데, 대개 외상성이거나 스트레스성이며, 일상적인 망각과는 부합하지 않는다.
   (주의-대부분 특정사건이나 여러 사건에 대해서 국소적이거나 선택적인 망각을 특징으로 하거나, 자신의 정체성이나 살아온 기억에 대한 전반적인 망각을 보인다.)
2. 증상은 흔히 사회적 직업적, 또는 기능의 중요한 영역에서 임상적으로 유의한 고통이나 장애를 초래한다.
3. 장해가 물질이나 신경학적 또는 다른 의학적 상태가 원인이 아니다.
4. 장해가 해리성 정체성 장애, 외상후스트레스장애, 급성스트레스장애, 신체증상장애, 신경인지기능장애로 잘 설명되지 않아야 한다.
#. 해리성 둔주-자신의 정체성이나 자신에 대한 다른 중요한 정보를 망각하고 이와 관련되어 명백하게 목적을 가진 여행을 하거나 또는 당황스럽게 방황하는 행동을 보임

5) 임상양상 기출

(1) 갑작스러운 기억력의 상실과 동반된 해리장애증상으로 인해 응급실을 방문한다.

(2) 기억상실은 국소적(m/c), 선택적, 전반적, 지속적, 체계화된 경우 등 다양한 형태로 나타날 수 있다.

(3) 비전형적인 임상양상으로 우울, 감정기복, 물질남용, 수면장애, 자살, 자해 충동과 기억상실을 동반해서 나타나기도 한다.

6) 감별진단

(1) 일과성전체기억상실증(transient global amnesia, TGA)과의 감별이 중요

일과성전체기억상실 환자(TGA)에서는 자신의 신상에 관한 기억은 보전되어 있으며, 뇌혈관질환의 위험인자를 가진 50세 이후 60~70대에 호발한다. 전향성 기억상실증(anterograde amnesia)이고, 24시간 이상 지속되지 않고 기억이 서서히 호전(gradual return)된다.

(2) 감별이 필요한 상태

① 연령과 관계된 인지기능 저하

② 신경 퇴행성 질환에 의한 인지기능저하(치매, 섬망)

③ 기억상실 삽화를 동반한 신경학적 질환(간질, 외상 후 기억상실) 기출

④ 다른 신체 질환(천식, 생리전후장애 등)

⑤ 약물에 의한 기억상실(술, 수면제, 진통제, 환각제 등)

⑥ 다른 정신질환(우울장애, 강박증, 자살 생각, 정신병적 삽화 등)

⑦ 다른 해리장애

⑧ 스트레스나 트라우마 경험 후의 기억상실 → 모두 배제되는 경우 해리성 기억상실 진단

표 15-1. 해리성 기억상실과 일과성전체기억상실의 임상양상차이

일과성전체기억상실(Transient global amnesia)	해리성 기억상실(Dissociatvie amnesia)
Anterograde amnesia가 새로 발생 증상에 대해 염려 Personal identity 유지 전반적 기억상실 Vascular cause가 많은 고령	Anterograde amnesia는 없음 증상에 대해 염려하지 않음 Personal identity 상실 선택적 기억상실이 흔함 젊은 연령

7) 치료 기출

(1) 기억상실을 회복시키는 것이 중요하다.

(2) 인지치료, 그룹정신치료, 신체적 치료(예: 약물 매개 면담), 최면을 적용할 수 있다.

(3) 최면은 해리성 기억상실의 치료에 최면을 적용할 수 있다. 최면은 해리된 기억을 떠올리도록 촉진하고 환자를 지지하면서 자아강도를 강화함에 따라 해리된 기억을 통합하고 해결해 나가는데 유용한 것으로 알려져 있다.

(4) 약물치료: 동반된 증상에 도움을 줄 수 있으나, 기억회복에 도움을 준다고 알려진 약물은 없다.

8) 경과 및 예후 기출

(1) 알려진 것은 거의 없다. 급성 해리성 기억상실은 환자가 외상환경이나 압도당하던 환경에서 벗어나면서, 자주 자연스럽게 회복하는 것으로 보인다.

(2) 극단적인 경우에는 만성적인 형태에 이르기도 한다. 되도록 빨리 잃어버린 기억을 의식 수준으로 되돌리는 것을 시도해야 한다.

2. 해리성주체장애(Dissociative identity disorder)

1) 개념

이전 다중성격장애로 불리던 장애로, 두개 이상의 별개인 성격이 존재하는 것이 특징이다.

Ex) 반지의 제왕 골룸, 아수라 백작, 야누스

2) 역학

체계적인 역학 데이터는 거의 없으나 임상연구에서 남녀간 성비가 1:5~1:9에 이르는 것으로 보고된다.

3) 원인

대개 학대와 같은 심한 소아기 외상경험과 강하게 연관된다. 해리성주체장애가 있는 소아와 성인에서 보고된 심한 아동기 외상경험은 85~97%에 이른다.

4) 진단기준 핵심(DSM-5)

1. 둘 또는 그 이상의 각기 구별되는 성격 상태로 특징지어지는 주체성의 붕괴가 나타나는데, 몇몇 문화에서는 빙의의 경험으로 보기도 한다(이러한 징후와 증상은 다른 사람에 의해서 관찰되거나 개인에 의해서 보고될 수 있다.).
2. 매일의 사건의 회상, 중요한 개인정보, 그리고/또는 외상적 사건에 대한 회상에서 반복적인 공백이 있는데, 일상적인 망각과는 차이가 있다.
3. 증상이 사회, 직업 또는 다른 기능 영역에서 심각한 고통이나 장해를 초래한다.
4. 문화, 종교적인 행위에서 받아들여지는 정상적인 부분이 아니다.
5. 물질이나 다른 의학적 상태로 설명되지 않아야 한다.

5) 임상양상

(1) 정신상태(mental status)

주의 깊고 자세한 정신상태 평가가 진단에 있어 필수적이다. 조현병, 경계성 성격장애, 꾀병으로 잘못 진단되기 쉽다.

(2) 기억과 기억상실증상

일반적인 건망증으로 설명되기 어려운 광범위한 기억상실증이 해리성 기억상실경험에서 보인다. 그 발생과 종결이 분명하게 나누어지는 특징을 보인다.

(3) 성격의 해리적 변환

① 여러 명 중 어떤 사람이 혼자 나타나거나 또는 여럿이 자기 자신에 관해 언급하는 형태를 나타낸다. 환자들은 그들 자신이나 다른 사람들을 일컬을 때 그들 자신의 이름으로 표현하거나 해리된 자기 자신에 대한 표현으로 써 '숙주'와 같은 표현을 쓴다.

② 서로 적절한 이름으로 부르거나 주된 성향이나 기능에 따라 지명되기도 한다.

(4) 다른 관련 증상들

① 대부분의 환자들은 기분장애 진단기준을 만족한다.

② 해리성주체장애의 경우 강박성 성격 특성이 흔하게 있을 수 있다. 외상후스트레스장애의 특징적인 면을 가질 수 있다.

6) 감별진단

의인성 모방, 꾀병 형태의 해리성주체장애(상황을 과장하고 거짓말하며 반사회적 행동을 덮기 위해 증상을 활용하거나 관찰하에 더욱 증상을 과장하고 거짓말하는 것)

해리성주체장애 환자들은 대개 병 자체로 혼란스럽거나 갈등하고 부끄러워하며 증상과 외상의 과거력에 대해 스트레스를 받는다.

7) 치료

(1) 정신치료 및 인지치료

정신분석적 정신치료, 인지치료, 행동치료, 최면치료 가족치료, 지속적 치료를 통해 증상을 조절해 주고 전반적인 일상 생활의 장애를 조절하는 선에서 도움을 필요로 한다.

(2) 최면

① 종종 자기 파괴적 충동이나 플래시 백, 해리성 환각, 수동적으로 영향받는 경험을 완화시켜 줄 수 있다.
② 최면은 특정성격변환 상태를 접근할 때와 이로 인한 기분과 기억을 다룰 때 유용할 수 있다.

(3) 정신약물학적 방법

항우울제: 침습증상, 과각성, 불안증상 등을 조절하기 위해 사용된다.

8) 경과 및 예후

(1) 치료받지 않은 해리성주체장애의 자연 경과에 대해서는 알려진 바는 거의 없다.
(2) 기질적 정신장애, 정신병적장애, 재발성 물질남용, 식이장애 등을 동반할 경우 더 나쁜 예후를 시사한다.

3. 이인성장애/비현실감장애(Depersonalization disorder/Derealization disorder)

1) 개념

(1) 이인증(depersonalization)

자신으로부터 분리되어 있거나 떨어져 있는 느낌이 지속적 또는 자주 나타나는 것을 말한다. 흔히 스스로를 감정이 없는 로봇이나 기계와 같은 느낌이 들고, 자신으로부터 떨어져서 마치 자신을 보고 있는 느낌을 보고하기도 한다.

(2) 비현실감(derealization)

자신의 환경으로부터 떨어져 환경이 실재적이지 않은 느낌을 말한다. 증상을 경험하지만 현실검증력은 유지되고 있다.

2) 역학

일시적으로 나타나는 이인증과 비현실감은 정상인과 임상 환자군 모두에서 흔한 것으로 알려져 있다. 이인증/비현실감 장애는 정확한 유병률은 알려져 있지 않고 다소 드문 것으로 추정이 된다.

뇌전증 환자나, 편두통 환자에서 흔히 나타날 수 있고, 마리화나, 항콜린성 약제에서도 유발될 수 있다.

3) 원인

(1) 정신사회적 요인

고통스러운 경험이나 갈등을 일으키는 사건에 직면해서 감정을 방어하는 것으로 생각된다.

(2) 생물학적 요인

외상적 스트레스가 중요한 유발요인으로 생각되며, 세로토닌, NMDA subtype이 이인증 발생에 관여하는 것으로 추정된다.

4) 진단기준 핵심(DSM-5)

---

1. 지속적, 또는 재발성 이인증, 비현실감 또는 양쪽 모두가 존재한다.
   ① 이인증
   ② 비현실감
2. 이인증 또는 비현실감을 경험하는 동안 현실검증능력은 정상적으로 유지된다.
3. 증상이 사회, 직업 또는 다른 기능 영역에서 심각한 고통이나 장해를 초래한다.
4. 물질이나 다른 의학적 상태로 설명되지 않아야 한다.
5. 조현병, 공황장애, 주요우울장애, 급성 스트레스장애, PTSD, 또는 다른 해리성장애와 같은 다른 정신장애로 더 잘 설명되지 않아야 한다.

---

5) 임상양상

(1) 신체지각의 변화가 특징적이다. 관찰자 또는 배우와 같은 느낌으로 자기 자신을 타인과 같이 느낀다. 또한 자신의 감정으로부터의 분리되어 있다.

(2) 환자들은 종종 '내가 없는 것 같다', '내가 나 자신으로부터 떨어져 나와 있는 것 같다'라고 표현하기도 하고 '내가 죽은 것 같다', '손이나 발 같은 신체의 한 부분이 다른 부분과 떨어져 있는 느낌'이라고 표현한다.

(3) 타인과도 분리된 느낌을 받아서 개인은 자신이 안개 속에 있거나 꿈 속에 있는 듯한 느낌, 외부 세계와 자신 사이에 벽이 있는 느낌 등 자신을 둘러싼 외부가 생명이 없는 인공적이고, 무색인 것처럼 느껴질

수도 있다.

6) 감별진단

다양한 약물의 중독과 금단의 결과에서 비롯될 수 있다. 또한 신경학적 상태(뇌전증, 뇌종양, 뇌진탕 후 증후군), 및 기타 정신질환(정신분열증, 주요우울장애, 다른 해리성장애)과 감별이 필요하다.

7) 치료

(1) 일시적인 이인증은 안심시켜주는 지지적 접근만으로도 호전된다. 병원에 찾아오는 이인성장애 환자의 경우 약물치료에 반응하지 않는 경우가 많다. 약물(SSRI, 벤조디아제핀)이 도움이 된다는 보고가 있다.

(2) 정신치료: 인지행동치료, 최면치료, 지지적 정신치료 등이 도움이 될 수도 있다.

8) 경과 및 예후

(1) 기분증상, 정신병적증상, 불안증상을 동반하는 이인증은 이러한 증상의 치료에 따라 호전되기도 한다.

(2) 기능저하는 일시적이나, 재발이 잦으며, 만성적인 경과 등 다양하게 나타날 수 있다. 1/3은 분명한 삽화를 보인 후 소실되고 1/3은 증상이 지속, 1/3은 삽화적 경과를 겪는다.

4. 기타 해리장애(Other specified dissociation disorder and unspecified dissociation disorder)

1) 해리성 황홀경장애(Dissociative trance disorder)

(1) 무당의 신내림, 빙의, 종교적 체험, 환각제 중독상태 등과 유사한 현상이 병적으로 나타나는 것이다.

(2) 몽환 상태와 빙의장애(trance and possession disorder)로 분류한다.

2) 간저 증후군(Ganser's syndrome)

의식의 혼탁이 동반된 상태에서 질문의 의미를 알면서도 정답이 아닌 비슷한 대답을 하는 경우, 잘못된 답변을 하지만, 질문의 의미는 알고 있다.

Ex) 2더하기 2는 5라고 하거나 연필을 보고 열쇠라고 대답하기도 한다. 대표적으로 재판을 앞둔 피고인에서 흔히 나타난다.

〈해설〉

1-01. 21세 남자가 서울에서 실종되고 1년 후 부산에서 발견되었다. 그는 새로운 직업을 갖고 있었으며 그 전의 자신에 대한 기억은 전혀 하지 못하였다. 진단은?

① 해리성 둔주 ② 해리성 황홀경
③ 이인성장애 ④ 다중인격
⑤ 캔서증후군(Ganser syndrome)

해리성 둔주–자신의 정체성이나 자신에 대한 다른 중요한 정보를 망각하고 이와 관련되어 명백하게 목적을 가진 여행을 하거나 또는 당황스럽게 방황하는 행동을 보입니다.

1-02. 해리성 기억상실의 특징에 관한 설명으로 옳은 것은?

가. 기억의 회복은 서서히 이루어진다.
나. 기억상실은 갑자기 발생한다.
다. 흔히 의식의 저하가 동반된다.
라. 기억상실은 특정 사건에 국한된다.

① 가, 나, 다 ② 라
③ 가, 다 ④ 가, 나, 다, 라
⑤ 나, 라

해리성 기억상실–갑자기 나타나 일시적으로 지속되었다가 갑자기 회복됩니다.
기억상실 상태에서 의식은 명료하며, 의식장애가 있으면 기질성을 의심합니다. 스트레스가 심했던 사건에 대한 기억만 망각하기도 합니다.

〈해설〉

1-03. 52세 여자가 교통사고로 아들을 잃고 장례를 치르던 중 갑자기 아들이 살아 있는 것처럼 기억을 상실한 행동하여 병원에 왔다. 이 환자에 관한 설명으로 옳은 것은?

① 최면요법이 도움이 된다.
② 신경학적 검사는 필요 없다
③ 초기 정신분석을 실행한다.
④ 전기경련요법을 실시한다.
⑤ 약물치료는 회복을 방해한다.

① 최면-해리성 기억상실의 치료에 최면을 적용할 수 있습니다. 해리된 기억을 떠올리도록 하는 것을 촉진, 해리된 기억을 통합하고 해결해 나가는데 유용한 것으로 알려져 있습니다.
② 기질적 원인의 감별이 필요합니다.
③ 정신치료는 기억이 회복된 뒤 시행해야 합니다.
④ 전기경련요법과는 무관합니다.
⑤ 약물 치료해 볼 수 있고, 회복을 방해하지 않습니다.

1-04. 해리성장애에서 가장 많은 형은?

① 기억상실　　　　② 이인증
③ 다중인격　　　　④ 경련
⑤ 갠서 증후군(Ganser syndrome)

해리성 기억상실-해리성장애 중 가장 흔합니다.

신체증상 및 관련 장애

Somatic Symptom and Related Disorders

박주호 오진욱 장진구 홍민하

Chapter

XVI

Introduction

▶ 신체증상 및 관련 장애(somatic symptom and related disorders)의 환자들은 여러 다양한 신체 증상과 징후들로 인해 일상생활에 불편함을 느끼지만 특정한 병리적 소견이나 병태생리가 뚜렷이 관찰되지 않습니다. 결국 불필요한 검사를 반복적으로 시행하고 여러 병원을 찾아 doctor shopping을 하게 되는 경우가 많습니다.

▶ 평가와 치료에 있어 심리, 의학적, 사회문화적인 면을 포함한 포괄적 접근이 필요합니다. 신체 증상을 호소하는 것을 통해 환자 역할(sick role)을 하고, 이로 인해 다양한 이차이득(secondary gain)을 얻으려고 하는 무의식적인 동기가 보이는 경우가 있습니다. 무엇보다 중요한 것은 환자가 호소하는 증상이 가짜이거나 의식적으로 만들어 낸 것이 아니라 실제로 불편함과 고통을 느끼고 있다는 것이고, 이에 대해 공감해주는 것이 필요합니다.

표 16-1. DSM 변화에 따른 신체증상 및 관련 장애 진단 카테고리와 진단명 비교

DSM-IV-TR		DSM-5	
신체형장애	신체화장애	신체증상 및 관련 장애	신체증상장애
	미분화형 신체화장애		
	통증장애		
	달리 분류되지 않은 기타 신체형장애		
	건강염려증(신체증상 있음)		
	건강염려증(신체증상 없음)		질병불안장애
	전환장애		전환장애
	신체이형장애	강박증상과 관련 장애	신체이형장애
인위성장애	인위성장애		인위성장애
임상적 관심의 대상이 될 상황	의학적 상태에 영향을 미치는 심리적 요인	신체증상 및 관련 장애	의학적 상태에 영향을 미치는 심리적 요인

1. 신체증상장애(Somatic symptom disorder)

1) 개념

신체증상에 대한 오해에 근거, 심각한 질환에 이환되었을 것이라는 생각과 집착, 이로 인한 일상생활의 어려움이 6개월 이상 지속되는 것이 특징이다. 의학적으로 설명이 안 되는 증상(medically unexplained symptoms)을 호소한다.

2) 역학

(1) 새로 도입된 진단이므로 정확한 역학정보는 알려지지 않았다. 일반 인구(general population)에서 3.8%, 신체 질환이 있는 집단에서 5.8%, 6개월 유병률은 4~6% 정도, 여성이 남성보다 흔하며(F>M), 20~30대에서 가장 흔하게 시작한다.

(2) 교육기간이 짧을수록, 사회경제적 지위가 낮으며, 스트레스를 받는 일상 사건들을 최근에 경험한 사람들에서 흔하다.

3) 원인

신체에서 경험하는 신체 감각을 과도한 수준으로 인식한다. 역치가 정상인에 비해 매우 낮다.

외부 환경에 대한 인식보다 신체 감각에 예민, 내부 자극의 유무에 집중한다(→ 내부 정보에 대한 왜곡된 스키마에 기반된 처리 경향).

4) 진단기준 핵심(DSM-5)

1. 고통스럽거나 일상에 중대한 지장을 일으키는 하나 이상의 신체증상이 있다.
2. 신체증상 혹은 건강염려와 관련된 과도한 생각, 느낌 또는 행동이 다음 중 하나 이상으로 표현되어 나타난다.
   ① 증상의 심각성에 대한 편중되고 지속적인 생각
   ② 건강이나 증상에 대해 지속적으로 높은 수준의 불안
   ③ 증상 또는 건강염려에 대해 지나친 시간과 에너지 소비
3. 어떠한 하나의 신체 증상이 지속적으로 나타나지 않더라도 증상이 있는 상태가 지속된다(전형적으로 6개월 이상).

5) 임상양상

신체증상에 대한 역치가 낮아 쉽게 불편감을 느낀다. 자신의 신체증상의 심리적 원인을 찾는 데 익숙하며, 그런 경향이 강할수록 증상으로 인한 생활의 기능손상이 크다. 원인을 찾는데 여러 병원과 진료과를 돌며 많은 검사를 하지만 명확한 양성 결과가 나오지 않는다. 결과와 설명을 듣고도 병이 있다는 확신은 강해지고, 같은 행동이 반복된다. 우울과 불안 증상이 흔히 동반된다.

6) 치료

(1) <u>우위에 있는 치료법으로 알려진 것은 없으며, 경과와 예후에 대한 정보도 거의 없다.</u>

(2) 인지행동치료, 정신치료, 집단치료 등이 효과적이다. 지지적이고 공감적인 태도로 환자의 기능을 회복하는 것에 집중하는 것이 필요하다.

(3) 의사와의 규칙적인 만남, 정기적으로 계획된 신체검진을 시행한다. (→ 환자를 안심시킨다) 뚜렷한 객관적인 증상이 있을 경우에 침습적인 검사를 한다. 신체 질환이라고 시인도 부인도 하지 않는다.

(4) 우울장애, 불안장애가 동반되어 있을 때는 약물 치료도 호전에 도움이 될 수 있다.

7) 기타 알아야 될 사항

• Non-psychiatric medical condition과의 감별이 필수적이다.

 Ex) AIDS, myasthenia gravis, multiple sclerosis, SLE 등

• 다수의 신체질환을 호소하는 노인에게서도 흔하게 발견된다.

2. 질병불안장애(Illness anxiety disorder)

1) 개념

<u>자신에게 심각한 질병이 생기고 있거나, 생겼다는 가능성과 연관된 불안 및 이에 대한 집착을 특징으로 한다.</u>

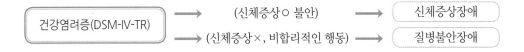

2) 역학

(1) 일반 신체질환 환자 집단에서 4~6%에서 발생하며 고령에서 더 흔하다.

(2) <u>남=녀, 인종, 사회적 지위, 교육 수준, 결혼 여부에 따른 차이는 없다.</u>

3) 원인

현실에서 감당하기 어려운 상황에 부딪혔을 때 환자역할(sick role)을 함으로써 의무에서 벗어나는 것(somatic symptom disorder와 유사)으로 회피하려는 것이 원인 중 하나이다.

4) 진단기준 핵심(DSM-5)

1. 심각한 질병에 걸려 있거나 걸리는 것에 대해 몰두한다.

2. 신체증상들이 나타나지 않거나, 신체증상이 있더라도 단지 경도 정도다. 다른 병이 있거나 고위험이 있을 경우라고 해도 병에 대한 몰두가 명백히 지나치거나 부적절하다.

3. 건강에 대한 높은 수준의 불안이 있으며, 건강 상태에 대해 쉽게 경각심을 가진다.

4. 지나친 건강 관련 행동(예. 반복적으로 질병의 신체 징후를 확인함)을 보이거나 순응도가 떨어지는 회피 행동(예, 의사 예약과 병원을 회피함)을 보인다.

5. 질병에 대한 몰두가 적어도 6개월 이상 지속, 몰두하는 질병은 변할 수 있다.

6. 다른 정신질환으로 더 잘 설명되지 않는다. → 돌봄을 찾는 군과 그렇지 않는 군으로 구분된다.

5) 임상양상

분명히 심각한 질병에 있을 것이라는 믿음이 있다(망상 수준은 아니다). 불안으로 일상생활에 지장이 생긴다. 검사상 정상 소견 치료진의 설득에도 바뀌지 않는다. 시간이 지나면서 다른 질환으로 그 믿음이 이환되기도 한다.

6) 치료

치료에 거부적이어서 호전이 어렵다(병식이 낮다). 인지행동치료, 정신치료, 집단치료 등이 효과적일 수 있다. 환자의 질병에 집중하기 보다는 서서히 환자의 사회적, 대인관계의 어려움에 focus하는 전략을 사용한다. SSRI가 일부에서는 효과적일 수 있다.

3. 전환장애(기능성 신경학적 증상장애)[Conversion disorder (functional neurological symptom disorder)]

1) 개념

과거의 히스테리(hysteria), 히스테리 신경증이라고 불리던 질환이다.

Ex) Anna O 사례. 무의식적 갈등에 의하여 히스테리증상이 생긴다는 프로이드의 주장

전환(conversion)이란 정신적인 에너지가 신체증상으로 변화되었다는 의미이다. 급격한 감각 또는 수의운동 기능의 상실로 나타난다. 환자 스스로 증상을 조절할 수 없고, 의도적으로 만들어낸 증상이 아니다.

2) 역학

10만 명당 53명, 0.5%의 유병률을 보인다. 사춘기나 성인 초기에 발병하는 경우가 많고 여성이 흔하다(남성에 비해 2~10배 이상). 전쟁 상황, 형무소, 사회 하층민, 농촌 거주자, 저학력자, 지능이 낮은 자들에게 많다. (스트레스의 정도가 높고 대처능력이 부족하기 때문)

3) 원인 `기출`

(1) 정신역동 측면의 원인이 잘 알려져 있다.

(2) 무의식적인 정신내적 갈등을 억압(repression), 불안을 신체적증상을 전환(conversion)한다.

(3) 갈등의 원인을 외부로 투사(projection)한다.

(4) 전환(conversion) 증상은 무의식적 갈등에 대해 상징적 의미이다. 신체증상을 통해 내적갈등을 의식하지 않도록 하는 이득(일차성 이득)을 얻게 되고 전환증상(예: 팔의 마비, 말을 할 수 없음 등)으로 곤란한 상황을 피할 수 있고, 주위의 관심도 받을 수 있다(이차성 이득). 증상에 대해서는 별로 걱정하지 않는 무관심한 듯 보이는 태도(la belle indifference)가 나타나기도 한다.

(5) 생물학적 가설의 측면에서는 대뇌 피질과 망상체 사이의 되먹임에 이상이 생겨 나타난다고 설명한다.

4) 진단기준 핵심(DSM-5)

> 1. 하나 또는 그 이상의 변화된 수의적 운동이나 감각 기능의 증상이 있다.
> 2. 임상 소견이 증상과 인정된 신경학적 혹은 의학적 상태의 불일치에 대한 증거를 제공한다.
> 3. 다른 의학적 또는 정신질환으로 더 잘 설명되지 않는다.
> 4. 기능 영역에서 현저한 고통이나 손상을 초래하거나 의학적 평가를 요한다.

5) 임상양상

수의운동장애 및 감각장애로 나타난다(마비, 감각 이상, 시각 상실, 난청, 실성증-aphonia). 가장 흔한 증상은 마비, 시력 상실, 함구증이다.

운동증상으로 보행장애, 무력증, 마비, 떨림, 운동 이상(dyskinesia), 틱(tic), 횡격막 수축, 실신(syncope) 등이 나타날 수 있다.

`TIP` 좋은 예후를 시사하는 임상양상 `기출`

급성발병 된 경우, 스트레스 요인이 뚜렷할 때, 병전에 적응 정도가 좋았던 경우, 다른 정신과적 장애가 없을 때

6) 감별진단

(1) 다발성 경화증, 뇌종양, 간질, AIDS, 중증 근무력증, 주기성 마비, Guillain-Barre 증후군, 시신경염, 전신 홍반 루프스

(2) 꾀병, 인위성장애

7) 치료

급성전환증상은 대개 특별한 치료 없이 자연 소실되지만, 만성화되면 환자 역할(sick role) 및 퇴행(regression)될 수 있다. 우선 환자에 대한 철저한 검사를 하여 신체질환을 감별하고 불필요한 같은 검사를 재검하도록 허용해 주시 않는다.

정신치료, 행동치료가 효과적이며, 증상이 급성일 경우 벤조디아제핀계 약물(lorazepam)주사 투여를 고려해볼 수 있다.

8) 기타 알아야 될 사항

(1) 우울장애, 불안장애, 신체화장애와 관련이 깊다.

(2) 성격장애와 종종 동반 이환된다.

(3) 최근에는 뇌신경 기능변화 가설도 원인으로 제시된다(between cerebral cortex & brain stem reticular formation, negative feedback loop, excessive cortical arousal 등).

4. 의학적 상태에 영향을 미치는 심리적인 요인들 (Psychological factors affecting other medical conditions)

1) 개념

심리적 요소들이 신체질환의 부분적인 원인이 되거나 질병의 경과에 영향을 줄 수 있다.

2) 진단기준 핵심(DSM-5)

---

1. 의학적 증상이나 상태(정신질환을 제외한)가 존재한다.
2. 심리적 혹은 행동적 요인이 다음과 같은 방식 중 하나로 의학적 상태에 악영향을 준다.
   ① 심리적 요인들과 의학적 상태의 발생, 악화 혹은 회복 지연과의 밀접한 시간적인 연관성을 볼 때, 요인들이 질병의 경과에 영향을 줌
   ② 요인들이 의학적 상태의 치료를 방해함(예: 낮은 순응도)
   ③ 요인들이 사람에게 확실히 알려진 추가적인 건강상의 위험이 됨
   ④ 요인들이 기저의 병태생리에 영향을 주고, 증상을 유발하거나 악화시키며, 혹은 의학적 관심을 필요하게 함
3. 진단기준 2의 심리적이고 행동적 요인들이 다른 정신질환으로 더 잘 설명되지 않는다(예: Panic disorder, MDD, PTSD).

---

3) 분류(Classifcation)

(1) 스트레스(stress)

① 자율신경 자극(교감신경) → 고혈압, 빈맥, 심박동수 증가

② noradrenergic system 활성화 → catecholamine ↑ → serotonergic system 활성화

③ 시상하부 → corticotropin releasing factor (CRF) → 뇌하수체의 ACTH 분비를 촉진 → 시상하부에서 glucocorticoid 합성, 분비 ↑

④ immune system 활성화 → interlukin-1 or 6 분비, glucocorticoid를 통해

(2) 위험한 생활양식

① 흡연(smoking)

심근경색, 말초혈관질환, 뇌졸중과 연관됨. 고혈압과 고지혈증이 있는 경우 → 흡연이 관상동맥질환의 위험성을 야기시킨다. lung ca. 및 우울증 및 불안 등의 일부 정신질환과도 연관이 있다.

② 비만(obesity)

고혈압, 고지혈증, 당뇨와 연관됨. 대장암, 유방암, 난소암, 자궁암과 같은 여러 암의 발생률을 높힌다. 폐 기능 이상, 수면 무흡증, 간 이상, 혈전증에도 기여한다.

③ 음주(alcohol)

과도한 음주는 질병뿐만 아니라 사고로 인한 injury or suicidal event와도 연관성이 있다.

(3) 성격 양상

조급함, 공격적임, 경쟁심, 적개심, 화를 잘 냄, 과도한 성취욕구 등이 특징인 사람의 경우(Type A personality) 혈중 카테콜아민과 지방을 증가되고 관상동맥 질환 위험성이 높다.

(4) Specific organ systems

① Gastrointestinal system

정신과 협진 의뢰가 흔하다(n/v, diarrhea, abdominal discomfort). GI disorder의 대다수가 기능성 질환이며 불안, 우울, 신체화가 흔히 동반된다. 항우울제나 인지행동치료가 도움이 된다. 이외에도 소화성 궤양, 궤양성 장염 등도 심리적 요인이 원인이 될 수 있다.

② Musculoskeletal disease

스트레스로 인한 요통, 섬유근육통(fibromyalgia), 류마티스 관절염(rheumatoid arthritis), 전신 홍반성 난창(systemic lupus erythematosus) 등과 연관이 있다. 정신증, 섬망, 인지기능장애 유발, 스테로이드가 정신질환을 악화시킨다.

③ Endocrine system

정신과적 질환과 구분이 어려울 수 있다. 갑상선기능항진증(hyperthyroidism)은 정신과적으로 불면증, 피로, 감정 조절 어려움 등을 유발할 수 있다. 심할 경우 paranoid ideation, delirium까지 유발되나 갑상선 치료가 되면 정신증상의 대부분이 호전된다.

④ Respiratory disease

우울, 불안이 동반되는 경우가 많다. 천식 환자 중 30%가 panic, agoraphobia 진단을 받는다. 정신과질환과 동반되었을 경우 항불안제, 항우울제가 치료에 도움이 된다.

⑤ Headache

- 긴장성 두통(tension type headache)가 m/c, bilateral이 특징(migraine은 보통 unilateral)
- 기질적 원인이 있는 경우 보다 불안, 우울로 인한 경우가 흔하다.
- Stress를 받을 시 두부, 경부의 근육의 수축되고 혈관이 눌리면서 두통이 유발된다고 알려져 있다.

5. 인위성장애(Factitous disorder)

1) 개념

자신이나 자신을 돌보는 사람에게 고통스럽고, 생명을 위협하는 부상을 입히면서 질병을 가장하거나 유도, 악화시킨다. 책임 회피나 경제적 이득을 얻기 위함은 아니다(malingering과의 차이점).

2) 역학

포괄적인 역학 자료는 없다. 정신과 자문 의뢰 환자의 약 0.8~1.0% 정도로 예상되며 여성이 3배 이상 많다. 20~40세에서 호발하며 간호나 의료 관련 직업 및 교육력과 연관성이 있다.

3) 원인

(1) 어린 시절 학대나 정서 박탈을 경험한 경우가 많다. 환자 역할에 따르는 보살핌과 관심을 얻기 위함이다.

(2) 피학적 성격(masochistic personality)의 경우 수술이나 침습적 진단 과정을 추구하는 경향이 있다. 주된 방어기제로 억압, 공격자와의 동일시, 퇴행, 상징화 등을 사용한다.

4) 진단기준 핵심(DSM-5)

스스로에게 부여된 인위성장애	타인에게 부여된 인위성장애
1. 분명한 속임수와 관련되어 신체적이거나 심리적인 증후나 증상을 허위로 조작하거나, 상처나 질병을 유도한다.	
2. 다른 사람에게 자기 자신이 아프고, 장애가 있거나 부상당한 것처럼 표현한다.	2. 제3자(피해자)가 아프고, 장애가 있거나 부상당한 것처럼 다른 사람에게 내보인다.
3. 명백한 외적 보상이 없는 상태에서도 기만적 행위가 분명한다.	
4. 행동이 망상장애나 다른 정신병적 장애와 같은 다른 정신질환으로 더 잘 설명되지 않는다.	

5) 임상양상

(1) 입원을 자주 한다.

(2) 병에 대한 가짜 증거를 만든다(체온계의 온도를 높이려고 손으로 비비는 행위).

(3) 의도적으로 병의 증상을 만든다(인슐린을 맞아서 저혈당 상태로 만드는 행위).

(4) 우울, 망상, 환청 등을 호소, 이상 행동을 하여 정신병처럼 보이기도 한다.

6) 치료

치료는 매우 어렵다. 치료적 관계가 중요하며 치료자의 역전이에 대해 주의해야 하며, 법적이고 윤리적인 문제를 염두에 두고 진료해야 한다.

6. 달리 명시된 신체증상 및 관련 장애
(Other specified somatic symptom and related disorder)

위 범주는 임상적으로 현저한 고통이나 손상을 일으키는 신체증상 및 관련 장애의 특징적인 증상들이 두드러지지만, 신체증상 및 관련 장애의 진단 부류에 속한 장애 중 어떤 것에도 완전한 기준을 만족하지 않을 경우에 진단한다.

대표적인 예로 상상임신을 들 수 있다(임신이 아닌데 징후가 나타나거나 관련된 증상을 호소하여 임신을 했다는 망상).

1-01. 45세 여자가 소화불량과 상복부 불쾌감, 가슴이 답답하고 어지러움을 호소하여 병원에 왔다. 다양한 증상을 호소하였으나 표현이 애매하고 수시로 변한다고 하였다. 20대 초부터 비슷한 증상들로 여러 병원에서 검사를 받았지만 이상소견은 없었다. 이 환자에 대한 조치로 적합한 것은?

① 우선적으로 인지행동치료를 시행한다.

② 환자의 요구대로 검사를 반복해서 시행한다.

③ 만성우울증이나 신체증상장애와의 감별을 요한다.

④ 다양한 과의 의사가 협진을 통해 치료하는 것이 원칙이다.

⑤ 증상이 심인성이라고 인식시키려는 것은 악화의 가능성이 있으므로 피해야 한다.

〈해설〉

① 인지행동치료 및 약물치료(항우울제, 항불안제)가 병행되어야 효과적이다. 환자가 경험하는 증상 조절은 약물치료가 우선입니다.

② 환자의 요구대로 검사를 반복하기 보다는 정기적인 검진이 효과적입니다.

④ 한 명의 의사가 일관적인 만남, 주기적인 검진이 도움됩니다.

⑤ 궁극적으로는 환자의 증상이 심인성임을 인식시키는 것이 필요합니다.

1-02. 40세 여자가 병원에 왔다. 환자는 여러 장기에 관련된 다양한 신체증상을 지루하고 장황하게 설명하였다. 그간 여러 병원에서 검사를 하였으나 이상이 발견되지 않았고, 환자는 의사들이 자신의 병의 원인을 찾지 못한다고 생각하였다. 이 환자에게 적합한 조치는?

① 신체증상은 무시한다.

② 이차적 이득은 직면을 통해 막는다.

③ 여러 전문분야의 의사들이 개입한다.

④ 같은 검사를 반복하여 환자를 안정시킨다.

⑤ 정신분석치료보다는 지지정신치료가 효과적이다.

① 환자가 경험하는 신체증상을 치료자가 인정하면서 불편감을 경감시키는 것에 초점을 두어야 합니다. 환자를 안심시키는 것이 중요합니다.

② 직면은 환자의 저항 및 거부감을 불러일으켜 치료적 관계에 도움이 되지 않습니다.

③, ④ 한 명의 의사가 일관적인 만남, 주기적인 검진이 도움됩니다.

⑤ 환자를 안심시키는 것에는 지지정신치료가 효과적입니다.

1-03. 신체증상장애 환자의 치료에 대한 설명으로 옳은 것은?

① 신경안정제는 약물의존이 강하므로 금기이다.

② 정신치료는 분석적인 방법이 좋다.

③ 치료적 관계를 위해 신체질환임을 시인해 준다.

④ 처음 내원 시 세밀한 이학적 검사를 시행한다.

⑤ 증상이 심인성이므로 가급적 무시한다.

① 우울장애, 불안장애가 동반되어 있을 때는 약물 치료도 호전에 도움이 됩니다.

② 환자를 안심시키는 것에는 지지 정신치료가 효과적입니다.

③ 환자의 증상에 고착화(fixiation)을 일으킬 수 있어 신체질환임을 시인해서는 안됩니다.

④ 환자가 요구하는 대로 반복적인 검사는 피해야 하지만 처음 내원 시에는 필요한 검사를 자세히 시행하는 것이 필요합니다.

⑤ 환자의 증상을 치료자가 이해하고 환자를 안심시키는 것이 중요합니다.

1-04. 신체증상장애에 대한 다음 설명 중 옳지 않은 것은?

① 동시에 여러 부위의 신체증상을 호소한다.

② 30세 이전에 발생을 하고 만성경과를 거친다.

③ 여자에서 남자보다 더 흔히 발생한다.

④ 신체증상을 의도적으로 만들어낸다.

⑤ 흔히 환자는 Doctor shopping을 한다.

① 신체증상장애에서 다수의 신체증상을 호소하는 것이 특징입니다.

② 20~30대에서 m/c onset, 치료되지 않으면 만성경과를 거칩니다.

③ 여자가 남자보다 더 흔하게 나타납니다.

④ 인위성장애에 대한 설명입니다.

⑤ 신체증상장애 환자는 여러 병원을 다니면서 반복적인 검사를 받게 됩니다.

3-01. 40세 여자가 갑자기 오른손에 힘이 빠지고 어지럽다고 응급실에 왔다. 설 연휴에 시댁에 가지 않겠다고 남편과 언쟁 중 증상이 생겼다. 신경학적 진찰, 뇌 자기공명영상, 뇌파검사는 정상이었다. 과거에도 명절을 앞두고 이런 증상이 자주 있었다고 한다. 면담 후 증상이 사라져 귀가를 권유했으나 환자는 입원을 원하였다. 향후 치료 전략은?

① 암시
② 입원
③ 재검사
④ 이차이득 최소화
⑤ 노출과 반응방지

〈해설〉
전환장애의 급성증상은 대개 특별한 치료 없이 자연소실되는 것이 대부분. 만성화되면 sick role, regression될 수 있어 병원 내원 및 반복적인 검사가 환자의 의존성을 키울 수 있어 주의하여야 합니다. sick role을 하게 되면 환자의 이차이득을 만족시킬 수 있어 주의하여야 합니다.

3-02. 47세 여자가 남편과 다툰 이후 갑자기 다리가 마비되어 걷지 못하였다. 뇌영상검사, 신경학적 검사, 혈액검사는 정상이었다. 신체질환으로 치료를 받은 적은 없었으나 8개월 전부터 우울장애로 치료받고 있었다. 평소 내성적이었고 사람을 만나는 것을 꺼려하여 사회생활 적응에 어려움이 많았다. 상속 받은 부동산 문제로 1년 전부터 재판이 진행 중이었다. 남편은 모두 자신의 잘못이라며 환자에게 집안일도 시키지 않았고 평소와 다르게 지나친 관심을 보이고 있었다. 좋은 예후를 시사하는 소견은?

① 갑작스런 마비
② 진행 중인 재판
③ 동반된 우울장애
④ 남편의 관심 정도
⑤ 사회생활 적응 정도

좋은 예후
① 급성발병 된 경우
② 스트레스 요인이 뚜렷할 때
③ 병전에 적응 정도가 좋았던 경우
④ 다른 정신과적장애가 없을 때

3-03. 다음 중 전환장애 환자에서 흔히 사용되는 방어기제는?

① 상징화   ② 억제

③ 유머   ④ 취소

⑤ 투사

4-01. 젊은 여성이 병동에서 입원 치료 중이다. 병동 회진 전 체온계를 비비고, 인슐린을 몰래 투여하여 저혈당을 유발하는 모습이 관찰되었다. 행동에 따른 이차이득은 없었다. 진단은 무엇인가?

① 꾀병(malingering)

② 가장성장애(factitious disorder)

③ 전환장애(conversion disorder)

④ 신체이형장애(body dysmorphic disorder)

⑤ 건강염려증(hypochondriasis)

정답   3-3 ⑤   4-1 ②

급식 및 섭식장애
Feeding and Eating Disorders

이규홍 박주호 장진구 홍민하

Chapter

XVII

Introduction

▶ 병적인 섭식행동이 주된 병리인 정신 질환들입니다. 섭식장애 환자들의 식습관 변화는 기분 저하가 주된 병리인 우울증에서 보이는 식욕저하와는 다릅니다. 신경성 식욕부진증(anorexia nervosa), 신경성 폭식증(bulimia nervosa), 폭식장애(binge eating disorder), 이식증(pica) 등 각 질환이 가진 식이 습관의 차이를 기억해 두고, 구분해 내어야 합니다.

1. 신경성 식욕부진증(Anorexia nervosa)

1) 개념
    (1) 흔히 거식증으로 알려진 질환이다. 핵심병리는 본인의 신체에 대한 오인식(뚱뚱하다고 인식), 정상 체중 유지 및 체중 증가에 대한 과도한 불안 및 이로 인한 비정상적 섭식행동이다.
    (2) 정신질환 중 사망률이 가장 높다.

2) 역학
    (1) 주로 사춘기에 발병하며 여자가 10~20배 많으며 패션모델/발레리나 등의 특정 직업군에 호발한다(젊은 여성에서는 0.9%의 12개월 유병률).
    (2) 강박적, 완벽주의적, 이기적, 지적 독신여성에 호발, 남성은 동성애 및 여성적 성향과 연관성이 있다(10%는 남성).
    (3) 식욕은 오히려 보존되어 있는 경우도 많다. 따라서 식욕부진증이란 이름은 적절한 것은 아니다.

3) 원인
    (1) 유전: 쌍생아 연구에서 유전력은 58~76%. 유전요인 중 가장 큰 위험요인은 성별(여성)
    (2) 생물학적: 동기 행동을 조절하는 체계에 이상(도파민 저하: 섭식 동인의 감소, 세로토닌 체계 이상: 처벌체계)

(3) 심리적: 자신감 부족, 완벽주의 성향, 자신에 대한 엄격함, 우울, 불안, 분노, 공허감, 외로움 등

(4) 사회문화적 영향(가장 크게 작용): 날씬함에 대한 사회적 압력과 강박관념이 자아가 충분히 성숙하지 못한 청소년에게 불안을 조장

4) 진단기준 핵심(DSM-5)

1. 신체적 건강을 위한 최소한의 정상 수준에 미치지 못하는 저체중 유지

2. 체중 증가에 대한 극심한 두려움

3. 체중과 체형에 대한 경험과 의미가 왜곡되어 있음
   - 제한형: 지난 3개월 동안 폭식 혹은 제거 행동이 정기적이지 않은 경우
   - 폭식/제거형: 지난 3개월 동안 폭식 혹은 제거 행동이 반복적으로 있었던 경우
   - 심각한 정도는 BMI로 구별

5) 임상양상

(1) 행동양상: 식사행태 변화와 체중감소가 특징으로, '굶기'로 표현되는 불충분한 열량 섭취를 함. 1/3은 극단적 과식 삽화를 보이기도 하며, 이 경우 다양한 보상 행동들을 수행한다(식이에 대한 보상행동으로 구토, 하제 사용, 지나치게 운동에 몰두하는 양상).

(2) 심리적 양상: 음식에 대한 극도의 불안, 감정 조절의 어려움을 보인다. 부적절한 식이행동을 문제라고 인식하지 않음

(3) 신체증상: 구토나 하제 복용 등으로 인해 전해질 이상소견(저칼륨혈증을 주의)이 있을 수 있음. 이외에도 정상적인 발달 및 성장의 정체. 체중감소, 저체온, 부종, 서맥, 저혈압, 탈모증, lanugo (신생아와 같은 체모의 출현), 골밀도저하, 갑상선 기능저하, LH, FSH, GnRH의 감소, 기초대사량의 감소 및 심한 경우 다발성 주요장기 손상, 무월경, 부정맥(급사의 원인으로 추정), 비정상 심전도(QT 간격의 연장), 골밀도 저하 등이 발생할 수 있음 기출

6) 감별진단 및 동반이환장애

(1) 신경성 폭식증: 저체중이 아니라는 점이 신경성 식욕부진증과 감별점이다. 기출

폭식행동이 식욕부진 기간에만 일어난다면 폭식/제거형 신경성 식욕 부진증으로, 그렇지 않다면 신경성 대식증으로 진단할 수 있다.

(2) 회피/제한적인 음식섭취장애: 체중, 체형에 대한 왜곡된 인지가 동반되지 않았다는 점에서 구별

(3) 동반이환 질환: 양극성장애, 우울증, 불안장애가 흔하다. 제한형 환자들에서는 강박장애도 보임

7) 치료
(1) 치료동기를 유지

임상상에서 설명했다시피 신경성 식욕부진증 환자들은 자신의 비정상적인 식이행동을 병적으로 보지 않

는 경우가 많고, 치료가 쉽게 되지 않아 동기를 유지하는 것이 어려움

(2) 체중회복

영양실조를 되돌리는 것이 급선무이다(입원, 낮병원, 외래치료).

(3) 인지행동치료

① 체형과 체중을 과대평가하는 인지 및 식사행동을 다루어 준다.

② 청소년의 경우 가족치료의(과잉 보호 및 비난하는 부모에 대한 intervention. 부모 대상의 그룹교육) 효과가 입증됨

(4) 강제치료

극소수에 해당

(5) 약물치료

항우울제(fluoxetine 우울증상, 강박증상에 효과), olanzapine (olanzapine의 체중 증가 부작용을 역이용해 체중 회복률 높임)

> **TIP** 입원의 적응증(일반적으로는 외래치료를 추천)
> • 외래 치료에 반응하지 않음(binge eating과 purging의 반복)
> • 신체적 고위험군(저칼륨혈증, severe loss of energy)
> • 정신사회적 자원이 빈곤할 경우(예: 가족의 비협조)

8) 경과 및 예후

평균 이환기간은 5년가량으로 단기적으로는 치료에 반응이 있으나 대체적으로 예후가 좋지 않다. 장애와 관련된 의학적 문제로 인해 모든 정신질환 중 치사율이 가장 높다. 사망률은 대략 10년에 5%, 치사율이 연 0.56%이다.

2. 신경성 폭식증(Bulimia nervosa)

1) 개념

다량의 음식을 먹는 폭식(binge eating) 이후 살찌는 것에 대한 두려움으로 인해 유발되는 과도한 보상 행동(자가유발 구토, 이뇨제 혹은 하제 남용, 과도한 운동)이 특징이다.

2) 역학

신경성 식욕부 진증보다 많다. 신경성 식욕 부진증에서 진행한 경우도 있고 과거 비만이었던 경우도 있다. 젊

은 여성에게 많고 남성은 여성의 1/10로 추정된다. 후기 청소년기나 초기 성인기에 호발한다.

3) 원인

(1) 생물학적 요인

① 쾌락체계의 이상: 선조체 도파민 수송체의 가용성이 감소, 이환 기간이 길수록 시상하부와 시상의 세로토닌 수송체의 가용성이 감소

② 내인성 아편유사제 분비가 만성적으로 증가되어 아편유사제 수용체의 하향조절(down-regulation)으로 수용체의 감소

③ 유전적인 취약성이 있고 가족 내 이환율이 높음

④ 정신 운동성 간질의 한 변형일 수 있음(phenytoin에 듣는 경우도 있음)

(2) 사회 문화적 요인

① 날씬함을 강조하는 사회문화적 환경이 큰 원인

② 신경성 식욕부진증처럼 폭식 및 보상행동을 통한 성취도가 높음

4) 진단기준 핵심(DSM-5)

1. 폭식(같은 시간에 많은 양 섭취, 이때 조절감 상실)의 반복적인 삽화
2. 구토 또는 하제, 과도한 운동과 같은 보상행동
3. 폭식과 부적절한 보상행동이 평균 주 1회 이상, 3개월 동안 나타남
4. 체형과 체중이 자아 평가에 과도한 영향
5. 신경성 식욕부진증 삽화 동안에만 발생되는 것은 아님

5) 임상양상 기출

(1) 폭식

① 일정한 시간 내에 대부분의 사람들이 먹는 양보다 훨씬 많은 양을 먹는 것이다.

② 조절능력의 상실감이 수반된다. 신경성 식욕부진증과 마찬가지로 식이 이후 부적절한 보상행동이 동반될 수 있으며, 가장 흔한 것은 구토를 하는 것인데 이는 폭식 이후 발생하는 체중 증가에 대한 불안감을 감소시켜 준다. 거식증과의 감별점으로 신경성 대식증에서는 체중이 정상범위에 있는 경우가 많다.

(2) 심리적 양상

폭식은 흔히 혹독한 다이어트의 실패, 불쾌한 감정, 대인 관계의 스트레스로 인해 발생한다. 폭식을 통해 일시적으로 기분이 호전되지만 일반적으로 자기 비난이나 우울감이 뒤따름(post-binge anguish). 체형과 체중이 자존감의 중요한 요소로 작용한다.

(3) 신체적증상

구토나 하제 복용으로 인한 전해질 이상. 반복적 구토로 인한 치아 손상, 손가락이나 손등의 상처, 무월경은 거의 없다.

6) 감별진단

(1) 폭식/제거형 신경성 식욕부진증

폭식행동이 식욕부진 기간에만 일어난다면 폭식/제거형 신경성 식욕 부진증으로, 그렇지 않다면 신경성 대식증으로 진단한다. 또한 체중도 감별점이 될 수 있다. 처음 신경성 식욕부진증으로 진단 내려진 환자에서는 추가로 신경성 폭식증으로 진단 내리지는 않으나, 신경성 식욕부진증으로 시작되었지만 신경성 식욕부진증의 진단기준을 충족시키지 않고, 신경성 폭식증 기준을 최소 3개월간 충족시킨다면 신경성 폭식증으로 진단을 변경할 수 있다.

(2) 폭식장애

폭식은 하나 부적절한 보상행동이 없다. `기출`

(3) 비전형적인 양상을 동반하는 주요 우울장애

비전형적인 양상을 동반하는 주요우울장애에서 폭식을 보일 수는 있으나, 부적절한 보상행동과 체형과 체중에 대한 과도한 걱정이 없다.

7) 치료

(1) 인지행동치료

① 일차치료 방법이다. `기출`

② 체중, 체형, 음식에 대한 왜곡된 인지의 재구조화와 식사 계획과 그 결과에 대한 monitoring을 통한 행동교정을 시행한다.

(2) 약물치료: 인지행동치료와 함께 시행한다.

① 항우울제

고용량의 SSRI를 사용할 수 있다(가장 많이 사용됨). `기출`

② 기분안정제 및 항전간제(lithium, topiramate)

양극성장애가 동반되어 있을 경우 lithium을 사용. topiramate의 신경안정 효과와 체중 감소 효과를 이용한다.

8) 경과 및 예후

만성적 경향을 보이며 신경성 식욕부진증과 진단이 번갈아 가며 나타나기도 한다. 인지행동치료에도

불구하고 관해율은 30~40%로 낮다. 하지만 <u>신경성 식욕부진증보다는 예후가 좋다.</u>

3. 폭식장애(Binge-eating disorder)

1) 개념 및 증상
　폭식 삽화를 반복하는 장애이다. 폭식에 대한 통제력의 상실로 인해 매우 빠르게 먹거나, 배가 고프지 않아도 배가 불러 불편할 정도로 먹는다. 폭식 후 혐오감, 죄의식, 우울감 등을 느낀다. 그러나 폭식 후 보상작용이 없으며 이런 이유로 대개 의학적으로 과체중이나 비만상태다. 폭식 행위는 일반적으로 부정적인 감정을 일으키는 사건 이후 발생되는 경우가 많다.

2) 신경성 폭식증과의 감별점
　(1) 폭식 행위를 한다는 점에서는 유사하나 폭식장애는 체형이나 신체 크기에 대한 병적인 왜곡이 없다.
　(2) 폭식 후 보상작용이 없다. 기출

3) 치료
　(1) 정신사회적 치료: 인지행동치료(가장 효과적), 대인관계치료, 변증법적 행동치료, 자조모임 등
　(2) 약물치료: 고용량의 SSRI, Topiramate (항간질제로 식욕감소 효과가 있어 폭식행위를 줄여줌)

사례 예시 / 기출 문제

1-01. 신경성 식욕부진증에 대한 설명으로 옳은 것은?

① 생리가 규칙적이다.
② 구토나 하제를 사용하지 않는다.
③ 거울보기 혹은 체중 측정을 기피한다.
④ 스스로 병원을 방문하지 않는다.
⑤ 신체합병증이 없다.

〈해설〉
① 무월경이 흔히 동반이 됩니다.
② 구토나 하제사용 등 체중을 감소시키기 위한 행동들이 뒤따릅니다.
③ 이 보기는 논란이 있을 수 있을 것 같습니다. 많은 경우 거울보기 혹은 체중 측정에 집착하기도 합니다만 자신의 외모나 체중에 혐오감 때문에 기피하는 경우도 생깁니다.
④ 병식이 부족하여 스스로 병원을 방문하는 경우가 드뭅니다.
⑤ 무월경이나 전해질 이상, 성장이상, 부정맥 등의 신체 합병증이 동반되는 경우가 많습니다.

1-02. 21세 여자가 심한 체중 감소로 가족의 손에 이끌려 병원에 왔다. 1년 전부터 다이어트를 시작하면서 체중이 줄었고, 언제부턴가 살찌는 것이 두려워 식사를 피했다고 한다. 간혹 밤 중에 폭식하는 모습이 가족에게 발견되기도 했다. 키는 159 cm 이고, 평소 50 kg 인 체중이 현재 32 kg 을 기록했다. 왼쪽 손등에 흉터가 있었다. 진단은?

① 폭식장애
② 신경성 폭식증
③ 정상 다이어트
④ 비특이식사장애
⑤ 신경성 식욕부진증

심한 체중 감소에도 불구하고 살찌는 것을 두려워하는 것을 보아 신체상에 대한 왜곡이 있음을 알 수 있습니다. 또한 그러한 정황으로 미루어 보았을 때 왼쪽 손등에 흉터는 구토 유발시에 발생한 것으로 보아야 하겠습니다. 폭식하는 모습은 관찰이 되나 보상행동이 있으므로 폭식장애는 배제할 수 있으며, 심한 체중 감소를 보여 폭식장애도 배제해 볼 수 있겠습니다. 신경성 식욕부진증의 특이성이 있으므로 비특이식사장애는 배제할 수 있습니다.

1-03. 1년 전부터 식사를 거의 하지 않아 체중이 심하게 감소한 22세 여성이 병원에 왔다. 키 165 cm, 몸무게 35 kg 으로 말랐음에도 불구하고 자신이 뚱뚱하다고 생각하여 음식을 먹지 않았고, 가끔씩은 정신없이 이것 저것 가리지 않고 먹다가 토하였다. 다음 중 이 환자에서 나타날 수 있는 소견은?

① 고칼륨혈증   ② 체온 저하
③ 콜레스테롤 감소   ④ BUN 감소
⑤ FSH 증가

심한 체중 저하에도 불구하고 신체 상의 왜곡이 있어 극단적인 다이어트를 하고 그것이 깨어질 때 폭식 및 구토를 반복하는 것으로 보아 An-orexia nervosa로 추정됩니다. An-orexia nervosa의 신체적인 합병증에 대한 문제입니다.
① 보통 구토를 찾아 칼륨이 배출되기 때문에 저칼륨혈증이 동반됩니다.
② 기초대사량은 떨어지고 체온도 저하됩니다.
③, ④ 증가하기도 합니다.
⑤ FSH는 감소하게 됩니다.

1-04. 23세 여자가 3년 전부터 살이 쪘다며 밥을 먹지 않아 걱정하는 부모님에 의해 병원에 왔다. 살을 빼야 한다며 5시간씩 운동을 하였다. 5개월 전부터 생리가 없었다. 혈압 85/65 mmHg, 맥박 70회/분이었다. 혈액검사 결과는 다음과 같았다. 우선적인 치료는?

Na+ 132meq/L, K+ 2.7meq/L, albumin 2.5g/dl

밥을 먹지 않는 행동이 지속되며 살을 빼야 한다며 5시간씩 운동을 하고 무월경인 것으로 보아 anorexia nervosa가 의심됩니다. anorexia nervosa의 치료에 대한 문제입니다. 저혈압에 전해질 이상, albumin 저하를 보여 무엇보다 영양상태를 회복하여 신체상태를 호전시키는 것이 급선무가 되겠습니다.

① 인지치료
② 영양상태 회복
③ 항불안제 투여
④ 항우울제 투여
⑤ 식욕촉진제 투여

1-05. 키 165 cm, 몸무게 35 kg 인 23세 여성이 자신이 뚱뚱하다고 생각한다. 식사를 거의 하지 않으려 하고, 가끔 한 번에 많은 음식을 먹다가 토하기도 한다. 이 여성에서 나타날 수 있는 증상은?

가. 무월경	나. 체중측정에 무관심
다. 신체이형장애	라. 공복 시 구토

① 가, 나, 다
② 가, 다
③ 나, 라
④ 라
⑤ 가, 나, 다, 라

2-01. 16세 여자 잦은 과식 후 구토 때문에 병원에 왔다. 5개월 전 피자 4판과 콜라 2리터를 한 번에 먹고는 비침해서 엉엉 울다가 모두 토했다. 이후 과식 후 구토를 매주 2회 이상 반복했다. 한 달 전부터는 이뇨제를 복용하기 시작했다. 무용과에 진학하기 위해 평소에 철저히 몸무게를 관리하고 있다. 다음 중 우선적으로 생각할 수 있는 치료제는?

① 피모짓
② 부스피론
③ 날트렉손
④ 플루옥세틴
⑤ 프로프라놀롤

<해설>

저체중인 젊은 여성이 뚱뚱하다고 생각(신체상 왜곡)하고 가끔 한번에 많은 음식을 먹다가(폭식) 구토(보상행동)을 보이는 것으로 보아 Anorexia nervosa로 진단할 수 있습니다. Anorexia nervosa 임상양상에 대한 문제입니다.

가. 흔히 Anorexia nervosa에서 동반됩니다.
나. 체중 측정에 대해 극도로 집착하거나 회피한다. 즉 관심이 지대합니다.
다. 신체 상의 인지왜곡이 심합니다.
라. 보통 식이 후 구토를 하는 것이 흔합니다.

폭식 후 구토 및 이뇨제 등 보상행동을 하는 것으로 보아 Bulimia nervosa로 진단할 수 있습니다. Bulimia nervosa에 대한 치료를 묻는 문제입니다. 주 치료는 인지행동치료+약물치료이며, 치료제는 고용량의 SSRI의 사용합니다.
① Pimozide-anti-psychotics입니다.
② Buspirone-Serotonin receptor agonist로 주로 anti-anxiolytic drug으로 쓰입니다.
③ naltrexone은 금주치료에 쓰이는 약물입니다.
④ SSRI입니다.
⑤ beta-blocker로 정신과에서는 주로 진정효과로 사용합니다. 우선적으로는 SSRI를 쓸 수 있습니다.

2-O2. 162 cm, 63 kg 의 22세 여자가 6개월 전부터 매일 과식해왔다. 체중변화에 민감하여 매일 체중을 쟀다. 매일 과도한 운동을 했으며 그 외의 과식에 대한 보상 행동은 없었다. 월경은 정상적이었다. 진단은?

① 폭식장애

② 신경성 식욕부진증, 제한형

③ 신경성 대식증, 비제거형

④ 신경성 대식증, 제거형

⑤ 신경성 식욕부진증, 폭식 및 하제 사용형

저체중이 아닌 것으로 보아 신경성 식욕부진을 배제할 수 있고, 매일 과도한 운동을 한 것으로 보아 폭식장애를 배제할 수 있습니다. 구토 등 제거행동은 없으므로 비제거형의 specifier를 붙일 수 있습니다 (DSM-5에서는 신경성 대식증의 specifier의 변경이 있어 더 이상 비제거형과 제거형을 나누지 않습니다. DSM-IV 기준으로 풀어야 하는 문제입니다).

2-O3. 20세 여자가 스트레스를 받을 때마다 과다한 음식섭취 후 손가락을 입에 넣어 음식을 토하는 문제로 부모와 함께 정신과 외래를 방문하였다. 평소 체중에 민감하였지만 한번 음식을 먹기 시작하면 양을 조절할 수 없을 것 같아 불안해하였다. 환자의 키는 165 cm, 체중은 55 kg 이었다. 가장 의심되는 진단은?

① 폭식장애

② 신경성 대식증

③ 신경성 식욕부진

④ 간헐적 폭발장애

⑤ 클라인-레빈 증후군(Klein-Levin syndrome)

저체중이 아니므로 신경성 식욕부진은 배제할 수 있으며 먹는 양을 조절할 수 없을 정도의 과다한 음식섭취(폭식)와 스스로 손가락을 입에 넣어 음식을 토하는 문제(보상행동)가 있는 것으로 보아 신경성 대식증이 의심됩니다. 폭식장애는 보상행동이 없으므로 배제할 수 있고 간헐적 폭발장애는 공격적인 충동을 억제하지 못해 타인에 대한 폭행이나 기물 파손 등의 행동이 동반됩니다. 클라인-레빈 증후군은 인지 변화와 기분 변화가 동반되는 수면장애입니다.

〈해설〉

2-04. 다음 중 신경성 대식증 환자의 치료에 관한 설명으로 옳지 않은 것은?

① 약물치료로는 항우울제 사용이 효과적이다.
② 좌절이나 죄책감과 관련된 느낌을 말하도록 격려해 준다.
③ 면담 시 환자를 비판하지 않는다.
④ 정신치료로는 정신분석치료가 가장 효과적이다.
⑤ 신경성 식욕부진증보다 치료에 대한 협조도가 높다.

① 항우울제가 가장 효과적이며 상황에 따라 mood-stabilizer도 사용해 볼 수 있습니다.
② 내면에 있는 감정들을 말하도록 격려함으로써 제반응도 일으킬 수 있고 치료적 동맹도 공고해집니다. 또한 느낌과 관련된 인지나 행동과도 관련 지어 치료할 수 있습니다.
③ 환자에 대한 비판은 치료적 동맹 관계를 손상시킵니다.
④ 인지행동치료가 가장 효과적입니다.
⑤ 신경성 식욕부진증이 병식이 더 없는 경우가 많고 협조도도 낮습니다.

2-05. 다음 종 신경성 대식증 환자에서 흔히 불 수 있는 증상은?

① 심한 체중감소
② 무월경
③ 불안장애
④ 자신의 외모에 대한 무관심
⑤ 갑상선기능이상

①, ②는 Anorexia nervosa에서 흔합니다.
④ 외모에 대한 관심이 과도한 것이 기본 정신병리입니다.
⑤ 신체이상으로써 전해질 이상, 치아손상 등이 나타날 수 있으며, 갑상선 이상은 흔하지 않습니다.

정답 2-4 ④ 2-5 ③

배설장애
Elimination Disorder

이규홍 오진욱 고미애 홍민하

Chapter

XVIII

Introduction

▶ 대변과 소변을 가릴 수 있는 충분한 나이가 되었음에도 대소변을 가리지 못하는 경우에 해당되는 진단입니다.

1. 유뇨증(Enuresis)

1) 개념

원인이 될 만한 신체질환 없이 만 5세가 넘어서도 소변을 가리지 못하는 것을 말한다.

`TIP` 오줌은 5세까지 가린다.

(1) 일차성 유뇨증 `기출`

태어나서 한 번도 소변을 못 가리는 경우로 다양한 생물학적 이상 소견이 있는 경우가 많다.

(2) 이차성 유뇨증

1년 이상 중간에 소변을 가린 기간이 있는 아동이 소변을 못 가리는 경우로 주로 5세에서 7세 사이에서 야뇨를 다시 경험하게 되는데, 심리적 갈등 상황 때문이거나 정신사회적 스트레스가 발생한 경우가 많다.

2) 역학

(1) 유병률 5세 아동의 3~7%, 10세가 넘으면 아동 2~3%, 20세 무렵 1%에서 발견된다.

(2) 남아 : 여아 = 2 : 1

(3) 스트레스에 의해 유발된 유뇨증은 남녀 차이가 없다.

(4) 일차성 유뇨증이 이차성보다 2배 정도 많다.

3) 원인

(1) 유전적 요인: 75%에서 가족력

(2) 비뇨기계의 기질적 이상(기능성 방광 용적 감소), 내/외과적 원인

(3) 심리사회적 요인: 특히 이차성의 경우, 특정 심리사회적 스트레스 후에 발병 기능

4) 진단기준 핵심(DSM-5)

> 1. 반복적으로 침구나 옷에 소변을 봄
>
> 2. 일주일에 2회의 이상의 빈도로 최소 3개월 이상 지속되고, 중요한 영역에서 심각한 장애를 보이는 경우
>
> 3. 생활 연령이 최소 5세 이상 기출
>
> 4. 다른 의학적 상태 및 약물 등 원인 배제

5) 임상양상

(1) 주간, 야간 배뇨문제, 빈뇨나 급뇨 같은 문제가 동반되기도 한다.

(2) 발달장애와 기타 다른 정신과적장애(유분증, 야경증, sleep walking, ADHD 등) 동반되는 경우가 있으며
  (20%) 또한 유뇨증 아동들은 당혹감, 굴욕감, 사회 공포, 자존감의 저하 등을 경험한다.

(3) 수면의 모든단계에서 나타나며, 수면의 질은 정상이다.

6) 경과 및 예후 기출

의도적으로 소변을 못 가리는 경우와 청소년기 이후에 유뇨증이 시작된 경우 더욱 심각한 정신병리를 가진다.

7) 치료 기출

(1) 배뇨 훈련의 시도

기질적인 문제가 없다고 확인되면, 가장 먼저 시도. 면담시 죄책감을 줄여줌. 소변 가린 날을 표에 기록하고 의식적인 수준에서 조절하도록 한다.

(2) 행동치료

긍정적 강화법, 조건화이론을 적용한 bell and pad기법(기저귀에 전자식 경보장치가 있어 유뇨시 벨이 울리며, 환아가 벨소리를 피하기 위해 배뇨를 억제하도록 설계), 벨 알람, 부착형 벨 알람.

(3) 약물치료: 처음부터 사용하지 않고 장애가 심할 때만 사용

① desmopressin(첫 치료제로 권장), ovybutynin

② imipramine(TCA계 약물)

(4) 정신치료: 분명한 심리적 원인이 있는 2차성 야뇨증에 효과

2. 유분증(Encopresis)

1) 개념
원인이 될 만한 신체질환 없이 <u>4세가 넘어서도 대변을 가리지 못하는 것을 말한다.</u>

2) 역학
(1) 4세 아동 5%, 5세 아동 1%

(2) <u>남아 : 여아 = 3 : 1</u>

3) 진단기준 핵심(DSM-5)

> 1. 변보기에 부적절한 곳에 대변을 본다.
> 2. 월 최소 1회 빈도로 최소 3개월간 이상 지속한다.
> 3. 생활 연령이 최소 4세 이상(이와 비슷한 발달 상태)
> 4. 약물이나 의학적 상태로 인한 직접적 생리 효과가 배제되어야 한다.

4) 원인
(1) 생리학적 요인: 괄약근의 수축과 활성도가 비정상적인 경우

(2) toilet training 과정에서 부모와 힘겨루기(아동이 수동-공격성을 띠는 경우)

(3) 환경적 요인: 동생의 출생, 이사, 입원, 부모와 이별, 학교 입학 등

5) 감별진단(기질적 요인)
(1) 선천성 거대결장, 항문이나 직장의 협착, 평활근 질환, 내분비 이상

(2) 약물부작용, 신경과 질환, 영양장애, 기름진 음식의 과식 등

6) 경과 및 예후
예후에는 원인과 증상 지속기간, 공존문제, 부모의 치료 협조가 중요하다. 교육적, 심리적, 행동적 접근 시 60~80%의 성공률을 보이며, 대부분 청소년기 자연 호전된다.

7) 치료
증상 조절 외에도 성격 및 환경 조절과 같은 치료적 접근이 필요하다.

(1) 정신치료 혹은 놀이치료: 대개 부모-자녀 관계에 심각한 문제가 있으므로 아동의 내면적 갈등에 대해 접근

(2) 행동치료: 바람직한 행동 시 충분한 보상을 통한 행동수정요법

(3) 약물치료: 통용되는 약물은 거의 없음

〈해설〉

1-01. 4세 여아가 아직까지 밤에 소변을 가리지 못해 병원에 왔다. 낮에 활동할 때는 소변을 잘 가렸고 소변검사 상 이상소견은 관찰되지 않았다. 이 아이에 대한 처치로 적합한 것은?

① 소변을 가리지 못하면 벌을 준다.
② 속옷에 벨 경보기를 부착한다.
③ 밤에 깨워 소변을 보게 한다.
④ 즉시 약물치료를 시작한다.
⑤ 부모에게 양성 경과를 설명하고 1년 동안 지켜본다.

①, ②는 유뇨증에 대한 행동치료입니다.
③은 배뇨훈련조절법에 해당합니다.
④ 보통은 즉시 약물치료를 하지는 않으며, 장애가 매우 심할 때 사용합니다. 무엇보다 환자는 아직 5세가 되지 않아 유뇨증으로 진단할 수 없으므로 1년 동안 지켜보면 됩니다.

1-02. 7세 남아가 수면 중 소변을 못 가려서 병원을 방문하였다. 이 증상은 주 3회 정도고 4개월째 지속되었다. 소변검사와 복부 초음파 검시는 정상이었다. 행동치료와 함께 사용할 치료제는?

① 리튬
② 판큐로늄
③ 이미프라민
④ 프로프라놀롤
⑤ 사이클로포스파마이드

치료제로써 desmopressin(첫 치료제로 권장), imipramine을 씁니다. desmopressin이 없으므로 imipramine이 답입니다.

1-03. 7세 남아가 1주에 2회 이상 밤에 자다가 소변을 싸서 이불을 적실 때 가장 좋은 치료방법은?

① 경보장치
② oxybutynin
③ desmopressin acetate
④ 이불을 적실 때마다 야단을 친다.
⑤ 저절로 좋아지므로 관찰만 한다.

<해설>

① alarm therapy (bell and pad)는 행동치료의 일환입니다. 약물 사용 보다는 행동치료나 배변조절 훈련을 먼저 시도합니다.
② 유뇨증상 조절을 위한 약물치료는 장애가 심할 경우 고려합니다.
③ 약물치료는 장애가 심한 경우나 행동치료가 효과가 없을 때 사용합니다.
④ 유뇨증 아동들은 당혹감, 굴욕감, 사회 공포, 자존감의 저하 등을 경험하게 됩니다. 야단을 치는 것은 그러한 경험들을 증폭시키므로 좋지 않습니다.
⑤ 나이가 들면서 저절로 좋아지는 경과가 대부분이지만, 치료를 하지 않게 되면 그동안 환아에게 질환이 미칠 영향(당혹감, 굴욕감, 사회 공포, 자존감의 저하 등)을 감안하여 치료를 시작합니다.

1-04. 다음 중 소아 유뇨증에 관한 설명으로 옳은 것은?

① 4세 이상이 되어야 진단 가능하다.
② 유전적 소인의 영향은 적다.
③ 깊은 수면을 취하는 경향이 많다 .
④ 남아보다 여아에서 흔하다.
⑤ 소아기 후기 발병인 경우 예후가 더 좋다.

① 5세 이상이 되어야 진단이 가능합니다.
② 75%에서 유전적 소인이 있습니다.
③ 유뇨증 아동에서는 깊은 수면을 취하는 아동(deep sleeper)이 많으며 부모들이 야뇨증 아동을 깨우는 것이 어렵다고 보고할 때가 많습니다. 이는 뇌간(brainstem) 기능의 이상과 관련되는 것으로 보입니다.
최근 연구에 따르면 유뇨증이 기면증,수면무호흡과 관계될 때가 많다고 합니다(신경정신의학 제3판).
④ 남아 : 여아 = 2 : 1
⑤ 소아기 후기 발병의 경우 예후가 더 나쁩니다.

1-05. 10세 남아가 1년 전부터 매일 밤 이불에 소변을 보는 것을 주소로 내원하였다. 그 전에는 정상적으로 대소변을 가렸다고 한다. 이 환아에 관한 설명으로 옳은 조합은?

> 가. 특정 심리사회적 스트레스가 원인이 된다.
> 나. 취침 전 수분섭취 제한이 효과적이다.
> 다. 나이가 들면서 대개는 자연치유 된다.
> 라. 일차성 유뇨증으로 진단할 수 있다.

① 가, 나, 다
② 가, 다
③ 나, 라
④ 라
⑤ 가, 나, 다, 라

〈해설〉
가. 유뇨증의 원인에는 심리사회적 원인이 많습니다.
나. 신경정신의학 3판에는 배뇨조절 훈련 시 수분섭취 제한을 해볼 수 있다고 나와 있습니다.
다. 대부분 청소년기에 자연 치유됩니다.
라. 일차성 유뇨증은 한번도 소변을 가리지 못했던 환아에게 진단 내릴 수 있습니다. 따라서 이 환아는 이차성 유뇨증이라고 할 수 있습니다.

수면각성장애
Sleep-Wake Disorders

이규홍 박주호 고미애 김우정

Chapter

XIX

Introduction

▶ 정상 수면에 대해서 먼저 이해하고 나서 이후에 수면각성장애(이상수면, 사건수면)에 대해서 정상 수면과 어떻게 다른지를 비교하면서 알아두면 좋습니다.

▶ 수면장애 환자는 너무 많으므로 정신건강의학과를 전공하지 않아도 실제로 만나게 될 확률이 높습니다. 학생 때 잘 공부를 해놓으면 두고두고 사용할 수 있습니다.

1. 정상수면

1) 수면주기

수면은 빠른 눈운동의 유무에 따라 크게 NREM 수면(non-rapid eye movement sleep, NREM sleep, 비급속안구운동수면)과 REM 수면(rapid eye movement sleep, REM sleep, 급속안구운동수면)으로 나누어 볼 수 있다. NREM 수면 중에는 각성 시에 비해 대부분의 생리적 기능의 활성도가 저하되고, REM 수면 중에는 뇌 활성도를 포함한 생리적 기능의 활성도가 각성 시와 비슷한 정도로 증가한다.

뇌파의 형태는 전극을 배치하여 기록하는데 주파수에 따라 델타파(<4 Hz), 세타파(4~7 Hz), 알파파(8~12 Hz), 베타파(>12 Hz) 4가지가 있다.

(1) 각성 상태(arousal)

눈을 감았을 때 알파파가 우세하고, 눈을 뜨고 있을 때나 자극을 받으면 베타파가 나타난다.

(2) NREM 수면(델타파와 세타파가 나타나기 시작) 기출

① Stage N1

각성으로부터 수면으로 이행단계이다. 각성 상태의 알파파가 소실되고 세타파가 나타난다. 느린 안구운동(slow eye movement)이 나타나고, 외부의 자극에 대한 반응이 둔해지지만 중간에 깨우면 자신은 잠들지 않았다고 보고하기도 한다.

② Stage N2

- 대부분 세타파로 구성되며, <u>sleep spindle과 K complex가 나타난다.</u>
- 2단계 수면에서 깨우면 자신이 잠시 잠들었다고 보고하기도 하고 단편적이고 비현실적인 사고를 기억해 내기도 한다. 하룻밤 수면의 45~55%를 차지한다.

③ Stage N3

- <u>델타수면 또는 서파수면(slow wave)이라고 한다.</u>
- 1~2단계에 비해 깊은 수면이며, 잠에서 깨우기가 2단계 수면보다 힘들고 시간이 오래 걸린다. 서파수면에서 깨우면 지남력 저하나 기억 소실이 있을 수 있다. 야뇨증(enuresis), 수면보행증(somnambulism, 몽유병), 야경증(night terror)이 주로 이 단계에서 나타난다. 하룻밤 수면의 15~20%를 차지한다.
- sleep staging에는 R & K classification (고전적 분류, 1968), AASM (American Academy of Sleep Medicine, 2007) classification 두 가지가 있다. 2007년부터 AASM classification을 많이 사용하고 있으며 위 분류의 N1, N2, N3이 이에 해당된다. N3가 R & K classification의 stage 3~4에 해당된다. 실력

(3) REM 수면

1단계 수면의 뇌파와 유사하며 특징적으로 안구가 매우 빠르게 움직이는 현상을 동반. 꿈이 많이 나타나며 80%에서 동반된다. 정상적으로 muscle atonia가 나타난다.

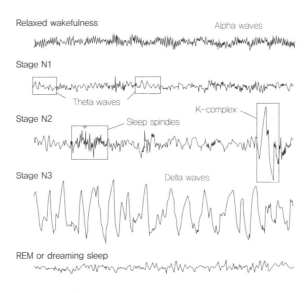

그림 19-1. 각 수면의 단계에 따른 뇌파의 변화

<u>Stage N1의 세타파(theta waves), Stage N2의 sleep spindles, K-complex, Stage N3의 delta waves가 특징이다.</u>

(4) 나이에 따른 변화

① 신생아는 하루에 16시간 정도 수면하며 총 수면의 50%가 REM 수면이며, 2~3세에는 REM 수면이 25%까지 줄고, 사춘기 이후에는 성인과 비슷하게 되어 그 후 평생 유지된다.

② 서파수면은 10세경에 최고조에 이르고 이후 나이가 들면서 점차 감소하고, 노인이 되면 서파수면이 현저히 감소하고 수면유지가 이전보다 어려워진다.

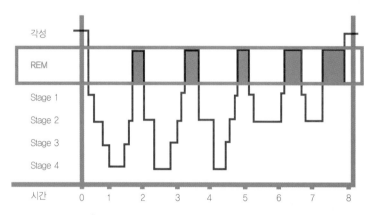

그림 19-2. 수면 8시간 동안 수면 주기와 단계의 변화

잠이 들면 처음에는 NREM 수면이 먼저 나타나고 이후 REM 수면이 발생한다. 하룻밤 수면 동안 NREM 수면과 REM 수면은 약 90~100분 간격으로 되풀이된다. 서파수면은 전반부에 주로 나타나서 후반부로 갈수록 적어지고 반대로 REM 수면은 수면 후반부로 갈수록 더 길어진다. 또 REM 수면 시에는 각성 역치가 낮아서 깨우면 쉽게 일어난다.

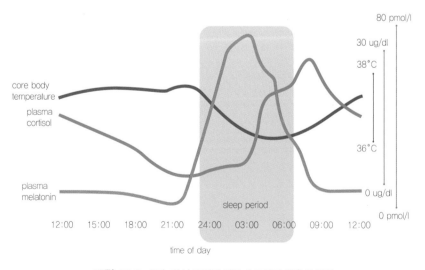

그림 19-3. 수면-각성 주기에 따른 호르몬과 체온의 변화

혈장 코티졸이 기상전 새벽부터 상승. 아침에 최고조에 이른다. 멜라토닌은 일몰 후에 분비가 증가하여 낮에는 분비가 억제된다. 체온은 수면 중 저하된다.

표 19-1. 수면주기와 관련 수면장애

	NREM 수면: stage N1~N3	REM 수면
꿈	가끔 꿈을 꿈	자주 꿈을 꿈
기능	신체 및 근육기능의 회복	뇌의 소모된 기능회복
근긴장도	감소	최하 수준으로 감소(NREM보다 감소)
심박수 호흡수	감소	불규칙
혈압, 뇌혈류	감소	증가(뇌대사 활발)
기타	폐동맥압 증가	야간 음경팽대, 체온 조절능력 상실
연관된 수면장애 기출	야경증, 몽유병, 이갈이, 유뇨증	기면병, 악몽, REM 수면 행동장애

2) 일주기리듬과 수면-각성 조절

(1) 일주기리듬

① 앞시상하부(anterior hypothalamus)의 시신경교차상핵(suprachiasmatic nuclei, SCN)이 조절한다.

② 태양빛이 시신경교차상핵에 도달하면 솔방울샘(pineal gland)에 전달되어 멜라토닌 생성을 억제하며, 멜라토닌 분비가 최고이고 심부온도가 최저일 때 가장 졸리다고 느낀다.

(2) 수면-각성의 조절 실력

각성 상태 유지에 가장 중요한 역할은 상향그물활성계(ascending reticular activation system, ARAS)가 한다. ARAS는 GABA system 활성 억제를 통해 각성하게 되며, 이에 작용하여 수면을 유도하는 것이 일반적 수면제(benzodiazepine, zolpidem 등)이다.

3) 수면의 기능

수면을 통해 생체는 항상성을 유지하고 낮 동안 쌓인 피로에서 회복하며 낮 동안 소모되고 손상된 신체 및 근육의 기능을 회복한다. 학습량이 늘어나면 그날 밤에 깊은 잠이 늘어나고 REM 수면 동안 낮에 학습한 정보가 재정리되고 불필요한 것은 버려 재학습 및 장기 기억으로 전환된다.

2. 수면장애의 진단과 분류

1) 수면장애의 진단

(1) 수면과 관계된 주 증상의 분류

① 잠들기 힘들거나 수면의 유지가 어렵거나 조기에 출면하는 경우: 불면증

② 낮 동안 지나치게 졸리거나 피곤한 경우: 수면무호흡, 기면, 일주기리듬장애

③ 수면 중 잠꼬대를 하거나 몽유병이 나타나는 것처럼 이상 행동이 나타나는 것: 사건수면

(2) 수면장애와 관련된 진단적 검사 기출

① 수면다원검사(polysomnography)

수면장애의 일차적인 진단적 검사. 뇌파, 안전도(electro-oculogram, EOG), 턱 근육의 근전도를 기록하여 수면단계를 판독. 또한 심전도, 호흡량, 호흡운동, 산소포화도, 음경의 발기 정도 등 분석하여 수면장애를 진단 → 적응증: *수면 무호흡증, 기면증, REM 수면행동장애 등*

② 수면잠복기 반복검사(multiple sleep latency test, MSLT)

야간 수면다원감사 종료 후 낮에 어두운 방안에 누워 잠을 자고 병적인 주간 졸음이 있는지 REM 수면이 비정상으로 빨리 나타나는지 평가 → 적응증: *기면증*

2) 수면장애의 분류

(1) 이상수면(dyssomnia)

잠들기 힘들거나 수면의 유지가 어려운 경우나 낮 동안 지나치게 졸리거나 피곤한 경우를 말한다.

① 불면장애(insomnia disorder)
② 과수면장애(hypersomnolence disorder)
③ 기면증(narcolepsy)
④ 호흡관련수면장애: 폐쇄성(obstructive)/중추성(central) 수면무호흡증(sleep apnea)
⑤ 일주기 수면: 각성장애(circadian rhythm sleep-wake disorder)

(2) 사건수면(parasomnia)

수면 중 잠꼬대를 하거나 몽유병이 나타나는 것처럼 이상행동이 나타나는 증상을 주로 갖고 있는 경우를 말한다.

① NREM 수면 각성장애(NREM sleep arousal disorder)
② 수면보행증(sleepwalking type), 야경증(sleep terror type)
③ 악몽(nightmare disorder)
④ REM 수면 행동장애(REM sleep behavior disorder)
⑤ 하지불안증후군(restless legs syndrome)

3. 불면장애(Insomnia disorder)

1) 개념

환자 자신이 느끼기에 잠이 불충분하거나 비정상적인 상태. 잠들기 힘들거나, 자다가 자주 깨거나, 한번 깨면 다시 잠들기 힘들거나, 잠을 자도 개운하지 않다고 느끼는 등 여러 가지 형태가 있다.

2) 원인

(1) 생리학적 과각성: 시상하부-뇌하수체-부신 축이 활성화되고 소변 코티졸과 에피네프린이 증가되어 있기도 함

(2) 소인(predisposing, 예: 개인성격), 유발(precipitating, 예: 생활스트레스), 지속(perpetuation, 예: 잘못된 수면습관)과 같은 세 가지 요인이 작용하여 발생하며 영어 첫 글자를 따서 흔히 불면의 3P라고 함

3) 진단기준 핵심(DSM-5)

다음을 모두 만족하여야 한다.

1. 수면의 양 또는 질에 현저한 불만족감(수면 개시/수면 유지/각성후 재입면에 어려움 중 한가지 이상의 증상과 연관)
2. 일상 생활 및 중요한 기능 영역에서 현저한 고통이나 손상 발생
3. 수면 문제가 주당 3회 이상, 3개월 이상 지속됨
4. 수면 문제가 적절한 수면기회가 주어졌음에도 발생
5. 다른 수면: 각성장애 배제, 물질 배제, 타 정신질환이나 의학적 상태로 충분히 설명할 수 없을 때

4) 치료: 약물치료와 인지행동치료(비약물치료)

(1) 약물치료

① benzodiazepine, 비벤조디아제핀-벤조디아제핀 효현제(zolpidem), 소량의 항우울제(trazodone, amitriptyline, mirtazapine, doxepin), melatonin 등이 있다.

② 중간에 자주 깨면 장기작용 benzodiazepine (clonazepam), mirtazapine, trazodone 등을 사용한다.

(2) 인지행동치료

인지적 및 생리적 각성수준을 낮추고 수면습관을 교정, 수면에 대한 잘못된 믿음과 태도를 수정한다.

① 수면 위생교육
- 생활리듬조절: 정해진 시간에 기상하고, 1시간 이상의 낮잠 자지말기
- 자극인자 회피: 술, 담배, 커피(교감신경 각성효과 물질) 감량, 자기 전 과식 금지, 저녁 수분섭취

감량
- 수면장소 관리: 소음, 빛, 온도를 통제한 안락하고 따듯한 환경
- 신체상태 관리: 낮에 적절한 운동, 자기 전에는 이완 및 긴장을 완화시켜 줄 만한 운동하기
- 자기 전 지나치게 뜨겁지 않은 따듯한 물로 목욕하기
- 심리, 행동관리: 저녁에 명상, 이완요법, 지루한 책 읽기
- 자극조절(stimulus control): 수면 시에만 침대에 있고 비수면시에는 침대에 벗어나 생활하며 수면과 연관된 자극은 강화하고 수면을 방해하는 자극을 약화시킴

② 이완훈련

신체적 각성수준을 낮추기 위한 근전도 바이오피드백, 점진적 근육 이완법, 인지적 각성수준을 낮추기 위한 명상, 요가 시행

4. 기면증(발작수면, Narcolepsy)

1) 원인

수면 조절중추의 신경학적 이상의 관점에서 설명. 자가면역체계의 이상과 하이포크레틴(각성을 유지하는 기능이 있음)의 부족이 나타난다.

2) 임상양상 (4대증상) 기출
(1) 수면발작(sleep attack): 주체할 수 없이 쏟아지는 잠 혹은 과도한 졸림, TV시청과 같은 단조로운 상황이나 앉아 있을 때 호발함
(2) 탈력발작(cataplexy): 웃거나 놀라는 것과 같은 강한 정서적 자극에 의해 촉발되어 의식의 변화 없이 근육의 힘이 빠지는 현상. 가장 흔하며 기면증 환자의 약 80%에서 발생됨
(3) 수면마비(sleep paralysis, 가위눌림): 잠들기 전 혹은 잠에서 깨어날 때 의식은 깨어 있지만 근육에 힘이 빠져 몸을 움직일 수 없는 상태
(4) 입면/출면 환각(hypnagogic/hypnopompic hallucination): 입면시 혹은 출면시 환시 혹은 환청 경험

3) 진단

1. 수면발작이 하루에 반복적으로 나타난다. 3개월 동안 일주일에 3회 이상 발생한다.

2. 다음 중 한가지 이상이 있을 때
   ① 탈력발작이 1개월에 수차례 발생
   ② 뇌척수액 하이포크레틴의 감소
   ③ 수면다원검사, 수면잠복기반복검사(multiple sleep latency test, MSLT)에서 sleep onset REM (SOREM) 소견: NREM 수면이 거의 없는 상태에서 곧바로 REM 수면 출현하는 소견 기출

4) 치료

(1) 주간졸림증에 대한 치료 기출

<u>methylphenidate (중추신경자극제. 도파민 증가시킴; 의존성 위험 및 부작용), modafinil (비전형적 자극제;</u>
<u>의존성, 부작용 적어 많이 사용)</u>

(2) 탈력발작에 대한 치료

REM 수면 시작과 관련되는 세로토닌, 노르에피네프린의 농도를 증가시키는 약제가 사용된다. venlafaxine
(SNRI 계열), clomipramine(삼환계 항우울제), fluoxetine (SSRI 계열) 등이 있다.

5. 수면무호흡증(Sleep apnea syndrome)

1) 개념

수면 중 호흡 중단이 반복적으로 나타나며, 코골이와 밀접한 관계가 있다.

2) 원인

(1) 중추성 무호흡증: 심부전, 뇌졸증, 아편계 약물 사용

(2) <u>폐쇄성 혹은 상기도 무호흡증(80%): 해부 생리적 원인</u>

(3) 혼합형

3) 위험인자

(1) 폐쇄성: 남성, 비만, 늘어진 목젖, 큰 혀, 큰 목둘레, 중년 이상 연령, 작거나 뒤로 들어간 턱, 비중격 만곡,
가족력 등

(2) 중추성: 남성, 심장질환, 고령, 뇌졸중 과거력

4) 임상양상

(1) 코골이가 가장 대표적인 증상. 심하게 코를 골다가 숨을 멈추고 다시 숨을 몰아쉬거나 헐떡이는 상황
이 반복

(2) 낮 시간의 피로감과 과도한 졸림

(3) 합병증
① 정신적인 합병증: 짜증 및 우울증, 기억력 및 집중력 감퇴
② 신체적인 합병증: 고혈압, 심장비대, 폐고혈압, 부정맥

5) 진단 실력

(1) 수면다원검사(polysomnography)

1시간에 5회 이상의 빈도로 <u>호흡중단 혹은 저호흡증이 10초 이상 발생</u>

(2) Apnea-Hypopnea Index (AHI)

수면 1시간 동안 무호흡이나 저호흡이 나타나는 빈도. AHI가 5 이하이면 정상, 5~15이면 중등도, 30 이상이면 고도이다.

6) 치료

(1) <u>행동요법이 선행되어야 함</u> 기출

심하지 않은 경우 수면 자세 교육(옆으로 누워 자기), 호흡 기능 억제 요인(알코올, 수면진정제) 제거, 체중 감량을 우선적으로 시도한다.

(2) CPAP (continuous positive airway pressure)

중등도 이상의 수면무호흡증에서 가장 보편적 치료. 양압의 공기를 상기도로 불어 넣는다.

*중추성의 경우 BiPAP (bilevel positive airway pressure)을 사용한다.

(3) CPAP이 효과가 없을 경우 막히는 기도의 특정 부위를 수술(예, uvulopalatopharyngoplasty)

6. 일주기리듬 수면장애(Circadian rhythm sleep disorder)

1) 개념

일주기 리듬(체내 수면-각성주기)과 외부의 수면-각성 일정이 어긋나(예, 야간 교대근무, 시차) 발생하는 수면장애로, 자고 싶을 때 못 자고, 깨어 있어야 할 때 졸리고, 자도 개운하지 않다.

2) 역학

야간근무자, 교대 근무자의 25%

3) 진단기준

(1) 환자의 하루 중 수면-각성 양상과 환경에 맞는 수면-각성 일정이 어긋나서 수면이 방해받고, 이로 인해 과도한 졸림 또는 불면이 발생

(2) 이로 인해 현저한 기능장해 또는 고통

(3) 배제진단: 다른 수면장애나 다른 정신장애, 전신질환 또는 물질의 영향

4) 임상양상 및 유형

(1) 지연된 수면위상(delayed sleep phase type)

수면과 각성시간이 기대되는 시간대보다 2시간 이상 늦어지는 것. 늦게 자고 늦게 일어난다.

(2) 전진된 수면위상(advanced sleep phase type)

저녁에 일찍 자고 새벽에 일찍 일어난다.

(3) 불규칙한 수면-각성형(irregular sleep-wake type)

야간에 불면과 낮시간의 졸림이 특징으로, 시설에 입원한 치매환자에서 흔하다.

(4) 비 24시간 수면-각성형(non-24 hour sleep-wake type)

빛 자극이 없는 상황에서 점점 수면각성리듬이 점점 뒤처져서 내인성리듬과 환경의 불일치로 불면과 졸림이 있는 긴 기간이 짧은 정상적인 기간과 함께 번갈아 나타나게 된다. 맹인의 50%에서 발생한다.

(5) 교대 근무형(shift work type)

교대근무자에게 나타나는 수면 위상의 교란

5) 치료

(1) 치료원칙

① 목표에 맞추어 단계적인 수면-각성 주기를 조정한다.

② 주기를 늘리는 방향이 적응하기 쉽다.

Ex) 교대근무의 경우 점차 근무를 미루는 스케줄이 근무를 앞당겨가는 스케줄보다 적응이 쉽다. 해외여행 등에도 적용해 볼 수 있고, 서쪽으로 가는 여행이 적응하기 쉽다(한국에서 유럽가는 여행). `실력`

(2) 수면위상 지연

- 조금씩 더 늦게 자고 늦게 일어나서 원하는 수면-기상 시각에 맞춘다.
- 광치료(이른 아침에 시행): 강한 인공광선에 노출하여 수면위상을 변화시킨다. `기출`

① 앞당겨진 수면위상형: 늦은 밤의 광치료가 도움이 될 수 있다.

② 불규칙한 수면-각성형: 규칙적인 빛과 어둠이 주는 환경적인 조정이 도움이 된다.

③ 비24시간 수면-각성형: 일정한 아침시간의 광치료

④ 교대 근무형

- 근무시간/현지시간에 미리 맞춰 수면-각성 시간을 바꾸기
- 근무시간 중에는 빛에 노출시켜 각성을 극대화하고, 아침에 퇴근할 때는 선글라스를 쓰고 퇴근한 뒤 침실을 어둡게 함으로써 빛 노출 최소화

7. 사건수면(수면수반증, Parasomnia)

사건수면이란, 수면시나 또는 수면과 각성 사이에 나타나는 비정상적인 행동이나 생리적 이상 사건을 말한다.

1) 악몽(Nightmare, Dream anxiety disorder)
(1) 개념
① 무서운 꿈에 의해 깜짝 놀라면서 깨는 것이 특징. 깨어날 때 자율신경각성 증상을 보이며 악몽을 잘 기억할 수 있다.

② <u>REM 수면에서 발생</u>. 대부분 입면 뒤 수면 후반 3분의 1인 새벽에 많다.

(2) 역학
보통 3~6세 시작하지만 청소년기 후반이나 성인기 초기에 유병률과 중증도가 최고에 이른다.

(3) 진단
수면다원검사에서 주로 수면 후반부에 발생하는 REM 수면에서 갑작스러운 각성이 관찰된다.

(4) 치료
PTSD나 다른 스트레스와 연관된 경우가 아니면 대개 특별한 치료가 필요치 않으며 삼환계 항우울제(REM 수면 억제), benzodiazepine 등이 사용될 수 있다.

2) NREM 수면 각성장애(NREM arousal disorder)
(1) 개념
NREM 수면상태인 수면초기 3분의 1 동안에 발생하는 잠에서 불완전하게 깨는 일이 자주 발생하는 것이 주 증상이며, 수면 보행증과 야경증의 2가지 아형이 존재한다.

① 야경증(수면경악장애, sleep terror)

공포에 질려 비명을 지르거나 울면서 시작되는 급작스러운 수면 중 각성상태를 보인다.

② 수면보행증(sleep walking)

수면 중 침대에서 일어나서 돌아다니는 행동을 보이기도 하고, 삽화 중 정신을 차리지 못하고 지남력 상실과 혼돈상태에 있게 된다.

(2) 원인
80%에서 <u>가족력이 있다</u>. 낮에 아주 피곤한 경우, 정신적 스트레스가 삽화의 가능성을 증가시킨다.

(3) 진단

수면다원검사상 삽화 시 뇌파는 불완전한 각성을 나타내는 세타 또는 알파파를 보인다.

(4) 치료

① 수면위생을 잘 지키는 것이 예방에 도움된다.

② 약물치료: 저용량의 clonazepam 혹은 diazepam (benzodiazepine 계열 약물), 삼환계 항우울제를 사용할 수 있다. 기출

③ 수면보행장애의 경우 삽화 동안의 사고를 예방하기 위해 위험한 물건을 침실에서 치우도록 한다.

표 19-2. 야경증 vs. 악몽 기출

	야경증	악몽
수면단계	NREM	REM
혼돈 및 지남력 상실	발생	없음
꿈의 기억	못함	기억하는 경우가 많음
시간대	초저녁	새벽

3) 하지불안증후군(Restless legs syndrome, RLS)

(1) 개념

① 수면 직전 혹은 수면 중에 하지에 근질거리는 이상감각과 불편함, 초조함이 심화되어 다리를 주무르거나 두드리거나 하고 싶은 충동이 들어 수면이 방해받는 질환으로, 움직이면 증상이 완화된다. 증상은 저녁이나 밤에 악화되는 것이 특징이다.

② 고령, 임신, 신장질환 및 철결핍성 빈혈 시에 발생하기 쉽다.

③ 90%에서 주기성사지운동장애(periodic limb movement disorder)를 함께 동반한다.

(2) 원인

dopamine과 철 대사에서의 장애, endogenous opiate system도 관련 있다.

(3) 진단

임상증상으로 내림. 다음 4가지를 모두 만족해야 한다.

1. 다리를 움직이고 싶은 충동이 있으며, 억제하려고 해도 억제하기가 어려움
2. 다리를 움직이고 싶은 충동은 주로 가만히 있는 상태에서 나타나며, 오래 움직이지 않으면 불편감이 심해짐
3. 다리를 움직이거나 주무르거나 비비거나 당기면 일시적으로 증상 호전
4. 주로 저녁에 악화되는 일주기 변동성

(4) 치료

① 약물치료

- <u>Dopamine agonist</u>: pramipexole, ropinirole 기출
- 항경련제(gabapentin, pregabalin)
- 벤조디아제핀계 약물: clonazepam (의존성 때문에 이차적으로 고려)
- 아편양제제(oxycodone, tramadol): 증상이 심할 때
- <u>철분 제제</u>: 혈중 페리틴 수치가 낮을 때 투여

② 비약물치료: 증상이 경미한 경우. 정상적이고 규칙적인 수면리듬. 수면 위생 챙기기

4) REM 수면 행동장애(REM sleep behavior disorder)

(1) 개념

<u>REM 수면 중 필요한 근긴장도 소실이 불완전하여 꿈의 내용을 실제로 행동하는 질환을 말한다.</u>

(2) 역학

일반 인구에서 약 0.5%로 드물다. 50세 이상의 남성에서 주로 발생한다.

(3) 원인

모르는 경우가 많다. 일부에서 TCA, benzodiazepine, 알코올 등의 투여/금단과 연관성이 있다. <u>파킨슨병, 다계통 위축증, 루이소체 치매(lewy body dementia) 등으로</u> 진행하는 경우가 있어 신경학적증상을 지속적으로 모니터링 해야 한다. 실력

(4) 진단

꿈을 행동화하는 증상과 <u>수면다원검사에서 REM 수면 시 근긴장도 저하가 없으면 확진한다.</u>

(5) 동반이환

기면증의 30%에서 렘수면행동장애를 동반한다.

(6) 치료

clonazepam, melatonin. 기출
안전한 환경을 유지한다.

사례 예시 / 기출 문제

〈해설〉

1-01. 다음 사건 수면 중 주로 REM 수면주기에서 발생하는 것은?

① 악몽   ② 야경증

③ 몽유병   ④ 야뇨증

⑤ 이갈이

REM 수면에서는 꿈을 많이 꾸죠? 따라서 악몽은 주로 REM 수면주기에 발생한다고 이해하면 되겠습니다. 나머지 보기는 NREM에서 주로 일어납니다.

1-02. 다음 중 수면 및 수면장애에 관한 설명으로 옳은 것은?

① REM 수면은 주로 신제 및 근육의 회복기능을 가지며, NREM 수면은 뇌기능을 회복시킨다.

② 음경팽창은 NREM 수면 동안의 특징적인 변화이다.

③ 발작적인 수면이 특정인 기면병은 치료로 중추신경억제제를 이용한다.

④ 야경증은 델타 수면 시에 주로 나타나며 심한 자율신경항진 증상을 보인다.

⑤ 우울증 환자에서는 수면 주기 3, 4단계인 서파 수면이 증가하고 REM latency가 길어진다.

① REM 수면은 주로 뇌기능 회복, NREM이 신체 및 근육의 회복기능을 가집니다.

② 음경팽창은 REM의 특징적인 변화입니다.

③ 기면병의 치료는 중추신경자극제를 이용합니다.

⑤ 우울증 환자에서는 REM latency (REM 수면까지 이르는 시간)이 짧아집니다.

정답   1-1 ①   1-2 ④

1-03. 수면 시작 1시간 후 23세 남성의 뇌파 소견이 다음과 같을 때, 동반되는 수면생리는?

① 근육의 긴장소실
② 활발한 뇌 대사
③ 생생한 꿈
④ 호흡수 감소
⑤ 음경팽창

1-04. 다음 뇌파 소견 중 sleep stage II에 해당되는 것은?

2-01. 19세 남자가 낮에 주체할 수 없이 쏟아지는 잠 때문에 수업을 들을 수 없다고 왔다. 대화 중 크게 웃다가 갑자기 주저 앉은 적이 여러 번 있었고, 잘 때 자주 가위에 눌린다고 하였다. 검사는?

① 근전도   ② 혈장 철

③ 심박변이도검사   ④ 수면잠복기 반복검사

⑤ 뇌 자기공명영상촬영

2-02. 35세 여자가 항상 피곤하다며 병원에 왔다. 자고 싶을 때는 잠들 수 없고, 명료하게 깨어 있어야 할 때는 졸리고 잠이 온다고 하였다. 대학병원 간호사로 잦은 주야간 교대근무를 하고 있었다. 적절한 치료는?

① 광치료(light therapy)

② 심부뇌자극술(deep brain stimulation)

③ 지속기도양압

④ 반복두개경유자기자극술(repetitive transcranial magnetic stimulation)

⑤ 안구운동탈민감재처리(eye movement desensitization and reprocessing)

① circadian rhythm이 무너진 경우의 수면장애. 치료는 수면리듬에 맞추어 빛을 보게 하는 광치료입니다.

② 뇌심부에 전류를 주어 자극하는 치료로, 주로 파킨슨병, 강박장애 치료에 쓰입니다.

③ 수면무호흡증에 대한 치료입니다.

④ 뇌에 자기장을 이용한 자극을 주어 신경성 통증이나 치료저항적 우울증을 치료하는 치료법입니다.

⑤ Post-traumatic stress disorder에 대한 치료로, 눈을 좌우로 움직이면서 외상성 사건에 대한 재처리를 하게 됩니다.

2-03. 32세 남자가 운전 중 졸음으로 교통사고 때문에 입원하였다. 5년 전부터 직장에서 참을 수 없는 졸음 때문에 고생하였고 집중력저하와 기억력장애도 호소하였다. 악몽을 자주 꾸었으며 가끔씩 자고 일어났을 때 꼼짝할 수 없는 증상도 경험하였다. 3년 전부터는 화내거나 크게 웃을 때 다리에 힘이 풀려 주저앉곤 하였다. 진단은?

① 발작수면
② Restless legs syndrome
③ 주기사지운동장애
④ 지연 수면위상 증후군
⑤ 진전 수면위상 증후군

〈해설〉

참을 수 없는 졸음(=수면발작), 가끔씩 자고 일어났을 때 꼼짝할 수 없는 증상 경험(=수면마비), 악몽을 자주 꿈(REM 수면 조절 이상), 크게 웃을 때 다리에 힘이 풀려 주저앉는다(=탈력발작). 이 증상들에 입면환각을 더하면 기면증의 4대증상입니다. 따라서 기면증(=발작수면)으로 진단할 수 있습니다.

2-04. 17세 여자가 6개월 전부터 낮 졸음이 너무 심해서 병원에 내원하였다. 밤에 10시간 이상 자도 낮에 졸린다고 했다. TV를 보다가 크게 웃으면 몸에 힘이 풀려서 쓰러지기도 했다. 잠들 때 종종 환청이 들린다고 한다. 주간 졸음의 치료로 적합한 것은?

① Diazepam
② Phototherapy
③ Clonazepam
④ Methylphenidate
⑤ CPAP (continuous positive airway pressure)

낮졸음(수면발작), 크게 웃으면 몸에 힘이 풀려서 쓰러지기도 합니다(탈력발작), 잠들 때 종종 환청이 들리며(입면환각) 여기에 수면마비를 더하면 기면증의 4대증상입니다. 이에 대한 치료는 methylphenidate, modafinil입니다.

2-05. 다음 중 기면병에서 가장 흔한 증상은?

① 이갈이   ② 탈력발작

③ 수면무호흡   ④ 수면마비

⑤ 입면환각

〈해설〉

1번과 3번보기는 기면증 특이적 증상이 아니므로 배제할 수 있습니다. 탈력발작은 기면병 환자의 70~80%에서 나타나고 수면마비와 입면환각은 20~30% 나타나므로 답은 2번입니다.

2-06. 60세 남자가 낮에 심하게 졸려하며 집중력이 떨어져서 병원에 왔다. 부인 말로는 잠을 잘 때 심하게 코를 골며 숨을 쉬지 않는 현상이 수차례 있었다고 하였다. 우선적인 치료는?

① 수면박탈   ② 수면위생교육

③ 수면제 투여   ④ 체계적 낮잠

⑤ 수면자세 지도

우선적으로 행동요법이 선행되어야 합니다. 체중 감량과 수면 자세 변경, 술, 카페인 섭취제한 등을 시행하게 됩니다.

3-01. 64세 남자가 잠든 중에 일어나서 돌아다니다가 다친다는 증상을 주소로 내원하였다. 이 환자는 이전에도 잘 때 옆에서 자는 사람을 다치게 하곤 했는데 이때 격투하거나 싸우는 꿈을 꾸었다고 한다. 수면다원검사상 안구움직임이 많은 REM 수면 상태였고 근긴장도가 증가한 상태였다. 이 환자의 치료약은?

① Fluoxetine　　　　　② Clonazepam

③ Propranolol　　　　　④ Amitriptyline

⑤ Methylphenidate

3-02. 6세 남아가 잠든 직후 1시간 후에 갑자기 일어나서 식은땀을 흘리며 소리를 지르고 멍한 상태로 여기저기 돌아다니다가 5분 정도 지난 후 다시 잠이 들었다고 한다. 아침에는 전날 밤의 일을 전혀 기억하지 못하였다. 1개월 전부터 비슷한 증상이 여러 차례 있었으나 심각하게 생각하지 않고 있었다고 한다. 이 환자의 장애에 관한 설명으로 옳지 않은 것은?

① 일반적으로 나이가 들면서 자연히 해소된다.

② 우선 부모를 안심시키는 것이 중요하다.

③ 심한 경우 벤조디아제핀계 약물을 소량 투여한다.

④ REM 수면단계에 일어나는 현상이다.

⑤ 감별진단으로 수면경련발작(nocturnal seizure)이 있다.

3-03. 4세 여자 아이가 자다가 식은땀을 흘리고 소리를 지르며 걸어 다니는 문제로 병원에 왔다. 자다 깨어 소리를 지를 때에는 부모가 달래도 정신을 차리지 못하고 흥분한 상태였다가 다시 잠이 들었다. 아침에는 밤에 있었던 일을 기억하지 못하였다. 치료약물은?

① 다이아제팜   ② 이미프라민
③ 플루옥세틴   ④ 클로르프로마진
⑤ 메틸페니데이트

〈해설〉

증상이 심할 경우 소량의 benzodi-azepine을 사용해 볼 수 있습니다. 보기의 다이아제팜이 해당됩니다.
② 삼환계 항우울제
③ SSRI
④ conventional anti-psychotics
⑤ 기면증에 쓰이며 주로 각성효과가 있습니다.

3-04. 다음 중 악몽에 관한 설명으로 옳은 것은?

① 잠든 직후 1시간 이내에 나타난다.
② 다음날 아침에 아무것도 기억하지 못한다.
③ 불안이나 자율신경의 변화는 별로 없다.
④ 환각, 착란 등의 증상이 있다.
⑤ 학동기 남아에서 가장 흔하다.

보기 ①, ②, ④, ⑤는 야경증에 해당되는 내용입니다.

3-05. 6세 여아가 2개월 전부터 무서운 꿈에 깜짝 놀라 잠에서 깨면 가슴이 두근거렸고, 악몽으로 인해 다시 잠에 들기가 불안하고 무섭다고 하였다. 치료를 위해 장기간 복용이 가능한 약물은?

① lmipramine   ② Carbamazepine
③ Diazepam   ④ Fluoxetine
⑤ Bupropion

3-06. 71세 여자가 4년 전부터 시작된 불면증을 주소로 내원하였다. 자려고 누우면 다리가 근질거려 잠들기 어렵다고 하였다. 다리를 움직이면 나아지지만 가만히 있으면 심해지며 저녁에 증상이 심하다고 한다. 다음 중 적합한 약제는?

① 할로페리돌   ② 리튬
③ 플루옥세틴   ④ 레보도파
⑤ 이미프라민

정답   3-5 ① 3-6 ④

성장애
Sexual Disorders

이규홍 오진욱 고미애 홍민하

Chapter

XX

Introduction

▶ 성과 관련된 문제들이 주된 증상으로 나타나는 장애입니다. 우선 정상 성에 대해 학습하고 이후 성기능장애, 성도착, 성주체성장애로 나누어 살펴보겠습니다.

1. 정상 성

1) 호르몬과 성적행동

일반적으로 뇌에서 도파민을 증가시키는 물질들은 성욕구를 증가시키는 반면에, 세로토닌을 증가시키는 물질들은 성욕구를 감소시킨다. 에스트로겐(estrogen)은 여성 성적 흥분에 관련된 윤활작용에서 중요한 인자이고 여성에서 자극 감수성의 증가와 연관이 있다.

2) 성 욕구 및 색정적 자극의 성별 차이

남성이 일반적으로 여성보다 성 욕구 기저치가 더 높으며 성관계에 대한 동기는 여성에서 더 다양하다(남녀 사이의 유대를 강화시키려는 소망, 친밀감의 필요성, 남성의 탈선을 막는 방식).

남성은 시각적 자극에 성적으로 반응하나 여성은 감정적인 영웅과 같은 낭만적인 이야기에 대해 성적으로 반응한다.

3) 동성애

동성애는 모든 진단 체계에서 삭제됨. 이제는 질병으로 보지 않는다. 동성애 비율은 2~4%로 보고 있다.

2. 성장애

1) 개념
성과 관련하여 일어나는 모든 장애를 말한다.

(1) 성기능장애(sexual dysfunction)
(2) 성별불만족(성별정체성장애, gender dysphoria)
(3) 변태성욕장애(성도착증, paraphilic didsorder)

2) 정상 성반응 주기
(1) 욕구기(desire) 기출
생리적 변화 없이 성행위에 대한 욕구가 나타날 때

(2) 흥분기(excitement phase)
① 흥분기(수 분~수 시간)
신체적 자극이나 심리적 자극에 의해 성적 흥분이 발생한다. 건강한 남녀는 성적 자극을 받고 10~30초 후면 흥분기가 시작된다.
- 남성: 음경발기, 고환이 커지고 음낭 상승
- 여성: 질 윤활액 분비, 질의 확대, 음핵 팽창

② 고조기(30초~수 분)
- 홍역 발진과 비슷한 성홍조(sex flush)가 발생하며 남녀 모두 맥박, 호흡, 혈압이 더욱 증가한다.
- 오르가즘 30초 내지 3분 전에 흥분이 고조되며, 국소울혈은 고조기에 최고조가 된다. 기출

(3) 오르가즘기(절정기, orgasmic phase)
성적 긴장이 해소되며, 회음부 근육과 골반내 기관들이 주기적으로 수축하게 되며, 쾌감이 최고조에 도달한다. 약간의 의식 흐려짐 또한 동반된다.

(4) 해소기(resolution)
성적 자극이 없던 원상태로 돌아가는 시기이다. 남성의 경우 졸음을 쉽게 느끼며 수 분에서 수 시간의 불응기가 존재하며, 여성의 경우 성적 자극이 다시 주어지면 절정감을 재경험할 수 있다.

3) 성반응 주기에 따른 성기능장애 분류

표 20-1. 성반응 주기에 따른 성기능장애 분류

성반응 주기	특성	성기능장애
욕구기	성적공상 성행위를 하고 싶은 욕구	성욕감퇴장애 성욕혐오장애 기출 일반적 의학적 상태에 의한 성욕감퇴장애 물질유도성요구장애, 동반성기능장애
흥분기 (excitement phase)	주관적 성적 쾌감 및 연관된 생리반응	여성흥분장애 남성발기장애 일반적 의학적 상태에 의한 남성발기장애 일반적 의학적 상태에 의한 성교통증 물질유도성흥분장애, 동반성기능장애
오르가즘기 (=절정기, orgasmic phase)	성적 긴장 해소. 3-15초간 지속 남성: 사정 여성: 회음부 근육과 　　　골반내 기관 수축 기출 극치감: 여성의 경우 질과 음핵에 동시 　　　존재 기출	사정과 관련된 장애가 절정기에 속함 여성절정감장애 남성절정감장애(=사정지연) 조루증 기출 의학적 상태에 의한 기타 성기능장애 물질유도성절정감장애, 동반 성기능장애
해소기 (resolution phase)	10~15분간 소요: 　오르가즘이 없는 경우는 12시간에서 　1일 소요. Sense of well-being 근육이완 남성의 경우 불응기(연령에 따라 증가) 여성은 반복적 절정감 가능 기출	성교 후 불쾌감 성교 후 두통 기출 성적 통증장애 질경련 성교통

4) 성기능장애

성기능장애는 성적 자극에 반응할 수 있는 능력이 없거나 성행위 중 통증을 느끼게 되는 것을 주요 양상으로 하는 성장애의 하나로 성적으로 반응하거나 성적 쾌감을 경험하는 개인능력이 임상적으로 심각하게 손상된다.

(1) 남성 성욕감퇴장애(male hypoactive sexual desire disorder)/여성 성적흥미/흥분장애 (female sexual interest/desire disorder)

① 개념 및 역학

남성에서 성적 생각이나 공상 및 성행위에 대한 욕구가 지속적 혹은 반복적으로 결핍되거나 없는 장애. 여성에서 성적흥미/흥분장애는 성행위의 대부분의 경우에서 성적 흥미나 흥분이 없거나 현저히 감소된 상태.

② 원인

심리적 원인이 내부분. 부부간 갈등, 수행불안, 우울, 과거의 성적공포

③ 진단

연령, 일반건강, 스트레스, 성적관심의 기저 기준치 평가

진단기준 핵심(DSM-5)

> 1. 성적 환상과 성행위에 대한 욕구가 없는 현상이 지속
>
> 2. 6개월 이상의 지속기간
>
> 3. 이로 인한 현저한 기능장해 또는 대인관계 문제
>
> 4. 다른 정신장애, 약물, 신체질환으로 인한 것이 아니어야 함

④ 치료

상황적이고 만성적이지 않다면 치료효과가 좋다. 만성적인 경우 성적 욕구를 방해하는 개인의 태도나 믿음에 대한 평가가 필요하다. 상황적이거나 후기 발병형의 치료는 기저 원인에 대한 치료가 필요하다 (우울증이 원인이라면 우울증을 치료. 내분비기능 회복. 나이 증가에 의한 성욕감퇴의 경우 성욕을 증가시킬 수 있는 다양한 성행위 시도).

(2) 발기장애(발기부전, erectile disorder)

① 개념 및 역학

성행위 시 발기가 안되거나 유지되지 않거나 발기력이 약하여 제대로 끝내지 못하는 경우이며, 나이에 따라 증가한다. 과거에 발기 문제가 없다가 특정 시점부터 발기장애가 나타난 경우 이차성(획득형) 발기장애라 하는데 40~80세 성인 남성의 10~20% 나타난다.

② 원인
- 심인성: 예기불안, 수행불안, 징벌적 초자아, 원하는 상대가 아니라는 느낌
- 기질성: 당뇨, 혈관, 신경질환

③ 진단

진단기준 핵심(DSM-5)

> 1. 성행위에 필요한 정도의 발기 또는 발기상태 유지가 안 되는 현상이 지속 또는 반복. 성행위 시 75~100% 발생한 경우
>
> 2. 6개월 이상의 지속기간
>
> 3. 이로 인한 현저한 기능장해 또는 대인관계 문제
>
> 4. 다른 정신장애, 약물, 신체질환으로 인한 것이 아니어야 함
> 기질적 원인 감별을 위해 수면 시 음경 팽창측정, 도플러, 간 기능/혈당/내분비 검사

④ 치료

심리적 문제에 대한 부부치료, 정신치료, 생활습관의 변화 등 비약물적 치료 선행한다. sildenafil (비아그라로 알려진 phosphodiesterase type 5 차단제), alprostadil (음경해면체 내 혈관 작용물질) 약물치료와 단기간의 정신치료 병합요법이 가장 효과적. 다른 치료에 효과가 없다면 외과적 시술 시행한다.

(3) 여성 극치감장애(female orgasmic disorder)

① 개념 및 역학

적절한 성적 흥분상태 후 극치감에 도달하지 못한다. 10%가 평생동안 극치감을 경험하지 못한다. 유병률은 30% 정도이다.

② 원인

유전적 요인이 상당히 작용. 임신공포, 성적 충동에 대한 죄책감. 문화적 종교적 억압

③ 진단

진단기준 핵심(DSM-5)

> 1. 정상 흥분기에 이른 뒤 극치감에 이르지 못하거나 시간이 지나치게 오래 걸림
> 2. 6개월 이상의 지속기간
> 3. 이로 인한 현저한 기능장해 또는 대인관계 문제
> 4. 다른 정신장애, 약물, 신체질환으로 인한 것이 아니어야 함

④ 치료

인지행동치료: 평생형일 경우 지시성자위훈련(directed masturbatory training), 성교 시에만 극치감이 없다면 합동인지행동치료를 한다. 그러나 유전적 요인이 많은 경우에는 이 치료방법도 큰 효과가 없다.

(4) 지연사정(delayed ejaculation)

① 개념 및 역학

적절한 자극과 의식적 사정욕구에 도달하였음에도 불구하고 사정이 매우 지연되거나 사정을 못하는 경우를 말한다.

② 원인

죄책감, 엄격한 집안환경, 청교도적 배경. 대인관계문제, ADHD, 강박장애 동반이 흔하다. 정상 성행위를 경험하기 전 포르노에 과한 노출이 되었을 가능성이 높다(정상 성행위를 경험하기 전에 포르노에 많이 노출된 남성 청소년은 통상적 성교 시 절정감에 도달하게 하는 직절한 쾌감과 관련된 시냅스가 발

달하지 못함).

③ 진단

진단기준 핵심(DSM-5)

---

1. 적절한 자극에도 불구하고 사정의 지연증상 또는 사정을 하지 못함

2. 6개월 이상의 지속기간

3. 이로 인한 현저한 기능장해 또는 대인관계 문제

4. 다른 정신장애, 약물, 신체질환으로 인한 것이 아니어야 함

---

④ 치료

최근에는 통찰지향적 정신치료보다는 인지행동치료 선호한다. 자극 증가를 위한 성 상대의 바이브레이터 사용하며, 자위행위에서만 극치감을 느끼는 경우에는 자위행위와 유사한 전희를 시행한다. 약물의 사용 및 신체질환에 의한 경우에는 약물의 변경이나 기저질환의 치료가 필요하다.

(5) 조루증(premature ejaculation)

① 개념 및 역학

m/c 성인남성 성기능장애. 삽입 후 1분 이내 혹은 본인이 원하기 전 사정 <kbd>기출</kbd>

② 원인

수행불안, 무의식적 공포, 문화적 영향, 상대방 재촉

③ 진단

나이, 배우자 매력 등 고려. 과로, 스트레스, 첫 성행위 등에서는 진단하지 않는다.

진단기준 핵심(DSM-5)

---

1. 삽입 전 혹은 삽입 후 1분 이내 본인이 원하기 전 사정하는 현상 반복

2. 6개월 이상의 지속기간

3. 이로 인한 현저한 기능장해 또는 대인관계 문제

4. 다른 정신장애, 약물(예: 아편계 금단증상), 신체질환으로 인한 것이 아니어야 함

---

④ 치료

• 행동기법: Squeeze technique (사정 직전 귀두를 손으로 조여 사정을 멈추게 함), Stop-start technique

(사정 전 자극을 그만두었다가 흥분이 가라 앉으면 다시 자극하는 기법)

• 약물요법: SSRI, PDE-5 inhibitors, tramadol, clomipramine

(6) 성기-골반 통증/삽입장애 실력

① 개념 및 역학

성교 시 통증에 대한 심한 공포. 여성에서 더 많이 나타남. 질경련은 불수의적 근육수축이 음경삽입을 막는 경우로, 히스테리성 여성에서 잘 발생. 대략 15%의 여성이 성교 중 통증을 느낌이다.

② 원인

남성은 드물지만 기질적 원인(헤르페스, 전립선염, peyronie병)에 의하며, 부인과 및 비뇨기과적 질환, 심리적 요인이 복합적으로 작용한다.

③ 진단

진단기준 핵심(DSM-5)

---

1. 다음 중 한 가지 이상의 고통이 지속
   • 삽입 시
   • 삽입 또는 시도 시 질이나 골반의 통증
   • 이러한 통증으로 인한 예기불안이나 공포
   • 삽입 시도 시 골반 근육의 긴장
2. 6개월 이상의 지속기간
3. 이로 인한 현저한 기능장해 또는 대인관계 문제
4. 다른 정신장애, 약물, 신체질환으로 인한 것이 아니어야 함

---

④ 치료

질 청결을 먼저 시도한다. 탈감작법이나 골반하부재활, 골반하부운동, 국소약물 등의 생물학적 치료와 인지행동치료나 성치료와 같은 심리치료를 적용한다.

(7) 물질/약물 유도성 성기능장애 실력

① 개념 및 역학

물질의 중동 혹은 약물의 금단이나 노출 후에 나타나는 성기능장애를 말한다.

② 원인

항우울제(MAOI, TCA, SSRI, SNRI), prolactin 증가시키는 항정신병약물, 고용량의 benzodiazepine

③ 진단

임상적으로 유의한 성기능장애가 성기능장애의 가능성이 있는 물질에 중독되었거나 그 직후 혹은 약물의 금단이나 노출 후에 나타난다. 다른 성기능장애의 과거력이 없어야 하며 섬망기간 중에 나타나지 않아야 한다. 니코틴이나 알코올 같은 물질의 만성적 남용에 의한 성기능장애의 경우에는 진단이 어렵다.

④ 치료

약물유발 성기능장애 치료는 성기능 부작용이 없는 약물로 대체(SSRI에 의한 성기능장애에서는 bupropion으로의 변경, 추가 혹은 buspirone의 추가) 한다.

3. 변태성욕장애(성도착증, Paraphilic disorder)

1) 개념 및 역학

일탈된 성적 환상이나 충동이 행동으로 표출될 경우 진단하며, 통상적인 성적 자극에는 감흥이 없다는 것이 정상적인 성생활을 하는 사람들과의 감별점이다.

유병률과 경과에 대한 정보는 매우 적으나 남자가 많고 대개 15~25세 사이에 가장 많으며 이후 감소한다. 절반 이상이 18세 이전에 발병한다.

2) 원인

(1) 심리사회적 요인

정신분석 모델의 틀에선 성도착증은 성적인 적응에 이르는 정상발달 과정의 실패가 원인이다. 거세 공포, 분리불안을 극복하기 위해 선택한 방법이라는 분석도 있다.

(2) 생물학적 요인

호르몬 이상과 신경학적 이상 등 비정상적인 기질적 요인이 발견되기도 한다.

3) 진단 및 임상양상

최소 6개월 이상 비정상적 성적 환상으로부터 강렬하고 반복적인 흥분상태를 경험하며 변태성욕적 충동으로 사람이 아닌 대상이거나 상호동의가 이루어질 수 없는 상대방에게 변태성욕행동으로 이어져야 변태성욕장애를 진단한다.

(1) 관음장애(voyeuristic disorder)

나체이거나 몸단장 중이거나 성행위 중인 사람들을 몰래 훔쳐보는 행동이나 환상에 반복적으로 몰입. 행위 직후에 자위행위를 하고 절정감을 얻는 행위가 동반된다. 18세 이전에는 진단하지 않는다.

(2) 노출장애(exhibitionistic disorder) 기출

낯선 사람들에게 반복적으로 자신의 성기를 노출하려는 욕구표출. 노출장애 남성환자는 심리적으로 자신의 성기를 노출하면서 여성의 경악, 놀람, 혐오스런 반응을 통해 자신의 남성성을 확인하려는 의도를 가진다. 중년 이상에서 발생 시 치매를 의심한다. 기출

(3) 접촉도착장애(frotteuristic disorder)

극치감을 얻기 위해 남성의 성기를 옷 입은 여성의 신체 일부에 문지르는 도착행동을 보인다. 대개는 공공장소에서 일어나며 관음장애, 노출장애와 동반되는 경우가 많으며 대상에 대한 성적인 매력 때문이 아닌 행위에 몰입하여 반복적으로 행한다.

(4) 성적피학장애(sexual masochism disorder)

모욕당하고 구타당하고 묶이고 고통받는 환상과 성적 충동의 반복적인 몰입으로, 심한 경우에는 생명의 위협이 있는 상황에도 멈추지 않는다. 대개 경과는 만성적이며 여성에 많고, 30%에서는 가학성애가 동반되기도 한다.

(5) 성적가학장애(sexual sadism disorder)

6개월 이상의 기간 동안 타인을 성적 또는 신체적으로 괴롭히면서 반복적으로 강렬한 성적 흥분을 얻으려는 경우이다. 강간과 관련되어 있으며 남성이 대부분이며 18세 이전에 발병한다.

(6) 소아성애장애(pedophilic disorder) 기출

6개월 이상 13세 이하의 소아로부터 지속적이고 강렬한 성적 욕구나 흥분이 있는 경우로, 대부분 구강성교이거나 성기 애무이며 질이나 항문 성교는 드물다. 실제 60%는 피해자가 소년. 환자의 95%가 이성애자이며 50%의 환자가 행위 당시에 술에 취한 상태라고 한다. 성도착증 중 법적으로 문제가 되는 가장 큰 이유가 되기도 한다. 기출

(7) 물품음란장애(fetishistic disorder) 기출

처음에는 신체 일부와 밀접하게 관련된 신발, 장갑, 스타킹 등의 물건으로부터 성적 자극을 얻다가 나중에는 국소부 편애증으로 변하기도 한다. 유년 시절 중요한 인물과 관련된 물건인 경우가 많으며 사춘기에 시작하여 만성적인 경과로 남성에서만 볼 수 있다.

(8) 의상도착장애(transvestic disorder)

반대 성의 복장을 이용하여 성적인 흥분을 이끌어내며, 소아기나 사춘기 초기에 발병한다. 일부 남자환자는 영구적으로 여성으로 살아가기도 한다. 대개 사춘기에 뚜렷한 행동이 나타나며 부모로부터 독립하기 전까지는 반대 성의 옷을 입고 자유롭게 생활하지는 않는다.

4) 성도착증의 종류 및 개념

표 20-2. 성도착증의 종류 및 개념

질환	개념	비고
물품음란장애 `기출`	여성의 물건을 통해 성적 만족	사춘기에 시작하여 만성적인 경과
의상도착장애	성적 흥분을 위해 이성의 옷을 입음	의복을 통해 성적 만족을 추구하는 점과 자신의 성별 불쾌감이 없다는 점에서 성주체성장애와는 구별됨
소아성애장애 `기출`	13세 이하 소아와의 행위, 상상으로 성적 만족	법적으로 문제가 되는 가장 큰 이유 `기출`
노출장애 `기출`	성기를 노출시켜 성적 만족	중년 이상에서 발생 시 치매 의심 `기출`
관음장애	타인의 성행위, 성기를 봐야 만족	
성적피학장애	모욕, 구타, 채찍질 등을 당하는 신체적 활동으로 성적 만족	여성에 많고, 30%에서는 가학성애가 동반되기도 한다.
성적가학장애	상대에게 모욕 및 고통을 가하며 성적 만족	강간, 살인, 폭력위험
접촉도착장애	붐비는 곳에서 음경이나 손을 옷 입은 이성의 신체에 접촉하면서 성적 만족을 얻음	

5) 치료

(1) 환자가 협조하고 자신의 정신역동을 자각할 수 있는 가능성이 있다면 정신분석적 정신치료 혹은 통찰 정신치료가 가장 권장한다.

(2) 생물학적 치료

- 테스토스테론(testosterone)의 농도를 낮추어 도착행동 및 병적 기호를 감소
- 원인이 되는 성기능장애/정신장애를 치료(수술 치료와 약물치료가 있으나 약물이 충분히 같은 결과가 있으므로 수술적 치료는 논란이 있음)

(3) 약물치료

- 항안드로겐: 성욕 감퇴 약물(cyproterone acetate나 medroxyprogesterone)
- 호르몬치료: leuprolide, triptorelin (GnRH agonist) 황체형성호르몬분비를 막아 혈중 테스토스테론의 농도와 리비도를 감소시킴 → 화학적 거세
- SSRI (항우울제): sertraline, fluvoxamine, fluoxetine 항안드로겐 치료나 호르몬 치료에 비해서는 효과가 부족함

(4) 인지행동치료

인지적 왜곡을 교정하고 긍정 강화와 부정 강화를 통해 자극에 대한 개인의 반응을 조절하여 행동을 수정한다. 사회 기술 훈련, 성교육, 공감 능력 개발이 포함된다.

(5) 예방이 가장 중요: 소아·청소년기의 성교육과 부모들의 관심이 중요

4. 성별불쾌감(Gender dysphoria)

1) 개념

자신의 생물학적 성과 성역할에 지속적인 불편감을 느끼며, 반대의 성이 되기를 소망한다. 과거에 성전환증 (transsexualism)으로 불렸으며 DSM-IV에서는 성별정체성장애(gender identity disorder)로 명명되었다. 기출

Ex) 성적 지남(orientation)과는 관계없다(동성애, 이성애, 양성애 모두 가능).

2) 역학

체계적인 역학조사는 시행된 바가 없다.

3) 원인

정확한 원인은 알려지지 않았다.

4) 임상양상

출생성별과 경험하고 표현하는 성별 사이에 뚜렷한 불일치가 고통을 유발한다.

(1) 아동

다른 성별이 되고자 하는 소망을 표현한다. 다른 성별의 옷을 선호하고 다른 성별의 친구를 원하며 다른 성별과 관련된 장난감이나 놀이를 즐긴다.

(2) 청소년과 성인

성인 환자들은 자신이 원하는 성별의 행동 방식을 따르고 옷차림을 결정한다. 다른 사람들이 자신을 태생 적으로 주어진 성별로 취급하거나 사회에서 부여받은 성별로 역할을 해야 한다는 사실에 불편함을 느낀 다. 자신의 성기를 혐오해 성적 대상에게 성기를 보여주거나 만지지 못하게 하기 때문에 성적활동이 매우 제한된다. 성전환을 받기 전의 성별불쾌감을 가진 청소년과 성인은 자살사고 및 시도, 자살 위험성이 높 다. 또한 성전환 이후의 적응 정도는 다양하며 자살 위험도는 높게 유지된다.

5) 치료
(1) 소아

치료에 대해 민감하게 반응하기 때문에 성별 정체성을 바꾸려고 하기보다는 이로 인한 이차적인 불편감 을 줄이고 문제에 대한 인식을 탐색할 수 있도록 한다.

(2) 청소년

수술과 같은 비가역적인 방법은 법적 성인에 도달한 후에 받도록 한다.

(3) 성인

생각을 변화시키는 것은 어렵고 증상을 치료하기보다는 증상을 가지고 어떻게 살아야 하는지에 초점을 두고 치료한다. 정신치료, 성정체성에 관한 탐색, 성전환수술(가슴 수술, 질성형술 등. 최소, 3개월에서 1년 이상 호르몬치료를 통해 반대 성으로 생활해 보도록 하고 자신의 변화를 경험한 후 실시, 70~80%에서 만족), 호르몬치료 등이 있다.

6) 경과 및 예후 실력

남아는 대개 4세 이전에 발병하고 나이가 들수록 반대성의 행동은 줄어든다. 이성복장(transvestism)도 흔하게 동반되는데 75%의 남아에서 4세 이전에 나타난다. 소아에서의 성별불쾌감의 흔한 예후는 성별불쾌감이 사춘기 말이나 성인기까지 지속되는 양상보다는 동성애자로 이행된다.

사례 예시 / 기출 문제

1-01. 다음 중 조루증(premature ejaculation)에 관한 설명으로 옳지 않은 것은?

① 수행 불안과 관련이 있다.

② 성반응 주기 중 흥분기에 발생한다.

③ 가장 흔한 남성 성기능장애이다.

④ 신체적 탈진이나 긴장감이 높을 때 잘 생긴다.

⑤ 항불안제 투여가 도움이 된다.

〈해설〉

① 수행불안, 무의식적 공포, 문화적 영향, 상대방 재촉과 관련되어 발생

② 절정기장애

③ 가장 흔하며, 성기능장애 남성의 40% 정도

④ 신체적 탈진이나 불안감, 긴장감이 높을 때 잘 나타납니다.

⑤ 불안감과 연관되어 나타날 수 있으므로 그럴 땐 항불안제가 도움됩니다.

1-02. 다음 성기능장애 중 squeeze technique이 도움이 되는 경우는?

① 조루증   ② 역행사정

③ 사정지연   ④ 성교통

⑤ 발기부전

사정에 임박할 것 같을 때 엄지와 검지로 발기된 성기의 shaft를 잡아 사정을 조절하는 squeeze technique이 효과가 있습니다.

1-03. 다음 중 성기능장애로 조합된 것은?

| 가. 성욕감퇴 | 나. 발기부전 |
| 다. 성교 후 두통 | 라. 노출증 |

성욕감퇴–욕구기장애
발기부전–흥분기장애
성교 후 두통–해소기장애
노출증–성기능장애가 아닌 변태성
욕장애(paraphilic disorder)에 해당
합니다.

① 가, 나, 다   ② 가, 다

③ 나, 라   ④ 라

⑤ 가, 나, 다, 라

2-01. 24세 남자가 자기방 옷장에 브래지어, 여자팬티, 스타킹 등을 숨긴 것이 발견되어 어머니가 병원에 데리고 왔다. 면담에서 그는 일 년 전부터 여자 속옷을 보면서 공상하거나 자위행위를 할 때에 성적 쾌감을 느꼈다고 한다. 진단은?

① 관음장애(voyeuristic disorder)

② 노출장애(exhibitionistic disorder)

③ 물품음란장애(fetishistic disorder)

④ 접촉도착장애(frotteuristic disorder)

⑤ 의상도착장애(transvestic disorder)

여성물건애는 절편음란증이라고도 불리우며 여성을 물건을 통해 성적 만족을 찾게 됩니다. 물건을 통해 자위도 하게 되는데 옷을 입어보는 의상도착증과는 구별됩니다. 관음증은 타인의 성행위를 보면서 만족을 추구합니다. 접촉도착증은 분비는 곳에서 음경이나 손을 옷 입은 이성의 신체에 비비는 행위를 합니다.

〈해설〉

2-02. 중년 이상에서 처음 발생할 경우 치매를 의심해 보아야 하는 변태성욕장애는?

① 관음장애   ② 노출장애

③ 성적피학장애   ④ 의상도착장애

⑤ 물품음란장애

성기를 노출시켜 성적 만족을 느끼는 것을 노출증이라고 하며 중년 이상에서 발생 시 치매를 의심해 볼 수 있습니다.

3-01. 21세 남자가 미니스커트 차림으로 성전환수술을 받고 싶다고 왔다. 어려서 주로 여자아이들과 인형을 갖고 놀았으며 남자아이들과 놀거나 운동을 한 적은 없었다. 동성애자가 아니라 잘못 태어난 여성이기 때문에 이성교제로 남자친구를 사귄다고 하였다. 진단은?

① 성별불쾌감(gender dysphoria)
② 성기능장애
③ 의상도착장애
④ 소아성애장애
⑤ 물품음란장애

자신의 생물학적 성과 성역할에 지속적인 불편감이 있고 반대의 성이 되기를 소망함으로 성별불쾌감(gender dysphoria)이라고 볼 수 있습니다.

정답   2-2 ② 3-1 ①

파괴적, 충동조절 및 품행장애
Disruptive, Impulse—Control and, Conduct disorder

서원우 박주호 고미애 홍민하

Chapter

Chapter 21

Introduction

▶ 충동이란 인간이 가지는 본능적 성향으로 너무 강하거나 자아의 억제 기능이 약화되면 문제가 발생합니다. 충동으로 인해 긴장이 고조되고 이를 해소하기 위해 행동화가 나타나며 자신, 타인에게 피해를 주는 것이 충동조절장애입니다.

▶ 적대적 반항장애, 품행장애, 간헐적 폭발장애, 방화벽, 절도벽, 기타/특정되지 않은 파괴적, 충동 조절 및 품행장애가 이 카테고리에 해당됩니다.

1. 적대적 반항장애(Oppositional defiant disorder)

1) 개념

(1) 자주 과민하게 화를 내고 논쟁적, 반항적 행동 또는 보복적 태도를 6개월 이상 보인다.

(2) 형제, 자매 제외한 적어도 한명 이상과의 관계에서 나타나 사회적, 학업 또는 직업 기능 가운데 적어도 한 가지 이상 영역에서 장애이다.

(3) 다른 정신과적 장애 많이 동반, 이후 품행장애, 약물 남용, 심한 비행행동이 잦아 초기 개입이 중요하다.

2) 역학

(1) DSM-5에 의하면 평균 3.3%의 유병률을 보인다.

(2) 남아＞여아, 청소년기나 성인의 경우 남녀 간 차이는 없다.

3) 임상양상

(1) 화를 자주 내고 과민하며 논쟁적, 반항적인 행동, 보복에 집착하는 태도가 6개월 이상 지속된다.

(2) 사회적, 학업, 직업적 기능 가운데 적어도 하나 이상의 영역에서 장애를 보인다.

(3) 증세들은 특히 권위를 가진 인물을 대상으로 나타난다.

(4) 자신의 증세를 주변 환경, 사람의 탓으로 돌린다.

(5) 다른 사람의 주요한 권리를 침해하지 않고 나이에 적절한 사회 규준을 어기지는 않으므로 품행장애와 감별 가능하다.

(6) 거짓말이나 공격행동은 가능하다.

(7) 2~3세, 청소년기 초기의 강압적, 반항적 행동보다 심하게 나타난다.

4) 진단의 절차

(1) 정확한 평가와 치료를 위해선 환자, 가족 각각과 치료적 동맹을 맺어야 한다. 치료자가 이들 사이에서 누군가의 편을 드는 인상을 주면 치료자가 자신의 편이 아니라, 느낀 사람은 평가와 치료과정에 저항하게 된다.

(2) 자세한 병력 청취와 검사를 통해 파악하며 부모는 아동이 의도적으로 말을 듣지 않는다고 보고하는 경우가 많으나, 다른 이유로 부모의 지시를 따르지 못하는 경우도 있으므로 자세히 들어서 그 이유에 대해 파악해야 한다.

(3) 부모의 양육 방식을 자세히 알아 보면서 적대적 반항 행동을 유발하는 부모의 문제가 없는지 확인한다.

5) 진단기준 핵심(DSM-5)

1. 아래 진단기준 중 4가지 이상이 6개월 이상 지속 형제 자매 제외한 한 명 이상의 대상과 관계에서 나타남

   화/과민한기분
   ① 자주 성질을 냄
   ② 자주 과민하거나 쉽게 짜증을 냄
   ③ 자주 화를 내고 분개함

   논쟁적/반항적 행동
   ④ 권위 있는 인물 혹은 성인과의 논쟁
   ⑤ 권위 있는 인물의 요구나 규칙에 적극적 반항 혹은 따르지 않음
   ⑥ 자주 고의적으로 다른 사람을 짜증나게 함
   ⑦ 자신의 실수에 자주 다른 사람 탓함

   보복성
   ⑧ 과거 6개월 이내에 적어도 두 번 이상 악의적 혹은 보복적인 태도를 보임
   주의: 이런 행동의 지속성과 빈도를 이용해서 정상 범위와 증세를 구별해야 한다.

   5세 미만인 경우와 달리 언급되지 않는 한(기준 A8). 과거 6개월 동안 거의 매일 이런 행동이 있어야 한다.

   5세 이상의 경우, 달리 언급되지 않는 한(기준 A8). 6개월 동안 적어도 일주일에 한 번은 이런 행동이 있어야 한다.

2. 행동의 장애로 주변 사람(가족, 동료, 친구)에게 영향을 미치거나 사회적, 직업적, 교육적 기능 등의 저하 발생

3. 다른 정신의학적 질환 혹은 약물 등에 의해 생긴 것이 아니고, 기분조절부전장애 진단기준에 맞지 않는다.

6) 감별진단과 동반이환장애

(1) 감별 진단 기출

① 정상발달

학령 전기의 아동의 경우 부모의 지시에 따르지 않고 짜증내는 일은 많으므로, 이 나이가 지나야 적대적 반항장애의 진단이 확실해진다.

② 품행장애

적대적 반항장애의 경우 품행장애에 비해 행동문제는 일반적으로 덜 심각하며, 동물이나 사람에 대해 공격적인 행동을 하지 않고 기물 파손 및 도둑질 등이 나타나지는 않는다.

③ ADHD

ADHD의 경우 고의가 아니라 산만함, 충동성, 과잉행동 때문에 다른 사람의 지시를 잘 따르지 못한다.

④ 간헐적 폭발장애

다른 사람에 대한 심한 공격성이 나타나나 적대적 반항장애의 경우 공격성이 덜 심하다.

⑤ 우울장애, 양극성장애 및 기분조절부전장애

- 소아 청소년에서 우울, 불안이 있을 경우 감당하기 힘든 상황이 되면 자신의 불안을 조절하기 위해 적대적, 반항적 행동을 하는 경우가 있다. 우울, 양극성장애의 경과 중에만 적대적 반항장애의 증세가 나타난다면 적대적 반항장애의 진단을 배제한다.
- 기분조절부전장애의 경우 성질 내는 빈도, 강도, 정도에 있어 적대적 반항장애보다 더 심하다.

(2) 동반이환장애

① 일반 인구를 대상으로 한 연구에서 14%는 ADHD, 불안장애, 9%는 우울장애 실제 임상에서 평가받는 적대적 반항장애 환자의 대부분은 ADHD이다.

7) 원인

(1) 형제, 자매 발병률이 높은 것으로 보아 유전적 요인이 작용한다.

(2) 정서적으로 자신을 조절하는 능력이 부족한 기질적 특성은 적대적 반항장애를 예견한다.

(3) 황산데하이드로에피안드로스테론 농도가 ADHD, 정상 대조군과 비교하여 더 높게 나타난다.

(4) 강압적인 부모의 태도로 발생 가능하다.

(5) 사회 학습 이론은 아동이 자신을 돌봐주는 사람이나 자신의 생의 중요한 인물의 행동을 모방한다.

(6) 사회적 환경으로 가족 응집력이 약하고 가족 내 갈등 많으며 비일관적 훈육, 아동의 소재에 대해 부모가 잘 모니터링하지 못한 경우에 발생한다.

8) 치료

(1) 치료 초기에 중요한 것은 환자와 가족 모두에게 신뢰를 얻고 치료적 동맹을 형성하는 것이다.

(2) 많은 환자는 자신의 행동에 문제가 있었음을 알고 있으나 외부 환경을 탓한다.

(3) 치료자가 자신을 비난하거나 다른 사람의 편에 있다고 느끼면 방어적 자세를 취하며 치료에 협조하지 않으므로 중립적 입장을 취하며 환자가 느끼는 감정에 공감을 하고 환자의 어려움을 줄이기 위해 도움을 줘 신뢰를 얻어야 한다.

(4) 가장 중요한 치료는 학교, 지역사회, 가정을 중심으로 한 예방적 개입으로 고위험 아동을 대상으로 조기에 예방적 개입을 하는 것이 중요하다.

(5) 적대적 반항행동 자체에 대해선 약물치료의 효과가 입증되지는 않았으나 동반된 질환의 증세가 완화되면 적대적 반항장애의 증세도 같이 좋아진다는 보고도 있다.

9) 경과 및 예후

(1) 첫 증상은 대부분 학령 전기, 청소년기 이후 시작은 드물다.

(2) 전형적으로 6세 전후 발병하여 상당 기간 지속된다.

(3) 발병 나이, 증세의 심한 정도, 동반 정신질환의 존재 여부에 따라 경과와 예후는 달라진다.

(4) 조기 발병 혹은 발병 시 증상이 심하면 품행장애로 이행될 위험성이 높고 예후가 나쁘다.

(5) 역기능적 가족 구조를 가진 경우에도 품행장애로 이행할 확률이 높다.

(6) 3년이 지나면 2/3는 적대적 반항장애를 벗어나며 벗어나는 예측 인자는 명확하지 않다.

(7) 소아청소년기의 적대적 반항장애는 성인이 되었을 때 반사회적행동, 충동조절문제, 물질남용, 불안과 우울과 같은 문제를 보일 위험이 높다.

2. 품행장애(Conduct disorder)

1) 개념

다른 사람의 권리나 중요한 사회 규칙, 규율, 규범을 침해하는 특성을 보인다.

2) 역학

(1) 대부분의 연구에서 약 5% 정도의 유병률을 보인다.

(2) 사회경제적 요인과 밀접한 관련이 있다(낮은 사회경제적 계층, 범죄율이 높은 동네에서 자라거나 사회적 와해가 있는 경우).

3) 임상 양상

(1) 서서히 증상이 발생하다 다른 사람의 권리를 침해하는 정도로 나타난다.

(2) 타인의 기본 권리 침해, 주요 사회 규칙을 위반한다.

(3) 아동기 발병형은 예후가 나쁘고 증상이 심한 경향이 있으며 이전에 적대적 반항장애나 ADHD가 동반
된 경우가 많다.

4) 진단기준 핵심(DSM-5)

1. 반복, 지속적으로 타인의 권리를 침해, 주요한 사회 규범, 규칙을 어기는 행동을 지난 12개월 동안 다음 15
개의 기준 중 적어도 세 가지 이상을 충족하고, 지난 6개월 동안에 적어도 한번 이상은 나타남

사람과 동물에 대한 공격성
① 자주 타인을 괴롭히고 협박
② 잦은 싸움
③ 무기를 이용해 다른 사람에게 상해를 가함
④ 사람에게 잔인한 행동
⑤ 동물에게 잔인한 행동
⑥ 피해자 앞에서 물건 훔침
⑦ 타인에게 성적인 행동을 강요

재산의 파괴
⑧ 고의로 해를 가하기 위해 방화
⑨ 불 지르지 않더라도 일부러 다른 사람 재산에 피해

속이기 또는 훔치기
⑩ 다른 사람의 공간에 무단침입
⑪ 다른 사람에게 사기, 거짓말을 자주 함
⑫ 피해자 만나지 않고도 비싼 물건을 훔침

심각한 규칙의 위반
⑬ 13세 이전부터 부모의 금지에도 잦은 무단 외박
⑭ 보호자와 같이 사는 도중 2회 이상 가출 혹은 1회라도 긴 기간의 가출
⑮ 13세 이전부터 잦은 무단 결석

2. 이러한 행동장애는 환자의 일상 생활에 중대한 지장을 초래
3. 18세 이상인 경우에 반사회적 인격장애가 배제되어야 함

(1) 문제 행동의 발병 시기, 빈도, 심각도 등을 확인해야 하며 이는 품행장애의 심각도와 하위 유형을 결정
하는데 중요하다.

(2) 벌금, 전과력, 물질남용 여부, 위험획득 행동 여부에 대한 평가도 필요하다.

5) 감별진단과 동반이환장애 [기출]

(1) 적응장애
유의미한 스트레스 후에 나쁜 품행을 보이는 경우 품행장애와 비슷할 수 있으며, 기존 존재하는 반사회적
행동이 스트레스로 악화된 경우와 구분해야 한다.

(2) ADHD
① 대개 연령에 적합한 사회적 규범 범위 안에 드는 행동을 보인다.

② 품행장애와 동시 진단 가능하다.

(3) 적대적 반항장애
품행장애와 동시 진단이 불가하다.

(4) 물질사용장애
물질사용장애는 품행장애와 강한 상관관계로 품행장애가 선행되거나 동시 발병한다.

(5) 반사회적 인격장애
18세 이상에서만 진단 가능하다. 단, 18세 이상의 반사회적 인격장애는 소아청소년기의 품행장애를 전제한다.

(6) 불안장애, 우울증상 동반 가능

6) 원인
(1) 생물학적 요인, 신경심리적 요인, 사회적 요인이 존재한다.
(2) 소아청소년의 공격성, 반사회적 행동은 중등도의 유전력을 가진 것으로 보이며 X염색체와 연관이 있을 거라 추정한다.
(3) 낮은 학업 성취도, 지능이 낮은 경우에도 반사회적 행동을 보일 가능성이 높다.
(4) 부모의 강압적 양육 방식, 신체적, 성적 학대, 방관 등의 과거력은 품행장애의 위험성을 증가시킨다. 그 외에도 가난, 부모님의 불화 부모의 범죄연관, 부모의 정신 질환 또한 품행장애 발병과 연관이 있으며 또래 그룹 내 비행 청소년이 있을 경우에도 이전에 문제가 없던 청소년에게 영향을 주면서 비행 행동의 발병으로 이어질 수 있다.

7) 치료
(1) 약물치료
① 품행장애 진단만 특이적으로 치료할 수 있는 약물은 없다.
② 다른 공존질환을 치료하는 것이 목표이다.
③ 정신자극제는 ADHD에서의 충동, 공격, 반사회적 행동 감소에 효과적이다.
④ 품행장애에서 신체적 공격성 감소시키는데 효과가 있다고 uncontrolled trial에서만 입증된 약물은 lithium, 항정신병 약물, 항경련제, 클로니딘, 프로프라놀롤이 있다.

(2) 정신사회치료
행동치료, 기술 훈련, 가족 기반 치료의 조합이 가장 강력한 효과를 가진다.

8) 경과와 예후

(1) 학령전기에 나타날 수 있으나 16세 이후에는 거의 발병하지 않는다.

(2) 아동기 발병형 유형인 경우 적대적 반항장애가 선행되는 경우가 많다.

(3) 대부분의 경우 성인이 되며 증상이 호전되나 발병 연령이 어리거나 공격성 동반, 증상이 심각한 경우에 만성적으로 발전할 가능성이 높다.

3. 간헐적 폭발장애(Intermittent explosive disorder)

1) 개념

공격적 충동의 조절 실패로 심각한 폭력, 재산 파괴를 낳는다(의도적이지 않고, 계획되지 않은 분노발작).

2) 역학

(1) 대부분 35~40세 이하로, 주로 아동기 후기 또는 청소년기에 발병한다.

(2) 국내의 유병률은 알려져 있지 않다.

3) 임상양상

(1) 대부분 시간이 지나며 분노 폭발이 점차 가라앉고 후회, 자책하는 경우가 많다. `기출`

(2) 분노 발작 사이의 기간에는 별 다른 문제를 보이지 않는 경우가 많다.

(3) 전구 증세 없이 갑자기 분노를 표현한다.

(4) 수 분~수 시간 지속, 대부분 30분 이내 가라앉는다.

(5) 친숙한 사람이나 주변 사람으로부터의 사소한 자극에 의해 발생하는데, 이는 계획된 것이 아니며 돈이나 권력을 얻기 위함이 아니다.

(6) 다른 사람들에게 신체, 심리적으로 심각한 손상을 주지 않는 범위 내에서의 잦은 것(3개월간 평균 주 2회 이상)에서부터 적은 빈도이지만 물건을 부수거나 심한 공격적 양상(1년에 3회)을 보인다.

(7) 이러한 양상들로 대인관계, 직업적 기능에 심각한 손상을 초래한다.

(8) 6세 이상 또는 6세 이상의 발달 수준에서 진단 가능하다.

4) 감별진단과 동반이환장애 `기출`

(1) 품행장애의 경우 대개 공격성이 계획적이다.

(2) 적대적 반항장애: 공격성은 부모 포함 권위적인 인물로만 제한

(3) 파괴적 기분조절부전장애: 부정적인 감정이 분노폭발 삽화 사이에 거의 하루 종일, 거의 매일 지속됨. 10세 이전부터 반복적 충동적 공격성이 보이며 18세 이후 처음 나타나면 진단 불가

(4) ADHD: 부주의, 과잉행동 동반

(5) 우울장애, 불안장애, 물질사용장애, 반사회적 성격장애, 경계선성격장애가 흔히 동반된다.

(6) 적대적 반항장애, 품행장애, ADHD가 동반되나 간헐적 폭발장애의 공격성 정도가 크다고 해서 이들 질환이 더 흔히 동반되지 않는다.

5) 원인

10대 또는 그 이전 신체적, 정서적 외상이 있는 경우, 유전적 요소가 영향을 주는 것 같으며 세로토닌 계의 이상도 관여한다고 알려져 있으나 추가적 연구가 필요하다.

6) 치료

(1) 약물치료와 정신치료를 함께 하는 것이 가장 효과적이다.

(2) 인지행동치료가 중등도 이상의 효과가 있다.

(3) 기분안정제, 항우울제가 공격성을 줄이는데 효과가 있고 중단 시 재발 가능성 있으므로 장기간 약물 사용이 도움될 수 있다.

(4) 항정신병약물, 삼환계 항우울제도 일부에서 효과가 있을 수 있다.

7) 경과 및 예후

수 년간 지속되며 만성적인 경과를 보인다.

4. 방화벽(Pyromania)

1) 개념

(1) 만족이나 기쁨을 얻기 위해 고의, 반복적으로 불을 지른다.

(2) 불에 대한 강한 매력, 불을 지르고 싶다는 충동을 느껴 불을 지름으로써 생기는 부정적 결과에도 불구하고 충동 조절이 안되어 불을 지른다.

2) 역학

(1) 정확한 통계는 없고 남자가 여자보다 8배 많으며 방화범의 약 40%는 18세 이하이다.

(2) 방화벽이 1차 진단인 경우는 매우 드물다.

3) 임상양상

(1) 자주 불 구경하러 가기도 하고 불을 더 오래 구경하기 위해 경보장치를 의도적으로 차단한다.

(2) 많은 시간을 소방서에서 보내기도 하며 불을 지를 때 성적 흥분을 느끼기도 하며 대개 불을 지른 후 심한 후회로 인해 고통을 느끼며 심지어 자살에 대한 생각을 갖기도 한다.

(3) 일부는 불을 지른 것에 대한 후회가 없다.

(4) 스트레스, 지루함이 주 유발인자이다.

4) 진단

(1) 긴장, 감정적 흥분을 해소하기 위해 고의로 1회 이상 방화를 한 경우 진단 가능하다.

(2) 방화 후 즐거움, 안도감, 만족감을 느끼며 복수나 분노의 표현이 아니어야 한다.

5) 감별진단, 동반이환장애

(1) 품행장애, 반사회적 인격장애의 경우 방화가 금전적 이득이나 보복의 목적이 있으며 불 지르고 싶은 충동을 억제하지 못해서 발생하는 것은 아니다.

(2) 성인의 경우 방화벽 진단된 경우의 반 이상이 기분장애, 상당 수가 다른 충동조절장애나 물질사용장애를 보인다.

(3) 대개 반사회적 인격장애와 경계선 인격장애를 가지고 있는 경우가 많다.

6) 치료

(1) 아동기 때 불 지르는 행위는 반드시 심각하게 생각하고 치료되어야 하며 적극적 개입 필요하고 반드시 가족치료를 병행한다.

(2) 행동치료적 접근이 효과적이며 사회기술훈련, 개인정신치료, 교육, 가족치료 등이 함께 고려된다.

7) 경과 및 예후

(1) 아동기 치료 예후는 비교적 좋은 편이다.

(2) 일정 기간 동안 방화가 일어나고 악화와 호전을 반복한다.

5. 절도벽(Kleptomania)

1) 개념

(1) 자신에게 특별히 필요한 물건이 아님에도 불구하고 반복적으로 훔치고 싶은 충동을 조절하지 못하는 것을 의미한다.

(2) 훔친 물건은 숨기기도 하지만 버리거나 남 몰래 제자리에 갖다 놓기도 한다.

(3) 훔치기 전 긴장감이 증가되었다가 훔친 후 만족감을 경험한 후 긴장이 감소된다.

(4) 죄책감은 느낄 수도, 느끼지 않을 수도 있다.

2) 임상 양상 기출

(1) 불필요한 물건 훔치는 것에 대한 반복적, 침습적, 참을 수 없는 욕구, 충동이 특징적이다.

(2) 자신의 행동이 잘못된 걸 알지만 조절이 힘들다.

(3) 법적인 문제가 야기되는 것에 대해 괴로워한다.

3) 진단

  (1) 훔치는 행동이 분노나 복수의 표현이 아니다.

4) 감별진단과 동반이환장애

  (1) 단순 절도는 금전적 가치가 있는 것을 훔친다.

  (2) 반사회적 성격장애, 품행장애의 경우 개인의 이득을 목적으로 훔친다.

  (3) 주요우울장애, 다양한 형태의 불안장애가 동반된다.

  (4) 도박벽, 식사장애 등도 동반된다.

5) 치료

  (1) 치료에 대해 확립된 것은 없으나 인지행동치료, 정신치료, 약물치료를 고려한다.

  (2) 선택적 세로토닌 재흡수 억제제와 같은 항우울제, 리튬을 포함한 기분안정제를 고려한다.

  (3) 체계적 탈민감화, 혐오조건화와 같은 인지행동치료가 도움이 된다.

6. 기타/특정되지 않은 파탄적, 충동조절 및 품행장애

1) 인터넷 게임장애(Internet gaming disorder)

(1) 개념

  ① 깨어 있는 대부분의 시간을 인터넷(웹서핑, 쇼핑, 성적 내용, 게임 등)에 몰두함에 따라 기능상 문제가 발생한다.

  ② 최근에는 스마트폰 사용 증가로 인한 스마트폰 게임으로 인해 여러 문제들도 증가한다.

(2) 역학

  ① 우리나라의 경우 인터넷 중독 위험군은 2009년 9.2%에서 2015년 6.9%로 감소하는 추세이지만 스마트폰의 보급으로 인해 스마트폰 중독의 위험이 따른다.

(3) 임상양상

  ① 하루 8~10시간 인터넷사용에 소비한다.

  ② 최소 1주일에 30시간 이상을 업무 외 인터넷 서핑에 투자한다.

  ③ 인터넷 사용 못하거나 게임을 하지 못하게 하면 짜증이 증가되고 화를 낸다.

  ④ 지속적, 반복적 컴퓨터 게임에 시간을 소비해 주로 온라인 상에서 다른 사람 또는 그룹을 만들어 게임을 한다.

  ⑤ 12개월 이내 혼자 또는 다른 사람들과 인터넷 상에서 반복적, 지속적 게임을 하여 기능에 손상을 일으키면 진단할 수 있다.

(4) 동반 질환

ADHD, OCD, 주요우울장애 등이 관련 있다.

(5) 원인

① 선조체, 편도, 해마, 배측전두엽, 안와전두엽, 대상회 등에서의 이상소견들이 보고로 물질 중독, 행위중독 등에서 공통적으로 보고되는 이상 부위

② 학업 등 현실에 대한 회피 수단으로 이용되기도 하고 익명성의 보장으로 현실에서의 열등감, 대인관계 곤란 및 공격성을 해결하고자 하는 욕구도 원인 중 하나이다.

(6) 치료

① 인지행동치료가 주로 이루어진다.

② 부프로피온, 에스시탈로프람이 효과 있다고 알려져 있다.

③ ADHD 동반 시 메틸페니데이트

2) 반복 자해(Repeated self-mutilation) 또는 비자살성 자해(Nonsuicidal self-injury)

(1) 개념

① 반복적으로 자신의 신체에 얕지만 통증 있는 상처를 내는 것을 의미한다.

② 긴장감, 불안, 자기비난 같은 부정적 기분을 해소하거나 대인관계상 어려움 등을 줄이기 위한 것이 가장 흔한 목적

③ 일부에서는 자신에 대한 처벌이라 말한다.

④ 반복되는 자해의 경우 물질 중독과 유사하게 자해하고 싶은 강한 갈망이나 절박이 있다.

(2) 임상양상

① 점차 자해 횟수가 늘어나거나 정도가 심해지기도 한다.

② 칼, 바늘, 면도기 또는 기타 날카로운 물건, 손톱 등을 사용한다.

③ 허벅지, 팔 또는 손등에 깊지 않게 여러 번, 1~2 cm 간격으로 평행하게 상처를 낸다.

④ 담배 화상, 다른 물건으로 피부를 강하게 문지르는 등의 행위를 보인다.

⑤ 다양한 방법을 사용하여 자해를 하는 경우엔 자살 의도를 가지고 있는 경우가 많다.

⑥ 호기심으로 하는 자해의 경우 감정적 이완을 경험하지 않으며 고통스럽고 불편한 느낌으로 지속적 자해로 연결되지 않는다.

(3) 진단

① 지난 1년 동안 최소 5일 이상 의도적으로 자신의 신체표면에 출혈, 멍 통증을 유발하는 손상을 주는 행위를 하는 경우가 해당된다.

② 자살 의도가 없어야 한다.

③ 자해를 통해 부정적 기분 또는 생각의 완화, 대인관계 곤란의 해결, 긍정적 기분 유발하고자 하는 기대감이 있다.

(4) 감별진단 및 동반질환
① 경계선인격장애의 경우 공격적이고 적대적 행동을 자주 보인다.
② 자살행동장애는 자살이 목적이다.
③ 발모광은 이완된 상태나 집중이 되지 않는 상태에서 주로 보인다.
④ 상동적 자해의 경우 머리 박기, 자신을 깨무는 행동, 자신을 때리는 행동 등으로 자해를 하지만 자해를 할 때 무엇인가에 강한 집중을 보인다.
⑤ 피부뜯기장애는 피부를 반복해서 뜯는 행동으로 자신의 얼굴이나 두피가 보기에 흉하다고 느끼며, 뜯은 후 쾌감을 느낀다.

(5) 원인
① 긍정적 강화 또는 부정적 강화가 행동을 유지하게 한다.
② 자신이 벌받아야 한다고 생각하는 경우 자신에게 스스로 처벌을 가하는 행동을 하게 되면 긍정적 강화이다.
③ 자해를 통한 쾌감, 긴장의 이완, 타인의 관심, 타인으로부터의 도움 등을 하게 되는 것도 긍정적 강화이다.
④ 자해를 통한 불쾌한 감정의 감소가 부정적 강화이다.

(6) 치료
① 정신치료, 인지행동치료가 효과적이다.
② 선택적 세로토닌 재흡수 억제제, 항정신병약물, 기분안정제가 도움된다.

(7) 경과 및 예후
① 10대 초에 시작해 수 년 간 지속, 20대에 입원을 많이 하며 그 이후로 조금씩 줄어든다.
② 경과와 원인에 대한 연구는 필요하다.

3) 자살행동장애(Suicidal behavior disorder)
(1) 개념
① 약물의 과다 복용과 같은 비폭력적 방법과 총기의 사용, 뛰어내리기 등 폭력적인 행동을 보인다.
② 치사율 높은 방법을 쓰는지, 계획적인지 충동적인지가 중요하다.

(2) 임상 양상
① 자살시도가 가장 흔한 형태이다.

② 자살하고자 하는 의도를 가진 행동인지가 중요하며 손상이나 의학적 문제가 발생하느냐 하지 않느냐는 중요하지 않다.

③ 다른 사람에 의해 중단되거나 생각이 바뀌어 행동을 중단한 경우도 자살 시도라 간주한다.

(3) 진단

① 24개월 이내 자살 기도를 하였으며 비자살성 자해에 해당되지 않는 경우에 진단 가능하다.

② 자살사고, 또는 준비과정에 있는 경우는 제외한다.

(4) 감별 진단 및 동반이환장애

조현병, 조현정동장애, 주요우울장애, 양극성장애, 경계선성격장애 등과 관련 있다.

(5) 치료

정신치료와 약물치료를 병행한다.

(6) 경과 및 예후

① 자살시도자 중 25~30%는 또 다시 자살을 시도한다.

② 이전 시도 후 24개월 이상 경과한 경우는 조기완화로 간주하지만, 여전히 자살 위험성은 높다.

〈해설〉

1-01. 15세 남자 환아가 부모와 잦은 말다툼으로 내원하였다. 타인을 괴롭히거나 사회 규범을 위반하지는 않았다. 부모의 지시를 잘 따르지 않았는데 그 이유는 잔소리 때문이었다고 하였다. 진단은?

① 행실장애　　　　　② 적대적 반항장애

③ ADHD　　　　　　④ 주요우울장애

⑤ 적응장애

다른 사람의 권리, 사회적 규칙을 위반하지는 않으며 부모에 대한 반항하는 행동은 행실장애보다는 적대적 반항장애에 가까워 보입니다.

2-01. 17세 남학생이 친구의 물건을 훔치고 폭력 행동을 자주하여 병원에 왔다. 초등학교 1학년 때부터 거짓말을 잘 하고 동물들을 괴롭혔으며 반복적인 결석과 가출을 했다. 진단은?

① 행실장애

② 소아기 붕괴성장애

③ 간헐폭발장애

④ 적대적 반항장애

⑤ 반사회적 인격장애

동물학대, 다른 사람의 권리를 침해하는 것으로 행실장애가 의심이 되며 정답은 ①.
적대적 반항장애의 경우 자신보다 권위있는 인물(부모님, 선생님 등)을 대상이며 반사회적 인격장애의 경우 성인기가 되어야 진단이 가능합니다.

정답　1-1 ②　2-1 ①

3-01. 35세 남자가 직장 생활에서 사소한 일에도 심하게 화가 나며, 식당에 가서도 식사를 하다가 물이 없다는 사실에 화가 치밀어 기물을 파손하는 등의 행동으로 병원에 왔다. 자신도 공격적인 행동을 하지 말아야 하다는 것을 알지만 화가 나면 참을 수 없어 행동에 옮기게 된다고 하였고 자신의 행동에 대해 곧 후회나 죄책감이 생긴다고 하였다. 진단은?

① 조현병
② 품행장애
③ 간헐적 폭발장애
④ 반사회성 인격장애
⑤ 양극성장애

5-01. 41세 여자가 월경 때 마다 슈퍼마켓에서 쓸모없는 물건을 반복적으로 훔쳤다. 훔치기 전에는 긴장이 고조되었고 훔칠 때 쾌감과 만족감을 느낀 이후 긴장이 완화되었다. 훔치고 나면 죄책감을 느낀 적이 많았다. 진단은?

① 강박장애
② 조현병
③ 충동조절장애
④ 월경전불쾌장애
⑤ 히스테리성 인격장애

정답   3-1 ③   5-1 ③

물질 관련 및 중독성장애
Substance-Related and Addictive Disorders

오진욱 박주호 고미애 김우정

Chapter

XXII

Introduction

▶ 물질 관련 장애는 물질유발장애와 물질사용장애로 구분할 수 있습니다.

▶ 각 물질들이 유발하는 중독과 금단증상을 간단하게 알아두되, 알코올과 니코틴의 경우는 중요합니다.

▶ 우리나라에서 매우 흔히 볼 수 있는 알코올사용장애에 대해서는 특히 자세히 공부하고, 그 외 물질 사용에 따른 임상양상과 관련된 정신질환 등에 대해서도 기본적인 정보를 가집시다.

▶ 급성 중독 혹은 금단의 임상 양상에 따라 어떤 물질을 사용하고 있는지에 대한 감별할 수 있어야 하고, 특히 생명이 위험할 수도 있는 경우에 대해 알아둡시다.

1. 개념 및 분류

1) 분류

(1) 임상양상에 따른 분류

물질 관련 장애는 크게 두 종류의 질환들을 포함한다.

① 물질유발장애(substance induced disorder)

특정 물질 사용 또는 사용하던 물질 중단에 따른 약리적 효과와 관계된 것. 이는 다양한 상태에 대한 통칭이며 진단명은 아니다.

② 물질사용장애(substance use disorder)

물질을 남용하는 행동 양상 자체의 병적인 측면. 그 물질을 사용하지 않는 것이 자신을 위해 더 좋다는 것을 알면서도 반복적으로 사용하며, 신체적, 정신적, 사회적 손실 등을 유발하는 것이다.

(2) 물질의 종류에 따른 분류

① 기본적으로 약리작용에 따라 분류하지만 사회문화적 요소들도 고려하여 분류한다(알코올, 아편유사제, 대마, 진정, 최면, 항불안제, 코카인, 환각제, 니코틴, 흡입제, 카페인, 담배 등).

② 급성 사용, 만성적 사용, 만성적 사용 후 중단 등의 조건에서 각 물질에 특이적인 유발장애를 일으키기도 하며, 일차적 정신장애들과 비슷한 정신과적 증후군들을 일으키기도 한다. 물질의 종류별로 흔하게 유발하는 증후군은 다르다.

2) 물질유발장애(Substance induced disorder)

(1) 급성중독(intoxication)

최근 사용한 물질의 약리작용에 의한 급성 가역성 정신 증후군을 의미한다.

(2) 금단(withdrawal) 및 내성(tolerance)

① 금단

지속적으로 사용하던 물질을 급격히 중단 또는 감량했을 때 나타나는 물질 특이적인 정신 및 신체 증후군이다. 금단은 지속적 사용, 즉 사용장애를 강력하게 시사하는 소견이다.

② 내성

반복해서 사용하다 보면 같은 용량을 투여해도 약물 효과가 줄어들거나, 같은 효과를 위한 약물 용량이 증가하는 현상이다.

(3) 기타 증후군들

섬망, 정신병, 기분장애, 불안장애, 강박장애, 수면장애, 성기능장애 및 신경인지장애 등 다양한 정신증후군이 물질의 급·만성 효과, 또는 금단의 효과로 나타날 수 있다. 이 증후군들은 원인 물질 중단 또는 금단 해소 시 대개 회복되지만, 신경인지장애는 물질이 유발한 비가역적인 뇌손상에 의한 것일 수도 있다.

3) 물질사용장애(Substance use disorder)와 관련된 용어 및 진단명

(1) 남용(abuse)

불필요한 물질 사용과 관련하여 부적응적 행태가 나타나는 경우만을 일컫는다.

(2) 의존(dependence in DSM-IV) 및 사용장애(use disorder in DSM-5)

의존이란, 물질 때문에 생기는 문제에도 불구하고 지속적으로 사용하는 상태로 정의한다. 남용보다 심한 질환이지만 DSM-5에서는 이를 통합하여 사용장애를 진단명으로 하고 있다. 다른 정신장애의 진단기준을 같이 만족하면 해당되는 장애와 물질사용장애 두 가지 모두 진단하게 된다.

(3) 심리적 의존(psychological dependence)와 신체적 의존(physical dependence)

① 심리적 의존: 물질 추구행위에 대한 통제를 상실한 상태

② 신체적 의존: 만성적인 사용의 결과가 신체가 약물에 적응해서 내성이나 금단이 생기는 상태

물질사용장애 진단기준은 두 영역의 증상을 모두 포함

2. 역학 및 공존병리

1) 역학

대개의 사회에서 알코올 및 담배사용장애가 가장 흔한 것은 이들의 약리학적 특징이라기보다는 높은 접근성 때문이다. 우리나라에서 술과 담배사용장애 유병률은 2000년대 들어 감소 추세이다.

2) 공존병리

(1) 반사회적 성격장애

물질사용장애 환자의 반수에서 반사회적 성격장애의 진단이 가능하다고 보고된다. 물질사용장애 환자의 유전적 특성으로 알려진 충동성은 두 질환 간의 연결고리가 될 수 있다.

(2) 우울증

물질사용장애 환자에게 우울증상은 매우 흔하다. 알코올사용장애 환자의 40%는 일생 중 주요우울장애 진단을 만족시키는 상태를 겪는다. 물질 사용 및 우울증과 관계 깊은 또 하나의 병리 현상은 자살이다. 자살의 다수는 음주 상태에서 결행된다.

(3) 다른 물질사용장애

한 물질사용장애 환자는 다른 중독성장애에도 취약하다. 알코올사용장애 환자가 몇 가지 물질을 동시 혹은 순차적으로 남용하는 경우가 많고, 도박장애 환자도 물질사용장애를 갖는 경우가 흔하다.

(4) 기타

공황장애 등 불안장애와 알코올사용장애가 공존하는 경우가 많다.

3. 물질사용장애의 원인

1) 유전

알코올 중독의 유전성은 잘 알려져 있으며 취약성에 대한 지표로 충동성, 욕구 충족 지연을 못 참는 경향 등이 지목된다.

2) 발달 과정의 문제

부모가 중독자라는 환경이 자녀에게 역할 모델을 제공해서 알코올에 대한 심리적 접근성을 높게 하거나, 자녀가 불안정한 발달 체험을 하게 해서 자가치료적 알코올 사용으로 이어지는 경우가 있을 수 있다.

3) 정신역동

역동심리학적 견해들은 약물 사용을 특정 욕구의 대체물로, 불안에 대한 방어로, 구강기 퇴행 행동으로, 또는 손상된 자아 기능의 반영으로 본다.

4) 사회문화적 환경

취약한 개인과 약물이 접촉하는 기회를 제공하는 환경적 요소도 중요하다. 물리적 접근성뿐만 아니라 심리적 접근성과도 관계된다. 대중매체, 인터넷, 친구 등이 약물에 대한 정보교환 및 약물을 구하는 수단이 되고, 사용을 격려하는 환경이 될 수 있다.

4. 물질사용장애의 신경생리 및 행동적 병리 기전 실력

물질사용장애에서 가장 기본적 문제는 '물질을 획득하고 사용하려는 강력한 동기'로 이해할 수 있다.

1) 항상성

항상성이란 자동 온도조절 냉난방처럼, 시스템의 내적 환경을 모니터해서 안정되고 일정하게 생체 지표 값을 유지하는 기전을 말한다. 그런데 어떤 요구가 항상성과 관계없이 발생하면, 대상을 찾아 소비해도 회복되는 지표가 없으므로 욕구가 충족되지 않게 된다. 이런 욕구는 생존 본능과 관계된 것이 아니라 후천적 학습에 의해 생기며, 중독성 물질에 대한 욕구가 이런 특성을 갖는다.

2) 욕망적(Appetitive) 행위와 완료적(Consummatory) 행위: 중뇌-피질-변연계(Mesocorticolimbic) 도파민 시스템

(1) 욕구 대상을 추구하는 행위는 두 단계로 나눌 수 있다. 첫 단계는 욕구의 대상을 찾아다니고 획득하는 단계(욕망기 or 준비기). 그 다음 단계로 대상을 소비함으로써 욕구가 충족된다(완료기).

(2) 보상을 찾아다니는 욕망적 행위는 의도적 탐색인 반면 획득한 보상을 소비하는 완료적 행위는 자동적 반응에 가깝다.

(3) 중독은 완료적 행위(약물 소비)보다는 욕망적 행위(약물 추구) 단계 이상과 더 관계가 싶은 질환이다. 욕망적 행위 시에는 중뇌 도파민계 활성에 의해 각성 및 목표지향성 증가가 일어나지만, 완료적 행위 뒤에는 도파민계 활성이 줄어, 각성은 감소하고 포만감을 느끼며 졸린 상태가 된다.

(4) 이 도파민계는 중뇌 복측 피개(ventral tegmental area, VTA)에서 기시하여 안쪽 앞뇌 다발(medial fore-brain bundle, MFB)을 통해 변연계 기저핵인 측좌핵(nucleus accumbens), NA 및 전전두엽으로 투사

한다. 기출

3) 항상변이(Allostasis)

(1) 항상성은 미리 설정된 범위 내에서 생체지표의 일시적 변화를 담당하는 조절 기전이다. 그러나 환경 변화가 지속되어 목표값을 유지하기 위한 피드백 시스템이 지속적으로 필요한 경우, 시스템의 목표값 자체를 변경시키는 쪽으로의 적응이 일어날 수 있다. 이런 상태를 '항상변이'라 한다.

(2) 항상변이를 통해, 변화된 환경에서 최적의 항상성이 이루어지는 '겉보기 안정성'을 이룰 수 있다. 반복 사용에 따라 약물 효과가 줄어드는 내성은 항상변이의 현상으로 볼 수 있다. 내성이 발생한 뇌는 약물 존재 하에 안정적으로 동작하는데, 약물을 중단하면 오히려 항상성 파괴가 일어나서 이를 회복하기 위한 강력한 욕구가 발생한다. 이때 동반되는 체험이 갈망 및 금단증상이다.

4) 학습

학습은 크게 고전적 조건화(classical conditioning) 및 조작적 조건화(operant conditioning)로 구분된다.

(1) 고전적 조건화

시간적으로 선후관계인 두 자극(조건자극과 무조건자극)의 연관성에 대한 학습이다. 종소리를 들려주면 침을 흘리는 파블로프의 개처럼 개체는 조건자극이 주어지면 무조건자극을 떠올려 그에 대한 자동적 반응을 한다.

(2) 조작적 조건화

실험동물이 어떤 행위를 하면 그에 따라서 보상을 줌으로써 개체가 향후 그 행위를 할 확률을 높이거나 낮추는 학습이다.

5) 민감화(Sensitization)

(1) 대표적 중독성 약물인 자극제(코카인, 암페타민)는 실험 동물의 운동성을 증가시키는데, 반복 투여할수록 운동 활성은 더 커진다. 이 현상을 행동 민감화라 한다.

(2) 과거에는 도파민계의 민감화가 쾌감을 증가시키는 것이 중독의 기전과 관계된다고 주장되었지만, 최근 이론은 도파민계 민감화가 약물 관련 자극의 '현저성(salience)' 증가와 관계된다고 본다. 현저성이란 그 자극이 다른 자극에 비해 더 우선해서 수용자에게 인식되도록 하는 자극의 속성으로서, 자극 수용자의 주관적 느낌인 쾌감과는 다르다. 민감화가 되면 그와 관계된 자극은 강력한 현저성을 갖게 된다. 따라서 우연히 접하게 되었을 때 도파민계 활성이 나타나면서 그것을 추구하는 행위가 강력하게 나타난다.

6) 학습의 소거와 재발

중독 환자가 금단상태에서 벗어나고 약물 관련 자극에 장기간 노출되지 않으면 약물에 대한 욕구는 강하지 않다. 그러나 이 회복은 불안정하여 특정 자극이 주어지면 다시 강력한 욕구가 발생하고 재발에 이를 수 있다.

소거된 행위의 재학습은 처음 학습보다 훨씬 쉽게 일어난다.

5. 물질사용장애의 치료

치료법들은 다양하게 조합되어 사용되며, 어떤 치료법들을 사용할 것인지는 물질의 종류, 환자의 특성 및 치료가 이루어지는 환경 등에 따라 다르다.

1) 정신사회적 치료
(1) 개인정신치료(individual psychotherapy)

중독의 원인에 대해 정신역동적 이론이 제시됨에도 불구하고, 정신역동적 정신치료가 중독 치료에 효과적이라는 보고는 많지 않다.

(2) 인지행동치료(cognitive-behavioral therapy, CBT) 실력

다양한 인지적 및 행동적 전략의 조합으로, 중요한 전략은 약물 추구 행위를 일으키는 자극에 노출되는 것을 피하는 것이다. 첫잔을 거절하는 기술을 학습하여 점화효과를 피하거나, 과거 음주와 관련된 장소 등을 회피함으로써 환경적 실마리에 대한 노출을 차단한다. 약물에 대한 집착을 벗어나 다른 활동을 개발. 스트레스 대처법을 개발하여, 스트레스에 의한 재발요인을 줄이고, 행동 통제에 도움을 줄 수 있는 사람과 접촉하는 경로를 확보함으로써 위기 상황을 극복한다.

(3) 동기강화치료(motivational enhancement therapy, MET) 실력

동기 인터뷰는 환자 자신의 생각을 표현하는 것으로 시작되며, 음주에 대한 환자의 양가감정을 찾아내게 된다. 이 양가감정을 탐색하면서 변화를 위한 내적 동기가 생기며, 환자 스스로 치료의 목표를 설정하게 된다.

2) 약물치료
(1) 금단에 대한 치료

해독 치료 원칙은 사용하던 약물과 약리적 작용이 유사하면서(효현제, agonist) 더 안전한 약제를 사용하는 것과 함께 약동학적으로는 작용시간이 긴 약제로 대체해 서서히 용량을 줄여나가는 것이다.

(2) 효현제 유지요법

해독치료에 사용되는 약제가 심리적 의존을 일으키지 않는다면 안정되게 이 약물을 지속하여 항상변이된(allostatic) 상태의 겉보기 안정성을 유지시킬 수 있다.

이 기법은 주로 아편유사제 약물인 헤로인사용장애의 치료에 사용된다. 환자는 헤로인 대체물인 메타돈을 투여받는데, 헤로인을 구하고 사용하기 위한 일탈 행동 및 위험성에서 벗어나게 된다. 연장된 금단

(protracted withdrawal)에 의한 알코올 갈망감을 줄여주는 acamprosate 치료도 비슷한 기전이다.

(3) 길항제 유지요법

약물 사용을 차단하는 길항제(antagonist)는 약물 자극의 현저성을 감소시킴으로 추구행위를 감소시킨다. Naltrexone은 아편유사제 수용체 길항제로 알코올사용장애 환자의 음주를 줄일 수 있다. 길항제가 금단을 촉발한다면 강력한 약물 추구행위를 일으키므로 치료적 효과를 기대할 수 없다. 따라서 헤로인사용장애에서 Naltrexone을 사용하기 전에 반드시 해독치료를 해야 한다.

3) 공존장애에 대한 치료

특히 기분장애나 불안장애 등에서 자가투약 목적으로 시작된 물질 사용장애의 경우, 원 질환의 적절한 치료만으로도 물질 사용 자체를 조절할 수 있다.

4) 가족에 대한 접근 [실력]

가족은 정신병리의 표출이 일어나는 공간이 되며, 질병의 경과 자체에 영향을 주는 요소가 되기도 한다. 아울러 가족 구성원들은 환자의 질병으로 고통을 받기도 하고, 환자와 같은 공간에서 생활하기 위한 대책을 필요로 한다.

'공동의존(co-dependence)'이라고 부르는 문제성 가족관계는, 환자가 중독 상태를 유지하는 것이 가족 구성원들이 안정된 상태로 공존하게 하는 안전핀이 되는 상황이다. 가족들은 암암리에 환자의 중독 행위를 조장하는 역할을 하게 되며, 적절한 치료를 위해서 이러한 가족관계 문제에 대한 평가와 개입이 필요하다.

5) 사회환경에 대한 접근

술·담배의 광고 및 판매 제한, 성년 인증, 높은 세금부과, 불법 약물 및 도박에 대한 강력한 단속 등으로 중독성 물질 및 행위에 대한 일반인들의 접근성을 떨어뜨릴 수 있다.

6) 재활 및 지지체계 재구축

중독으로 인한 문제는 건강한 가족 구성원 및 사회인으로서의 역할을 못하게 되는 것이다. 이런 경우, 치료의 궁극적 목표는 잃어버린 사회적 기능을 회복시켜 주는 것이어야 한다.

7) 치료시 고려할 문제들

(1) 치료가 이루어지는 장소

입원 치료는 쉽고 안전하게 환자를 약물 관련 자극에서 차단할 수 있는 방법이나, 많은 자원을 소비하고 개인의 자유를 제한할 수 있어, 최근에는 외래 중심의 치료법도 사용되고 있다.

(2) 완전한 중단(abstinence) 또는 조절된 사용(controlled use)

원래의 기본적 치료 목표는 완전한 중단이었다. 그러나 점화효과에 대한 약리학적 조절이 가능해지면서 어떤 환자에서는 완전한 중단이 아닌 조절된 사용도 현실적인 치료법으로 대두되고 있다.

치료의 궁극적 목표는 환자의 생활을 재건해 주는 것이 되는데, 약물을 완전히 중단하지 않은 상태에서도 이 문제에 대한 접근이 가능하다고 보는 것이다.

6. 알코올 관련 장애(Alcohol-related disorder)

1) 개념

평생 유병률 13.4%. 이로 인한 치료비, 생산성 감소 및 사망에 따른 손실 등 사회경제적 비용은 약 20조 원에 이른다. 신체적 질병, 불안, 우울, 자살과 같은 심리적 문제뿐만 아니라 가정폭력, 직업상 사고, 범죄 등과도 밀접한 관계가 있다.

2) 역학

성인의 알코올사용장애 평생 유병률은 전체 13.4% (남자 20.7%, 여자 6.1%). 유병률은 남녀 모두 미혼에서 높았고, 남자의 경우 도시보다 농촌에서 더 높았으며, 여자의 경우 도시와 농촌 거주자가 비슷하다.

3) 알코올의 약리적 효과
(1) 알코올의 약동학
① 흡수

마신 알코올의 10%는 위장에서 흡수되고 나머지는 소장에서 흡수한다. 최대 혈중 농도는 위장 내의 음식 여부에 따라서 30~90분 사이에 도달하는데 보통 45~60분 사이이다.

② 대사

흡수된 알코올의 90%는 간에서 산화작용에 의해 대사되고, 나머지 10%는 신장이나 폐를 통해 그대로 배설된다. 간에서의 산화작용 속도는 시간당 15 mg/dL이며, 대개 시간당 10~34 mg/dL 범위 내에서 일정하다.

(2) 알코올의 약리학적 작용 [실력]
① 생화학적 작용

알코올의 경우는 작용하는 특정 수용체가 없다. 대신 알코올의 효과에 대해서 신경세포막에 작용하는 것으로 추정하고 있다. 음주 행동을 유발하게 되는 가장 핵심 경로인 도파민 보상경로(dopaminergic reward circuitry)를 활성화시키며, 아울러 대뇌의 아편계 수용체도 활성화시킨다. 그리고 니코틴 아세틸콜린 수용체, 세로토닌 3형 수용체, A형 GABA 수용체의 이온 통로 활성도가 향상되고, 글루탐산염 수용체의 이온 통로 활성도와 전압작동 칼슘통로의 활성도는 억제된다는 것도 밝혀졌다.

② 내성

알코올은 벤조디아제핀과 마찬가지로 전반적인 중추신경 억제제이며, 따라서 두 약물 간 교차 내성 및 교차 의존이 있다.

- 행동적 내성: 음주 후 얼마나 그 과제를 잘 수행할 수 있는가?
- 약동학적 내성: 대사과정에서 체내의 알코올을 얼마나 빨리 대사시키는가?
- 약력학적 내성: 혈중 알코올의 농도가 높더라도 신경시스템이 기능을 할 수 있는가?

(3) 약물 상호작용

알코올과 다른 중추 신경 억제제 효과는 서로 상승적이다. 진정제나 수면제 그리고 통증, 멀미, 코감기, 알레르기 등을 완화시키는 약물을 알코올 의존 환자에게 투여할 때에는 주의가 필요하다.

진정제나 다른 향정신성 약물들이 알코올의 효과를 증가시키기 때문에, 운전이나 기계를 다루는 환자들에게 음주 시의 위험성에 대해 설명하여야 한다.

4) 알코올 관련 문제

(1) 간

음주는 알코올성 간염과 간경화를 발생시키고 이로 인해 식도정맥류, 복수, 간성뇌증 등과 같은 심각한 상태를 유발한다.

(2) 소화기

장기간의 과음은 식도염, 위염, 무위산증, 위궤양 등을 유발한다. 식도정맥류는 과도한 알코올 남용으로 발생되고, 급성 췌장염은 폭음과 관계가 있다.

(3) 다른 장기

① 소뇌에 영향: 불안정한 자세와 걸음걸이 및 안구진탕 등
② 말초신경병 초래: 손발이 무디어지고 저린 느낌
③ 심혈관계: 고혈압, 지질단백질과 중성지방의 대사조절장애, 심근경색 및 뇌혈관질환의 위험성도 증가. 술을 마시지 않는 사람이 술을 마실 경우 심장에 대한 영향으로, 안정기 심박출량, 심박동수, 심근 산소소모가 증가
④ 조혈계: 적혈구의 평균 크기 증가, 백혈구 수치 감소, 혈소판의 생산 및 기능 저하 등
⑤ 머리, 목 식도, 위장, 간, 결장, 폐 등에서 암 발생률 증가. 최근에는 여성에서 음주로 인한 에스트라디올 혈중 농도 증가로 유방암 발생 증가 등

(4) 수면

저녁에 음주 시 잠들기 쉽다고 느껴지나, 수면 잠복기만 감소할 뿐, 실제 수면 구조에는 좋지 않다. REM 수면과 깊은 수면이 감소. 수면 분절이 증가하며 각성 삽화가 많고 길어진다. 인후근육 이완으로 코를 골

거나 수면무호흡을 악화시킨다.

(5) 사회적 문제

살인의 39.1%, 강도의 15.9%, 강간의 30.3% 그리고 방화의 44.9%가 주취 상태에서 이루어졌으며, 자살의 경우도 사망자의 48.4%가 음주 상태로 보고되었다.

5) 진단
(1) 알코올사용장애

남용과 의존의 개념이 혼용되어 사용되던 것을 DSM-5에서는 알코올사용장애(alcohol use disorder)로 통합하였다.

① 진단기준 핵심(DSM-5)

임상적으로 상당한 문제가 되는 알코올 사용이 지난 12개월 사이 다음의 항목 중 최소 2개 이상 나타난다.

---

1. 알코올을 의도했건 것 보다 많은 양, 오랜 기간 사용
2. 알코올 사용을 줄이려는 욕구가 있고, 줄이려는 노력이 실패함
3. 알코올을 구하기 위해 많은 시간을 보냄
4. 알코올에 대한 갈망감, 강한 욕구
5. 반복적 알코올 사용으로, 직장, 학교, 가정에서 역할 수행 실패
6. 알코올 영향으로 문제 행동이 반복됨에도 지속적인 알코올 사용
7. 알코올 사용을 위해 직업활동이나 여가활동 등을 포기하거나 줄임
8. 신체적으로 해가 되어도 알코올 사용
9. 알코올 사용으로 신체적, 심리적인 문제가 생기거나 악화될 가능성이 높다는 것을 알면서도 사용
10. 내성
11. 금단
관해상태, 심각도 등을 따로 부호화

---

② 선별검사

* CAGE: 4가지 검사 문항으로, 두 개 이상 문항에서 긍정적인 대답이 나오는 경우 알코올사용장애 여부에 대한 조사가 필요함
  - Cut down: 줄이려는 노력의 실패
  - Annoyed: 주변으로부터 술을 끊으라는 성가신 이야기
  - Guilty feeling: 술을 먹음으로써 느끼는 죄책감의 경험
  - Eye opener: 눈 뜨자마자 술을 찾게 되는 경우

알코올사용장애 선별검사(alcohol use disorders identification test, AUDIT) 등이 있다.

③ 검사실 소견 실력

gamma-glutamyl transpeptidase (GGT), mean corpuscular volume (MCV), carbohydrate-deficient transferrin (CDT) 수치가 높다. CDT는 알코올 관련 장애 환자의 진단과 금주 여부 추적 관찰에 사용된다.

(2) 알코올중독(alcohol intoxication)

① 진단기준 핵심(DSM-5)

---

1. 최근 알코올 섭취

2. 알코올 섭취 동안, 또는 직후, 심각한 문제적 행동 변화 및 심리적 변화(공격성 등)

3. 알코올을 사용하는 동안 또는 직후 다음 증상 중 한가지 이상
   불분명한 언어, 운동실조, 불안정 보행, 안구진탕, 집중력이나 기억력 손상, 혼수 또는 혼미

4. 증상은 다른 의학적 상태로 인한 것이 아니며, 다른 중독 물질을 포함한 다른 정신질환으로 더 잘 설명되지 않음

---

② 혈중 알코올 농도에 따른 장애

표 22-1. 혈중 알코올 농도에 따른 장애

농도(mg/dL)	장애
20~30	운동속도 감소 및 사고능력 저하
30~80	운동과 인지 장애의 증가
80~200	협동장애와 판단 오류 증가. 기분의 불안정. 인지 황폐화
200~300	안구진탕, 발음의 불분명이 두드러짐. 알코올성 일과성 기억상실
>300	생명징후 장애와 사망 가능

(3) 알코올금단(alcohol withdrawal)

① 진단기준 핵심(DSM-5) 기출 실력

---

1. 알코올을 과도하게 장기적 사용하다 중단(혹은 감량)

2. 중단(혹은 감량) 후 수 시간 혹은 수 일 이내 다음 중 2가지 이상이 나타남
   자율신경계 항진, 손 떨림, 불면, 오심 또는 구토, 일시적 시각, 촉각, 청각적 환각이나 착각, 초조, 불안, 대발작

3. 위 증상으로 인해 사회, 직업적 기능 손상

4. 증상은 다른 의학적 상태로 인한 것이 아니며, 다른 물질 중독 및 금단을 포함한 다른 정신질환으로 더 잘 설명되지 않음

---

② 알코올금단의 증상

알코올금단의 증상의 전형적인 징후는 떨림이지만, 망상이나 환각 같은 정신병적증상과 지각증상, 경

런 및 진전 섬망 등이 나타날 수 있다. 떨림은 6~8시간 후 시작되며, 경련은 12~24시간 사이에 발생한다. 진전 섬망증상은 첫 48~72시간 동안 나타나지만 금단 첫 일주일은 진전 섬망 발생에 대해 주의해야 한다. 때로는 금단증상이 이러한 순서대로 발생하지 않을 수 있다.

- 금단경련(withdrawal seizures)

  알코올 금단 경련은 상동적이며, 전신성 긴강간대발작. 처음 대면한 환자의 경우 경련의 원인 판단이 쉽지 않고, 알코올 남용의 과거력이 있는 환자라도 두부 외상, 중추신경계 감염이나 종양, 뇌혈관 질환 등의 경련의 다른 원인 감별이 필요하다.

- 섬망(delirium) 기출

  진전 섬망(delirium tremens, DT)으로도 알려져 있는 알코올 금단 섬망은 사망률이 높은 응급 상황이다. 중요증상으로는 빈맥, 발한, 발열, 불안, 불면, 고혈압 등의 자율신경계 항진증상과 환시 혹은 환촉 등의 지각 왜곡, 그리고 흥분성 항진에서 기면까지 이르는 정신운동활동의 변동이 있다.

(4) 기타 알코올유발장애

① 알코올로 유발된 주요 또는 경도 신경인지장애

  과도하고 지속적인 음주가 대뇌 손상을 일으키며, 그 이외에도 신경독성물질인 아세트알데히드의 생성, 티아민과 같은 영양소의 결핍 등과 같은 다양한 원인이 복합 작용한다.

② 알코올유발 지속기억상실장애(alcohol-induced persisting amnestic disorder) 실력

  알코올유발 지속기억상실장애로 베르니케-코르사코프증후군(Wernicke-Korsakoff's Syndrome)과 일시적 기억상실(blackouts)이 있다. 급성증상일 때는 베르니케뇌병증(Wernicke's encephalopathy)으로 시작되어 만성적 상태에서는 코르사코프증후군(Korsakoff's Syndrome)이 나타난다. 두 질환 모두 영양실조나 흡수장애로 인한 티아민 결핍이 원인이 된다.

- 베르니케뇌병증은 급성 신경계 질환으로 실조(ataxia), 혼동(confusion), 눈근육마비(ophthalmoplegia) 등이 특징적증상이다. 수 일에서 수 주 이내 저절로 호전될 수 있지만, 코르사코프증후군으로 진행될 수 있다. 초기단계에 고용량의 티아민을 비경구로 투여하면 베르니케뇌병증은 빠르게 반응하며 이로써 코르사코프증후군으로의 진행을 막는데 효과적이다. 급성기 비경구 티아민 투여 이후에는 100 mg 티아민을 하루 2~3회 경구 투여하며 1~2주간 지속한다. 적절한 치료 시 거의 회복된다.

- 코르사코프증후군의 주요 특징은 최근(recent) 기억장애와 전향기억상실이다. 흔히 보이는 작화증도 중요증상. 티아민 100 mg을 하루 2~3회 경구 투여하여 3~12개월 동안 지속한다. 환자의 약 1/4에서는 티아민과 영양 공급으로 인지능력이 거의 회복되지만, 약 1/4에서는 전혀 개선되지 않는다.

③ 알코올유발 정신병적 장애(alcohol-induced psychotic disorder)

  의식이 명료하기 때문에 진전 섬망과 감별된다. 필요에 따라 벤조디아제핀, 적절한 영양, 수액, 항정신병약물 등을 투여할 수 있다.

④ 알코올유발 기분장애(alcohol-induced mood disorder)

알코올중독 환자의 80%에서 극심한 우울감을 보고하였고, 30~40%에서는 2주 이상 우울감을 보고하였다. 하지만 과음을 하지 않더라도 주요우울장애의 진단기준에 맞는 우울증을 경험한 경우 알코올중독 환자의 10~15%였다.

⑤ 태아알코올증후군

산모가 임신 중 음주하여 자궁 내에서 태아가 알코올에 노출됨으로 발생한다. 알코올은 태아의 성장과 출산 후의 발달을 억제하며 소두증, 두개안면기형, 사지와 심장 결손이 흔히 나타난다. 이런 결손이 있는 아이를 가질 확률은 알코올 관련 장애를 가진 여성들의 35%에 이른다.

6) 동반이환 정신질환

(1) 반사회적 성격장애

남자 알코올 관련 장애 환자에 많다. 알코올 관련 장애 발생 이전에 생길 수도 있고, 두 질환이 서로 별개라서 인과관계가 없다는 주장도 있다.

(2) 기분장애

알코올 관련 장애 환자의 30~40%에서 주요우울장애가 있다. 여자 알코올 관련 장애 환자에서 우울증이 더 잘 생긴다. 이 두 질환이 공존한 경우 자살 시도 가능성도 매우 높다.

(3) 불안장애

불안 경감 목적의 음주로, 알코올 관련 장애 환자의 25~50%에서 불안장애가 있으며, 특히 공포증과 공황장애 동반 이환되는 경우가 많다.

(4) 자살

자살자의 상당수에서 음주와 연관이 있고, 알코올 관련 장애 환자에서 자살 가능성은 10~15%로 여겨진다. 주요우울장애가 있는 경우, 심리사회적 지지체계가 약한 경우, 심각한 신체 질환이 있는 경우, 무직, 독거 등은 자살률을 높이는 요인이다.

7) 원인

유전적 요인과 환경적 요인의 상호작용에 의해 발생하며, 유전적요인 및 환경적 요인은 각각 60%, 40% 정도로 보고 있다.

(1) 심리적 이론

긴장감 해소, 심리적 고통을 줄이기 위한 것으로 음주한다.

(2) 정신역동적 이론

소량 음주 시 탈억제 혹은 불안 감소 효과가 있기 때문에, 엄격한 초자아를 가진 사람들이 스트레스를 줄이고자 음주할 수 있다.

(3) 행동 이론

음주 시 보상(reward)에 대한 기대감과 음주 결과로 인한 강화(reinforcement) 등의 요소들이, 처음 음주 후 지속적인 음주로 나아갈 것인지를 결정한다.

(4) 사회문화적 이론

음주, 취기, 음주 문제에 대한 책임의식에 관한 그 사회의 태도가 알코올 관련 문제 발생에 중요한 역할을 한다고 여겨진다.

(5) 아동기 이력

알코올 관련 장애의 고위험 아동(부모 중 한 사람 이상이 알코올 중독인 아동)에서 신경인지검사에서의 결함이 발견된다. 고위험 20대를 대상으로 한 연구에서도 부모가 알코올중독이 아닌 사람들에 비해 부모가 알코올 효과가 둔화되는 양상을 보인다. 이런 결과가 생물학적 뇌 기능이 알코올 관련 장애의 소인이 될 수 있다는 것을 지지한다.

(6) 유전적 이론

① 중독 환자의 근친들은 심각한 알코올 관련 문제가 발생할 위험이 3~4배 높다.
② 심각한 알코올 관련 문제에 대한 일치율이 알코올중독 환자의 이란성 쌍둥이에 비해 일란성 쌍둥이에서 의미 있게 높았다.
③ 모든 양자(adoption) 연구에서, 알코올중독 환자의 자녀에서 위험성이 훨씬 높다는 것이 밝혀졌다. 즉, 태어난 후 생물학적 부모로부터 헤어진 후 알코올 관련 문제가 없는 부모에게서 양육된 경우조차도 유전적 위험성이 있었다.

8) 치료와 재활

일반적으로 개입(intervention), 해독(detoxification), 및 재활(rehabilitation) 단계를 거친다.

(1) 개입

개입 단계의 목적은, 치료를 받고자 하는 동기와 지속적으로 단주하고자 하는 동기를 최대화하는 것이다. 의사는 알코올 관련 문제들이 발견될 때마다 비판적인 태도 없이(non-judgmental) 끈기를 가지고 똑같은 방식으로 접근하는 것이 좋다.

가족도 개입 과정에 큰 도움이 될 뿐만 아니라 중요하다. 가족들이 술 때문에 발생한 문제들을 덮거나 해결하는 등으로 환자를 보호하려는 행동을 하지 않도록 해야 한다.

(2) 해독

- 해독 치료의 일차 목표는 신체와 정신 상태를 안정시키고, 이차적으로는 재활과 같은 장기적이고 지속적인 재발방지 치료로 잘 이행되도록 하는 것이다.
- 해독의 첫 단계는 동반된 신체질환 여부의 확인과 치료이다.
- 두번째 단계는 휴식과 영양공급, 티아민을 포함한 비타민 공급, 치료 약물 투여 등이다. 또한 안심시키기, 차분하고 친근한 대화, 직면이나 논쟁의 회피 등 적절한 지지요법을 통해 안정을 제공하는 것도 장기적인 치료로 이행되는데 도움이 된다.

① 경도 혹은 중등도 금단

- 알코올금단증상을 치료하기 위한 주된 약물은 대표적인 중추신경 억제제인 벤조디아제핀이다.
- 금단으로 인한 GABA 신경전달물질 활성도의 급성 결핍을 경감시켜 심각한 금단증상 발생 가능성을 낮춘다.

② 중증 금단(severe withdrawal) 기출

- 알코올 금단 섬망에서 최선의 치료는 예방이며, 금단증상이 생겼을 경우 벤조디아제핀을 충분히 사용하여 진전 섬망으로 진행을 억제하는 것이다. 섬망이 발생한 경우라면, 클로르디아제폭사이드를 4시간 간격으로 50~100 mg 경구 투여하며, 경구 투여 불가 시, 로라제팜을 정맥 내 투여한다.
- 발한이나 발열로 유발되는 탈수는 수액으로 교정하며, 종합비타민제와 함께 고칼로리 고탄수화물 식이도 제공한다. 필요시 항정신병 약물을 투여하기도 하는데, 벤조디아제핀과 병용하는 것이 좋고, 경련 역치에 영향이 적은 haloperidol과 같은 약물을 선택한다.

③ 지연 금단(protracted withdrawal)

급성금단증상이 사라진 이후에도 2~6개월 동안 불안, 불면, 경도의 자율신경계 항진증상들이 지속되는 경우가 있으며, 이러한 증상으로 인해 재발 기능성이 높아질 수 있다. 인지행동 요법과 항갈망제 투여가 도움이 된다.

(3) 재활

재활에는 세 가지 중요한 요소가 있다. 금주 동기의 증대 및 유지. 술 없는 생활에 재적응하도록 환자를 도와, 재발을 방지하여 궁극적으로 해독 이후 금주를 유지하는 것이 목적이다.

① 면담

- 첫 수 개월간의 면담은, 매일 발생하는 생활 속의 문제점에 초점을 맞추어, 단주 의지도 높은 수준으로 유지되도록, 그리고 환자들의 기능도 향상되도록 노력한다.
- 동기를 최대화하기 위해서 음주의 결과를 조사하고, 알코올 관련 문제들에 대해 예측할 수 있는 결과와 단주 시 나타날 수 있는 개선점에 대해 다룬다.

• 재발 방지를 위해서는 우선 재발 위험을 높이는 상황을 찾는다. 환자의 음주 갈망이 증가될 때 또는 어떤 사건이나 감정 상태로 인하여 다시 술 마실 것 같은 상황에 대비하여 사용할 수 있는 대처 방법을 세우고 실천하는 것을 돕는다.

② 단주 모임

단주 모임의 장점으로, 단주 모임의 구성원들로부터 도움을 받을 수 있고, 술 마시지 않는 동료들과 어울릴 수 있으며, 술 없이 사회적 생활을 할 수 있다는 것을 느낄 수 있다. 또한 모임에서 술을 마시지 않는 구성원들의 성공을 봄으로써 회복의 모델을 제공받을 수 있다.

③ 항갈망제 [기출] [실력]
• 날트렉손(naltrexone)

아편유사제 길항제(opioid antagonist)이다. 에탄올은 아편계를 통하여 도파민 보상회로를 활성화시키는데, 날트렉손은 이러한 아편계 신경계의 활성화를 차단하며 도파민 보상회로 활성도를 억제하여, 음주로 얻는 쾌감이나 긍정적 효과를 억제한다.

• 아캄프로세이트(acamprosate)

알코올 의존 환자의 금단시기에는 대뇌 GABA 신경계의 활성도가 억제된다. 글루탐산염 신경계의 활성도가 증가되어 있는데, 이로 인해 음주 갈망이 증가한다. 아캄프로세이트 작용기전은 아직 불분명하나, 글루탐산염 신경계 과활성을 억제하여 대뇌의 GABA/글루탐산염 부조화를 개선하여 음주 갈망이 억제되는 것으로 추정하고 있다. 심각한 신기능장애가 있는 경우는 금기로 주의해야 한다.

• 디설피람(disulfiram)

간에서의 알코올 대사과정에서 디설피람은 ALDH의 활성도를 비가역적으로 억제하여 체내에 알데히드가 축적된다. 이로 인해 음주 시 오심, 구토 등 혐오반응을 일으켜, 음주를 단념하게 한다.
숙취를 조장하여 급성중독 현상을 일으키는 약리작용으로 인해 현재는 국내 허가취하된 상황이다.

9) 예후

예후가 좋은 요인으로는, 반사회적 성격장애가 없거나, 다른 물질사용장애가 없는 경우. 전반적인 생활이 안정되어 있는 경우이며, 직업을 갖고, 친밀한 가족관계를 유지하며, 심각한 법적 문제가 없는 경우이다. 2~4주 이상 초기 재활 기간 동안 환자가 치료를 받았을 때 해당한다.

7. 대마 관련 장애(Cannabis-related disorder, Marijuana)

1) 개념(역사)

대마초는 잎과 꽃에 400여 종 이상의 화학물질이 함유되어 있다. 그 중 대마초에만 함유되어 있는 카나비노이드는 60여 종이 존재한다. 이 중 가장 향정신성 활성 작용이 강한 것은 tetrahydrocannabinol (THC). THC는 환각물질로서, 환각작용과 신경억제작용을 갖는다.

2) 역학

미국에서 가장 흔하게 사용되는 불법 약물, 현재는 진통제 용도로 합법화가 진행 중이다.

3) 임상양상 기출

흡연의 방법으로 가장 많이 사용되며, 담배 종이에 말아서 이용하는 방법이 흔하다. 사용 후 30분에서 1시간 이내에 흥분작용과 억제작용, 환각증상이 나타나 환각제로 분류하며, 최대 4시간까지 지속된다. 흔한 신체적 변화로는 눈 흰자위 충혈, 심장 박동수 증가, 나른함, 졸림, 체온 저하 등이 있다.

신체적 의존이 거의 없다.

4) 진단

(1) 대마사용장애 진단기준 핵심(DSM-5)

> 1. 임상적으로 상당한 문제가 되는 대마 사용이 지난 12개월 사이 다음의 항목 중 최소 2개 이상 나타난다.
>   ① 대마를 의도했건 것 보다 많은 양, 오랜 기간 사용
>   ② 대마 사용을 줄이려는 욕구가 있고, 줄이려는 노력이 실패함
>   ③ 대마를 구하기 위해 많은 시간을 보냄
>   ④ 대마에 대한 갈망감, 강한 욕구
>   ⑤ 반복적 대마 사용으로, 직장, 학교, 가정에서 역할 수행 실패
>   ⑥ 대마 영향으로 문제 행동이 반복됨에도 지속적인 대마 사용
>   ⑦ 대마 사용을 위해 직업활동이나 여가활동 등을 포기하거나 줄임
>   ⑧ 신체적으로 해가 되어도 대마 사용
>   ⑨ 대마 사용으로 신체적, 심리적인 문제가 생기거나 악화될 가능성이 높다는 것을 알면서도 사용
>   ⑩ 내성
>   ⑪ 금단
>
> 관해상태, 심각도 등을 따로 부호화

(2) 대마 중독 진단기준 핵심(DSM-5)

> 1. 최근 대마 사용
>
> 2. 대마 사용 동안 또는 직후 심각한 문제적 행동 변화 및 심리적 변화
>
> 3. 대마 사용 후 2시간 이내 다음 증상 중 2가지 이상
>   결막 충혈, 식욕 증가, 입마름, 빈맥
>
> 4. 위 증상은 다른 의학적 상태로 인한 것이 아니고, 다른 정신질환으로 더 잘 설명되지 않음
>   지각장애 동반 여부에 대한 부호화

(3) 대마 금단 진단기준 핵심(DSM-5)

> 1. 대마를 과도하게 장기적으로 사용하다 중단
>
> 2. 중단 후 약 1주일 이내, 다음 증상 중 3가지 이상
>   과민성, 분노 또는 공격성 / 신경과민 또는 불안 / 수면 문제 / 식욕 감퇴 또는 체중 감소 / 안절부절 /
>   우울 기분 / 복통, 떨림, 발한, 열, 오한 혹은 두통
>
> 3. 위 증상으로 인해 사회적, 직업적, 대인관계 등 면에서 현저한 고통이나 손실
>
> 4. 위 증상이 다른 의학적 상태로 인한 것이 아니며, 다른 정신질환으로 더 잘 설명되지 않음

5) 감별진단과 동반이환장애

조현병과의 연관성이 제시. 대마제제가 조현병의 발병을 촉진하고 증상을 악화시킨다는 보고가 있다. 대마제제가 조현병을 일으키는 역할을 한다는 설명 외에도, 조현병 발병에 취약성을 지닌 개인이 대마제제를 복용했을 경우 조현병이 발병하게 된다는 설명도 제시된 바 있다.

6) 치료

다른 물질남용의 치료와 동일한 원칙(사용중단 및 지지)을 사용한다. 치료 목표를 명확히하고, 동기강화 상담이 유용하지만, 성공률은 약 50% 미만이다.

8. 환각제 관련 장애(Hallucinojens related disorder)

1) 개념(역사)

환각제란 독특한 의식의 변화를 유발하는 식물성, 동물성 추출물, 인공 합성 화합물을 총칭한다. 지각, 감각, 사고, 자기인식, 감정 등에 영향. 시간에 대한 감각의 변화, 환시, 환촉 등의 환각증상을 일으킨다. 대표적으로 펜시클리딘과 LSD가 있다.

2) 역학

다른 물질에 비해 흔하진 않다. 미국의 경우 1년 유병률은 12~17세가 0.5%, 18세 이상에서 0.1%

3) 임상양상 [기출]

경구투여, 코로 흡입, 연기 또는 주사제로 사용한다. 지각, 인지, 정서 그리고 신체감각의 변화를 유발하는데, 뚜렷한 자극이 없는 진성환각은 드물고, 지각의 변화, 착각과 같은 양상이 더 흔하다. 시간이 극단적으로 느려지거나, 자신의 신체가 커지거나 작아지는 등의 독특하고 기이한 경험을 할 수 있다.

4) 진단

(1) 펜시클리딘 중독

펜시클리딘 사용시 8일까지도 소변에서 검출되므로 진단에 유용하다. 과량 복용 시 혼수, 경련, 호흡저하 등의 증상이 있을 수 있어 중환자실 치료가 필요할 수 있다. 급성 정신증을 보일 경우 자살이나 타인에 대한 폭력 위험성이 높아지므로 정신과적 응급상황. 급성정신증에는 항정신병약물을 사용하며, 항콜린성이 강한 약물은 사용해서 안 된다.

진단기준 핵심(DSM-5)

> 1. 최근 펜시클리딘 사용.
> 2. 펜시클리딘 사용 중 혹은 직후 임상적으로 심각한 문제 행동 및 심리적 변화.
> 3. 사용 후 1시간 이내 다음 증상 중 2개 이상
>   수직적 또는 수평적 안구진탕 / 고혈압 혹은 빈맥 / 감각 이상 또는 통증에 대한 반응 감소 / 실조 / 구음 곤란 / 근육경직 / 발작 또는 혼수 / 청각과민
> 4. 위 증상이 다른 의학적 상태로 인한 것이 아니며, 다른 정신질환으로 더 잘 설명되지 않음

(2) 기타 환각제 중독(LSD 중독)

LSD 사용과 관련하여 가장 흔한 의학적 응급은 공황발작 → 항불안약물 사용 가능

5) 감별진단과 동반이환장애

항콜린제, 암페타민 중독, 알코올 금단증상 등과 감별해야 한다.

6) 치료

우선 환자를 안심시키고, 지지적 접근이 중요하다. 환각제 지속성 지각장애는 반감기가 긴 벤조디아제핀이 효과가 있으며, 증상이 가벼울 경우 발프로산(valproic acid) 등 항경련제가 유용하다.

7) 경과 및 예후

펜시클리딘의 장기간 사용자에서 소위 'crystallized' 증후군이라고 표현되는 둔마된 사고, 반사반응의 감소, 기억력 감퇴, 우울, 무력감 등의 증상이 나타날 수 있다.

9. 흡입제 관련 장애(Inhalants-related disorder)

1) 개념(역사)

흡입제란, 접착제(본드 등), 부탄가스, 시너와 같은 기체나 증기를 코나 입을 통해 들이마심으로써 환각작용을 일으키는 휘발성 물질이다.

2) 역학

흡입제는 합법적으로, 저렴하게 구입이 가능하여 청소년에게 흔히 남용된다. 우리나라의 경우, 2011년 여성가족부의 실태조사에 따르면 최근 1년 동안 흡입제 사용률이 1.7%, 평생동안 사용률이 2.3%에 이른다.

3) 임상양상

중추신경계를 억제하는 작용. 약물 사용시 효과는 5분 이내에 나타나며, 양에 따라 수 분에서 수 시간 지속된다. 소량 흡입시 만취한 것처럼 고양감, 다행감, 유쾌한 느낌 등을 경험하지만, 이후 두통, 초조, 충동조절의 어려움이 있다. 장기간 사용시 정서불안정, 기억장애 등의 위험이 따른다.

(1) 신체적 정신적 영향

활동량 증가, 근육조절 곤란, 오심, 구토, 과다한 타액 분비, 경련, 혼수 등을 일으킨다. 불쾌감, 우울감 등을 느끼게 하며 환각작용도 일으킨다.

(2) 부작용

호흡 억제, 심부정맥, 질식, 구토물의 흡입, 흡입제 사용시 폭발사고 등으로 인한 사망이 발생할 수 있다. 장기간 사용시 비가역적인 간, 신장 손상을 일으키며 중금속을 포함한 유기용매를 장기 흡입 시 뇌 위축, 지능저하, 측두엽간질 등이 동반된다.

4) 진단
(1) 흡입제사용장애 진단기준 핵심(DSM-5)

임상적으로 상당한 문제가 되는 탄화수소류 흡입제 사용이 지난 12개월 사이 다음의 항목 중 최소 2개 이상 나타남

1. 흡입제를 의도했건 것 보다 많은 양, 오랜 기간 사용
2. 흡입제 사용을 줄이려는 욕구가 있고, 줄이려는 노력이 실패함
3. 흡입제를 구하기 위해 많은 시간을 보냄
4. 흡입제에 대한 갈망감, 강한 욕구
5. 반복적 흡입제 사용으로 직장, 학교, 가정에서 역할 수행 실패
6. 흡입제 영향으로 문제 행동이 반복됨에도 지속적인 흡입제 사용
7. 흡입제 사용을 위해 직업활동이나 여가활동 등을 포기하거나 줄임
8. 신체적으로 해가 되어도 흡입제 사용
9. 흡입제 사용으로 신체적, 심리적인 문제가 생기거나 악화될 가능성이 높다는 것을 알면서도 사용
10. 내성

사용한 물질의 이름을 명시한다.

관해 상태 및 심각도에 대해 명시

(2) 흡입제 중독

단기간, 고용량의 흡입제 물질에 노출되는 동안, 또는 그 직후 심각한 문제적 행동변화 및 심리적 변화가 발생한 경우를 의미한다.

(3) 감별진단과 동반이환장애

산업재해 또는 기타 사고로 인한(의도하지 않은) 흡입제 노출에 의한 경우를 감별해야 한다.

5) 치료

흡입 중단과 합병증의 치료가 중요하다. 흡입제로 유발된 치매의 인지와 기억증상에 대한 확립된 치료는 없지만, 사회적 서비스 지원, 가족의 지지와 협조, 요양 시설이나 주택 간호가 필요하다.

10. 아편유사제 관련 장애(Opioid-related disorder)

1) 개념(역사)

아편은 양귀비 열매가 익기 전, 칼로 상처를 낸 후 밖으로 배어 나온 유액이 굳어져 만들어진 것이다. 정제되지 않은 아편유사제는 대개 생아편(opium) 형태이거나 아편의 알코올 용액 형태. 생아편의 주성분은 모르핀. 모르핀은 1806년에, 코데인은 1832년에 최초로 추출된다.

2) 역학

우리나라에서 아편유사제사용장애의 1년 유병률은 알코올, 대마 등 다른 물질에 비해 낮은 편이다.

3) 임상양상 기출

- 정맥으로 투여하는 경우 도취감을 느껴서 중독이 된다. 헤로인의 경우, 일시에 정맥 투여하는데, 약물이 뇌에 한꺼번에 도달할 때 느껴지는 쾌감(high)이 이 약물에 중독되도록 만든다.
- 신체증상은 호흡저하, 동공 수축, 평활근 수축, 심박, 체온의 변화 등이며, 호흡저하는 뇌간 수준에서 발생한다.

표 22-2. 오피오이드 수용체별 관련작용

수용체	관련 작용
mu	진통, 호흡저하, 의존의 매개와 조절
delta	진통, 이뇨, 진정 작용
kappa	진통

(1) 아편유사제 과다복용

① 과용량 사용에 의한 사망은 대개 헤로인 과량 정맥투여로 인한 호흡 억제로 인해 발생한다.

② 중독증상은 동공수축, 식욕상실, 혼수의 triad를 보인다.

(2) 금단증상

헤로인 같은 대사가 빠른 약물이 심각한 금단증상을 유발하고, 단기 사용만으로도 발생 가능하다. 헤로인의 경우 마지막 사용 후 8~12시간 이후 금단증상이 나타나며 발한, 하품, 콧물, 소름이 돋는 증상 등을 보인다. 근육 경축, 냉감, 오심, 구토, 동공 산대, 예민한 촉각 등이 나타난다.

(3) 부작용

가장 흔하고 심각한 것은 주사제를 정맥 투여하면서 바늘을 바꾸지 않고 여러 사람이 공유하는 것으로 인해 발생하는 간염과 HIV의 전염이다.

4) 진단

(1) 아편유사제사용장애

적절한 의학적 용도가 아닌 경우, 혹은 의학적 용도라 하더라고 실제 필요량보다 과도하게 사용하는 경우. 아편유사제를 지속적으로 자가투여 하는 징후와 증상을 포함한다.

진단기준 핵심(DSM-5)

임상적으로 상당한 문제가 되는 아편계 사용이 지난 12개월 사이 다음의 항목 중 최소 2개 이상 나타난다.
1. 아편계를 의도했던 것 보다 많은 양, 오랜 기간 사용
2. 아편계 사용을 줄이려는 욕구가 있고, 줄이려는 노력이 실패함
3. 아편계를 구하기 위해 많은 시간을 보냄
4. 아편계에 대한 갈망감, 강한 욕구
5. 반복적 아편계 사용으로 직장, 학교, 가정에서 역할 수행 실패
6. 아편계 영향으로 문제 행동이 반복됨에도 지속적인 아편계 사용
7. 아편계 사용을 위해 직업활동이나 여가활동 등을 포기하거나 줄임
8. 신체적으로 해가 되어도 아편계 사용
9. 아편계 사용으로 신체적, 심리적인 문제가 생기거나 악화될 가능성이 높다는 것을 알면서도 사용
10. 내성
11. 금단
관해 상태 및 심각도 명시

(2) 아편유사제 중독

사용 중 혹은 직후에 발생하는 심각한 부적응적 행동 변화 및 심리적 변화 시 진단한다.

5) 감별진단과 동반이환장애

아편유사제 사용장애 환자의 90%는 기타 정신질환을 갖고 있다. 주요우울장애, 알코올사용장애, 반사회성성격장애, 불안장애 등이 있으며, 오염된 주사바늘을 사용하는 데서 오는 B형, C형 간염 및 HIV 감염 등의 빈도가 높다.

6) 치료

(1) 급성중독의 치료

기도 확보가 필요하다. 아편유사제 길항제인 날록손이 주어질 때까지 기계 호흡이 필요할 수 있다.

(2) 금단과 해독

① 메타돈 유지치료

메타돈(methadone)은 합성 마약으로 헤로인을 대신해 중독자에게 투약 시 헤로인 사용을 줄이고, 금단증상을 억제한다. 메타돈 자체도 의존성, 금단증상이 있을 수 있지만 헤로인보다 미약하고, 금단증상 발생이 더디다. 헤로인으로부터 벗어나게 하여 HIV 감염 기회를 줄이고, 직업에 종사하는 것이 가능하다.

② 기타 약물치료

아편유사제 수용체 길항제(날록손, 날트렉손)는 메타돈과 달리 향정신성 효과도 없고 중독을 야기하지도 않는다. 단 동기가 부족한 경우가 많아 지속적인 복용이 어렵다.

(3) 치료 공동체

약물 중독 문제를 가진 사람들로 구성된 치료적 환경을 제공한다. 높은 수준의 동기를 가지고 있어야 하며, 공동체의 목표는 삶과 생활의 완전한 변화다.

(4) 감염 방지를 위한 교육과 주삿바늘 바꾸기 교육

11. 진정제, 수면제, 또는 항불안제 관련 장애 (Sedative-, Hypnotic-, or Anxiolytic-related disorders)

1) 개념

진정 수면제 및 항불안제는 진정, 수면유도 효과가 있으며, 항간질제, 근육이완제, 마취제 등으로 사용될 수 있다. 알코올과 교차 내성을 가질 수 있으며, 같이 사용시 상승효과를 나타낼 수 있다.

2) 역학

12개월 유병률은 12~17세에서는 0.3%, 18세 이상 성인에서는 0.2%로 추정된다.

3) 임상양상

(1) 남용 형태

대부분 진정제는 경구투약이 가능. 젊은 연령에서 긴장완화, 가벼운 행복감을 위해 사용된다. 중년에서는 주로 불면, 불안감을 해소하기 위해 복용하며, 남용자들 중 상당수가 여러 의사로부터 중복처방을 받는 경향이 있다.

(2) 과다복용

벤조디아제핀류들은 바르비투르산염 및 바르비투르산염 유사물질에 비해 호흡억제 효과가 거의 없어 효용량의 200배 또는 그 이상 복용해야 치명적일 수 있다.

4) 진단

(1) 진단기준 핵심(DSM-5)

임상적으로 상당한 문제가 되는 진정제, 수면제, 또는 항불안제 사용이 지난 12개월 사이 다음의 항목 중 최소 2개 이상 나타난다.

1. 진정제, 수면제 또는 항불안제를 의도했건 것보다 많은 양, 오랜 기간 사용
2. 진정제, 수면제 또는 항불안제 사용을 줄이려는 욕구가 있고, 줄이려는 노력이 실패함
3. 진정제, 수면제 또는 항불안제를 구하기 위해 많은 시간을 보냄
4. 진정제, 수면제 또는 항불안제에 대한 갈망감, 강한 욕구
5. 반복적 진정제, 수면제 또는 항불안제 사용으로, 직장, 학교, 가정에서 역할 수행 실패
6. 진정제, 수면제 또는 항불안제 영향으로 문제 행동이 반복됨에도 지속적인 진정제, 수면제, 또는 항불안제 사용
7. 진정제, 수면제 또는 항불안제 사용을 위해 직업활동이나 여가활동 등을 포기하거나 줄임
8. 신체적으로 해가 되어도 진정제, 수면제 또는 항불안제 사용
9. 진정제, 수면제 또는 항불안제 사용으로 신체적, 심리적인 문제가 생기거나 악화될 가능성이 높다는 것을 알면서도 사용
10. 내성
11. 금단

(2) 진정제, 수면제, 또는 항불안제 중독(sedative, hypnotic, or anxiolytic intoxication)

중독시 공통적으로 협동운동실조, 구음장애, 안구진탕, 혼수, 사망에 이를 수 있다. 중독의 진단은 혈중 물질 농도 측정이 가장 좋은 방법이다.

(3) 진정제, 수면제, 또는 항불안제 금단(sedative, hypnotic, or anxiolytic withdrawal)

벤조디아제핀류를 복용 중단하는 경우 본래의 불안증상이 다시 나타나거나, 이전보다 더 심한 불안증상이 나타날 수 있다.

(4) 다른 진정제, 수면제, 또는 항불안제 유도성장애

(5) 중독 섬망 및 금단섬망

① 중독섬망: 투여량이 아주 많은 경우 제한적으로 나타난다.

② 대개의 경우 금단섬망을 보일 수 있으며, 특히 바르비투르산염(barbiturate)에서 알코올 금단섬망과 비슷한 정도 심한 금단섬망을 보일 수 있다.

(6) 지속적 기억상실장애(persisting amnestic disorder)

진정, 수면제, 항불안제 사용으로 인한 지속적 기억상실장애는 물질 유도성 지속적 기억상실장애의 진단 기준을 따른다.

(7) 정신병적장애들(psychotic disorders)

정신병적 증상들은 벤조디아제핀계열 약물보다 바르비투르산염을 사용한 경우 더 흔히 보인다. 알코올 금단 섬망과 구별이 필요하다.

5) 감별진단과 동반이환장애

진정수면제 또는 항불안제로 인한 증상은 다른 원발성 정신질환들이나 다른 의학적 상태(예, 다발성 경화증), 과거 두부 외상 등으로 인한 것일 수 있으며 특히 알코올사용장애와 감별해야 한다.

6) 원인

충동성과 자극을 추구하는 성향(기질적, 유전적), 약물에 대한 접근성(환경적), 가족, 동료, 사회·환경적 요인과 관련이 있을 수 있으며, 어린 나이에 시작할수록 물질사용장애로 이환될 가능성이 높다.

7) 치료

(1) 벤조디아제핀류는 체내에서 천천히 배설된다. 금단증상은 투약 중단 수주 후에도 나타날 수 있어 금단을 예방을 위해 점진적 감량해야 한다.

(2) 과량복용 시 호흡마비 등 치명적인 경우 벤조디아제핀 길항제인 플루마제닐(flumazenil)을 사용할 수 있다.

8) 경과 및 예후

진정 수면제, 항불안제사용장애는 청소년기 혹은 성인 초기에 발병한다. 나이가 들면서 물질 오용이나 관련된 문제 발생 위험이 높아지며, 인지 기능이 손상되는 부작용이 많아진다.

12. 자극제 관련 장애(Stimulants-related disorder)

1) 개념

(1) 암페타민, 코카인 등이 있으며, 사용시 각성 효과, 고양된 기분, 다행감을 준다. 역사적으로 암페타민류는 강력한 중추신경흥분제로 1887년에 처음 합성되었다. 국내에서 문제가 되는 것은 메스암페타민으로, 우리나라에서는 통상 필로폰(philopon, 히로뽕)이라 불린다.

(2) 코카인 제제 중 1980년대 중반부터 유행한 크랙(crack)은 흡연을 통한 투여, 빠른 효과, 저렴한 비용 등으로 코카인 대중화를 앞당김. 중독이 매우 쉽고, 황폐화 현상도 빠른 것으로 알려졌다.

2) 역학

메스암페타민 의존으로 인한 입원율은 1995년에 비해 2012년 미국에서 두 배 이상 증가. 코카인, 헤로인과 같은 물질에 비해 훨씬 높은 수치이다.

3) 임상양상

급성중독증상 `기출`

(1) 암페타민류

경구투여 외에도 정맥주사, 흡입제 형태로 사용되며. 빠르게 흡수되어 1시간 이내 효과를 보인다. 시냅스전 신경 말단으로부터 도파민, 노르에피네프린, 세로토닌 등의 단가 아민 신경전달물질의 분비를 증가시킨다. 복측 피개영역에서 대뇌 피질, 변연계에 이르는 도파민 뉴런의 활성을 암페타민 중독의 주된 경로로 생각되며, 이를 "보상회로"라고 한다. 이 약물을 사용시 다행감, 피로감소 등을 느끼나 중독시에는 서맥 혹은 빈맥, 동공산대, 혈압 변화, 오심과 구토, 정신운동성초조나 지체 등을 보인다.

(2) 코카인

암페타민과 유사하게 도파민 전달체(dopamine transporter, DAT)에 작용하여 시냅스 내 도파민 재흡수를 방해하여 결과적으로 시냅스 내의 도파민 분비를 증가시킨다. 하지만 직접적으로 신경전달 물질의 재흡수를 방해하지 않아 암페타민류에 비해 효과가 일시적이다. 다행감은 빨리 나타났다가 빨리 사라지며, 우울감과 약물에 대한 갈망이 이어서 나타날 수 있다.

4) 진단

암페타민류와 코카인의 대사산물은 혈액, 타액 및 체모, 소변에서 추출이 가능하다. 소변을 통해서는 수일 내의 투여 여부를 확인할 수 있다(암페타민 1~3일, 코카인 2~5일).

(1) 진단기준 핵심(DSM-5)

임상적으로 상당한 문제가 되는 암페타민류 물질, 코카인 또는 기타 자극제 사용이 지난 12개월 사이 다음의 항목중 최소 2개 이상 나타난다.

1. 자극제를 의도했건 것 보다 많은 양, 오랜 기간 사용
2. 자극제 사용을 줄이려는 욕구가 있고, 줄이려는 노력이 실패함
3. 자극제를 구하기 위해 많은 시간을 보냄
4. 자극제에 대한 갈망감, 강한 욕구
5. 반복적 자극제 사용으로 직장, 학교, 가정에서 역할 수행 실패
6. 자극제 영향으로 문제 행동이 반복됨에도 지속적인 자극제 사용
7. 자극제 사용을 위해 직업활동이나 여가활동 등을 포기하거나 줄임
8. 신체적으로 해가 되어도 자극제 사용
9. 자극제 사용으로 신체적, 심리적인 문제가 생기거나 악화될 가능성이 높다는 것을 알면서도 사용
10. 내성
11. 금단

관해 및 심각도 부호화

(2) 자극제 급성 중독(stimulant intoxication)

자극제 중독 진단기준은 행동적, 신체적증상과 징후를 강조한다. 남용자들은 고양된 기분, 의기양양함을 위해 약물을 사용하며, 더 높은 용량 사용시 흥분, 과민함, 충동성, 위험한 성적 행동 등의 모습을 보일 수 있다. 신체적으로는 빈맥, 동공산대가 나타난다.

(3) 자극제 금단(stimulant withdrawal)

기분저하와 더불어, 피로감, 불쾌한 꿈, 불면 혹은 과수면, 식욕 증가, 초조감 등이 동반될 수 있다. 가장 심각한 금단증상은 갑작스러운 중독 후 우울증이며, 자살의 위험이 증가할 수 있다.

(4) 자극제 급성 중독 섬망(stimulant intoxication delirium) 및 자극제 유도성 정신장애(stimulant induced psychotic disorder)

① 섬망은 자극제를 과사용하거나, 지속 사용 시, 그리고 수면박탈 시 쉽게 나타난다. 또는 다른 약과 함께 사용하거나, 기존 뇌 병변이 있는 경우 더 쉽게 나타난다.

② 자극제 유도성 정신장애는 편집 망상과 환각이 특징적이며 암페타민 유도성 정신장애는 편집형 조현병과 구별해야 한다(조현병 환자에 비해 환시가 현저하고, 과다행동, 과다성욕, 지리멸렬이 두드러짐. 반면 비교적 적절한 정동 유지). 코카인 유도성 정신장애 역시 암페타민의 경우와 유사하다. 특히 벌레가 피부 위 혹은 바로 아래를 기어다니는 것 같은 환촉을 호소하는 경우가 많다.

5) 감별진단과 동반이환장애

원발성 정신질환(조현병, 양극성장애, 공황장애 등), 펜시클리딘 급성 중독 등과 감별이 필요하다.

6) 원인

동반되는 양극성장애, 반사회성 성격장애 등은 자극제 사용장애의 발생 위험요인(기질적)이며, 출생 시 코카인에 노출, 출생 후 부모에 의한 코카인 사용, 아동기 동안 지역사회폭력에 노출 등(환경적)은 10대의 코카인 사용 예측 요인이다.

7) 치료

(1) 암페타민류

입원 환경에서 다양한 치료적 접근(개인, 가족, 그룹 치료 등)이 필요하다. 암페타민 유도성 질환의 경우, 항정신병약물, 항불안제 등을 단기간 사용해 볼 수 있다.

(2) 코카인

다른 물질 금단과 달리 신체적인 불편감이 적어, 치료 필요성에 대해 느끼지 못하는 경우가 많다. 약물에 의한 긍정적 경험이 매우 강력해, 치료가 매우 어렵다. 보통 1~2주가 지나면 금단증상이 사라질 수 있으며, 수면장애, 기분증상 등은 그보다 오랜 시간이 필요하나 약물 사용 전과 비슷한 수준까지 회복 가능하다.

8) 경과 및 예후

자극제 흡연이나 정맥내 사용은 수 주~수 개월 내에 심각한 단계의 자극제 사용장애로 진행된다. 약물 흡연은 호흡기 문제의 위험도는 높이며, 정맥 내 주사는 HIV 감염 위험성을 높인다.

13. 담배 관련 장애(Tobacco-related disorder)

1) 개념

최근 대규모 역학연구를 통해 흡연이 폐암뿐 아니라 구강암, 후두암 등 각종 암을 유발할 수 있다는 보고가 발표되면서 금연에 대한 중요성이 사회적으로 널리 인식되고 있다.

2) 역학

우리나라 성인 남성 흡연율은 2015년에 39.3%로 OECD 국가 중에서 가장 높은 수준이다.

3) 임상양상

니코틴은 간접적으로 뇌 보상회로의 도파민 경로를 활성화시켜 긍정적 재강화를 일으켜 의존성을 가지게 한다. 또한 노르에피네프린, 바소프레신, 엔도르핀 등의 혈중 농도를 증가시켜 중추신경계를 각성시켜 집중력,

학습효율, 반응시간 등이 향상될 수 있고, 기분이 좋아지고 우울감이 덜해질 수 있다.

낮은 용량에서 보이는 니코틴 중독증상으로는 구역, 구토, 타액 과다분비, 복부통증, 설사, 두통 등이 있다. 또한 주의집중의 어려움, 혼란 등도 동반될 수 있고, REM 수면 시간도 감소된다.

4) 진단

니코틴에 대한 의존도 평가 도구로는 Fagerström test가 있다. 6개의 질문으로 되어 있으며, 점수가 높을수록 금단증상이 심하여 금연이 어려울 수 있다.

표 22-3. Fagerström test

기상 후 몇 분 만에 첫 담배를 피우는가?	5분 미만	3점
	6~30분	2점
	31~60분	1점
	60분 초과	0점
금연공간에서 담배를 참기 힘든가?	네	1점
	아니오	0점
포기하기 힘든 담배가 무엇인가?	아침 첫 담배	1점
	그 이외	0점
하루 흡연량은?	10개 미만	0점
	11~20	1점
	21~30	2점
	31개 이상	3점
기상 후 첫 한 시간 이내에 더욱 많은 담배를 피우는가?	네	1점
	아니오	0점
당신은 병들어 침대를 벗어나기 힘들어도 담배를 피우겠는가?	네	1점
	아니오	0점

참고) 6점 이상시 의존성이 높은 것으로 판단

(1) 담배사용장애(tobacco use disorder) 진단기준 핵심(DSM-5)

임상적으로 상당한 문제가 되는 담배 사용이 지난 12개월 사이 다음의 항목 중 최소 2개 이상 나타남.

1. 담배를 의도했건 것 보다 많은 양, 오랜 기간 사용
2. 담배를 사용을 줄이려는 욕구가 있고, 줄이려는 노력이 실패함
3. 담배를 구하기 위해 많은 시간을 보냄
4. 담배에 대한 갈망감, 강한 욕구
5. 반복적 담배 사용으로, 직장, 학교, 가정에서 역할 수행 실패
6. 담배의 영향으로 문제 행동이 반복됨에도 지속적인 담배 사용
7. 담배 사용을 위해 직업활동이나 여가활동 등을 포기하거나 줄임
8. 신체적으로 해가 되어도 담배 사용
9. 담배 사용으로 신체적, 심리적인 문제가 생기거나 악화될 가능성이 높다는 것을 알면서도 사용
10. 내성
11. 금단

관해 및 심각도 부호화

(2) 담배 금단(tobacco withdrawal) 진단기준 핵심(DSM-5)

> 1. 최소 수주 동안 매일 담배 사용
> 2. 갑작스런 담배 사용 중단 혹은 감량 후 24시간 내에 다음 증상 중 4가지 이상
>   과민성, 좌절 또는 화 / 불안 / 집중 곤란 / 식욕 증가 / 안절부절 / 우울 기분 / 불면
> 3. 위 증상으로 인해 사회적, 직업적 또는 다른 중요 기능 영역에서 심각한 문제
> 4. 위 증상은 다른 의학적 상태로 인한 것이 아니고, 다른 정신질환으로 더 잘 설명되지 않음

5) 감별진단과 동반이환장애

(1) 감별진단: 담배 금단증상은 다른 물질 금단 증후군(예: 알코올 금단, 자극제 금단, 카페인 금단 등), 불안장애, 약물치료로 인한 정좌불능 등과 감별해야 함

(2) 흡연 시 심혈관계 질환, 만성폐쇄성폐질환 등이 동반될 수 있다. 가장 흔한 정신과적 동반이환 질환은 알코올 사용장애, 우울장애, 양극성장애, 불안장애, 성격장애 등이다.

6) 원인

ADHD나 품행장애를 가진 아동 및 우울장애, 불안장애 등을 가진 성인은 흡연 위험이 높고(기질적), 수입이 적고 학력이 낮은 계층에서 담배를 보다 쉽게 시작하고 끊기도 어렵다(환경적). 유전적 요인이 흡연의 시작과 지속여부 등에 영향을 주는데 다른 물질사용장애에서 관찰되는 유전적 가능성(약 50%)에 상응하는 정도이다.

7) 치료

(1) 비약물적 치료

동기강화치료, 인지행동치료 등이 활용된다. 동기강화치료는 금연에 대한 흡연자의 동기수준을 고려하여 단계별로 접근한다. 인지행동치료는 자기모니터링, 대응기술훈련, 자극통제기법, 혐오기법, 재발방지 훈련 등의 기법을 사용한다.

(2) 약물치료 기출

① 니코틴 대체요법과 비니코틴 약물요법(varenicline, bupropion)이 있다.

② 대체요법은 금단증상을 줄여주기 때문에 금연율이 높은 편이며, 주로 6~12주 동안 유지용량으로 사용 후 서서히 감량한다. 국내에서는 껌과 패치, 사탕의 형태가 있는데 반드시 금연한 상태에서 사용해야 한다.

③ 비니코틴 약물의 경우 부프로피온(bupropion)이 있다. 이는 항우울제로 FDA에서 금연치료제로써 최초로 승인된 비니코틴 약물이다. 신경말단에서 도파민과 노르에피네프린의 재흡수를 차단, 니코틴 아세틸콜린 수용체를 차단하여 금단증상을 줄여준다. 바레니클린(varenicline)은 뇌의 니코틴 수용체에 결합해 흡연 욕구를 감소시킨다.

8) 경과 및 예후

담배를 사용하는 사람 중 80% 이상은 어느 시기에 끊기를 시도하지만, 60%가 1주일 이내에 다시 흡연을 시작. 5% 미만이 평생 금연에 성공한다.

14. 기타 물질 관련 장애

1) 프로포폴 남용(Propofol abuse)

(1) 프로포폴은 세계적으로 가장 많이 쓰이는 정맥마취제. 반응 시간이 짧아 마취유도제 등으로 사용 중이며, 진정 후 회복이 빠르고 부작용이 적다.

(2) 프로포폴은 A형 GABA 수용체를 활성화, NMDA 수용체 활성화를 억제하며, 이때 도파민 조절기능이 마비되면서 도파민이 과다하게 방출된다. 이로 인해 프로포폴중독증상이 나타난다. 피로회복 및 이상 황홀감, 스트레스 해소, 각성 시 성적 탈억제 등으로 정신적 의존성, 중독을 유발할 수 있으나, 신체적 의존성은 드물다.

2) 합성대사남성화 스테로이드 남용(Anabolic-androgenic steroid abuse)

종류가 다양하며, 코티솔과는 다르다. 코티솔의 경우 근육을 강화하는 기능이 없지만, 합성대사남성화 스테로이드의 경우 근육을 강화시키므로 보디빌더, 운동선수 등에서 남용될 수 있다.

3) 감마-하이드록시부티레이트(Gamma-hydroxybutyrate, GHB)

감마-하이드록시부티레이트는 뇌의 도파민 분비를 증가시켜, 최근 들어 아편유사제(opioid)사용장애, 알코올사용장애 치료약으로 고려 중이다. 1990년대까지 보디빌더들은 스테로이드 제제를 대신해서 이것을 복용하기도 했다. 부작용은 구역, 구토, 호흡문제, 경련, 혼수, 사망 등이 있다.

15. 비물질 관련 장애(Non-substance-related disorders) -도박장애(Gambling disorder)

1) 개념

지속적이고 반복적인 도박으로 인해 심각한 손실이나 고통을 일으키는 행위. 개인은 물론 가족과 사회 및 직업적인 측면에서 문제를 일으킨다.

2) 역학

국내 연구에서는 대개 4% 이상. 영국, 프랑스 등 서구에 비해 월등히 높은 편이다.

3) 임상양상

내성이 생기면 흥분을 얻기 위해 액수를 늘리면서 도박을 한다. 금단증상이 있어 도박을 줄이거나 중단하려는 노력은 반복적으로 실패한다. 돈을 잃게 되면 판단력이 떨어지고 집착하게 되면서 성격의 황폐화. 거짓말을 하고, 자금을 마련하기 위해 불법행위를 하게 된다. 결국 가족, 대인관계, 직업적, 법적 문제에 직면하게 된다.

4) 진단

도박장애의 필수적 특징은 개인, 가족, 그리고 직업적 장애를 유발하는 지속적이고 반복적인 부적응적 도박행동이다.

진단기준 핵심(DSM-5)

1. 반복적인 문제적 도박 행동이 임상적으로 큰 손상이나 고통을 일으키고 지난 12개월 동알 다음 중 4개 이상 나타난다.
   ① 원하는 흥분을 얻기 위해 도박 금액을 늘리려는 욕구
   ② 도박을 줄이면 과민해짐
   ③ 도박을 조절하거나 줄이려는 노력의 반복적 실패
   ④ 도박에 집착함
   ⑤ 괴로움을 느낄 때 도박함
   ⑥ 돈을 잃은 후, 만회하기 위해 다음날 다시 도박
   ⑦ 도박에 대해 주변에 거짓말
   ⑧ 도박으로 인해 중요한 관계, 일자리 등 중요 영역에서 손실
   ⑨ 도박으로 인한 경제적 문제를 해결하기 위해 남에게 도움을 구하고 의존함
2. 도박행동이 조증삽화로 더 잘 설명되지 않는다.

관해상태, 심각도, 삽화성 혹은 지속성에 대한 명시

5) 감별진단과 동반이환장애

니코틴 의존, 알코올과 약물의존, 기분장애, 불안장애 등이 흔하다. ADHD 병력이 있는 경우가 많다.

6) 원인

(1) 정신분석적 견해로는 도박 행위를 피학적이고 강박적인 성격성향, 흥분의 추구, 권위에 대한 도전, 우울감을 없애려는 노력 등으로 해석하기도 한다.

(2) 인지론자들은 스스로 도박 확률을 조절할 수 있다는 잘못된 생각 때문에 도박에 빠지는 것으로 설명한다.

(3) 행동이론가들은 도박장애의 원인을 학습된 비적응적 행동으로 설명한다.

(4) 유전적요인으로 쌍생아 연구는 유전적 요인이 환경적 요인보다 도박장애의 발생 위험에 더 관여한다는 결과를 보여준다.

(5) 신경생물학적 요인

① 세로토닌계 기전: 도박장애 환자에서 세로토닌계의 이상이 보고되었고 충동성의 증가 및 자극 추구와 관련이 있다는 연구가 있음

② 도파민계 기전: 인간의 보상체계(reward system)에 중피질변연계(mesocorticolimbic) 도파민 회로가 주로 관여하는 것으로 알려짐. 중독 행위는 중피질변연계의 도파민 활성 증가에 따른 비정상적 욕구와 이를 조절하는 전두엽 조절기능 저하에 따른 행동으로 볼 수 있음

③ 노르아드레날린계: 각성과 흥분, 자극 추구하는 경향과 관련이 있으며 간접적으로 연관이 있다는 보고가 있음

④ 오피오이드계 기전: 내인성 오피오이드 시스템이 보상과 쾌락 그리고 고통 관련된 욕구를 조절하는 것으로 알려져 있으며, 도박장애의 발생과 지속에 관련되어 있다는 연구가 있음

(6) 뇌영상연구: 기능적 MRI를 이용해 촬영한 실험에서 중독자들은 충동조절과 선택 결정을 담당하는 복내측 전전두 피질(ventromedial prefrontal cortex)의 활성이 떨어지는 결과를 보임

7) 치료

(1) 정신사회적 치료

① 인지행동치료: 비합리적이고 왜곡된 인지체계로 인해 지속적으로 도박행동을 보인다는 이론을 바탕으로 다양한 형태의 인지행동치료가 시행됨 실력

• 돈을 잃으면 운이 나쁘거나 재수가 없다고 생각하고 이길 경우 자신의 능력을 과대평가하는 경향(통제력의 착각)이 있다. 머리 속에는 늘 과거의 승리만을 기억하고 있기 때문에 반복적으로 도박을 하게 되는 경향(회상의 편파성)이 있어 이러한 잘못된 생각과 믿음을 체계적으로 교정하는 것을 목표로 한다.

• 치료자의 태도가 중요하며, 환자의 도박행동에 대해 절대 비난하지 말아야 한다. 치료자가 환자의 심리적 고통에 대해 관심을 가지고 있다는 사실을 전달하는 것이 치료의 동기 강화에 도움이 된다. 궁극적 치료 목표는 내적 통제력을 통해 도박충동을 조절하고 더 나은 삶을 살도록 유도하는 것이다.

② 자조모임, 단기 개입 및 동기화 면담(환자의 도박에 대한 양가감정을 탐색. 내적 동기를 촉구)을 시행하고, 가족치료도 환자의 회복에 중요하다.

(2) 약물치료

현재까지 도박장애에 승인된 약물은 없지만, 여러 연구에서 오피오이드 길항제(naltrexone, nalmefene), 항우울제, 기분안정제가 효과가 있는 것으로 나타났다.

8) 경과 및 예후

남성의 경우 청소년기 무렵부터 도박이 시작되는 경우가 많고 여성의 경우 중년기 이후에 도박에 빠지는 경

우가 많다. 일반적으로 적절한 치료적 개입이 없을 경우, 만성적인 경과를 보이는 경우가 많다.

TIP 위에서 설명했던 주요 물질의 intoxication, withdrawal, persisting use와 관련된 주요 정신질환을 표로 정리한 내용입니다.

표 22-4. 주요 약물장애와 관련된 부작용 기출

	정신병적장애	우울장애	불안장애	수면장애	섬망	신경인지장애
알코올	I/W	I/W	I/W	I/W	I/W	I/W/P
대마	I		I	I/W	I	
흡입제	I		I		I	I/P
아편유사제			W	I/W	I/W	
진정, 수면, 항불안제	I/W	I/W	W	I/W	I/W	I/W/P
자극제*	I	I/W	I/W	I/W	I	

참고) I = intoxication, W=withdrawal, P=persisting use
자극제*는 암페타민, 코카인 등.

사례 예시 / 기출 문제

1-01. 약물남용과 관련된 중독회로로, 도파민 보상체계의 뇌 부위는?

① 해마-시상

② 청색반점-소뇌

③ 솔방울핵-새겉질

④ 흑색질-줄무늬체

⑤ 배쪽 피개영역-기저핵

1-02. 45세 남자가 15년 간 매일 소주 2병씩 마셨고 음주로 인해 결근도 자주 하였다. 술을 마시지 않으면 잠을 자지 못하였고, 다음 날에는 불안해지고 술 생각이 나서 다시 술을 마시게 되었다. 날트렉손 치료 시 기대효과는?

① 자극 대체

② 혐오조건화

③ 금단증상 완화

④ 보상효과 차단

⑤ 체계적 탈감작

〈해설〉

지식을 알고 있어야 풀 수 있는 문제입니다.

중독은 완료적 행위(약물 소비) 보다는 욕망적 행위(약물 추구) 단계 이상과 더 관계가 깊은 질환입니다.

• 욕망적 행위 시-중뇌 도파민계 활성, 목표지향성 증가

• 완료적 행위 후-도파민계 활성이 줄어, 각성은 감소하고 포만감을 느끼며 졸린 상태가 됩니다.

• 도파민계는 중뇌 복측 피개(ventral tegmental area, VTA)에서 기시하여 안쪽 앞뇌 다발(medial forebrain bundle, MFB)을 통해 변연계 기저핵인 측좌핵(nucleus accumbens) 및 전전두엽으로 투사합니다.

날트렉손은 아편계 신경계의 활성화를 차단하며 도파민 보상 회로 활성도를 억제하여, 음주로 얻는 쾌감이나 긍정적 효과를 방해합니다(opioid R antagonist).

자극대체의 경우 주로 헤로인 사용 장애의 치료에 사용되는데 환자는 헤로인 대체물인 메타돈을 투여받으며, 헤로인을 구하고 사용하기 위한 일탈 행동 및 위험성에서 벗어나게 됩니다.

혐오조건화의 경우 디설피람(disulfiram)은 간에서 알코올 대사과정에서 ALDH의 활성도를 비가역적으로 억제하여 체내에 알데히드가 축적. 이로 인해 음주 시 오심, 구토 등 혐오반응을 일으켜, 음주를 단념하게 하는 약물(현재는 국내에서 처방할 수 없어 실제 치료에 사용되지는 않고 있습니다.)

1-03. 61세 남자가 이틀 전부터 잠을 못 자고, 엉뚱한 소리를 해서 응급실에 왔다. 20년 동안 소주 4~5병을 매일 마셨는데, 4일 전부터는 배탈이 나서 술을 마시지 않았다고 한다. 혈압 140/100 mmHg, 맥박 110회/분, 호흡 20회/분, 체온 36.8도였다. 작은 소리에도 깜짝 놀라고, 양손을 심하게 떨면서 식은땀을 흘리고 있었다. 외상은 없었다. 일차 치료는?

① 날트렉손
② 로라제팜
③ 다이설피람
④ 프로프라놀롤
⑤ 아캄프로세이트

〈해설〉

알코올 금단의 임상양상과 치료법을 알아야 풀 수 있는 문제입니다.

지속적으로 음주해오던 환자가 술을 갑자기 마시지 않고 나서 자율신경계 항진을 비롯한 불안을 보이는 경우, 외상을 포함하여 다른 가능성을 배제한 후 치료해야 합니다.

금단증상이 생겼을 경우 벤조디아제핀을 충분히 사용하여 진전 섬망으로 진행을 억제해야 합니다. 클로르디아제폭사이드나 로라제팜 등을 사용합니다.

1-04. 23세 남자가 누군가 자신을 미행하고 욕하는 소리가 들린다며 응급실에 왔다. 유학 중에 잠시 귀국했고, 남몰래 습관적으로 약을 사용하는 모습이 자주 목격되었다고 한다. 식사를 잘 하지 않고 잠을 잘 자지 않으면서도 활동이 증가하였다고 한다. 주변 사람들이 짜고 자신을 괴롭히고 있다며 흥분하는 모습도 자주 보였다고 한다. 복용했을 가능성이 높은 약물은?

① 졸피뎀
② 디아제팜
③ 메페리딘
④ 실데나필
⑤ 메스암페타민

보기에 있는 약에 대해 지식을 갖고 있어야 풀 수 있는 문제입니다.

강력한 중추신경흥분제로 중독 시 정신운동성초조, 혈압 변화, 서맥 혹은 빈맥, 동공산대 등을 보일 수 있고 과량 투여시 정신병적증상(피해망상 등)을 보일 수 있습니다.

졸피뎀: 불면증 치료에 사용. 부작용으로는 단기적인 전향성 기억상실, 졸음 등

디아제팜: 항불안제. 부작용으로는 과다한 졸음 및 그로 인한 낙상 등

메페리딘: 심한 통증(수술 후 등)에 사용하는 마약성 진통제

실데나필: 발기부전치료. 두통, 어지러움 등의 부작용

1-05. 25세 남자가 의식저하를 주소로 응급실에 실려 왔다. 응급실 내
원 시 동공축소, 위장관운동과 호흡운동 저하를 보였다. 고등학
교 졸업 후 별다른 직업 없이 친구들과 어울려 외박을 많이 했
고, 특별한 과거력은 없었다. 두부손상의 증거는 없었고 양 팔에
다발성 주사자국이 관찰되었다. 가장 의심되는 약물 중독증은?

① 아편류 중독

② 코카인 중독

③ 알코올 중독

④ 대마초 중독

⑤ 암페타민 중독

<해설>

의식저하, 동공 축소(pinpoint pu-
pils), 호흡운동 저하 및 양 팔에 다
발성 주사자국 등으로 미루어 헤로
인(아편계 약물) 남용이 가장 의심
됩니다.

대마초는 주로 흡연을 통해 사용하
며 환각증상, 지각의 변화, 결막 충
혈 등이 특징

암페타민 중독 시 고양감, 피로감소,
충동적 행동 등을 보입니다.

코카인은 암페타민 중독과 유사한
증상

신경인지장애
Neurocognitive Disorder

공병훈 박주호 고미애 김우정

Chapter

XXIII

Introduction

▶ 신경인지장애란 기존에 획득된 인지 기능의 저하, 즉 선천적이거나 발달과정에서 나타나는 것이 아닌 후천적인 원인에 의해 발생된 인지기능장애로 특징지어지는 질환군입니다. DSM-IV의 '인지장애(cognitive disorder)'는 DSM-5에 이르러 '신경인지장애(neurocognitive disorder)'로 명칭이 변경되었습니다. 크게 섬망과 치매(신경인지장애)로 나누어 생각할 수 있고, 신경인지장애도 정도에 따라 경도 신경인지장애, 주요신경인지장애로 구분하여 진단합니다.

▶ DSM-5에서는 인지 기능을 6가지 영역, 복합적 주의(complex attention), 집행기능(executive function), 학습과 기억(learning and memory), 언어(language), 지각-운동(perceptual-motor), 사회 인지(social cognition)로 나누고 있으며, 이 가운데 어떠한 영역이든 한 가지 영역 이상에 장해가 있을 경우 신경인지장애로 진단하도록 하였습니다. 이전의 DSM-IV 기준에 비해 복합적 주의 및 사회 인지 영역이 추가되었습니다.

1. 섬망(Delirium)

- 신체질환이나, 약물의 중독, 금단과 같은 의학적 상태의 결과로 나타나는 뇌의 전반적인 기능장애로 인한 증후군이다.
- 의식 수준과 인지기능 특히 주의력의 급격한 저하를 특징으로 하며, 지각의 장애, 비정상적인 정신운동 활성, 수면 각성 주기 등의 문제가 동반된다. 수 시간에서 수 일에 걸쳐 급격히 발생하며, 하루에도 심각도와 임상양상이 변동하는 경향이 있다. 원인 요소가 제거되면 빠르게 호전된다.

1) 진단기준 핵심(DSM-5) [기출]

1. 주의력장애(주의를 돌리고, 집중하고, 이동하는 능력의 감퇴)와 인식 장해(환경을 파악하는 능력의 감퇴)
2. 장해가 단기간 동안(대개 몇 시간에서 며칠) 발전, 기준 시점의 주의력과 의식으로부터 변화가 있으며, 하루 중에도 증상의 심한 정도가 변화하는 경향이 있다.
3. 추가적인 인지장애(**Ex.** 기억력, 지남력, 언어, 시공간, 지각 장해)
4. 진단기준 A와 C의 장해가 다른 이전의 확정되거나 발생된 신경인지장애로 더 잘 설명되지 않고, 혼수 상태와 같은 심각한 감퇴에서 발생되지 않아야 한다.
5. 다른 의학적 상태, 물질에 의한 결과가 아니어야 한다.

Specifier (아형)
① 과활동형(hyperactive)
② 저활동형(hypoactive)
③ 혼합형(mixed)

2) 임상양상 [기출]

(1) 섬망의 주증상은 인지기능의 저하가 동반되는 의식의 장애이다.

(2) 핵심증상으로 인지기능 중 주의력의 저하(주의력집중, 유지, 주의를 전환하는 능력의 저하) 및 주변환경에 대한 각성도(awareness)의 저하가 있다. 지남력 중 시간과 장소에서 특히 장애가 오며, 사람 지남력은 상대적으로 유지된다. 섬망의 증상은 수 시간에서 수 일에 걸쳐 급격하게 발생한다. 심각도와 증상의 양상이 하루에도 변동, 특히 밤에 악화되는 양상이다.

3) 섬망 vs. 치매

표 23-1. 섬망과 치매에서 각각 더욱 흔하게 나타나는 임상양상

양상	치매	섬망
발병(onset)	점진적, 천천히 발생	급격히 발생
기간(duration)	수 개월~수 년	수 시간~수 주
주의 집중(attention)	주로 유지됨	변동하는 경향
기억력(memory)	장기 기억 손상	단기 기억 및 즉각 기억 손상
언어(language)	단어를 찾는 데 어려움	지리멸렬, 횡설수설
수면-각성 주기	분절된 수면	낮-밤이 바뀌는 양상
사고(thought)	빈곤	비체계적, 와해됨
인식(insight)	변화 없음	감소됨
각성 수준(alertness)	대체로 정상	과각성~저하까지 다양함

4) 원인 [기출]

약제 부작용 물질 중독 물질 금단 감염 마취 후 혹은 수술 후 상태 대사성 이상(전해질 불균형, 탈수, 저혈당, 고혈당, 신부전, 간부전, 빈혈, 비타민 부족 등) 심혈관계 질환(심부전, 심근경색, 부정맥, 쇼크, 폐색전 등)	중추신경계 질환(두부외상, 경련, 뇌손상, 뇌수막염, 뇌염 등) 골절이나 다른 외상 저산소증이나 고탄산혈증 폐쇄성 수면 무호흡증 수면 박탈 감각 박탈

5) 치료 [기출]

1차 목표는 기저 신체질환이나 전신적 상태를 안정시키는 것이다. 약물의 사용은 급성기에 잠시 고려할 수 있으며, 치료원칙에 따른 보살핌이 최우선적인 치료다.

(1) 치료원칙

① 환자를 조용하며 낮에는 불빛이 있는 방에 두고, 야간에는 야간조명을 켠다.

② 과도한 감각 자극은 피하되 조용한 음악이나 텔레비전 정도의 자극을 제공한다.

③ 달력이나 시계가 잘 보이도록 하는 등 지남력에 대한 단서를 제공한다.

④ 안경이나 보청기를 주어 감각장애를 교정한다.

⑤ 환자를 안심시키고 지남력을 제공하기 위해 가족들이 함께 있도록 권유한다.

⑥ 가족사진과 같은 환자에게 친숙한 물건을 두도록 한다.

⑦ 주의 깊게 환자의 수분과 식사공급량을 확인하고 적절하게 공급한다.

⑧ 신체 움직임과 다른 사람들과의 활동을 격려한다. 수면-각성주기가 유지되도록 낮에 활동을 격려하고 저녁에 수면에 도움이 되는 지지를 제공한다.

⑨ 환자의 자리이동, 신체강박, 카테터의 사용을 자제하고 변비가 생기지 않게 주의한다.

(2) 약물치료

정신병적증상, 불면 조절에 초점을 두어 치료한다.

① 정신병적증상 치료

할로페리돌(haloperidol) 등의 항정신병 약물을 사용한다. 추체외로 증상과 같은 부작용에 대한 염려로 정형 항정신병약물 대신 리스페리돈, 클로자핀, 올란자핀, 쿼티아핀과 같은 2세대 항정신병약물도 섬망의 치료에 사용된다.

② 불면 조절

수면장애 시 작용시간이 짧은 benzodiazepine 계 약물을 사용한다(lorazepam, triazolam 등). 하지만 이들의 사용 시 탈억제 작용으로 인해 증상 악화의 가능성이 있어 사용에 주의한다.

2. 치매(Dementia)

1) 알츠하이머병(Alzheimer's disease)

(1) 역학

가장 흔한 치매 원인 질환이다. 전체 치매 원인의 약 55~70%이며, 65세 이상 노인의 전체 치매 유병률은 6.3~13.0%, 알츠하이머병의 유병률은 4.2~5.7%이다.

(2) 임상양상 기출

기억력으로 대표되는 인지기능이 매우 서서히 시작하여 점진적으로 악화되며, 초기 단계에서는 경미한 최근 기억장애가 특징적이며, 이후 여러 가지 영역의 인지기능의 저하 및 정신행동증상을 보이다가 말기 단계에 이르면 대부분의 인지기능이 소실되고 신경학적증상 및 기타 신체적 이상이 출현한다. 크게 인지장애증상, 정신행동증상, 그리고 신체증상으로 구분된다.

① 인지장애증상
- 기억장애: 알츠하이머병에서 가장 핵심적인 증상
  최근 기억장애로 시작되어 먼 과거 기억, 즉 오래된 정보에 대한 기억은 초기 단계에서 비교적 잘 보존되며 병이 진행하면서 점차 손상이 심화되는 경향을 나타낸다.
- 언어장애: 두 번째로 두드러지는 인지장애증상
  단어 찾기 곤란(word finding difficulty)으로 시작되어 이름대기 곤란(명칭 실어증), 언어이해력 저하 순으로 진행하는 경향이 있다. 떠오르지 않는 단어를 에둘러 설명하려고 애쓰는 에둘러 말하기(circumlocution)를 보인다.
- 시공간 인식 및 구성능력장애: 기본적인 시각 기능은 말기 단계까지 잘 보존되는 반면 공간지남력을 포함한 시공간 인식과 구성능력의 손상이 초기 단계에서부터 나타날 수 있음
  Ex) 길을 잃어버리거나, 집안에서 방안이나 화장실을 찾지 못함
- 실행증(apraxia): 일차 운동 및 감각 기능의 손상이 없는데도, 학습된 운동 동작을 수행하지 못하는 것으로 중기 단계 이후 빈번하게 나타남
- 수행기능장애: 초기부터 경미한 수행기능장애(executive dysfunction)가 동반되며, 전두엽 기능과 관계되어 계획수립, 목표지향적 행동, 추상적 사고, 판단 및 추론, 통찰 등의 고위 기능 손상이 포함됨

② 정신행동증상

치매의 정신행동증상(behavioral and psychological symptoms of dementia, BPSD)은 인지기능과 구분되는 치매에 동반되는 증상들을 총칭한다.

- 무감동: 감정표현의 감소, 어리둥절한 표정, 자발성이나 주도성의 감소, 사회적 활동이나 관계의 위축, 새로운 사건에 대한 무관심 등
- 정신병적 증상: 주로 중기 이후에 발현되며, 크게 망상과 환각증상을 보이며, 상대방을 의심하는 망상이 많으며 구체적으로는 도둑망상, 부정망상, 유기망상 등을 보임
- 우울증: 매우 흔한 정신행동증상(알츠하이머병 환자의 80%)
- 불안, 초조 행동: 배회, 반복행동 도는 반복적인 질문, 신체적 또는 언어적 난폭행동, 도움에 대한 거부 또는 반항, 불평, 의미 없이 왔다갔다하는 행동, 쓰레기 등의 수집행동, 고함지르기, 옷 벗기 등

③ 신체증상 및 기타 신체적 이상

- 초기: 신경학적 검사상 대개 정상 소견을 보임
- 말기: 추체외로징후, 보행장애, 근간대경련 등도 동반될 수 있으며, 의사소통, 보행, 대소변 조절, 위생 관리 등이 모두 불가능해지고, 전적으로 다른 사람에게 의존해야 하는 와상상태에 이름

(3) 진단기준 핵심(DSM-5)

주요신경인지장애의 진단기준

1. 다음에 근거하여 이전 수행수준으로부터 하나 또는 그 이상의 인지영역(복잡한 주의력, 실행기능, 학습과 기억, 언어, 지각-운동 또는 사회인지)에서 심각한 인지저하의 증거가 있음
   ① 심각한 인지저하가 있다고 본인, 정보제공자 또는 임상의사가 걱정
   ② 표준화된 신경심리검사상 이를 뒷받침하는 상당한 손상 소견을 보임(이러한 검사가 없으면 다른 정량화된 임상 평가도 가능)
2. 인지결손이 독립적인 일상생활 활동을 저해함
3. 인지결손이 섬망의 경과 중에만 나타나지 않음
4. 인지결손이 다른 정신장애로 더 잘 설명되지 않음

TIP 경도신경인지장애의 경우에는 인지결손이 있지만 아직 독립적인 일생생활 활동은 저해되지 않은 상태라는 것이 감별 포인트
(돈을 지불하거나 약을 관리하는 복잡한 도구적 일상 수행 기능은 보존되나 이를 위해서는 많은 노력이나 보상전략, 또는 적응이 필요할 수도 있음)

---

(4) 발병 위험 요인 [기출]

① 사회인구학적 요인

  • 고령은 가장 일관되고 강력한 위험인자로 매년 5년마다 2배씩 증가한다. 여성과 낮은 교육(저학력) 수준을 갖는 경우 발생율이 높다.

  • acetylcholine 계 활성이 감소와 연관이 있다. 병리소견에서 신경원섬유매듭(neurofibrillary tangle)과 베타 아밀로이드 단백질의 침착을 관찰할 수 있다.

② 유전적 요인

  • APOE ε4 대립유전자: 중성지방의 대사와 체내 콜레스테롤 수치에 연관된 단백질 합성유전자로, 중추신경계에서 수초와 축삭돌기 세포막의 복원, 성장, 유지에서 중요한 역할을 함. 대립유전자에는 ε2, ε3, ε4의 세 가지 유형이 있으며, APOE ε4 대립유전자는 알츠하이머병의 위험률을 증가하며, 발병 연령도 낮춤

  • 가족력: 알츠하이머병 환자의 가족에서 알츠하이머병의 위험이 증가

  • 다운 증후군: 40세까지 생존할 경우, 대부분 뇌에 알츠하이머병 특이 뇌 병변을 나타냄

③ 질병 및 생활습관 요인

  고혈압, 당뇨병, 심혈관질환이나 뇌혈관질환, 고콜레스테롤혈증, 비만 등과 연관됨. 흡연, 과음, 우울증, 사회적 고립은 치매 위험을 증가시킴

(5) 영상소견

① MRI

대뇌 피질 위축 소견은 알츠하이머병과 관련된 국소 신경세포소실과 관련되어 있다. 특히, 해마(hip-pocampus)를 포함하는 내측두엽의 위축은 알츠하이머병 치매, 초기 단계에서부터 나타나 조기 진단에 중요한 정보를 제공한다.

<normal>　　　　　　　　　　　　　　　　<알츠하이머병>

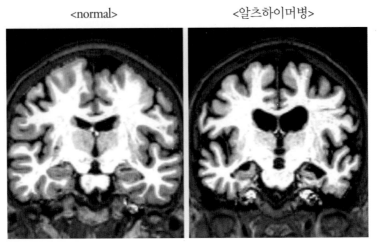

그림 23-1. 알츠하이머병 환자의 MRI 뇌영상 소견

② 18F-fluorodeoxyglucose (FDG)-positron emission tomography (PET)

뇌 포도당 대사 정도를 정량화하여 신경세포의 기능상태 또는 시냅스 활성 정도를 영상화하여 알츠하이머병 조기 진단을 위해 활용되며, 측두엽과 두정엽(tempro-parietal lobe) 대사저하 소견

<normal>　　　　　　　　　　　　　　　　<알츠하이머병>

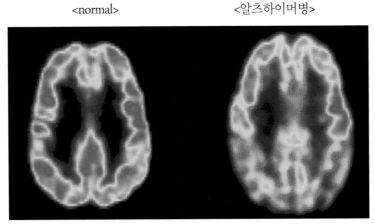

그림 23-2. 알츠하이머병 환자의 FDG-PET 뇌영상 소견

③ 아밀로이드 PET 영상

알츠하이머병의 핵심 병리인 아밀로이드 판, 베타 아밀로이드 단백질 응집 상태 자체를 영상화하여, 살아있는 상태에서 확진 수준의 신경병리적 진단을 가능하게 한다.

<normal>

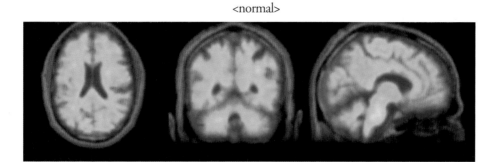

<알츠하이머병>

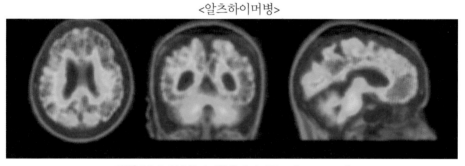

그림 23-3. 알츠하이머병 환자의 아밀로이드 PET 소견

(6) 치료 [기출]

인지장애증상은 아세틸콜린분해효소 억제제와 NMDA 수용체길항제로 대표되는 약물치료 및 인지재활요법, 현실 지남력 훈련 등을 병행한다. 정신행동증상은 약물치료를 시도 전 먼저 증상 유발 요인 파악을 포함한 비약물적 접근을 고려한다.

① 현재 사용 중인 알츠하이머병 치료제

• 아세틸콜린분해효소 억제제(AChEI)
- 작용기전: 콜린성 가설과 관련(아세틸콜린이 기억과 관련된 뇌 영역에서 중요한 신경전달물질로 작용하며 해마, 대뇌 피질 등의 뇌 영역들에서의 아세틸콜린 결핍이 나타나 기억저하 발생한다는 가설)
- 아세틸콜린이 신경말단에서 시냅스 간극으로 유리된 후 아세틸콜린분해효소에 의해 빠르게 소멸되는 것을 막아 결핍된 아세틸콜린을 보존한다.
- 종류로는 donepezil / rivastigmine / galantamine 있으며, 투여 초기에 오심, 설사, 불면, 근경련, 피로, 식욕저하 등의 부작용이 있을 수 있다.

- N-methyl D-aspartate (NMDA) 수용체 길항제
- 중증 알츠하이머병 환자 치료제
- 작용기전: 신경 세포 밖의 글루타메이트 증가가 NMDA 수용체의 과도한 활성을 유발하여 세포 내 Ca 이온 농도가 급격히 증가되면서 일어나는 세포독성으로 신경 퇴행에 기여하는 병리 과정을 차단한다.
- 대표적인 약물로 메만틴(memantine)이 있다.

2) 혈관성 치매(Vascular dementia)

(1) 임상양상

환자의 특성, 병변의 위치, 다양한 기전의 특성에 따라 다르게 나타나며, 허혈성 뇌졸중과 관련되어 갑작스럽게 증상이 발생하여, 계단식으로 악화되며 인지기능의 변동을 보인다.

(2) 진단

뇌혈관질환이 인지저하와 직접적인 인과관계가 있다는 증거를 확인한다.

> **TIP** 감별진단: 뇌영상에서 국소병변이 없고 초기부터 기억력의 손상이 두드러지면서 기억력, 언어능력, 집행기능, 지각운동 기능의 점진적인 악화 → 혈관성 치매보다는 알츠하이머병에 더 부합

<혈관성 치매>

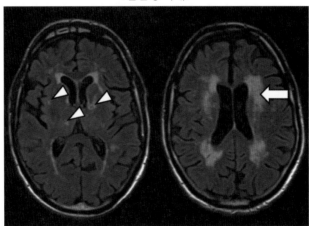

그림 23-4. 혈관성 치매 환자의 뇌영상 소견

3) 전두측두엽 치매(Frontotemproal dementia, FTD)

Pick's disease: 1892년 아놀드 픽에 의해 처음으로 증례가 보고되었고, 픽병 등으로 불리며 알츠하이머병과는 다른 유형의 치매라고 알려졌다.

전두측두엽 치매의 중요한 진단적 특징은 다음과 같다.

- 행동장애, 정동증상, 언어장애가 잠행성으로 발병해서 점진적으로 진행

- 공간지남력이 상대적으로 보존되어 있고 실행증이 거의 나타나지 않음
- 50대와 60대에 흔히 발병하여 상대적으로 조기에 발병하는 치매로 알려짐

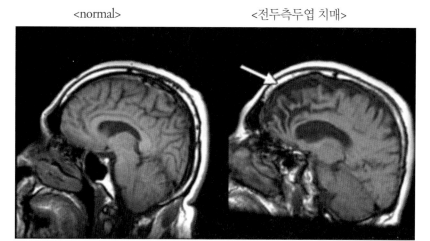

<normal>   <전두측두엽 치매>

그림 23-5. 전두측두엽 치매 환자의 뇌영상 소견

(1) 행동변형 전두측두엽 치매(behavioral variant FTD)

전두측두엽 치매의 가장 흔한 임상증후군으로, 내측전두엽, 안와전두엽, 앞 섬피질의 현저한 위축을 보이며, 초기부터 탈억제, 무감동, 공감결여, 고집증 및 상동행동, 과탐식 등과 같은 사회적 행동과 개인행동의 이상을 보인다. 초기에 행동변화가 나타나서 점점 진행하는 양상, 병이 진행하며 인지결손 나타난다(기억력과 시공간능력은 상대적으로 보존되나, 집행기능의 장애가 뚜렷하게 나타남).

(2) 의미치매(semantic dementia)

측두엽변형 전두측두엽 치매(temporal variant FTD)라고도 알려져 있다. 앞쪽 및 아래쪽 측두엽의 심한 위축이 비대칭적으로 나타난다(왼쪽 측두엽 위축 흔함). 왼쪽 측두엽의 위축은 언어장애 / 우측 측두엽의 위축은 얼굴인식불능증, 실인증과 연관되어 있다.

(3) 진행성 비유창실어증(progressive non-fluent aphasia)

좌측 실비우스 주변(perisylvian) 피질의 위축과 앞쪽 섬피질의 대사 저하가 동반된다. 언어표현에 뚜렷한 장애를 보이고 함구증(mutism)으로까지 진행할 수 있는 데에 비해, 기억력이나 시공간기능, 일상생활 기능은 상대적으로 잘 보존되는 특징이 있다.

4) 루이소체 치매(Dementia with Lewy bodies)

인지기능 손상, 파킨슨증과 같은 운동증상을 보이며, 환시와 같은 신경정신의학적 증상을 보인다. 그 외에도 수면의 문제, 신경이완제 과민성, 자율신경계의 이상증상을 보이게 된다.

표 23-2. 루이소체 치매의 진단을 위한 증상 [기출]

중심 양상	일상기능의 손상을 동반한 치매(발병 시 기억력은 정상일 수 있음)
핵심 양상	인지기능 / 주의력 및 각성의 변동 재발하는 환시 파킨슨증
시사 양상	REM 수면행동장애 신경이완제 과민성 SPECT or PET에 의한 기저핵의 저하된 도파민 활성
지지 양상	반복되는 낙상 혹은 실신, 의식의 일시적인 손상, 자율신경계 기능부전(기립성 저혈압 혹은 요실금), 환각(환시 외), 체계적인 망상, 우울, 뇌영상 검사 상 정상적인 측두엽, SPECT 혹은 PET에서의 저하된 대사(특히 후두엽), 심근 MIBG 섬광조형술 상 이상소견, 간헐적인 측두엽 예파를 동반한 전반적 서파 양상의 EEG 소견

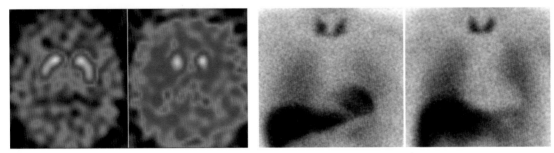

그림 23-6. Normal (left) vs. Lewy bodies dementia (right) (FP-CIT PET & MIBG myocardial scintigraphy)

(1) 감별진단 [기출]

파킨슨병 치매와의 감별점은 파킨슨병과 치매증상이 발생하는 시간적 순서다. 파킨슨병 치매는 일단 먼저 파킨슨병의 증상이 분명히 선행되거나 앞서 진단되며 치매가 파킨슨증과 동시에 발생하거나 파킨슨증이 먼저 발생해도 1년 이내에 치매가 발생했다면 루이소체 치매일 가능성이 높다.

(2) 병리소견

신경세포 내 루이소체가 관찰된다. 알파-시누클레인의 비정상적인 축적으로 인해 세포골격의 변형을 초래하는 비정상적인 신경미세섬유 전달로 발생하는 것으로 보이며 흑질, 뇌간, 변연계 및 피질 부위 등 피질하 그리고 피질 모두에 걸쳐 발견된다.

(3) 치료

환시, 망상 등의 정신병적인 증상을 보이는 경우 신경이완제 민감성으로 항정신병약물 투약이 제한적이나 비정형 항정신병약물인 퀘티아핀, 클로자핀은 부작용이나 효과면에서 유용하다.

5) 파킨슨병에 의한 치매 [기출]

운동증상과 함께 파킨슨병 발병 이후에 발생한 인지기능의 손상, 무감동, 성격 및 기분의 변화(우울 및 불안), 환각(대부분 환시), 망상(편집증적 망상), 수면(과도한 낮시간의 졸음) 등이 나타난다.

6) 헌팅턴병에 의한 치매

20~30대에 시작하는 행동증상, 무도증이 특징

7) 프리온병(크로이츠펠트-야콥병)에 의한 치매

해면상 뇌증, 급격히 진행하는 운동장애 및 정신증상

8) 기타 신경계 질환

뇌종양, 뇌농양, 정상압수두증, 저산소 뇌손상, HIV 등에 의한 치매

9) 전신질환

감염, 대사이상, 자가면역질환 등에 의한 치매

10) 진단 및 감별진단

(1) 진단

① 선별검사로는 한국판 간이정신상태검사(MMSE-K) 등이 사용된다.

② 신경인지(신경심리)검사를 시행해 볼 수 있으며, 섬망과 다른 기질적 원인 감별을 위해 Lab 검사를 수행한다(가역적 원인 감별 위해 CBC, chemistry, TFT, Vit. B12, folate, VDRL/HIV).

③ 뇌영상 검사를 통해 특징적 소견을 관찰할 수 있다.

(2) 감별진단 [기출]

① 치매 vs. 가성치매

표 23-3. 치매와 가성치매

	치매	가성치매*
발병 양상	서서히 진행, 불명확	급작스럽고 명확
사회적 기능 저하	점진적	초기부터 뚜렷함
선행되는 문제	기억장애	기분장애
지속 기간	장기간	단기간
기분	변화무쌍한 기분과 행동	비교적 일관된 우울
일중 변동	저녁, 밤에 심해짐	-
인지기능장애	비교적 일관됨	기분에 따라 변화를 보임
인지장애의 호소	인지기능장애를 숨기려 함	과장하려 함
정신상태검사 상의 특징	답을 맞히려고 노력하나 실패	모른다 하며 검사를 포기
기억장애	단기 기억력이 저하	장, 단기 기억력 모두 저하

	치매	가성치매*
주의력, 집중력	불완전함	비교적 잘 보존됨
정신질환의 병력	흔하지 않음	흔함

*우울증이 원인이 되어 치매가 아닌데 마치 치매처럼 보인다고 하여 예전에 쓰이던 용어

② 퇴행성 치매 vs. 경색성 치매

표 23-4. 퇴행성 치매와 경색성 치매

	퇴행성	경색성
발병	여자	남자
시기	늦음	일찍
경과	점진	단계적
두통, 현훈, 졸도, 경련, 착란	-	+
뇌졸중, 심장, 신장, 망막장애	-	+
지적장애	전반적	부분적
Hachinski score	4 이하	7 이상

3. 경도 신경인지장애(Mild neurocognitive disorder)

경도 인지장애(mild cognitive impairment, MCI) → DSM-5에서 경도 신경인지장애(mild neurocognitive disorder)로 변경되었다.

1) 개념 및 진단

환자 본인, 정보제공자 혹은 임상가의 관찰상 기존의 인지기능 변화에 대한 우려가 존재하는 상태를 의미한다. 신경심리검사상 인지영역에서 저하 소견이 보인다.

전반적으로 일상생활의 독립성은 유지되나 복잡한 과제 수행능력에 경미한 저하가 관찰되나 일상생활능력(activities of daily living, ADL) 이 보존되며 치매는 아니다.

2) 예후

여러 질환의 전구단계로 생각되며, 1년에 10~15%는 알츠하이머 치매로 이행한다.

1-01. 58세 여자가 넙다리**뼈** 골절로 전신마취 후에 수술을 받았다. 수술을 마치고 다음 날부터 안절부절 못하며 밤에 잠을 자지 않고 횡설수설하였다. 시간과 장소에 대한 지남력장애를 보였으며, 환시를 호소했다. 다음 중 적합한 약제는?

① 디아제팜
② 클로르디아제폭사이드
③ 리스페리돈
④ 도네페질
⑤ 아미트립틸린

1-02. 69세 여자가 척추관협착증 수술 2일 후부터 밤에 잠을 자지 않고 집에 가야 한다며 간호사에게 차비를 달라고 하였다. 병원을 장터라고 하고 오늘이 1981년이라고 말하였으며 의사를 자기 남편이라고 소개하였다. 증상은 밤에 심해지고 낮에 다소 호전되었다. 치료는?

① 리튬
② 퀘티아핀
③ 플루옥세틴
④ 카르바마제핀
⑤ 메틸페니데이트

정답 1-1 ③ 1-2 ②

1-03. 섬망과 정신병적장애를 감별하는 가장 중요한 정신상태검사 항목은?

① 의식장애   ② 판단력
③ 상식과 지능   ④ 추상적 사고
⑤ 기억력

섬망의 주 증상은 의식의 혼탁입니다.

1-04. 77세 남자가 무릎관절치환술을 받은 후 3일째부터 죽은 어머니가 옆에 와서 기다린다고 하였고 몸에 지렁이가 기어다닌다며 지렁이를 잡는 듯한 행동을 보였다. 밤에 증상이 더 심해지면서 잠을 자지 못했지만, 낮에는 증상이 좋아지기도 하였다. 면담에서 매우 혼란스러워 보였고 지남력장애를 보였다. 치료는?

① 신체적 원인을 찾아서 교정
② 수면환경을 위해 방을 어둡게 함
③ 안전사고 예방을 위해 결박을 시행
④ 외부자극을 줄이기 위해 가족의 접근을 금지
⑤ 충분한 수면을 위해 반감기가 긴 수면제 사용

섬망의 원인 질환을 규명하는 것이 매우 중요하며, 원인이 되는 질환이나 의학적 상태를 먼저 교정하여야 합니다.

2-01. 73세 여자가 기억력이 저하되었다며 병원에 왔다. 3년 전부터 물건을 자주 잃어버리고 약속을 잊는 경우가 있었다. 최근에는 증상이 더욱 심해져서 방금 했던 말도 기억하지 못해서 같은 질문을 반복하였다. 흥분을 잘하고 주변에 공격적인 모습을 보인다. 자주 다니던 딸 집도 제대로 못 찾아가고 씻으려 하지 않는다. 학력은 고등학교 졸업이고 간이정신상태검사(MMSE)는 15점이다. 치료는?

① 아미트립틸린 ② 프라미펙솔
③ 레보도파 ④ 도네페질
⑤ 졸피뎀

3년 전부터 기억력 저하, 최근 행동 문제(공격) 악화, MMSE 점수 저하 등을 보았을 때 알츠하이머 치매를 의심해볼 수 있습니다.
약물 치료는 일차적으로 도네페질과 같은 acetylcholinesterase inhibitor를 사용할 수 있습니다.

2-02. 72세 남자가 '아들이 돈을 훔쳐간다'며 화를 내고 집에 불을 지르려 해서 응급실에 왔다. 5년 전부터 최근에 있었던 일을 기억하지 못하고 물건 이름을 자주 잊었다고 하였다. 1년 전부터는 한 시간 전에 밥을 먹고도 굶었다며 다시 달라고 요구하였다고 한다. 간이정신상태검사는 18점이었다. 뇌자기공명 영상에서 대뇌피질위축 이외의 이상 소견은 없었다. 치료는?

① 졸피뎀 ② 디아제팜
③ 퀘티아핀 ④ 벤즈트로핀
⑤ 이미프라민

알츠하이머 치매를 의심할 수 있음. 일차적인 치료로 도네페질과 같은 acetylcholinesterase inhibitor를 사용해볼 수 있습니다. 또한 행동장애에 대한 치료는 클로자핀, 리스페리돈, 퀘티아핀, 아리피프라졸 등의 비정형 항정신병 약물도 병합적으로 사용하는 것이 좋습니다.

정답 1-3 ① 1-4 ① 2-1 ④ 2-2 ③

2-03. 75세 여자가 2년 전부터 서서히 기억력이 저하되고 일상생활 기능이 떨어져서 병원에 왔다. 사물의 이름을 대지 못해 당황하였으며 주의집중력이 저하되었다. 신경학적 이상 소견과 정신병적 증상 및 성격변화는 없었다. 간이정신상태검사(MMSE)점수는 17점이었다. 이 질환에서 나타나는 뇌 병리 소견은?

① 프라이온 판(prion plaque)
② 뇌출혈(cerebral hemorrhage)
③ 픽체(Pick body)
④ 루이소체(Lewy body)
⑤ 신경원섬유매듭(neurofibrillary tangle)

2-04. 가성치매보다 알츠하이머 치매를 시사하는 소견은?

① 주의집중력이 유지된다.
② 갑작스런 발병을 보인다.
③ MMSE 점수변동이 크다.
④ 증상을 숨기려고 노력한다.
⑤ 동반된 우울증의 과거력이 있다.

〈해설〉

알츠하이머 치매로 보여집니다.
사물의 이름을 대지 못해 당황하였으며, 기분장애와 관련된 정보가 주어져 있지 않는 것으로 보아 노년기 주요우울장애를 배제할 수 있습니다.
① 크로이츠펠트–야콥병에 기인한 치매
② 혈관성 치매
③ 픽병에 기인한 치매
④ 루이소체 치매

	치매	가성치매
발병 양상	서서히 진행, 불명확	급작스럽고 명확
지속 기간	장기간	단기간
일중 변동	저녁, 밤에 심해짐	
인지기능 장애	비교적 일관됨	시시각각 변화를 보임
인지장애의 호소	인지기능 장애를 숨기려 함	과장하려 함
정신상태검사상의 특징	답을 맞히려고 노력하나 실패	모른다 하며 검사를 포기
기억장애	단기 기억력이 심하게 저하	장, 단기 기억력 모두 저하
정신질환의 병력	흔하지 않음	흔함

정답 2-3 ⑤ 2-4 ④

성격장애
Personality Disorder

오진욱 박주호 고미애 홍민하

Chapter

XXIV

Introduction

▶ 이 단원에서는 특징적인 임상소견을 알아야 합니다. 공부하는 데 한 가지 팁을 드리자면 주변 사람들 중에 혹시 이런 특징을 갖고 있는지 비교해서 생각해 보면 재미있게 공부할 수 있습니다.

▶ 성격장애(personality disorder)는 성격으로 인해 사회생활에서 여러 문제가 지속적으로 나타나는 경우를 말합니다. 성격장애를 가진 환자의 경우 우울장애나 불안장애 또는 강박장애를 가진 환자의 경우보다 정신의학적 도움을 잘 요청하지 않는 경우가 많고, 자신의 증상을 부인하는 경향이 더 큽니다. 이는 성격장애에서 보이는 증상이 자아동질적(ego-syntonic), 환경변형적(alloplastic)인 특징을 일반적으로 갖기 때문이죠. 간단한 용어 설명으로 이 단원을 시작합니다.

1. 성격장애의 개요

* 자아동질적

본인은 괴롭지 않은 경우가 많으며 불안감이 적고 직접 행동으로 나타나는 특성이 있다(단, 경계성 성격장애에서는 심하게 자아이질적인 경우가 많다).

* 환경변형적

자신의 증상이 사회에 미치는 영향을 인식하지 못하며, 치료의 필요성을 못 느낀다. 타인에게 피해를 많이 주는 편. 대인관계, 사회관계 등의 성격의 광범위한 범위에서 나타난다.

1) 분류 `기출`

성격장애는 증상의 유사성에 따라 3가지 군으로 분류한다.

- A군: 편집성, 조현성, 조현형 성격장애
- B군: 반사회성, 경계성, 연극성, 자기애성 성격장애
- C군: 회피성, 의존성, 강박성 성격장애

2) 역사

성격장애에 대한 정신분석적 이해와 이에 대한 치료적 접근법을 포괄한 개념적 이해는 프로이트(Freud)가 정신분석을 소개한 이후 지금까지 이어지고 있습니다. 정신분석적으로는 성격장애는 '정신내적, 혹은 대인관계 기능에 중요한 문제를 일으키기에 충분한 수준의 비정상적 혹은 병적인 성격특성의 집합'이라고 정의한다.

3) 원인

유전적요인: 쌍생아 연구를 보면 일란성 쌍생아에서 이란성 쌍생아보다 성격장애 발생 일치율이 몇 배 높다. 또 다른 연구에선 각기 다른 환경에서 양육된 일란성 쌍생아와 같은 환경에서 양육된 일란성 쌍생아간 성격장애 발생 일치율이 거의 비슷하다.

4) 진단기준 핵심(DSM-5)

> 1. 내적 경험과 행동의 지속적인 유형 이 속한 문화에서 기대되는 바로부터 현저히 편향. 2개 이상에서 나타남.
>   -인지
>   -정동
>   -대인관계기능
>   -충동조절
> 2. 사회 상황의 전 범위에서 경직되어 있고 전반적으로 나타난다.
> 3. 기능 영역에서 현저한 고통이나 손실을 초래한다.
> 4. 다른 정신질환으로 잘 설명되지 않는다.
> 5. 물질의 생리적 효과나 다른 의학적 상태로 인한 것이 아니다.

5) 기본적 치료 원칙
- 의사와 중립적 공감적 태도가 중요하다, 역전이를 조심해야 한다.
- 환자 행동의 원인에 대한 설명보다 행동자체에 초점을 맞추어야 한다.
- 같은 불평을 반복해서 듣기보다는 불공평하다고 느끼는 사건들에 대처하는 방안을 논의한다.
- 치료자와 환자와의 관례는 협력자로서 관계를 맺어야 한다. 환자와 치료에 대한 계약을 맺지 말아야 하고, 치료에 대한 환상을 갖지 않게 하여야 하며, 선의라도 거짓말을 하지 않아야 한다.
- 환자의 행동에 대해서는 책임을 지는 태도를 갖고, 실제로 책임을 지는 것을 치료의 방향으로 정해야 한다. 환자의 행동에 대해서 화를 내지 말아야 하며, 환자 행동의 결과를 보호하려고만 해서도 안된다.

2. 편집성 성격장애(Paranoid personality disorder) 기출

1) 개념

타인에 대한 지속적 의심과 불신으로 타인의 동기를 악의적으로 해석한다. 자신의 감정에 대해 책임지지 않고 탓을 남에게 돌림을 말한다.

2) 역학

(1) 일반 인구 유병률은 2~4% 정도이다.

(2) M > F, Familial pattern은 아니다.

(3) 조현병 환자의 가족에서 편집성 성격장애의 발병률이 높다.

3) 임상양상

주요 특징은 불신과 의심이며 타인의 동기를 악의적으로 해석한다. 충분한 근거 없이 다른 사람이 자신을 착취하고 해를 끼치고 기만한다고 믿으며, 의처증과 의부증이 심하다.

어떤 정보가 자신에게 나쁘게 이용될 것이라는 두려움 때문에 다른 사람에게 비밀을 털어 놓거나 다른 사람들과 가까워지는 것을 꺼린다.

병적인 질투에 사로잡히기도 하며, 다른 사람들과 어울리거나 친밀한 관계에 어려움을 겪는다.

4) 진단기준 핵심(DSM-5)

1. 다른 사람의 동기를 악의가 있는 것으로 해석. 타인에 대한 전반적 불신. 성인기 초기에 시작. 여러 상황에서 나타나고 다음 중 4가지 이상.
   ① 충분한 근거 없이, 다른 사람이 자신을 관찰하고 해한다고 의심
   ② 주변 사람들에 대한 신뢰에 대해 근거 없는 의심
   ③ 자신의 정보가 나쁘게 이용될 것이라는 두려움에 비밀을 털어놓기 어려움
   ④ 악의 없는 사건에 위협적 의미가 있는 것으로 해석
   ⑤ 타인에게 받은 상처를 용서하지 못하고 지속적으로 원한을 품음
   ⑥ 분명하지 않은 사건을 자신에 대한 비판으로 지각하고 도리어 화를 냄
   ⑦ 이유 없이 애인이나 배우자의 정절을 의심
2. 조현병, 양극성장애, 우울장애 및 다른 정신병적 장애의 경과 중 발생한 것이 아니며, 다른 의학적 상태로 인한 것이 아니다.

5) 감별진단 기출

(1) 조현형 성격장애, 피해형 망상장애, 조현병, 우울장애 등과 감별이 필요하며 이러한 장애들은 모두 지속적인 망상을 보일 수 있음

(2) 조현형(schizotypal) 성격장애는 의심하고 대인관계에 냉담한 공통점을 갖고 있지만 마술적 사고, 특이한 지각 경험, 괴상한 언어와 사고를 보이는 점에서 편집성 성격장애와 차이가 있음

(3) 조현성(schizoid) 성격장애는 생각이 한 쪽으로 치우쳐 있고, 차갑고 냉담해 보이지만 두드러진 편집성 사고를 보이지는 않음

6) 원인

(1) 부정적인 아동기 경험, 과도하게 부모가 화를 내고 이로 수치심을 느끼는 것이 원인: 수치심과 굴욕감을 느낌 상황에서 다른 사람의 부당함을 탓한다.

(2) 방어기제는 투사와 부정이 과잉 발달하고 억압은 완전하지 못하다.

7) 치료

(1) 정신치료가 최선의 치료법이다.

(2) 치료자의 솔직함이 중요하게 요구되며, 치료자가 전문적이면서 지나치게 따뜻하기 않은 적정 온도의 스타일을 유지하는 것이 요구된다(과도한 관심과 친절은 그 동기를 의심받기 때문에 지양해야 한다).

8) 경과 및 예후

대체로 타인과의 관계에서 평생 지속되는 문제를 보이며, 직업 그리고 부부관계 문제가 흔하다.

3. 조현성 성격장애(Schizoid personality disorder)

1) 개념

사회 관계를 기피하며 대인관계에서 감정 표현이 제한적이다. 대체적으로 수동적, 비자발적이며, 단조롭고 활력 없는 모습을 보이는 경향이 많다.

2) 역학

(1) 남자 : 여자=2 : 1

(2) 일반 대중에서의 유병률은 대략 5%로 추정

3) 임상양상

(1) 다양한 형태의 사회적 유대로부터 반복적 유리. 대인관계에서 제한된 범위의 감정 표현한다.

(2) 친밀감에 대한 욕구가 부족하며 친밀한 관계를 만드는 것에 무관심하다. 혼자 지내는 것을 선호한다.

다른 사람과의 성적경험에 대해 관심이 거의 없고 즐기는 활동이 거의 없다. 사회적으로 서투르고 피상적이며 자신에게만 몰두하는 사람으로 보이며, 감정이 없어 보이기도 한다.

4) 진단기준 핵심(DSM-5)

> 1. 사회적 유대로부터 반복적으로 유리되며, 대인관계에서 제한적인 감정 표현이 전반적으로 나타난다. 성인기 초기에 시작되며 여러 상황에서 나타나는데, 다음 중 4가지 이상에 해당한다.
>   ① 가족을 포함해 친밀한 관계를 바라지 않고, 즐기지도 않음
>   ② 항상 혼자 행동함
>   ③ 성적 경험에 대한 관심이 거의 없음
>   ④ 거의 모든 분야에서 즐거움을 느끼려 하지 않음
>   ⑤ 일차 친족 이외 친한 친구가 거의 없음
>   ⑥ 타인의 칭찬이나 비판에 무관심
>   ⑦ 감정적 냉담. 단조로운 정동
> 2. 조현병, 양극성장애 또는 우울장애, 자폐스펙트럼장애의 경과 중 발생한 것은 조현성 성격장애로 진단하지 않는다.

5) 감별진단 기출

(1) 피해형 망상장애, 조현병, 우울장애 등이 있다.

(2) 경한 자폐스펙트럼장애와의 감별이 어렵다. 자폐스펙트럼장애 환자의 경우 사회적 사회적용이 더 심하게 손상되고 상동적 행동과 흥미가 두드러진다는 점에서 차이가 있다.

(3) 회피성 성격장애의 사회적 고립은 자신의 무능함이 드러나거나 거절에 대한 두려움으로 인한 것으로 조현성 성격장애와의 차이가 있다.

6) 치료

정신치료에서 고려할 점은 편집성 성격장애의 경우와 유사하다는 것이다. 다만 조현성 성격장애의 경우 자기 성찰의 경향이 있어 치료에 전념하는 모습을 보일 수 있다. 치료자와 환자 간 신뢰가 쌓이면서 치료자를 향한 자신의 의존성에 대하 두려움이 나타날 수도 있다.

7) 예후

초기 아동기에 시작되며 외톨이, 원만하지 못한 또래 관계, 사회불안, 학습부진 등의 모습으로 나타나지만 평생 그 특징이 유지되는 것은 아니다.

4. 조현형 성격장애(Schizotypal personality disorder)

1) 개념

조현병과 연관성이 깊은 성격장애. 조현병의 병전 성격으로 임상적으로 이해되고 있다.

2) 역학

(1) 일반 인구에서 조현형 성격장애의 유병률은 3% 정도이다.

(2) 남녀 비율은 알지 못하나 fragile X syndrome 여성에서 자주 진단된다.

(3) DSM-5에서는 남성에게서 약간 더 많음을 시사했다.

3) 임상양상

(1) 친분 관계를 불편해 한다. 인지 및 지각의 왜곡, 행동의 괴이성 등으로 인해 사회적 관계 및 대인관계에 결함이 광범위하게 나타난다. 종종 관계사고를 보이며, 자신이 속해 있는 문화권의 기준에 맞지 않는 초자연적 현상에 몰두하기도 한다.

(2) 지각의 변화, 예를 들어 다른 사람의 존재를 느끼고 자신의 이름을 중얼거리는 소리를 듣기도 한다. 사람들을 의심하는 편집성 사고를 보이고, 대인관계를 어렵다고 경험하며 다른 사람들과 교제하는 것을 불편해 한다.

(3) 환자들은 성격장애 특징 자체보다는 그로 인한 어려움으로 겪는 불안, 우울감증상으로 도움을 구한다.

4) 진단기준 핵심(DSM-5)

> 1. 친분관계를 급작스럽게 불편해 함. 인지 및 지각의 왜곡, 행동의 괴이성으로 사회적 및 대인관계 결함이 광범위하게 나타남. 성인기 초기에 시작되며 다음 중 5가지 이상 나타남.
> ① 관계사고
> ② 소문화권의 기준에 맞지 않는 이상한 믿음. 마술적 사고
> ③ 이상한 지각경험
> ④ 이상한 생각이나 말을 함
> ⑤ 편집성 사고
> ⑥ 부적절하고 제한된 정동
> ⑦ 기이하거나 괴이한 행동이나 외모
> ⑧ 일차 친족 이외 친한 친구가 없음
> ⑨ 편집증적인 공포와 관계가 있는 사회적 불안
>
> 2. 조현병, 양극성장애 또는 우울장애, 자폐스펙트럼장애의 경과 중 발생한 것은 조현형 성격장애로 진단하지 않는다.

5) 감별진단

(1) 피해형 망상장애, 조현병, 우울장애 등과 감별이 필요하다.

(2) 조현형 성격장애에서는 인지적 지각적 왜곡과 두드러진 편향성과 기괴함이 나타난다는 점에서 조현성, 편집성 성격장애와 구분된다.

6) 원인

가족 집적성을 보이고 일반 인구보다 환자들의 친족에서 조현병 환자가 많다. 가족연구, 쌍생아 연구 등에서 조현병 환자들과 유전적인 연관성이 있음이 확인된다.

7) 치료

조현성 성격장애와 비슷하며 더욱 세심한 접근이 필요하다. 환자들이 보이는 특이한 생각이나 활동에 대해 폄하하지 않아야 한다.

8) 경과

조현형 성격장애가 조현병 환자의 병전 성격이라고 여기는 경우도 많지만 상당수에서는 안정적으로 진단이 유지되고 소수에서 조현병이나 다른 정신병적 장애로 진행된다. 조현형 성격장애에서 10%의 자살률을 보인다는 연구도 존재한다.

5. 반사회성 성격장애(Antisocial personality disorder)

1) 개념

일반적인 사회인으로서 청소년이나 성인에게 요구되는 규칙을 따르지 못하는 특징이다. 상대의 안전이나 권리를 인정하기 않고 사회적 책임을 저버리는 행동을 반복한다.

2) 역학

(1) 1년 유병률은 0.2~3.3% 정도이며, 약물이나 알코올 의존으로 진단된 남성집단, 교도소를 비롯한 교정 시설에 있는 인구집단 등에서는 70%까지 보고될 정도로 높은 유병률을 보인다.

(2) 가족적인 경향을 보이며, 반사회성 성격장애 아버지의 일차 직계 가족에서 대조집단에 비해 높은 유병률을 보인다.

3) 임상양상

얼핏 보기에는 정상적이고 차분하며 매력적이고 좋은 사람처럼 보일 수 있다. 그러나, 그들의 삶을 전체적으로 보면 여러 영역에서 거짓말, 무단결석, 사기, 절도, 폭행, 약물남용 등 사회적으로 불법적이며 무책임한 행동이 반복되는 특징이며, 상대가 느끼는 감정에 대해 전혀 무감각. 스스로에 대해 반성이나 후회가 없는 것이 특징이다.

4) 진단기준 핵심(DSM-5)

1. 15세 이후 시작. 다른 사람의 권리를 무시. 다음 중 3가지 이상 충족
   ① 체포될 수 있는 행위를 반복
   ② 반복적인 거짓말. 가짜 이름 사용. 타인을 속이는 사기성
   ③ 충동적. 미리 계획을 세우지 못함
   ④ 신체적 싸움이나 폭력 등이 반복. 불안정 및 공격적
   ⑤ 자신이나 타인의 안전을 무시하는 무모성
   ⑥ 일정한 직업을 갖기 못하거나, 당연히 해야 할 재정적 의무를 저버림. 무책임성
   ⑦ 다른 사람을 학대하고 다른 사람것을 훔치는 것에 대해 양심의 가책 결여

2. 최소 18세 이상이어야 함

3. 15세 이전에 품행장애가 시작된 증거가 있다.

4. 조현병이나 양극성장애의 경과 중에 발생되지 않는다.

5) 감별진단과 동반이환장애

(1) 약물이나 물질 남용으로 인한 반사회적 행동을 반사회성 성격장애와 구별이 필요하다.

(2) 물질남용과 반사회적 행동이 아동기에 함께 시작되어 성인기까지 이어진 경우 동시 진단 가능하다.

(3) 물질남용이 뚜렷하게 선행되다가 이후 성인기에 반사회적 행동이 나타났다면 물질남용을 우선적으로 고려한다.

6) 원인

(1) 유전적 요인이 높은 것으로 알려진다.

(2) 충동성이나 공격성은 세로토닌 수송체 기능이상에 매개되는 것으로 보고된다.

(3) 공포반응의 조건화와 관련된 전두엽과 변연계 연결망의 기능이상이 반사회적 범죄 가해자의 뇌기능결핍과 연관된 것으로 보는 연구도 존재한다.

(4) 유전적, 신경생물학적 요인과 더불어, 생애 초기 적절한 양육환경의 부재 및 비일관적 학대적인 양육환경 등 상호작용으로 반사회성 성격발달을 설명한다.

7) 치료

(1) 정신치료

① 일반적 정신의학적 치료로는 성공적인 결과를 기대하기 힘들다.

② 환자가 교정시설이나 교정프로그램에 참여하게 되는 경우, 우울감을 느끼거나 자신을 돌아볼 기회가 생기면 정신치료를 받아들일 수 있는 상태가 가능하다.

③ 치료를 위해서는 엄격한 한계와 규칙 설정이 필수적이다.

(2) 약물치료
① 불안, 분노, 우울, 신체화증상과 같이 환자 생활에 불편함을 주는 증상을 줄여주는 데 도움이 된다.
② 약물남용 성향이 높기 때문에 약물의존을 고려하여 처방한다.

8) 경과 및 예후
(1) 후기 청소년기에 시작되어 지속되는 경과를 보인다. 나이가 들어가면서 불안장애, 우울장애, 알코올사
용장애 등 증상들이 줄어든다는 보고가 있다.
(2) 나이가 들어가면서 자신의 문제들이 사회적으로 부적응적임을 인식하면서 반사회성 성격장애의 유병
률이 감소할 수 있다는 주장도 존재한다.

6. 경계성 성격장애(Borderline personality disorder)

1) 개념
(1) 경계성 성격장애의 뜻은 신경증과 정신증의 경계에 있다는 의미이다.
(2) 불안정한 정동과 정서 및 충동조절의 어려움, 만성적 공허감, 반복적 자살충동 및 자해시도, 불안정한 대
인관계 등의 특징을 보인다.

2) 역학
(1) 일반인구의 0.5%에서 5.9%까지 다양하게 보고되고 있다.
(2) 여성에게서 빈번하다.
(3) 환자의 가족 가운데 우울증, 알코올리즘, 약물남용자가 많다.

3) 임상양상
(1) 늘 위기상황에 처해 있는 듯한 모습으로 살아간다. 감정 기복이 흔해서 순식간에 분노에 휩싸이며 논쟁
적이 되고 순간 심한 우울감을 보이다가, 다시 심한 공허감, 무기력감, 무감각 상태에 빠져드는 모습을
보인다. 일시적이고 순간적인 정신병적 삽화(micropsychotic episode라고 불리기도 함)를 보일 수 있다.
(2) 상대의 도움을 요구하기 위해, 또는 상대에 대한 분노의 표현, 혹은 자신의 감정에 압도당하는 것을 피
하기 위해 반복적 자해행동을 보인다. 대인관계 양상도 기복이 심하며, 의존적 양상을 보이다가 공격성
이나 분노를 보이기도 한다.
(3) 대표적인 방어기제는 투사적 동일시(projective identification). 견디기 힘든 자신에 대한 부정적 자아상을
상대에게로 투사하며, 상대는 자신도 모르게 투사된 역할을 하는 대상이 되고 환자는 자기 자신이 피해
를 입고 있다는 생각에 몰입되고 빠져들게 되면서 상대와 관계를 파국으로 만들어간다. `실력`
(4) 대인관계는 자신이나 상대에 대해 전부 좋거나(all good) 아니면 전부 나쁜(all bad) 이분법적 극단적 방
식으로 왜곡되기 쉽고 불안정하다. `실력`

4) 진단기준 핵심(DSM-5)

1. 대인관계, 자아상, 정동의 불안정. 충동성 등이 광범위하게 나타남. 성인기 초기에 시작. 여러 상황에서 나타나고 다음 중 5가지 이상.
   ① 버림받지 않기 위해 미친 듯이 노력
   ② 과대이상화와 과소평가의 극단 사이를 반복. 불안정한 대인관계
   ③ 정체성 장애. 자신에 대한 느낌의 불안정감
   ④ 자신을 해할 가능성이 있는 최소 2가지 이상의 경우에서의 충동성(예. 소비, 물질 남용, 좀도둑질, 부주의 운전, 과식 등)
   ⑤ 반복적 자살, 자해 위협이나 행동
   ⑥ 현저한 기분의 반응성으로 인한 정동의 불안정
   ⑦ 만성적 공허감
   ⑧ 화를 조절하지 못함
   ⑨ 일시적인 스트레스와 연관된 피해사고 혹은 해리증상

5) 감별진단과 동반이환장애

(1) 편집성 성격장애 환자들은 경계성 성격장애환자에 비해 상대방에 대한 불신과 피해의식이 훨씬 더 강하고 극단적이다. 주요우울장애와 양극성장애 등을 동반하는 경우가 있다.

(2) 조현병과의 감별점은 정신병증상이 지속되지 않고, 둔마된 정동이나 사고장애 등을 보이지 않는다.

6) 원인

정신역동이론에서는 생애 초기 아동-양육자 사이의 관계가 경계성 성격장애발생에 중요하다고 강조. 발생원인에 대한 가설은 상호작용가설이 있다. 생물학적 취약성을 가진 아이가 사회환경적 위험요인(예: 부적절하고 일관성 없는 양육)과 상호작용하는 과정에서 악순환의 심리발달과정을 벗어나지 못하면서 경계성성격을 형성한다.

7) 치료

정신치료적 접근이 가장 근거가 충분하다. 약물치료는 동반된 증상(우울 불안 등) 조절을 위해 사용한다. 현재까지는 충동적 행동을 조절하는데 근거가 충분하다고 알려진 변증법적행동치료(dialectical behavioral therapy), 생각과 감정이 처리되는 과정을 이해하는 능력을 높여 대인관계 및 정서조절을 안정화하는 마음헤아리기치료(mentalization-based treatment), 대상관계이론에 기반한 전이초점정신치료와 스키마치료 등이 있다.

8) 경과 및 예후

다른 성격장애들에 비해 변화가 있는 것으로 생각된다. 조현병으로 진행은 드물지만, 주요우울장애는 매우 흔하게 관찰된다. 다른 성격장애에 비해 관해율도 비교적 높게 보고된다.

7. 연극성 성격정애(Histrionic personality disorder)

1) 개념

쉽게 흥분하고 감정적이며, 화려하고 극적이며 외향적인 방식으로 행동한다. 이런 화려한 모습 이면에는 깊고 오래 지속되는 애착을 유지하기 어려운 특성이 흔히 동반한다.

2) 역학

일반 인구에서 1~3% 정도로 추정되며, 남성보다 여성에서 더 흔하게 나타난다.

3) 임상양상

(1) 주위 사람들에게 지나치게 관심을 끄는 행동을 보이거나 자신의 사고나 감정을 과장한다. 자신이 주목받지 못하는 상황에서 짜증, 눈물, 분노폭발 등의 모습을 보이기도 한다.

(2) 자신과 관련된 사람에 대해 성적 환상을 갖는 경우가 일반적이지만, 성적으로 적극적이라기보다는 수줍어하거나 교태를 부리는 편이다. 여성의 경우 불감증, 남성의 경우는 발기불능이 있을 수 있다. 주요 방어기제는 억압과 해리가 있다.

4) 진단기준 핵심(DSM-5)

> 1. 과도한 감정성. 주의를 끄는 행동. 성인기 초기에 시작되어 여러 상황에서 나타나며 다음 중 5가지 이상.
> ① 자신의 관심의 중심에 있지 않을 경우 불편해함
> ② 다른 사람과의 관계에서 부적절한 성적, 유혹적인 특징
> ③ 감정이 빠르게 변화. 피상적 표현
> ④ 관심을 받기 위해 외모를 사용
> ⑤ 지나치게 인상적. 세밀함이 결여된 형태의 언어 사용
> ⑥ 자기극화, 과장된 감정 표현
> ⑦ 피암시적. 다른 사람이나 환경에 쉽게 영향을 받음
> ⑧ 실제보다도 더 가까운 관계로 생각함

5) 감별진단과 동반이환장애 `기출`

경계성 성격장애와의 구별은 어렵지만, 경계성 성격장애에서 자살기도, 정체성 혼란, 단기 정신병적 삽화들이 더 흔하게 존재한다.

6) 원인

정서적 표현이 강한 경향과 정서적 불안정성은 유전적 경향이 있는 기질로 제안하는 연구자들이 있다. 환경적 영향에 대해서는 좀 더 연구가 필요하다.

7) 치료

(1) 정신치료

자신의 진정한 감정을 알지 못하는 경우가 많다. 따라서 내면의 감정을 명료화하는 것이 치료에서 중요하다. 타인의 주목을 받는 것에 대해 지나치게 집중하여 부적응적 행동이 생기는 것들을 이해하고, 깊이가 없는 표면적 인간관계 등에 대한 무의식적 두려움 등에 대한 탐색을 필요로 한다.

(2) 약물치료는 부수적으로 사용

8) 경과 및 예후

나이가 들면서 더 적은 증상들을 보인다. 감각적 삶을 추구하는 사람들이기 때문에, 법적인 문제, 물질남용, 문란한 행동과 같은 문제에 얽힐 수 있다.

8. 자기애성 성격장애(Narcissistic personality disorder)

1) 개념

자신의 중요성에 대한 고조된 느낌을 갖고 있으며, 감정이입이 부족하고 독특한 것을 거창하다고 느낀다. 무한한 잠재력에 대한 환상이 있고, 숭배받고자 하는 욕구가 있지만 사소한 비판에도 손상되기 쉽고 취약하다.

2) 역학

1% 미만에서 6% 사이로 추정된다.

3) 임상양상

자기자신을 특별하다고 생각하고, 특별대우를 기대한다. 공식적 자격이나 권리에 대한 관심이 많다. 자신에 대한 비판에 잘 대처하지 못하고, 누군가 자신을 비판한다고 느껴지면, 격분하거나 완전히 무관심한 듯한 태도를 보인다. 자기만의 방식대로 하길 원하고, 부와 명성에 대한 야심이 크다. 대인관계는 빈약하고 거리를 두고 지내면서도 자신의 대인관계는 만족스럽다는 착각을 유지한다. 상대와의 관계설정이 착취적, 덜 교만하며 주위사람의 반응에 민감한 자기애성 성격장애도 있는데, 이들은 개인적 우월감에 대한 확신을 자기희생적인 모습, 겸손한 태도 등으로 위장하기도 한다.

4) 진단기준 핵심(DSM-5)

1. 과대성. 숭배의 요구. 감정이입의 부족 등이 광범위하게 나타나며 청년기에 시작. 여러 상황에서 나타나며 다음 중 5가지 이상.
   ① 자신의 중요성에 대한 과대한 느낌
   ② 무한한 성공, 권력, 아름다움 등에 대해 몰두
   ③ 자신의 문제는 특별해서, 다른 특별한 지위의 높은 사람만이 그것을 이해할 수 있다는 믿음
   ④ 과대한 숭배를 요구
   ⑤ 특별한 자격이 있는 것 같은 느낌을 가짐. 특별대우를 원함
   ⑥ 대인관계에서 착취적. 타인을 이용
   ⑦ 감정이입의 결여. 타인의 느낌을 인식하려고 하지 않음
   ⑧ 다른 사람을 자주 부러워하거나, 다른 사람이 자신을 시기하고 있다는 믿음
   ⑨ 건방진 태도

5) 감별진단과 동반이환장애

경계성 성격장애 환자들보다 불안감이 적고, 덜 혼란스러운 경향이 있다. 연극성 성격장애 환자들은 과시적인 특징과 대인관계에서 조종하려는 모습을 보이는 것에서 자기애성 성격장애 환자들과 유사하며, 우울증에 이환되기 쉽다.

6) 원인

개인 발달사와 정신치료 과정에서의 관찰 내용을 보면, 어린 시절 동안의 비난, 업신여김, 무시, 방임 등에 대한 두려움, 절망감, 의존심 등을 갖게 된 사람들에서 발생한다.

7) 치료

(1) 정신치료

정신분석을 포함한 정신역동적 정신치료가 치료의 주춧돌이다. 치료에서 진전을 보이려면 자신이 지니고 있는 자기애를 포기해야 하기 때문에 어려우며, 수 년간의 집중적 치료가 필요하다. 우울증에 걸리기 쉽기 때문에 약물치료가 필요한 경우가 있다.

8) 경과 및 예후

만성적이고 치료가 어렵다. 아름다움, 힘, 젊음이 갖고 있는 특성을 가치 있게 여기기 때문에 다른 사람들에 비해 중년의 위기에 더 취약할 수 있다.

9. 회피성 성격장애(Avoidant personality disorder)

1) 개념
사회적으로 위축되고 부적절감을 느끼며, 억제되어 있고 부정적 평가에 민감한 성격이다.

2) 역학
미국에서의 연구결과 유병률은 약 2.4%이며. 여성에게서 호발한다. 사회불안장애를 동반하기도 한다.

3) 임상양상
내적으로는 친밀한 관계를 원하지만, 타인이 자신을 거부하지 않을까에 대해 지나치게 민감하다. 확고한 보장이 없는 한 대인관계나 사회적 관계를 가지지 못하는 특징이 있다. 타인이 자기를 싫어하는 눈치가 조금이라도 보이면 실망과 모욕감을 느껴 사회 참여나 대인관계 형성 기회를 놓친다.

4) 진단기준 핵심(DSM-5)

> 1. 사회관계의 억제, 부정적 평가에 대한 예민함이 광범위한 양상. 청년기에 시작되어 여러 상황에서 나타나고 다음 중 4가지 이상.
>   ① 비판이나 거절 때문에 의미 있는 대인 접촉이 관련되는 직업적 활동을 피함
>   ② 타인이 자신을 좋아한다는 확신이 들지 않을 경우 대인관계를 피함
>   ③ 놀림 받는 것에 대한 두려움으로 친근한 대인관계 밖으로 나가려 하지 않음
>   ④ 사회적 상황에서 비판의 대상이 되거나, 거절되는 것에 대해 집착
>   ⑤ 부적절감으로 새로운 대인관계 상황에서의 어려움
>   ⑥ 자신을 매력이 없는, 열등한 사람으로 인식
>   ⑦ 당황스러움이 드러날까봐 염려하여 활동의 제한

5) 감별진단과 동반이환장애
(1) 불안장애, 특히 사회불안장애와의 감별이 필요하다.

(2) 일생 생활 기능 전체에서 광범위한 영향을 받고, 아동기 이후에 주로 발생하는 경향이면 회피성 성격장애로 진단하는 것이 적당하다. 환자들이 일단 관계가 형성되면 의존적인 태도로 관계에 매달리는 경우가 흔하며, 의존성 성격장애 환자는 빠르게 관계를 찾아 다니며 욕구를 지속적으로 표현한다는 점에서 다르다.

6) 원인
(1) 내향성(introversion)과 신경증(neuroticism)이라는 기본적인 성격 특성의 극단적인 형태를 보인다.

(2) 내향성은 수동적이고 사회적 위축의 특징을 나타내고, 신경증은 시선을 의식하고 불안해하며 상처받기 쉬운 측면을 나타낸다. 내향성은 행동억제 기능이 과도하게 작용하는 것으로 생각된다. 소심, 수줍음, 근

심과 관련된 병리로 기저에 부적절감이나 열등감이 있는 것으로 보인다.

7) 치료

역동정신치료가 유용하다. 거절에 예민하기 때문에 치료 동맹을 효과적으로 형성하는데 노력이 필요하며, 대증적인 약물치료 가능하다.

8) 경과 및 예후

아동기에는 수줍어하고 소심하고 불안한 기질을 보인다. 청소년기나 성인기 초기에는 친밀감 형성에 어려움을 겪으며, 중년 이후에는 회피성 성격 특성이 감소되는 경향을 보인다.

10. 의존성 성격장애(Dependent personality disorder)

1) 개념

보살핌을 받으려는 과도한 욕구가 있으며, 수동적이고 매달리는 행동 양상이 나타난다. 자신의 욕구를 타인의 욕구에 종속시키고 책임도 타인에게 넘기려는 성격특성이 있다.

2) 역학

미국에서의 연구 결과 0.49~0.6% 정도 유병률이 보고되었다.

3) 임상양상

자기 주장이 전혀 없고 상대방의 주장을 따르기만 하는 모습을 보이는데, 이는 자기를 도와주는 사람과의 관계가 깨지지 않을까 두려워하고 자기 확신이 결여되어 있기 때문이다. 사람이 없을 때 가장 견디기 어려워한다. 면담상황에서는 협조적이며 특별한 질문을 받기 좋아하고 치료자의 지지를 원한다.

4) 진단기준 핵심(DSM-5)

1. 돌봄 받고자 하는 욕구. 복종적이고 매달리는 행동. 청년기에 시작되어 여러 상황에서 나타나고 다음 중 5가지 이상.
   ① 타인의 의견 없이는 일상의 판단을 하는 데 어려움
   ② 자신 생활의 중요한 부분을 타인에게 책임지움
   ③ 칭찬을 잃는 것에 대한 공포 때문에 타인과의 의견 불일치를 표현하는 데 어려움
   ④ 계획을 시작하기 어렵거나, 스스로 일을 하기 힘듦
   ⑤ 타인의 돌봄이 지속되길 원하여 불쾌한 일이라도 자원해서 함
   ⑥ 혼자서는 자신을 돌볼 수 없다는 공포. 이로 인한 불편감과 절망감
   ⑦ 친밀한 관계가 끝나면, 자신을 돌봐줄 다른 관계를 급히 찾음
   ⑧ 혼자 남아 있는 것에 대한 공포

5) 감별진단과 동반이환장애 `기출`

　복종, 예의, 수동성에 관한 기준들은 문화적으로 큰 차이를 보이는 면이 있기 때문에, 이를 진단할 때는 대인관계 및 사회활동 등에 심각한 기능 손상을 고려해야 한다. 연극성 성격장애와 비슷한 면이 있지만, 연극성 성격장애 환자들은 더 화려하고 주장적이고 자기중심적인 경향이 있다.

6) 원인

　중심적인 원인과 병리는 불안정한 대인관계 애착(insecure interpersonal attachment)으로, 불안정한 부모-아동 관계로부터 형성된다. 아이를 지속적으로 어린아이 취급하거나, 일관성 없고 과보호하는 부모와 아이의 불안-억제 기질의 상호작용에 의해 형성된다.

7) 치료

　이 환자들은 치료장면에서 지나치다 싶을 만큼 잘 동의하고, 순종하고, 감사해 하며, 치료자에 대해서는 비현실적인 기대를 한다. 자신의 인생을 통제하게끔 하거나 무리한 요구를 하는 경우도 있다. 역동정신치료를 통해 자신의 행동을 이해하고 독립심을 키울 수 있다.

8) 경과 및 예후

　아동·청소년기에 지나치게 순종적인 경우가 많다. 독립적이고 자기 주도적인 것을 원하는 일에서는 직업적 성공이 어렵고, 주요우울장애 등과 같은 기분장애, 광장공포증, 공황장애 등에 걸리기 쉽다.

11. 강박성 성격장애(Obsessive-compulsive personality disorder)

1) 개념

　질서, 완벽성, 통제에 집착하는 특징적 양상을 보이며 고집이 세고 융통성이 없이 세밀함에만 집착한다.

2) 역학

　일반 인구에서 가장 흔한 형태의 성격장애로 2.1~7.9%의 유병률을 보이며, 남자에서 호발한다.

3) 임상양상

　인정이 없고, 질서, 규칙, 조직, 효율성, 정확성, 완벽함, 세밀함에만 집착한다. 전체적인 양상을 볼 능력이 결여되어 있으며 따뜻하고 부드러운 감정을 표시하는 데 인색하고, 매사가 합리적이고 형식적이며 매마르다. 대인관계는 수평적이기보다는 지배와 복종적이며 아랫사람도 자기에게 복종하기를 강요한다.

4) 진단기준 핵심(DSM-5)

1. 융통성, 효율성을 희생하더라도 완벽, 정돈, 정신적 통제 및 대인관계의 통제에 집착하는 광범위한 양상. 청년기에 시작되어 여러 상황에서 나타나고 다음 중 4가지 이상.
   ① 내용의 세부 규칙, 순서 혹은 일정에 집착하여 중요한 부분을 놓침
   ② 완벽함을 보이나 이것이 일의 완수를 방해
   ③ 여가 활동을 마다하고 일이나 성과에 지나치게 열중
   ④ 지나치게 양심적. 소심함. 윤리 등 가치관에 대해 융통성이 없음
   ⑤ 감정적인 가치가 없어도 낡은 물건을 버리지 못함
   ⑥ 자신의 방식과 다르면 일을 위임하거나 함께 일하지 않으려 함
   ⑦ 자신과 타인에게 돈 쓰는 것에 인색함. 돈을 미래의 재난에 대해 대비하는 것으로 인식
   ⑧ 경직되고 완강함

5) 감별진단과 동반이환장애

(1) 강박장애와 강박성 성격장애는 닮은 모습이지만, 어느 한 가지에서 다른 한 가지로 발달하는 것은 아니다.

(2) 강박장애는 강박사고, 의식행동과 관련된 장애이나, 강박성 성격장애는 경직된 행동 양식과 연관되고 더 자아동질적이다. 실력

6) 원인

(1) 유전적 요소로는 억제와 관련된다고 다수의 연구에서 보고되고 있다.

(2) 프로이트에 따르면 이 성격장애는 항문기와 관련되며, 권위 인물과의 반복되는 권력투쟁, 지배-복종 갈등, 정서적인 억제가 결과로 나타난다.

7) 치료

(1) 성격장애보다는 그에 부차적인 불안장애나 심장질환 등의 건강문제, 대인관계에서의 문제로 치료를 받게 되는 경우가 많다.

(2) 자신의 문제를 지식화하고 감정 표현을 억압하고 있기 때문에, 이들과 건조한 지적 토론에 말려들지 말아야 한다. 환자가 억압하고 있는 감정을 표현할 수 있도록 도와주어야 한다.

8) 경과 및 예후

중년기 위기에는 우울증이 위험이 증가한다. 융통성이 요구되는 직업에는 적응하기 어려우나, 반복행위나 규칙을 요구하는 직업에서는 성공할 수 있다.

〈해설〉

[1~4] 각 문제에 해당하는 적합한 진단을 문제마다 지시하는 수만큼 보기에서 고르시오.

1) 편집성 인격장애	2) 반사회성 인격장애
3) 회피성 인격장애	4) 경계성 인격장애
5) 강박성 인격장애	6) 분열성(조현성) 인격장애
7) 히스테리성(연극성) 인격장애	8) 의존성 인격장애
9) 분열형(조현형) 인격장애	10) 자기애성 인격장애

1-01. 35세 남자가 외출을 거의 하지 않고 집에서만 생활하였다. 혼자서 컴퓨터하는 것을 즐겨하고 가까운 친구가 거의 없었다. 남이 볼 때 괴팍하고 항상 외톨이처럼 보였다. 이 사람의 인격장애는? (1가지)

환자의 특징적인 모습으로는, 외출하지 않고 집에서만 생활, 혼자 컴퓨터, 가까운 친구가 거의 없으며, 항상 외톨이처럼 보입니다.

분열성 인격장애 환자의 경우 주로 혼자 행동하고(외출하지 않고 집에서만 생활), 가족을 포함해 친밀한 관계를 바라지 않습니다(가까운 친구가 거의 없음).
일차 친족 이외에 친한 친구가 거의 없습니다(항상 외톨이처럼 보임). 그 외 분열성 인격장애 환자의 특징으로는, 성적 경험에 대한 관심이 거의 없고, 타인의 칭찬이나 비판에 무관심하며, 감정적으로 냉담하고 단조로운 정동을 보입니다.

정답 1-1 분열성(조현성) 인격장애

1-02. 35세 여성이 언니에게 이끌려 정신과 외래를 방문했다. 남편이 폭력을 가하는데도 남편을 감싸는 모습을 보였고, 장염으로 고생하고 있을 때도 남편이 부대찌개가 먹고 싶다고 하여 따라가는 등 항상 남편의 의견에 따른다고 하였다. 이 사람의 인격장애는? (1가지)

1-03. 55세 남자가 회사 직원들이 자신이 자리를 비운 시간에 일을 하지 않고 시간만 축낸다고 자주 불평하였다. 그의 아내가 취미생활을 위해 만나는 사람들이 의심스럽다고 매일 같이 아내의 입정을 묻고 확인하였다. 주변 사람들은 그가 매사에 너무 진지하고 부정적인 생각을 많이 하고 농담을 받아들이지 못하는 성격이라고 평가했다. 진단은? (1가지)

〈해설〉

환자의 특징적인 모습으로는, 남편에게 맞는데도 남편을 감싸는 모습, 먹지도 못하는데 남편이 부대찌개 먹고 싶다고 해서 따라가는 모습 등이 있습니다.

의존성 인격장애 환자의 특징으로는 타인의 돌봄이 지속되길 원하여 불쾌한 일이라도 자원해서 하는 것(부대찌개 먹으러 따라가기)과 혼자서는 지낼 수 없다는 공포나 절망감으로 인해 자신에게 해가 되는 일임에도 참는 것(예를 들면, 남편이 때려도 남편을 감싸는 행동 등) 등이 있습니다. 그 외에 진단적 특징은, 타인의 의견 없이는 일상의 판단이 어렵고, 자신 생활의 중요한 부분을 타인에게 책임지게 하는 것. 타인과 의견이 다를 경우 표현하는 데 어려움, 스스로 일을 시작하는데 어려움. 혼자 남아있는 것에 대한 공포 등이 있습니다.

환자의 특징적인 모습으로는, 자리를 비울 때 회사 직원들이 자신을 비난한다는 생각, 아내를 만나는 사람 의심, 너무 진지하고 부정적이며 농담을 받아들이지 못함 등이 있습니다.

편집성 인격장애 환자의 경우 충분한 근거 없이 다른 사람이 자신을 관찰하고 해한다고 의심(자리를 비울 때 회사 직원들이 자신을 비난한다는 생각)하고, 이유 없이 애인이나 배우자의 정절을 의심합니다(아내를 만나는 사람 의심). 그 외 특징으로는 악의 없는 사건에 위협적 의미가 있는 것으로 해석하고, 분명하지 않은 사건을 자신에 대한 비판으로 지각하고 도리어 화를 냅니다. 자신의 정보가 나쁘게 이용될 것이라는 두려움에 비밀을 털어놓기 어려워합니다.

1-04. 25세 여자 · 회사원 M은 짙은 화장과 화려한 복장으로 직장동료들 사이에서 인기가 많고 다른 사람과 금방 친해지는 것으로 유명하다. 항상 자신의 이야기를 과장되게 꾸며서 이야기하고 드라마 주인공처럼 표현한다. 그녀는 피상적인 대인관계를 맺고 주변 사람들로부터 관심을 끌기 위해 노력을 한다. 진단은? (1가지)

<해설>

환자의 특징적인 모습으로는, 짙은 화장, 화려한 복장, 금방 친해짐, 이야기를 과장, 드라마틱한 표현, 주변의 관심을 끌기 위해 노력, 피상적 대인관계 등이 있습니다.

연극성 인격장애 환자의 경우 자기극화, 과장된 감정 표현을 보이며, 자신이 관심의 중심에 있지 않을 경우 불편감을 느낍니다(이야기를 과장, 드라마틱한 표현, 주변의 관심을 끌기 위해 노력). 감정이 빠르게 변화하며, 다른 사람과의 관계에서 부적절한 성적, 유혹적인 특징이 있다. 지나치게 인상적. 세밀함이 결여된 형태의 언어를 사용하고, 피암시적이며, 다른 사람이나 환경에 쉽게 영향을 받습니다.

<정답> 1-2 의존성 인격장애 1-3 편집성 인격장애 1-4 히스테리성(연극성) 인격장애

신체질환에 동반되는 정신질환
Mental Disorders Due to Another Medical Condition

박주호 오진욱 고미애 김우정

Chapter

XXV

Introduction

▶ 다른 의학적 상태로 인한 정신장애란 뇌의 손상 및 기능부전 그리고 신체 질환으로 인한 정신 질환을 의미합니다. 흔히 갑상선기능저하증 같은 신체질환이 불안장애와 같은 정신장애를 유발 할 수 있다는 개념이지만 명확한 구분은 쉽지 않습니다. 신체질환의 진단은 그 자체로 스트레스 요인으로 작용하여 심리적 영향을 미칠 수도 있기 때문입니다. 미래 의학에는 신체 질환과 정신 질환 간의 경계가 계속 흐려질 가능성이 높습니다.

▶ 내·외과를 전공할 학생들은 특히 잘 알아두면 어떤 경우 정신건강의학과로 의뢰하는 것이 좋을 지에 대해 감을 잡을 수 있을 것입니다.

1. 다른 의학적 상태로 인한 기분장애
(Mood disorder due to another medical condition)

1) 개념

이차성 기분장애로도 알려져 있다. 의학적 상태에 의한 직접적인 생리적 결과에 기인한 병적인 기분변화 가 특징적이다.

2) 원인

여러 신체질환이 기분장애의 증상을 유발할 수 있다.

Ex) 내분비질환, 뇌종양, 뇌막염, 간질, 뇌졸중

뇌졸중 후 우울장애는 수일 내로 발병하는 급성 경과를 보이기도 하지만 수 개월 이후에도 발생한다. 특히 좌측 전두엽 뇌졸중은 향후 주요우울장애의 발병 위험을 증가시킬 수 있다.

3) 진단기준 핵심(DSM-5)

1. 현저하고 지속적인 우울 기분 또는 모든 활동이나 거의 모든 활동에서 현저하게 감소된 흥미나 즐거움이 임상 양상에서 우세하다.
2. 장애가 다른 의학적 상태의 직접적인 병태생리학적 결과임을 지지하는 병력, 신체검진 또는 검사 소견이 있다.
3. 장애가 다른 정신질환으로 더 잘 설명되지 않는다.
4. 장애가 섬망의 경과 중에만 발생되지는 않는다.
5. 장애가 사회적 직업적, 또는 다른 중요한 기능 영역에서 임상적으로 현저한 고통이나 손상을 초래한다.

4) 임상양상

우울증에서 발견되는 심리적증상, 신체적증상이 동반된다. 신경학적으론 뇌졸중, 헌팅턴병, 파킨슨병, 외상성 뇌손상과 관련성이 높고, 내분비적으로는 쿠싱병과 갑상선 기능저하증과의 연관성이 높다.

5) 치료

(1) 원인 질환을 교정하는 것이 우선이다.

(2) 항우울제 사용을 고려해보나 환자의 약물 상호작용에 따른 신체적 이상 또한 평가가 필요하다. SSRI, bupropion, venlafaxine 등을 우선 약제로 고려할 수 있지만 bupropion은 뇌전증 환자에서는 사용을 자제하고, venlafaxine은 혈압을 상승시킬 수 있어 유의하여야 한다. 실력

2. 다른 의학적 상태로 인한 정신병적 장애 (Psychotic disorder due to another medical condition)

1) 개념

뇌종양, 물질 또는 스테로이드과 같은 약물의 복용이 정신병적증상을 유발할 수 있다. 인지기능 저하는 없으나 환각 및 망상이 동반될 수 있다.

2) 원인

치료되지 않은 내분비장애 및 대사장애, 자가면역장애가 원인이 될 수 있다. 뇌 질환 중 측두엽뇌전증, 후두엽 및 측두엽 뇌종양은 정신병적 장애와 연관성이 높다. 또한 시력 및 청력의 상실이 환각 또는 망상적 지각을 초래할 수 있다.

3) 진단기준 핵심(DSM-5)

> 1. 뚜렷한 환각 혹은 망상을 보인다.
> 2. 장애가 다른 의학적 상태의 직접적인 병태생리학적 결과라는 증거가 병력, 신체 검진 또는 검사 소견에 있다.
> 3. 장애가 다른 정신질환으로 더 잘 설명되지 않는다.
> 4. 장애가 섬망의 경과 중에만 발생되지는 않는다.
> 5. 장애가 사회적, 직업적, 또는 다른 중요한 기능 영역에서 임상적으로 현저한 고통이나 손상을 초래한다.

4) 임상양상

(1) 다른 정신질환으로 잘 설명되지 않는 뚜렷한 망상 혹은 환각이 나타난다.

(2) 특징적으로 환취는 측두엽뇌전증과 연관 가능성이 크고, 환시는 녹내장으로 인한 시력상실에서 발생할 수도 있다. 망상은 내용이 다양하지만 체계적, 피해망상이 가장 흔하다.

5) 치료

(1) 기저질환의 진단과 치료가 가장 중요하다.

(2) 행동 조절이 되지 않을 시 입원이 필요할 수 있으며 안전에 대한 평가를 한다. 항정신병약물, 항불안제를 사용할 수 있다.

3. 다른 의학적 상태로 인한 불안장애 (Anxiety disorder due to another medical condition)

1) 개념

공황발작, 전반적 불안, 다른 스트레스 징후 등이 다른 신체질환과 연관되어 나타날 수 있다.

2) 원인

여러 내분비 질환 및 심장질환과 연관성이 높다. 갑상선 기능항진증/저하증, 부갑상선 기능저하증 비타민 B12의 결핍, 저혈당, 갈색세포종 및 부정맥, 쇼그렌증후군(Sjögren's syndrome)에서 불안증상이 나타날 수 있다.

3) 임상양상

공황장애증상이 가장 흔하게 발생한다. 혈중 노르아드레날린의 증가는 불안증상과 연관되어 있다. 갑상선 기능항진증에서는 범불안장애와 비슷한 증상이 나타난다.

4) 치료

(1) 원인이 되는 신체장애의 치료가 우선이다.

(2) 불안장애의 치료와 같이 행동수정기법, 항불안제, SSRI 등이 효과적일 수 있다.

4. 다른 의학적 상태로 인한 성격변화 (Personality change due to another medical condition)

1) 개념

이전과 확연히 변화된 성격변화가 특징으로, 기질성 성격장애, 뇌염후증후군, 뇌진탕후증후군 등이 포함된다.

2) 원인

뇌의 구조적 손상에 의하여 나타나며, 두부 외상(m/c), 뇌혈관 질환, 뇌종양, 뇌전증, 헌팅턴병, 다발성경화증, 내분비계 질환 등이 유발 가능하다. 중금속 중독(마그네슘, 수은), 신경매독, 후천성면역결핍증후군(AIDS)도 원인이 될 수 있다.

3) 진단기준 핵심(DSM-5)

1. 병전의 특징적 성격 양상이 변화되었음을 나타내는 지속적인 성격장애여야 한다.

2. 장애가 다른 정신질환으로 잘 설명되지 않는다.

3. 장애가 사회적, 직업적 기능에서 임상적으로 현저한 고통이나 손상을 초래한다.

4. 불안정형, 탈억제형, 공격형, 무감동형, 편집형, 기타형, 혼합형 등의 아형을 명시한다.

4) 임상양상

(1) 감정 및 충동 조절의 장해가 특징적이다. 다행감(euphoria)의 경우 경조증과 유사하지만 환자는 행복하다고 느끼지 않을 수 있다.

(2) 전두엽증후군과 같은 경우 무관심과 무감동이 흔하다. 부적절한 농담, 성적 행동, 반사회적 행동이 나타나며 폭행, 성범죄 등의 사회적, 법적 결과를 예측하는 능력이 감소한다.

5) 치료

(1) 정신약물학적 치료가 필요하다. 만성적인 우울감은 imipramine 또는 fluoxetine 등의 항우울제를 투약할 수 있다. 음주는 피하도록 하고 극도의 공격적 성향을 보일 경우 사회 활동을 제한할 필요가 있다.

(2) 가족들에게도 정서적 지지가 필요하다.

5. 뇌전증(Epilepsy)

1) 개념

발작(seizure)은 뉴런의 자발적인 과도한 활성으로 인해 발생한 일시적인 대뇌 기능 이상을 의미한다. 일반 인구에서 가장 흔한 만성 신경학적 질환이며, 뇌전증 환자 중 30~50%는 우울, 불안, 정신병적증상 등을 경험하며, 장기적으로는 성격의 변화까지 나타난다.

2) 분류

(1) 전신발작(generalized seizure)

① 의식소실을 동반하고, 사지의 긴장성-간대성 움직임, 혀깨묾, 요실금 등의 전형적인 증상이 나타난다. 회복 경과는 섬망과 비슷한 모습을 보인다(수 분~수 시간 내에 회복).

② 결신발작(absence seizure)은 전신발작의 한 아형으로 5~7세에 시작되고 사춘기에 멈춘다(삽화 동안 짧은 의식장애가 특징적이다). 드물게 성인기에 발병하기도 하며 이 경우 반복적인 정신병적 삽화나 섬망이 급작스럽게 발생하기도 한다.

(2) 부분발작(partial seizure)

① 단순(의식의 변화가 없음) 또는 복합(의식의 변화가 있음)으로 분류된다.

② 복합 부분 발작은 성인에서 가장 흔한 형태의 뇌전증(1,000명당 3명)으로 이들 중 약 30%에서 우울증이 발생한다. 복합부분 발작의 전조 때 자율신경 감각(복부 팽만감, 홍조, 호흡 변화), 인지 감각(기시감, 미시감), 강제사고, 정서 변화, 자동증(입맛 다시기, 입술 비비기) 등이 나타날 수 있다.

3) 임상 양상

• 뇌전증과 연관된 성격장애가 가장 흔히 보고된다. 특징적으로 측두엽뇌전증 환자에서 종교 심취(religiosity), 점착성 성격(viscous personality), 성행동의 변화가 흔히 발생한다.

(1) 기분증상이 동반된 뇌전증 환자는 자살 시도의 가능성이 높다.

(2) 발작증상을 흉내 내거나 의식적인 조절이 가능한 가성 발작과도 감별하여야 한다.

표 25-1. 뇌전증과 가성발작의 감별점 실력

특징	뇌전증 발작	가성 발작
<임상적 특징>		
야간 발작	흔함	흔하지 않음
상동적 전조	일반적	없음
발작 중 청색증	흔함	없음
자기 손상	흔함	드묾
요실금	흔함	드묾
발작 후 혼돈	있음	없음

특징	뇌전증 발작	가성 발작
신체 움직임	긴장성 또는 간대성	상동적이지 않으며 비대칭적
암시에 따른 영향	없음	있음
〈EEG 특징〉		
뇌파 이상	있음	없음
발작 후 느려짐	있음	없음
발작 간 이상	다양함	다양함

4) 치료

항전간제의 사용과 유지가 도움이 된다.

(1) 간대성 발작 1차약제: valproic acid, phenytoin

(2) 부분 발작 1차약제: carbamazepine, oxcarbazepine, phenytoin

(3) 소발작 1차약제: ethosuximide, valproic acid

6. HIV 감염과 AIDS의 정신의학적 측면

1) 개념

사람면역결핍바이러스(human immunodeficiency virus, HIV)에 의한 후천성면역결핍증(acquired immune deficiency syndrome, AIDS)가 발병은 주로 성관계나 오염된 혈액의 수혈을 통해 전파된다. 이 질환은 정신건강에도 영향을 미친다.

2) 역학

전세계적으로 250만 명의 성인과 100만 명의 아동들이 앓고 있으며, 동성애나 양성애 남성에서의 발생이 그 중 70%를 차지한다. 정맥주사를 통한 마약 남용자가 10%, 이성 간의 전파는 5%가량을 차지한다. 남성이 여성보다 흔하다(15:1).

3) 임상 양상

(1) HIV 경도신경인지장애 / HIV 치매 [실력]

HIV 치매는 감염자의 약 50%에서 발생한다. 기억, 정신운동 장해, 우울증, 운동장해 등의 전형적인 피질하 치매증상이 나타나게 된다(poor prognostic factor).

(2) 불안장애

범불안장애, 외상후스트레스장애, 강박장애를 동반할 수 있다.

(3) 양극성장애

기존 양극성장애 환자의 경우 HIV 감염 후기에 조증이 흔하게 나타나며 인지장애를 동반한다.

(4) AIDS 고위험군에서는 혈청 검사에서 음성이거나 질환에 이환되지 않아도 감염을 걱정하는 건강 염려증이 발생할 수 있음

4) 치료

(1) 감염 예방이 가장 우선이다.

(2) HIV 감염자 치료 시에는 성생활 및 약물남용의 병력, 정신과적 병력, 지지 체계에 대해 평가한다.

(3) 항레트로바이러스 제제에는 CYP 450에 의해 대사되어 bupropion, benzodiazepine, SSRIs 등의 약물 농도를 증가시킬 수 있다.

(4) 치료자는 환자가 자기 비난, 자존감, 죽음에 관한 문제. 자신이 벌을 받고 있다고 느낄 수 있다는 것을 이해한다.

1-01. 72세 남자가 2년 전 교통사고로 뇌출혈, 3일간 의식 소실을 경험하였다. 그 후 참을성이 없어지고, 욕하고 아내에게 성관계를 억지로 요구하였다. 사고 전에는 조용하고 내성적인 성격이었다. 진단은?

① PTSD
② 간헐성 폭발장애
③ 기질성 인격장애
④ 두부외상성 치매
⑤ 뇌진탕 후 증후군

〈해설〉

2년 전 뇌출혈로 인한 뇌손상으로 인해 성격변화(hypersexuality, aggressive behavior)가 두드러진 양상입니다. 다른 인지저하된 소견은 문제에서 제시되지 않았습니다.

정답 1-1 ①

정신신체의학
Psychosomatic Medicine

박주호 오진욱 고미애 김우정

Chapter

XXVI

Introduction

▶ 신체증상장애(Somatic symptom disorder)는 정신적 갈등이 신체증상으로 표출되었다는 것을 전제로 하여 신체질환보다 정신장애로 간주됩니다.

▶ 정신신체장애(psychosomatic disorder)는 실재하는 신체 질환의 경과에 정신적증상이 연관되어 있는 것을 말합니다. 이는 마음에 의해 몸이 병들었다는 심인성(psychogenic)의 개념과는 다른 것입니다. 정신신체의학은 신체 질환의 경과에 사회심리적인 요소가 중요하게 관여한다는 관점으로부터 출발합니다. 신체 질환의 발병과 진행에 스트레스가 미치는 영향이 계속 강조되어지는 추세이므로 대부분의 신체 질환들은 정신신체의학의 범주에 든다고도 볼 수 있겠습니다.

▶ 정신신체장애를 설명하는 이론으로 스트레스 이론이 가장 각광받고 있습니다. 스트레스 이론은 정신적 스트레스로 인한 항상성의 변화를 설명합니다. 스트레스 상태에서 우리 몸의 변화는 아래와 같습니다.

① 뇌의 청반(locus ceruleus)에서 노르아드레날린계를 활성화, 카테콜아민을 분비한다.

② 세로토닌 활성화 및 중전두엽회로에서 도파민의 신경전달이 증가된다.

③ 부신겉질자극호르몬방출인자(corticotropin-releasing factor, CRF), 글루타메이트, 감마 아미노뷰틸릭산의 증가가 스트레스 반응을 유발 및 조절하여 혈압 상승, 혈관 수축, 심박동수의 증가를 유발한다.

④ 뇌하수체 전엽의 ACTH 분비가 촉진되어 부신피질에서의 글루코코르티코이드 합성 및 분비를 촉진한다.

1. 심혈관계 질환

심혈관계 질환과 정신장애는 밀접한 연관이 있다. 대표적으로 A형 성격에 대한 연구가 이루어져 있는데, A형 성격은 조바심, 공격성, 강렬한 성취욕, 긴박감, 인정 욕구 등과 관련이 있는 성격으로 A형 성격의 적대감, 분노, 급성스트레스는 심혈관 질환(관상동맥질환)을 유발할 수 있는 것으로 알려져 있다.

정신신체의학
Psychosomatic Medicine

박주호 오진욱 고미애 김우정

Chapter

XXVI

Introduction

▶ 신체증상장애(Somatic symptom disorder)는 정신적 갈등이 신체증상으로 표출되었다는 것을 전제로 하여 신체질환보다 정신장애로 간주됩니다.

▶ 정신신체장애(psychosomatic disorder)는 실재하는 신체 질환의 경과에 정신적증상이 연관되어 있는 것을 말합니다. 이는 마음에 의해 몸이 병들었다는 심인성(psychogenic)의 개념과는 다른 것입니다. 정신신체의학은 신체 질환의 경과에 사회심리적인 요소가 중요하게 관여한다는 관점으로부터 출발합니다. 신체 질환의 발병과 진행에 스트레스가 미치는 영향이 계속 강조되어지는 추세이므로 대부분의 신체 질환들은 정신신체의학의 범주에 든다고도 볼 수 있겠습니다.

▶ 정신신체장애를 설명하는 이론으로 스트레스 이론이 가장 각광받고 있습니다. 스트레스 이론은 정신적 스트레스로 인한 항상성의 변화를 설명합니다. 스트레스 상태에서 우리 몸의 변화는 아래와 같습니다.

① 뇌의 청반(locus ceruleus)에서 노르아드레날린계를 활성화, 카테콜아민을 분비한다.

② 세로토닌 활성화 및 중전두엽회로에서 도파민의 신경전달이 증가된다.

③ 부신겉질자극호르몬방출인자(corticotropin-releasing factor, CRF), 글루타메이트, 감마 아미노뷰틸릭산의 증가가 스트레스 반응을 유발 및 조절하여 혈압 상승, 혈관 수축, 심박동수의 증가를 유발한다.

④ 뇌하수체 전엽의 ACTH 분비가 촉진되어 부신피질에서의 글루코코르티코이드 합성 및 분비를 촉진한다.

1. 심혈관계 질환

심혈관계 질환과 정신상애는 밀접한 연관이 있다. 대표석으로 A형 성격에 내한 언구가 이무어져 있는데, A형 성격은 조바심, 공격성, 강렬한 성취욕, 긴박감, 인정 욕구 등과 관련이 있는 성격으로 A형 성격의 적대감, 분노, 급성스트레스는 심혈관 질환(관상동맥질환)을 유발할 수 있는 것으로 알려져 있다.

1) 심혈관계 질환을 유발하는 스트레스의 작용 가설

스트레스 작용	→ 급성기 반응 → 교감신경 각성 / 카테콜아민 분비 → 혈압/심박수의 변동성 → 취약한 플라크에 스트레스 작용 → 플라크의 파열 → 급성 혈전 형성
	→ 내피세포 손상 ↔ 콜레스테롤 증가 ↔ 흡연/비만 ↔ 신체적활동 감소 → 지질핵 증가 ↔ 염증반응 활성 ↔ 얇은 피막

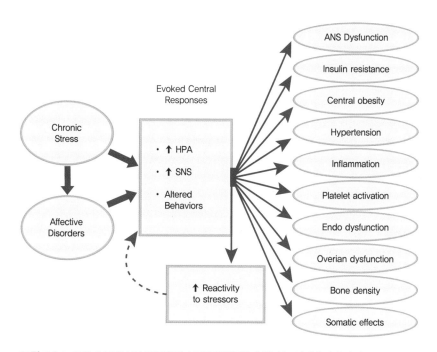

그림 26-1. 만성 스트레스와 정동장애가 죽상경화증을 유발하는 병태생리적 과정(Rozanski A)

2) 관상동맥질환

일반인에 비해 주요 우울증이 더 흔하게 발생한다(15~20% 유병률). 우울 및 불안증상은 신체증상, 기능 및 삶의 질을 저하시켜, 이완 훈련 및 스트레스 관리, 정신 사회적 중재가 필요하다.

3) 본태성 고혈압

환자의 경우에는 바이오피드백 및 이완요법이 도움이 될 수 있다.

2. 호흡기계 질환

1) 천식환자

과도한 의존욕구를 나타낼 수 있으며, 천식 환자의 30% 이상에서 공황장애나 광장공포증이 보고되고 있다.

2) 과호흡증후군

급성 스트레스, 불안, 공포, 통증 등이 나타나며, 깊고 빠른 호흡 → 혈액 pH의 변화, 호흡곤란, 현기증, 심계항진, 사지의 감각이상이 발생한다.

3) 만성폐쇄성 폐질환

(1) 혈중 가스 교환장애로 섬망과 같은 인지기능 저하 및 뇌손상을 유발될 수 있으며, COPD 환자에서 국내 60세 이상에서 우울증의 유병률이 높은 것으로 보고된다.

(2) 호흡의 저하를 우려하여 벤조디아제핀 계열 약물보다는 항우울제를 선택한다.

3. 소화기계 질환

스트레스, 불안, 위장관계의 생리적 반응간의 관계가 있으며, 소화성 궤양 질환, 과민성 대장 증후군, 염증성 장 질환 등이 관여된다.

1) 소화성 궤양 질환

H. pylori 감염이 동반되며 오심, 구토, 소화불량, 토혈, 혈변 등이 나타날 수 있으며, 급성 스트레스와 같은 증상은 면역 반응 억제하며 *H. pylori* 감염에 취약한 결과를 초래한다.

2) 과민성 대장 증후군 [실력]

불안, 우울, 신체화가 아주 흔하게 나타나며, 만성적 긴장, 스트레스, 비관적 태도와도 연관된다. 우울, 불안, 수면장애의 위험성이 높게 보고되며, 항우울제, 인지행동치료가 효과적이다.

3) 염증성 장 질환

애착 및 스트레스와 질병사이의 매개 역할이 강조된다.

4) 정신과 약물의 부작용

(1) SSRI: 임상적으로 구토와 설사를 유발시킬 수 있음

(2) TCA: 변비, 구갈 악화(항콜린성 작용)

7. 피부질환

아토피 피부염, 건선, 여드름, 원형탈모 등이 대표적이다.

1) 아토피

가려움, 염증이 특징이며 유아기와 청소년기 사이에 시작되며, 디스트레스(distress), 불안, 우울이 증가, 아동에서 행동문제 수준이 높다.

2) 건선

유전, 추운 기후, 감염, 스테로이드 중단, 베타차단제, 리튬 등과 연관되며, 대인관계 어려움을 유발, 우울, 성격문제의 빈도가 많다.

3) 원형탈모

머리카락 이외에도 눈썹, 속눈썹, 턱수염, 체모에도 발생하며, 우울증과 불안장애의 빈도가 많다.

4) 여드름

원인은 명확히 알려져 있지 않으나, 스트레스가 병인에 포함되며 isotretinoin 치료가 우울증, 자살사고, 자살시도, 공격성 등과 관련이 있다는 보고가 있다.

5) 피부증상으로 인한 망상장애

(1) 망상적 기생충증이 대표적인 예(기생충이나 벌레가 피부에 침입했다는 망상)
(2) 망상장애, 조현병, 강박장애, 섬망, 치매, 갑상선기능저하증, Vit B12 결핍, 간성뇌병증, 물질장애에서 나타난다.

8. 세균성 감염

1) 패혈증

첫 증상으로 정신상태의 갑작스러운 변화가 나타나기도 한다.

2) 매독

2기부터 중추신경계침범, 3기는 신경매독이 주 형태

(1) 신경매독: 기억력, 성격변화, 현기증, 일과성 허혈성 발작 등의 증상 유발
(2) 후기매독: 전신불완전마비, 발작, 성격 황폐화, 진행성 치매 양상

3) 결핵

(1) 후천성면역결핍증후군(AIDS)에서 흔하다.

(2) 초기 미열, 전신쇠약감, 피로 → 1주일 후 고열, 심한 경부강직, 혼돈, 섬망이 유발된다.

4) 라임병

사슴진드기에 물려 발생, 미국에서 흔하며, 뇌신경병증, 수막염, 신경근병으로 이환될 수 있다.

9. 바이러스 감염

중추신경계 침범, 면역 활성 등을 통해 정신증상을 유발한다.

1) 엡스테인바 바이러스

피로, 만성피로 환자와의 감별

2) 거대세포 바이러스

우울증과 치매를 유발시킬 수 있다.

3) 단순헤르페스바이러스

정신장애처럼 보이는 바이러스 뇌염의 가장 흔한 원인이며, 성격변화, 환취, 정신병, 섬망, 경련 등이 나타날 수 있다.

4) 바이러스성 간염

피로, 식욕부진이 흔하며, 우울증으로 오진될 수 있다.

10. 수술과 이식

1) 수술 전 정신과적 문제

성격장애, 기분장애, 불안장애, 인지장애, 물질사용장애가 있는 경우 수술 후 합병증이 증가하며 정신과 약물의 중단이나 스테로이드의 사용이 증상을 악화시킨다. 수술 전 환자의 30% 이상에서 임상적으로 유의한 수준의 불안이 나타나고, 5%에서 심한 불안으로 수술을 거부한다.

2) 수술 후 정신과적 문제

7~15%로 섬망이 가장 흔하게 나타나며, 공격적 행동, 우울증, 조증, 불안, 정신병적증상, 치료약물 중독, 외

상후스트레스장애가 발생한다.

→ 적절하게 치료되지 않으면 입원 기간의 증가, 비용상승, 이환율 증가를 초래

3) 이식 환자의 정신과적 평가

(1) 알코올에 의한 간경화증 환자라면 알코올 중단과 치료 순응도에 대한 평가가 중요하다.

(2) 이식 환자의 1/3 정도가 MDD, 불안장애, PTSD 등의 정신장애가 나타난다.

(3) 평생 면역억제제의 복용이 필요 → 비순응비율이 25%에 다다름, 위험요인

(4) 면역억제제 자체로도 신경독성, 신경정신과적 부작용 유발할 수 있다.

① cyclosporine: 손떨림, 안절부절 두통(mild), 섬망, 정신병, 경련, 언어실행증, 혼수(severe)

② tacrolimus: 불면, 불안, 초조(mild), 인지장애, 섬망, 혼수, 구음장애(severe)

(5) 대부분 면역억제제가 CYP3A4 대사, fluvoxaimne, fluoxetine 사용을 피해야 하며 venlafaxine, sertraline, paroxetine 등으로 대체한다(CYP3A4 억제효과가 적음).

11. 통증

1) 만성통증

(1) 대상포진후신경통, 말초신경병성 통증, 파킨슨에 의한 통증, 중풍 후 통증, 요통이 대표적이며, 만성 통증 환자의 33%에서 주요우울장애가 동반, 일부는 신체형장애가 나타난다.

(2) TCA가 다양한 통증에 효과적, SNRI도 효과, valproic acid, lamotrigine 등의 항경련제, clonazepam도 도움이 된다. 그러나 우울, 불안이 동반되지 않은 통증 환자에서 SSRI는 효과적이지 않다.

2) 두통 [기출]

긴장성 두통, 편두통, 만성 일상 두통으로 분류

(1) 긴장성 두통은 머리띠와 같은 압박이 특징이며 스트레스 후에 악화되며, 동반증상은 주로 나타나지 않는다. 항불안제(BZD), 근이완제 등으로 치료한다.

(2) 편두통은 머리 반쪽을 찌르는 박동성 두통이 특징이며, 구역, 구토, 광공포증과 연관되며, 전구증상이 동반되고, 우울증과 양극성장애와 연관되어 있다는 보고가 있다. ergotamine, propranolol, phenytoin, SSRI 등이 효과적이다.

(3) 만성 일상 두통은 긴장성 두통이 많으며, 과거에 편두통을 앓은 후에도 장기간의 진통제 사용에 의해 유발, 과다한 약의 사용 후 반발성 두통(rebound headache)이 생길 수 있다.

12. 정신종양학

암이 환자의 신체 건강뿐만 아니라 정신건강에도 심각한 영향을 미친다는 인식에서 기인한다.

1) 암환자의 정신과적 문제

암환자에서 경험하는 신체적, 정신적, 사회적, 영적 고통을 디스트레스(distress)라고 명명하며, 암환자의 1/3 정도에서 경험한다.

2) 우울증 및 자살

치료가 필요한 우울증의 유병률은 25%, 일반인구에 비해 자살률이 두 배 정도 높다.

3) 섬망

말기에서는 85%에서 발생하며, 스테로이드, 마약성 진통제, 일부 항암제, 면역 치료제, 항콜린성 약제 등이 유발한다.

4) 암환자의 정신신체증상의 치료

항우울제(mirtazapine)는 식욕부진, 구역에 효과가 있고, methylphenidate, bupropion은 피로에 효과적일 수 있다. 실력

5) 암 치료의 정신과적 측면

(1) 대부분 항암제가 CYP3A4 대사(fluoxetine, fluvoxamine이 항암제 독성을 증가)

(2) tamoxifen → 2D6억제(fluoxetine, paroxetine은 사용×, venlafaxine, citalopram으로 대체)

1-01. 다음 중 쿠싱증후군 환자에서 흔히 동반되는 정신과적 문제는?

① 환청　　　　　　　　② 섬망

③ 우울　　　　　　　　④ 불안

⑤ 망상

<해설>

쿠싱증후군에서 50~75%에서 우울감을 경험, 여자에서 더욱 빈번하게 나타납니다. 그 밖에 성욕의 감퇴, 자극에 대한 과민성, 심해지면 편집증, 환각 등을 유발합니다.
위 문제에서는 가장 흔히 동반되는 정신과적 문제를 묻고 있습니다.

1-02. 신체질환의 발병, 악화, 완화, 재발 등에 심리적인 요소가 중요하게 관여하는 장애는 무엇인가?

① 통증장애(pain disorder)

② 전환장애(conversion disorder)

③ 신체증상장애(somatic symptom disorder)

④ 정신신체장애(psychosomatic disorder)

⑤ 신체이형장애(body dysmorphic disorder)

정신신체장애라는 용어는 그리스어 psyche (soul) + soma (body)에서 유래되었습니다. 신체에 끼치는 정신적 영향과 정신에 끼치는 신체의 영향을 모두 고려해야 합니다.

정답　　1-1 ③　1-2 ④

1-03. 다음 중 의존적 성격에서 흔히 나타나는 정신신체장애는?

① 긴장성 두통 ② 기관지 천식

③ 본태성 고혈압 ④ 궤양 대장염

⑤ 류마티스 관절염

1-04. 경쟁적이고 욕심이 많은 45세 남자가 한 달 전부터 시작된 뒷목 뻣뻣함을 주소로 내원하였다. 직장에 출근하여 오후가 되면 뒷머리와 목이 뻣뻣하고 머리 전체에서 통증을 호소하였다. 퇴근 후 집에서 휴식을 취하면 호전되는 양상이 반복되었다. 이 환자의 두통 치료에 가장 적합한 약물은?

① Phenytoin ② Propranolol

③ Fluoxetine ④ Diazepam

⑤ Imipramine

정답 1-3 ② 1-4 ④

소아청소년 정신의학
Child and Adolescent Psychiatry

서원우 박주호 고미애 홍민하

Chapter

XXVII

Introduction

▶ 성인의 일반적 정신건강의 개념을 아동에게 적용할 수 없습니다. 아동의 경우 발달 단계에 맞는 발달을 해야 정신적으로 건강합니다.

▶ 정신적으로 건강하지 못한 아동이란 나이와 성별, 발달 단계에 맞지 않는 행동, 감정, 생각을 보이고 그 단계에 적합한 발달과제를 성취하지 못하며 발달이 정지 또는 지연되거나 왜곡된 경우라 할 수 있습니다.

1. 발달 단계에 따른 정신 병리

1. 태아
   ① 염색체 질환, 신경관결손, 염색체 부위 결실은 흔한 지적장애의 원인
   ② 약물, 방사선 노출, 환경 오염 등에 의해 신체적 기형, 뇌발달 미숙 또는 이상 초래 가능
   ③ 심한 조산아는 생존하더라도 지적장애, 뇌손상, 정서 및 행동, 학습 문제를 가질 확률이 높다.

2. 영아기
   ① 영아가 태어날 때부터 기르기 힘든 기질, 신체적 결함, 뇌손상 등이 있거나 부모의 정서상태 불안정 등으로 모자관계 이상이 일어날 수 있으며 이때 수유, 수면에 문제가 있거나 극심한 낯가림, 분리 불안 등으로 나타난다.
   ② 아동학대가 일어날 수 있으며 아동학대의 주된 원인은 부모 자신의 소아청소년기 학대이다.

3. 걸음마기
   ① 엄지손가락 빨기는 영아기의 정상행동으로 3~4세 경 자연적으로 없어진다.
   ② 분노발작은 장소, 시기, 주위 환경과 관련없이 아무 곳에나 넘어져 큰 소리로 울거나 발길질하는 등의 행동으로 영아기나 걸음마기 초기엔 우선 안아주거나 달래야 하며 조금 더 자라서 의사소통이 가능해지면 좌절감이나 분노를 말로 표현하도록 지도하고 무조건 받아주면 안된다.
      → 나이가 들어서도 분노발작이 지속되면 다른 문제를 고려하여야 한다.
   ③ 식욕부진과 음식 거부는 독립심으로 어른의 뜻을 거역하려는 의미도 있어 억지로 쫓아다니며 먹이려고 하면 오히려 저항감이 강해진다.

4. 학령 전기
 ① 정상적으로 부모의 관계, 남녀 차이, 성기 차이 등에 관심을 가지며 성기를 실험 삼아 만져보고 감각을 느껴보고 쾌락적임을 알 수 있으나 다리를 꼬거나 책상 모서리, 베개를 사용하는 등 자위에 몰두하기도 한다.
 ② <u>반복적으로 관찰될 경우 우울증, 애정결핍, 부모의 성행위 목격이나 부모의 과도한 성적 자극을 평가해야 하며 특히 여아가 성인의 성적 행동을 흉내 내거나 남성의 성기에 관심을 보이는 행동을 보이면 성폭력 피해 가능성을 의심해야 한다.</u>
 ③ <u>형제자매 간 시기와 질투(sibling rivalry)가 일어날 수 있는데 심한 경우엔 부모가 미리 동생의 탄생을 얼마나 심리적으로 준비시켰는지, 동생이 태어난 후 어떻게 대했는지, 안정된 애착 형성 여부 등을 확인하여야 한다.</u>

5. 학령기
 ① 공포감이 높은 어머니가 자신의 분리에 대한 공포를 아이에게 전파시키거나 아이가 아직 의존 욕구를 해결하지 못해 분리된다는 생각에 강한 불안을 나타낸다. 분리불안 원인으로 학교 가기를 두려워하거나 거부하게 된다.
 ② 불안, 우울, 강박 등으로 학교 생활 적응이 어려울 수 있다.

6. 청소년기
 ① 임상적으로 유의한 기분장애를 갖는 청소년은 소수이지만 기분의 변동, 우울감, 불안이나 강한 자의식 등 부정적 정서를 갖는 사람의 비율은 크게 증가한다.
 ② 음주, 흡연, 피임하지 않는 성관계, 무기 소지, 안전벨트 미착용, 음주운전 차에 동승 등 상당히 부정적 결과가 예상되는 행동에 참여하는 위험행동은 각종 사고 및 사망의 주요원인이다.

2. 검사

- 청소년과의 면담은 면담의 비밀을 지키는 것에 유의해야 한다. 병록지에는 환자의 표현 그 자체를 기록하는 것을 권장된다.
- 영유아기땐 발달에 대한 평가를 해야 하며 학령 전기엔 분리불안을 포함한 정서 상태, 유치원 및 어린이집에서의 적응 능력을 파악한다.
- 학령기, 청소년기 땐 교사, 또래 학생들과의 관계, 학교 규칙을 잘 지키는지, 단체 생활이 어떤지, 이성에 대한 관심 등을 물어본다.
- 학령기의 경우, 부모에게 설명, 동의를 구하고 교사 면담을 실시한다.

1) 진단 도구

(1) 어린 아동의 경우 자유놀이를 통한 평가가 유용하다.

(2) K-SADS, DISC-IV가 각각 반구조화 면담 구조화면담으로 진단을 위한 표준화된 면담도구이다.

2) 평가도구

(1) 6세 이상 아동을 위한 부모가 평정하는 아동청소년행동평가척도(CBCL)

(2) 11세 이상을 위한 청소년 자기행동평가 척도(YSR)

(3) 교사가 평정하는 교사용 아동행동평가척도(TRF)

3) 자가보고, 설문지

우울감에 대해 스스로 평정하는 소아우울척도(CDI), 불안감에 대해 평정하는 상태특성 불안척도(STAIC) 등이 있다.

3. 심리 검사 실력

1) 지능 검사

2세 6개월 이상의 아동을 위한 카우프만 지능 검사(K-ABC), 한국 웩슬러 유아지능검사(K-WPPSI), 6세 이상의 아동을 위한 웩슬러 아동용 지능검사(K-WISC-IV), 16세 이상 청소년과 성인용 지능 검사(K-WAIS-IV)가 있다.

2) 발달 검사

(1) 8주~3.5세를 위한 Gessel infant Scale
(2) 8주~2.5세를 위한 Bayley Scales of infant Development
(3) 8주~6세를 위한 Denver Developmental Screening

3) 적응행동검사

아동의 적응 기능을 평가하기 위한 척도로 사회성숙도 검사

4) 투사적 검사

로르샤하 검사, 아동용 주제통각 검사, 집-나무-사람, 운동성 가족화 검사 등이 있다.

5) 성격 검사

한국판 기질 및 성격 검사(TCI), 14세 이상의 경우 MMPI-A 등이 있다.

6) 신경심리 검사

(1) 2세 10개월 이상 아동을 위한 시각-운동 통합 발달 검사, 5세 이상을 위한 벤더-게슈탈트 검사가 흔히 쓰인다.
(2) 주의력에 초점을 맞춘 검사로는 정밀 주의력 검사(Advanced Test of Attention), 종합주의력검사(Comprehensive Attention Test)

7) 학업성취도 검사

한국판 학습장애 평가척도를 이용하여 부모나 교사가 아동이 학습 관련 문제를 선별하고 표준화된 기초학습기능검사를 이용한다.

4. 치료

1) 원칙

(1) 학습능력, 학교에서의 행동, 또래 관계 문제를 살펴보아야 하며 성적 출석에 관한 정보가 필요하다.

(2) 치료를 시행하기 전엔 법적 보호자로부터 동의를 받아야 하며 해당 환자의 동의도 필요하다.

(3) 소아청소년의 문제는 그가 속한 사회적 체계의 문제점을 반영하는 경우가 많으므로 주의해야 한다. (예를 들어 증상은 가족문제의 표현일 수도)

(4) 문제행동의 원인이 다면적이고 복잡한 만큼 다학제적 팀접근이 필요하다.

(5) 교사와의 상호협력도 필요하다.

(6) 소아청소년의 치료 목표는 진단에 맞는 치료를 제공하는 것뿐만 아니라 정상적 발달 궤도로 돌아올 수 있도록 돕는 것이며 발달과정 중 경험했어야 할 내용을 치료적 상황에서 제공하여 '교정적인 발달체험'을 할 수 있게 도와주는 것이다.

2) 치료 방법

(1) 개별 정신치료(individual psychotherapy)

① 환자-의사 간 치료관계를 형성하는 것이 가장 우선적 목표이며 이를 위해선 정상 발달에 대한 지식을 바탕으로 증상이 나타나게 된 맥락을 이해하는 것이 중요하다.

② 가족들의 참여가 필수적이다.

③ 소아청소년은 자신의 상황에 대한 가장 정확한 정보원이기는 하지만 외현화장애에서와 같은 행동문제는 부모, 교사가 관찰한 것이 종종 더 정확하다.

(2) 놀이정신치료

① 놀이는 치료 관계 형성에 도움을 주며 놀이를 관찰함으로써 발달 수준이나 아동이 겪고 있는 어려움을 이해할 수 있으며 또한 의사소통을 증진시키는 도구이기도 하며 놀이를 통해 행동을 가장하고 재현함으로써 자신을 돌아보는 기회를 갖게 한다.

② 놀이정신치료의 목표도 아동이 연령에 맞는 정상 발달과정으로 돌아가도록 돕는 것이다.

(3) 인지행동치료

① 나이 어린 아동의 경우 행동적 기법을 더 많이 사용한다.

② 불안장애, 강박장애, 외상후스트레스장애, 우울증, 자살사고가 주요 대상이다.

(4) 가족치료

① 소아청소년 환자에서 가족치료는 필수적이다.

② 증상의 발생과 유지에는 부모의 양육방식, 가족 내 의사소통 등 가족이 영향을 미치는 경우가 많다.

③ 가족치료는 각 개인을 가족이라는 맥락 속에서 이해하며 가족체계 내 상호작용을 개선하는 정신치료가 도움이 된다.

(5) 부모교육과 부모 상담

① 자녀 문제에 대한 부모의 이해를 높이며 자녀와의 올바른 대화법, 양육방법을 배운다.

② 소아청소년 정신 질환 중에선 부모와 관련된 요인이 핵심 요인으로 작용하는 경우가 많아 반드시 필요하다.

(6) 집단 정신치료

① 소아청소년 환자는 치료자보다 또래에게 자신의 생각, 감정을 더 잘 표현하기 때문에 집단치료가 때로 유용하다.

② 치료과정 중 또래를 관찰할 수 있는 기회를 제공하고 우정, 상호지지를 통한 사회성이 발달한다.

③ 외상사건 경험, 소외감을 경험한 경우 자기 자신에 대한 부정적 평가를 하며 이는 자신과 비슷한 어려움이 있는 또래와 경험을 나누며 서로에게 도움을 준다.

④ 치료자와 일대일 치료적 관계 형성이 어렵거나 다수와의 대인관계에서 갈등이 많은 경우도 좋은 적응증이 된다.

(7) 입원치료

① 자살사고, 자살시도 공격적 행동으로 입원의 원인이 된다.

② 이외에도 가출, 임신, 치료에 대한 심한 저항감, 주변 환경으로부터 고립이 필요할 때 입원치료 고려 가능하다.

③ 환자의 안전, 안정, 효과적 치료개시가 주 목표이다.

④ 지지적으로 대하며 치료 동맹 형성하고 치료 동기를 부여한다.

(8) 낮병원

① 병원에서 다양한 치료적 활동에 참여하며 저녁에는 귀가하는 부분입원의 형태이다.

② 외래 진료에서는 제공하기 어려운 집중적, 포괄적 치료를 통해 사회복귀 및 직업재활을 도울 수 있으며 병동 퇴원 후 사회복귀 전 단계로도 활용 가능하다.

(9) 쉼터

가출, 학업중단, 성매매, 폭력과 같은 비행 및 범죄 등 심각한 문제 행동과 관련된 소아청소년을 위한 일시적 보호시설로 상담, 교육 등 프로그램을 통해 도움을 준다.

3) 생물학적 치료

(1) 약물치료

소아정신의학에선 약물치료에 대한 연구가 부족하며 성인에 대한 연구를 연장해서 판단하는 경우가 많다.

① 약력학 및 약동학
- 소아의 경우 지방 비율이 연령에 따라 다르고 상대적으로 체내 수분 함량이 많아 lithium과 같은 수용성 약물을 사용하는 경우 성인에 비해 높은 체중 대비 약물 용량을 필요로 할 수도 있으며 지용성 약물을 사용할 때 성인에 비해 높은 효과나 부작용이 보일 수 있다.
- 소아는 성인보다 상대적으로 대사가 빨리 이뤄지므로 체중 대비 약물 용량이 성인보다 많이 요구되며 분복하는 것이 유리하다.

② 약물치료의 일반적 원칙
- 약물치료보다 먼저 시도할 다른 치료는 없는지/소아청소년의 경우 심리사회적 치료가 우선되어야 한다.
- 대상 환자의 발달 수준을 고려해 약물을 선택, 사용한다.
- 성인보다 공존질환이 흔하므로 고려하여야 한다.
- 사용하는 약물이 환자와 보호자에게 어떤 의미인지 살핀다.
- 소량으로 시작하여 천천히 증량한다.

(2) 비약물적 치료

① 전기충격치료(ECT), 경두개자극술(TMS), 뉴로피드백(neurofeedback) 등이 있으나 ECT의 경우 소아에서는 금기시되어 왔고 시술 전후 인지기능 변화를 살펴보아야 한다.

② 경두개자극술의 경우 비교적 안전하게 사용할 수는 있으나 장단기적 부작용에 대해 충분히 알려지지 않았다.

4) 청소년과의 면담

(1) 환자를 먼저 만나고 환자를 우선적으로 치료하는 것이 필요한데 이를 통해 치료자가 부모의 대리인이라는 느낌을 어느 정도 피할 수 있다.

(2) 치료자는 치료동맹을 증진시키기 위해 환자로부터 신뢰를 얻고 치료자가 도움이 될 수 있음을 확신시켜야 한다.

(3) 성적 과거력과 현재 성적인 활동 등에 대해 적절히 평가하여야 하며 이런 행동은 청소년의 성격구조나 자아 발달의 실태를 보여준다.

5. 소아기 주요 우울장애

1) 역학

성인과는 달리 남녀 빈도의 차이가 없고 어떤 경우 오히려 남아가 많다.

2) 원인

(1) 유전적 요인: 발병 연령이 빠를수록 두드러짐

(2) 생물학적 원인: 인슐린 유발 저혈당에 의한 성장호르몬의 반응이 감소 우울증 환자에서 fT4 level이 감소되어 있음

(3) 유전적 취약성과 환경 스트레스 간 상호작용으로 발병한다.

3) 임상 양상 [기출]

(1) 사춘기 전 소아의 경우 신체 증상 호소, 정신운동초조, 환청이 흔하게 나타난다.

(2) 청소년기의 경우 공격성, 과민성이 나타난다(가면성 우울).

(3) 학교에서의 수행 저하가 나타나고 반사회적 행동이 나타날 수 있다.

4) 진단

(1) 성인과 동일하게 진단한다.

(2) 우울감 혹은 짜증이 나타날 수 있다.

(3) 체중 감소 대신 예상되는 체중 획득의 실패로 나타날 수 있다.

5) 치료

(1) 자살 사고, 자살행동 및 자살시도의 과거력이 있을 경우 입원치료가 필요할 수 있다.

(2) 약물치료와 인지행동치료 병행이 권장된다.

(3) 항우울제가 오히려 청소년에 있어서 자살 사고를 증가시킬 수 있다는 미국 FDA의 black box warning이 있으므로 사용 시 주의해야 한다. [실력]

6) 경과 및 예후

(1) 어린 나이 발병할수록 예후가 나쁘다.

(2) 90%의 어린이들은 중등도~심각한 주요우울장애의 첫 삽화로부터 1~2년 내 회복된다.

(3) 우울장애는 학업 성취 저하, 또래 관계 문제, 지속적으로 낮은 자존감 등과 관련이 있다.

6. 소아기 발병 조현병

1) 성인보다 유병률은 드물며 남>여

2) 임상 양상

(1) 환청이 흔하나 환시가 흔히 보인다.

(2) 괴이한 행동, 얼굴 표정, 언어발달장애, 환각, 심한 퇴행, 특별한 이유 없이 낄낄 웃거나 우는 모습을 보일 수 있다.

(3) 소아기 특유의 공상을 환각, 망상으로 오인하지 않도록 주의, 기본적으로 DSM-5 진단기준은 동일하다.

3) 치료

약물치료의 경우 성인과 동일하나 약물에 대한 반응이 떨어진다.

7. 아동학대 및 방임

1) 개요

(1) 아동학대: 양육자가 자녀에게 신체적 손상이나 성적 학대를 가하는 것

(2) 아동방임: 자녀를 제대로 돌보지 않고 육아를 게을리하는 것

2) 역학

조숙아, 조산아, 과잉행동아, 지적 장애아 등에서 호발한다.

3) 원인

(1) 가해자의 경우 어렸을 때 부모 사랑을 못 받았거나 학대받은 경험이 있다.

(2) 부모가 사회경제적으로 고립, 실직 상태, 알코올 중독 및 우울증이 있는 경우가 흔하다.

4) 임상 양상

(1) 가해 부모는 훈육을 위해 아이를 구타, 폭행했다고 주장한다.

(2) 가해자는 75%가 부모, 15%는 친척, 친족 아닌 양육자가 10%이다.

(3) 타박, 골절, 화상 등 신체적 손상으로 사망에 이르기도 한다.

5) 진단

감추려고 하는 사람이 많아 진단에 어려움이 따른다.

6) 치료

소아를 위험한 환경으로부터 격리하고 부모를 먼저 치료해야 하며 사회단체와 연계를 통해 해결방안 모색하여야 한다(의료인은 아동학대 발견시 신고의무가 있음).

노인정신의학
Geriatric Psychiatry

공병훈 오진욱 고미애 김우정

Chapter

XXVIII

Introduction

▶ 노인정신의학에서 노년기는 65세 이상의 노인에 적용되는 것으로 간주합니다. 이 시기는 여러 신체기능이 감퇴하고, 건강 유지가 주요 관심사항이 됩니다. 이 단원에서는 정상노화가 아닌 경우를 구별하고, 약물 사용 등에서 보통의 성인과 다른 점, 흔히 이환되는 질환 등에 대해 알아두는 것이 좋습니다.

▶ 우리나라는 이미 고령사회에 진입했다고 볼 수 있으므로 앞으로 노인 환자들을 흔히 만나게 될 것입니다. 따라서, 노인정신의학의 중요성은 계속해서 커질 수 밖에 없습니다.

1. 개론

1) 노화의 정의

배아의 발생에서부터 죽음에 이르기까지 나이가 들어가면서 나타나는 삶의 전체적인 변화를 의미한다. 생물학적으로 노화는 세포의 노화를 의미한다(나이가 들수록 세포의 구조적 변화가 발생함).

2) 건강한 노후를 위한 과제

정신적으로 건강한 노화란, 신경인지기능을 연령 수준에 맞게 유지하고, 감정이나 정동의 변화도 크지 않고 안정적이어야 하며, 스트레스를 받아도 받아들이고 대처할 수 있는 상태를 의미한다.

2. 노인의 심리사회적 특징 기출

나이가 들면서 증가하는 수많은 스트레스와 그에 따른 적응을 보이는 이 시기를 거치면서 노인들은 인생의 목적과 안녕을 유지하려고 노력한다.

1) 노인의 심리적인 특성

에릭슨의 인간 발달 단계상 노년기의 심리과제는 '자아통합 대 절망(심리사회적 발달의 마지막 단계)'으로 자신의 인생과 죽음을 잘 수용하여 자아통합을 이루는 것이다. 자신의 인생을 실패했다고 여기거나 자신과 타인을 원망하며 죽음을 수용하지 못하는 경우 자기 인생을 되돌릴 수 없는 것에 대한 후회 등의 절망에 빠지게 되고, 자기 나름대로 인생의 의미를 찾고 보람을 느끼게 되면 인생에 대한 참다운 지혜를 획득하여 보다 높은 차원으로 자아통합을 이루어 나가게 된다.

(1) 노년기 감정변화와 심리변화(정상노화)

질병과 배우자 사망 등을 경험하며, 고립감, 외로움을 느끼고 우울에 빠질 수 있다. 신체적, 경제적 능력이 저하하며 누군가에게 의지하려는 경향이 생기고, 활동이 감소하며 행동반응도 자기 내부로 향하게 된다. 융통성이 없어지고 고집을 부리고, 자신에게 익숙한 과거의 방식으로만 일을 처리하려고 한다. 전반적인 감각기능이 저하되어, 조심성이 많아지고 어떤 일을 결정하는데 시간이 지연되며 위험을 피하려 한다.

① 성
- 성역할 변화: 남자의 경우, 위축되고 수동적인 면이 증가, 여자의 경우, 능동적이고 공격적으로 되는 경향
- 성기능 감퇴하며 심리적 위축될 수 있지만, 젊은 성인처럼 성욕과 성반응을 느낀다.

② 성격적인 변화
- 평소 성격이 강화되는 한편 자기조절능력이 저하되어, 억눌렸던 감정이 쉽게 밖으로 표출된다.
- 부정, 투사, 위축 등 원시적인 방어기제 사용이 가능하다.

③ 노인들의 정신의학적 문제
- 주요우울장애, 기분부전장애의 유병률은 젊은 성인보다 적으나, 우울증의 경우 신체적 증상이 많고, 치매와 유사한 인지저하의 증상이 관찰되는 것이 특징이다.
- 자살 발생률이 높다.

(2) 노년기 인지변화

- 노년기에는 지능저하, 기억감퇴, 정보처리의 둔화, 사고의 경직을 경험한다. 이로 인해 논리적인 문제해결능력의 감퇴가 일어난다.
- 속도보다는 정확성을 더 중요하게 생각하여 결정하는데 시간이 많이 걸리지만, 풍부한 지식과 경험을 통해 뛰어난 활용능력을 발휘할 수 있다.

TIP 주의력

- 감각기관을 통해 입력되는 정보들에 대한 관심을 의미함
- 정보 처리에 관여하는 과정적 속성에 따라 선택주의력, 분할주의력, 지속주의력으로 구분 가능
- 노년기에는 선택주의력, 분할주의력이 감소함, 지속주의력은 연령과 연관이 적음
  * 선택주의력: 꼭 필요한 정보에 주의를 기울여 선택하는 능력
  * 분할주의력: 주의를 적절하게 분산시켜 동시에 여러 가지 일을 할 때 유용하게 사용
  * 지속주의력: 한 가지 활동에 주의를 기울여 일정 시간 동안 지속적으로 유지할 수 있는 능력

TIP 기억력

- 기억력의 기간, 방법 등 여러 방식으로 구분이 가능함
- 의미기억, 절차기억: 상대적으로 기능의 감퇴가 적음
- 삽화기억: 최근 기억을 중심으로 사건과 일화에 대한 기억이 저하됨
  * 서술기억(명시적 기억, explicit memory), 비서술기억(암묵적 기억, implicit memory)
    → 서술기억이 연령에 따라 감퇴

TIP 실행기능

복잡한 목표행동을 계획하고 구성하며, 효율적으로 실행하는 데 필요한 인지기능으로 추상적 개념, 문제해결능력, 판단력 등이 포함된다.

2) 노년기에 겪을 수 있는 문제들

(1) 죽음

① 에릭슨은 죽음을 수용하고 대처하는 것을 중요 발달과제라고 이야기하였다. 자신의 삶을 긍정적으로 수용하여 자아통합에 이름으로써, 죽음에 대한 불안을 감소시킬 수 있다고 하였다.

② 퀴블러 로스는 죽음에 이르는 5단계를 제시하였다(부정, 분노, 타협, 우울, 수용). **기출**

(2) 사별과 애도

- 사별은 죽음에 의해 어떤 사람과의 관계가 박탈된 상태를 의미한다.
- 애도는 사랑하는 사람의 상실을 겪고 남아 있는 사람의 주관적인 심리적 반응을 의미한다.

① 사별과 우울증

정상 애도와 우울증은 증상이 중복될 수 있지만 엄밀하게 구분된다.

- 정상 애도: 긍정적인 감정이 부정적인 감정을 대치해나가는 복잡한 경험, 수 일, 수 주가 지나면 강도가 감소하고 공허함, 상실감, 고인에 대한 생각과 기억이 나타날 수 있다.
- 사별 후 주요우울장애: 치료받지 않으면 인지할 만한 뚜렷한 증상이 지속되며, 일이나 사회적 기능이

떨어진다. 병리적인 정신신경면역 기능 및 다른 신경생물학적 변화를 동반하며 자기 비판적인 비관적인 반추가 주된 내용이 된다.

② 사별과 연관된 내과적 혹은 정신과적 질병

내과적 기저 질병이 악화되며, 주요우울장애, 불안, 공황, 외상후스트레스장애와 같은 증후군의 동반이 가능하며, 자살 위험성은 증가하게 된다.

(3) 노인학대

① 노인의 건강과 안녕을 해치거나 해할 위험이 있는 결과를 초래하는 행위나 태만을 저지른 행동이며, 신체적, 정서적 혹은 심리적, 언어적, 성적, 재정적 학대와 방임, 유기 등이 포함된다.

② 가해자는 대부분 가족이며, 가끔 간병인일 수 있다. 아들이나 며느리에 의한 폭력이 가장 흔하다. 환자 요인으로는 알코올 의존 등의 약물중독, 가정폭력의 과거력 남성, 75세 이상의 경우에 더 흔하다.

3. 노인의 생물학적 특징

1) 노화에 따른 생물학적, 인지기능 및 수면 변화

표 28-1. 노화에 따른 생물학적, 인지기능 및 수면 변화 [기출]

뇌		무게감소, 이랑 위축, 뇌고랑 넓어짐, 뇌실 확장, 뇌-혈관 장벽간 이동 증가, 대뇌혈류 및 산소 감소
인지기능	처리속도	저하
	주의집중력	단순집중력은 유지/ 복잡한 집중능력 저하
	실행능력	익숙한 것에 대한 추론, 유사성 능력 유지/ 반응억제 저하, 정신적 유연성 감소하여 복잡한 추론 및 개념형성 능력 저하
	기억력	비서술기억 유지, 의미기억 유지/ 삽화성 기억 저하, 습득속도 저하, 기억회상 저하
	언어능력	전반적으로 유지: 어휘력 증가/ 언어유창성, 시각적 물체 이름대기 저하
	시공간능력	대상 및 공간 인지 유지/ 시각 구성 능력 저하
감각기		조절능력 감소, 안구렌즈가 두꺼워지고 변색됨, 암순응 감소, 주변시력 감소, 고주파 청력손실, 미각·후각·촉각 감소
심혈관계		심장의 무게 및 크기 증가, 심장판막의 탄력 감소 및 석회화, 심장질환 없으면 심장 박출량은 비교적 유지, 부정맥 위험 증가, 혈관의 콜라겐 증가, 혈압이상 증가
내분비계		부신 안드로겐 감소, 성장 호르몬 감소, T3감소, T4정상, TSH정상, 남성-테스토스테론 감소, 여성-에스트로겐 감소 & 폐경기 후 FSH 및 LH 증가
근골격계		근육량 및 근력 감소, 체지방 증가
수면변화		총 수면량 감소, 수면 효율 감소, 1&2단계 수면 증가, REM 수면 감소, 3&4단계(서파수면) 감소

2) 노화에 따른 약물동력학과 약력학의 변화

(1) 약물동력학(pharmacokinetics)의 변화

약물동력학: 신체가 체내에 들어온 약을 어떻게 처리하는지에 대한 것, 주로 약의 흡수, 체내 분포, 대사, 배설의 과정을 의미함

① 약물 흡수

일반적인 노화 영향보다는 위장관계의 암, 수술력, 염증성 장질환, 변비나 당뇨병성 장병증 등의 개별적인 요인들을 고려한다.

② 대사

- 장에서 흡수, 간에서 대사
- 일반적으로 간에서의 약물 대사는 노화에 의하여 영향을 받지 않는다. 그러나, 프로프라놀롤(pro-pranolol)과 같이 간 처음통과효과(first-pass effect)가 큰 약물들 → 생체이용률(bioavailability)이 크게 증가 → 부작용 증가
- 물질대사를 위한 간의 예비력 감소, 간세포의 재생능력 저하 → 간의 공존 질환 및 간 대사에 영향을 주는 동반 복용 약물에 의한 영향↑ → 기저 간기능 및 약물 상호 작용에 유의한다.
- 약물의 용량을 조절, 간 기능의 변화를 추적 모니터링한다.

③ 분포

- 근육량과 체내 수분량 감소, 체지방의 비율 증가 → 친수성 물질에 대한 분포용적이 감소 → 알코올, 젠타마이신(gentamicin), 리튬: 혈중 농도 ↑
- 반대로, 친지질성 약물의 경우 녹아있을 수 있는 용적↑ → 아미트립틸린(amitriptyline), 다이아제팜(diazepam)과 같은 약물의 반감기↑
- 영양결핍, 쇠약 노인: 알부민 수치↓ → 이와 결합하는 와파린(warfarin)의 자유 농도↑ → 출혈 등의 치명적인 결과

④ 배설

- 콩팥 크기 및 혈류량 감소, 콩팥단위의 소실 → 사구체 여과율, 크레아티닌 청소율↓
- 신기능 감소 시, 신장을 통해 배출되는 약물들의 용량 조절이 필요
- 신기능 평가: 혈청 크레아티닌 농도(노인: 크레아티닌이 근육에서 대사되어 나와, 약물용량을 결정하는 것이 적절하지 않을 수 있음)

(2) 약력학(pharmacodynamics)의 변화

① 약력학: 약이 인체에 작용하는 효과에 관한 것을 의미하며, 일반적으로 노화되면 약물에 대한 민감도가 증가되는 경향이 있음

② 항정신병약물: 추체외로증상이 호발(도파민 수용체 민감성 증가에 기인). 추체외로증상이 이미 존재하거나, 치매가 동반된 환자들의 경우 노년기 운동장애 위험성이 더욱 증가할 수 있음

③ 항콜린성 제제, 벤조디아제핀 제제 등은 추체외로 부작용을 조절할 수 있지만, 반면 이들의 사용은 인지기능을 저하시키거나 섬망 발생에 기여할 수 있다.

(3) 노인에서 약물 사용시의 주요 원칙

① 동반질환과 이에 따른 복용 약물이 많아 약물 간 상호작용을 고려해야 한다.

② 약물 반감기 등의 변화, 약력학적 변화를 동시에 고려하여 약물용량(dosage)을 결정한다.

③ 일반적인 원칙으로, 보다 적은 용량으로 시작을 하는 것, 좀 더 천천히 증량하고, 부작용에 대한 주의 깊은 모니터링하고, 효과를 보이는 최소한의 용량으로 약물을 처방한다.

표 28-2. 노인의 정신과적 약물 사용시 주의사항

삼환계 항우울제(TCA)	부정맥 유발 가능: 사용전후로 심전도 확인
아미트립틸린	체지방 증가로 인한 반감기 증가
리튬	사구체여과율 감소, 마른체중감소로 인한 분포용적의 감소로 부작용 위험성 증가
알파1 차단제 및 해당 작용이 큰 항전신병제제	기립성 저혈압
베타 차단제	수용체 민감도 감소
프로프라놀롤	간 초회통과효과 감소로 인한 생체이용률 증가
벤조디아제핀	인지기능 저하, 섬망 발생위험
항콜린성제제	인지기능 저하, 섬망 발생위험, 배뇨곤란
항히스타민제제	배뇨곤란, 주간졸림

4. 노년기 정신장애

1) 신경인지장애

Chapter 23. 참고

2) 기분장애

(1) 노인의 우울장애

① 역학

노년기 정신과적 증상 중 가장 흔하다.

② 원인

나이 자체는 위험요소가 아님, 배우자의 사별, 만성 내과질환이 우울증을 취약하게 하는 요소이다.

③ 임상양상

- 젊은 연령에서의 우울장애에서 나타나는 임상양상에는 차이 없으며, 다만 각각의 임상증상의 빈도에는 차이가 있다.
- 멜랑콜리아성 우울증상이 흔하며, 잠들기 어려움, 초조, 식욕 부진 및 체중 감소 등의 증상, 신체증상에 대한 호소가 증가, 공허감, 죄책감에 대한 호소가 적다.
- 지속적인 무감동(anhedonia): 즐거운 자극에 대한 결여와 연관 있으며, 노년기 우울증(late-life depression)에서 흔한 핵심증상
- 인지기능의 저하: 나이와 상관없이 심한 우울증에서 흔히 동반됨
- 우울삽화 기간 동안 정신병적 증상이 흔히 동반(대개 망상인 경우가 많으며, 환각은 드묾)된다.
- 망상의 주된 내용: 죄책감, 건강염려증, 허무주의, 피해망상, 질투망상 등
- 정신병적 우울장애 → 항우울제와 항정신병약물의 병합 / 전기경련요법 등의 치료
  Ex) 치매 환자의 망상: 덜 체계화되어 있고 기분의 상태와 일치하지 않음

④ 진단

자신의 증상을 숨기거나 부정하는 경향이 높다.

기질적 원인을 가지고 있는 경우가 많아 내과적 및 신경과적 질환에 대한 검사 필요하다.

→ 만발성 우울장애: 신경인지검사상 손상이 심하고 추적관찰 시 치매 발생이 많아, 뇌영상검사가 필요하다.

> **TIP** 우울 치매증후군(dementia syndrome of depression) 혹은 가성치매(pseudodementia)의 특징
> - 노인 우울환자에서 나타나는 인지장애
> - 우울한 노인의 약 15% 정도에서 나타나고 치매와 감별하는 것은 매우 중요
> - 인지기능의 손상은 우울증상의 악화와 호전에 따라 손상의 정도가 변함
> - 인지 기능의 평가에 '나는 모른다'는 말을 반복
> - 평가에 대해서 적극적이지 않음 혹은 반대로 증상을 스스로 과도하게 걱정하며 도움을 요구

⑤ 치료

- 우울장애의 치료와 비슷하며, 부작용에 주의한다.
- 기전에 따른 부작용의 차이가 더 중요하다. 항우울제를 사용할 때는 성인 용량의 1/2의 저용량으로 시작, 서서히 증량하고 충분한 용량을 충분한 기간 동안 사용 후 치료에 대한 반응을 결정한다.

(2) 노인의 양극성장애

① 역학

나이가 증가함에 따라 점진적으로 발병이 감소, 하지만 어느 연령에서든 조증삽화의 발병은 가능

② 원인

- 만발성(late onset): 50세 이후 발병, 신경학적 질병의 공존이 많음
- 일차성 조증 vs. 약물, 내과적 및 신경학적 질병에 의한 이차성 조증인지 감별

③ 임상양상

- 50% 우울삽화로 시작, 조증삽화까지 평균 15년의 긴 잠복기가 있다.
- 기분장애설문지(mood disorders questionnaire, MDQ)를 통해 과거의 조증삽화를 발견하는 것이 도움이 된다.

④ 치료

약물치료: 발프로산, 비정형 항정신병약물 > 리튬

3) 노인의 불안장애

(1) 노인에서 가장 흔한 정신과적 증상 중의 하나이다.

(2) 공포증: 가장 흔한 불안장애로, 광장공포증이 가장 흔함

4) 노년기 정신병

(1) 노년기 조현병

① 40세 이상 60세 이하에 발생하는 경우를 후기발병(late onset)이라고 한다.

② 조발성에 비해 병전기능이 양호, 편집망상과 환각증상이 흔하며, 상대적으로 와해증상, 음성증상이 적으며 편집형 조현병의 비율이 더 높다.

(2) 망상장애

① 발병시기: 대개 40~55세이지만 노년기 언제든 발생 가능

② 후기발병 망상장애: paraphrenia, 조현병 가족력이 있는 경우 발병률 높으며, 피해망상이 가장 흔함

③ 치료원칙: 안전한 환경, 치료적 관계 맺기, 항정신병약물을 포함한 적절한 약물치료가 원칙이며, 급성 행동장애를 조절하는 것이 필요함

5) 노인의 수면과 수면장애

- 고령은 수면장애의 증가하는 유병률과 관련된 중요한 요소이다.
- 노화 과정: 전체 수면시간 감소, 수면 중 각성 자주 발생하며, 1~2단계 수면 증가, REM 수면 감소로 불면 문제, 주간 졸림, 주간 낮잠이 많아짐 기출

(1) 원인: 일차성 수면장애, 다른 정신질환, 일반적 의학적 질환, 사회 & 환경적 요소

(2) 수면-각성장애: 불면장애가 가장 흔함. 그 외 야간간대성근경련증, 하지불안 증후군, 수면 무호흡증

* 사건 수면: REM 수면 행동장애가 노년기 남성에서 흔함

(3) 수면 방해 요인: 통증, 야간뇨, 호흡곤란, 가슴통증 등

(4) 진정-수면제: 전향기억상실과 같은 기억력 저하, 진정작용, 반동불면, 낮 동안의 금단, 보행장애 등과 같은 인지, 행동, 정신 운동적 영향 관찰

(5) 치료

① 수면 위생에 대한 교육 및 개선

② 인지행동 치료: 자극 조절, 수면시간 제한치료

이완치료, 탈감작 요법, 명상, 바이오피드백 등

③ 약물 치료: 졸피뎀, 졸피뎀 서방형

플루라제팜, 트리아졸람, 에티졸람 등

→ 의존과 내성의 문제

→ 비교적 짧은 반감기를 가진 약물이 위험성 낮음. 가능한 소량을 단기간(3~4주 이내)

사례 예시 / 기출 문제

1-01. 65세 남자가 은퇴 후 동창 모임에 갔다 온 뒤, 같이 늙어가는 것들이 돈 좀 있다고 목에 힘주고 으스대는 모습을 보고 조그마한 일에도 불같이 화를 냈다. 특히 자존심을 건드리는 말이나 행동에 민감한 반응을 보였다. 이 사람의 노년기 심리 변화에 해당하는 것은?

① 자기애
② 의존성
③ 독단성
④ 애착심
⑤ 정확성

자존심의 손상 → 자기애적인 발달단계로 퇴행

1-02. 다음 중 노년기 정상 노화의 과정에 해당하는 것은?

① 능동성 증가
② 독단성 감소
③ 의존성과 순응성 감소
④ 자기애적 단계로의 퇴행
⑤ 친근한 사물에 대한 애착심 감소

– 노년기: 이기주의, 의존성, 내향성, 수동성, 독단성, 경직성, 조심성, 순응주의 경향. 친근한 사물에 대한 애착심
– 자기애: 노년기는 제2의 유년기, 자기중심적, 의존적으로 변함

부정, 투사, 위축 등 원시적 방어기제 동원

1-03. 다음 중 노화에 따른 정상적인 신체, 심리적 변화로 옳지 않은 것은?

① 정상 기능을 하는 뇌신경세포 수가 감소한다.

② 친근한 사물에 대한 애착심이 감소한다.

③ 전반적인 인지 기능이 저하된다.

④ 시각 및 청각 기능이 저하된다.

⑤ 매사에 자신감이 감소된다.

오히려 친근한 사물에 대한 애착심이 증가합니다.

1-04. 정상적인 노화과정에 감퇴하지 않고 평생 동안 유지되는 인지 기능은?

① 동작성 기능(performance intelligence)

② 언어성 지능(verbal intelligence)

③ 삽화 기억(episodic memory)

④ 작업 기억(working memory)

⑤ 최근 기억(recent memory)

언어성 지능은 유지되는 경우가 많고, shifting attention이 필요한 수행에 어려움을 겪고 simple recall의 감소를 보입니다.

2-01. 다음 중 노인의 향정신성 약물치료에 관한 설명으로 옳지 않은 것은?

① 복합약물치료는 부작용의 위험이 높다.
② 가능하면 반감기가 긴 약물을 사용한다
③ 통상 성인 용량의 1/2~1/3로 시작한다.
④ 하루에 필요한 용량을 3~4회 분복한다.
⑤ 단계적으로 서서히 증량한다.

GFR 감소로 인해 신장에서의 배설이 늦어지는 경향이 있습니다.
반감기가 짧은 약물을 사용하는 것이 좋습니다.

2-02. 다음 중 노인에서 정신과적 약물치료를 할 때 주의해야 할 사항으로 옳은 것은?

가. 통상 성인 용량의 1/2~1/3로 시작한다.
나. 일반 성인 용량을 분복하면 체내에 축적되는 경향이 있다.
다. 용량 증가는 부작용에 주의하며 서서히 시행한다.
라. 약물 사용을 싫어하므로 하루에 한 번 복용할 수 있게 한다.

적은 용량으로 시작하여 서서히 증량합니다.
노화에 따른 GFR 감소로 인해 배설이 줄어들게 됩니다.

① 가, 나, 다　　　　② 가, 다
③ 나, 라　　　　　 ④ 라
⑤ 가, 나, 다, 라

2-03. 다음 중 노인의 정신과적 약물치료에 관한 설명으로 옳은 조합은?

> 가. 적은 용량부터 시작하여 서서히 증량한다.
>
> 나. 벤조디아제핀의 경우 반감기가 짧은 것을 사용한다.
>
> 다. 체지방 증가로 지용성 약물의 효과가 오래 갈 수 있다.
>
> 라. 알부민 감소로 복합약물치료 시 부작용의 위험이 낮다.

① 가, 나, 다   ② 가, 다

③ 나, 라   ④ 라

⑤ 가, 나, 다, 라

〈해설〉

노인에서 혈중 알부민 농도가 낮고 단백결합이 감소하여 약물의 자유 분획이 증가하는 등의 이유로 약물 대사의 최대비율도 감소하여 부작용 발현 가능성이 높아집니다.

3-01. 72세 여자가 두 달 전부터 기억력이 떨어진다고 병원에 왔다. 이전과 달리 즐거운 일이 하나도 없었고 모든 것이 귀찮고 피곤하다며 움직이지 않으려고 하였다. 간이정신상태검사(MMSE) 점수는 27점이었고 학력은 초등학교 졸업이었다. 검사 중 조금만 어려워도 모른다고 포기하였으나 주의력과 집중력은 비교적 잘 보존되어 있었다. 치료는?

① 도네페질(donepezil)   ② 둘록세틴(duloxetine)

③ 로라제팜(lorazepam)   ④ 갈란타민(galantamine)

⑤ 발프로산(valproic acid)

기억력이 떨어지는 주소로 내원한 노인 환자의 경우, neurocognitive disorder, major depressive disorder 등을 감별해야 합니다.

neurococognitive disorder	pseudodementia
인지기능의 수행이 지속적이며 일정한 양상 인지기능 평가에 대해서 적극적이지만 오답을 제시하는 경우가 많음	노인 우울환자에서 나타나는 인지장애 우울한 노인의 약 15% 정도 인지 기능의 평가에 '나는 모른다'는 말을 반복 평가에 대해서 적극적이지 않음 증상을 스스로 과도하게 걱정하며 도움을 요구

3-02. 다음 중 고령의 우울증 환자에서 볼 수 있는 모습은?

① 대부분 신체적으로는 건강하다.
② 식욕과 체중 증가가 흔하다.
③ 인지기능은 정상적으로 유지된다.
④ 부적절한 죄책감이 흔하다.
⑤ 증상은 주로 오후에 심해진다.

<해설>

연령대별로 우울증에서 주로 호소하는 증상에 대해 알고 있어야 합니다. 사춘기 전 소아 somatic complaint, psychomotor agitation, hallucination 사춘기 이후 psychomotor retardation, delusion(소아의 경우 견고한 망상 형성의 어려움)
노인
– 무감동(anhedonia): 노년기 우울증(late-life depression)에서 흔한 핵심증상
– 잠들기 어려움, 초조, 식욕 부진 및 체중 감소 등의 증상, 신체증상에 대한 호소가 증가

3-03. 다음 중 노년기 우울증의 특징으로 옳은 것은?

① 신체적 증상 호소는 드물다.
② 인지기능은 정상적으로 유지된다.
③ 망상장애와 감별이 힘들다.
④ 성인기에 비해 재발은 드물다.
⑤ 배우자 상실과 관계가 없다.

신체증상을 호소하는 경우가 많고, 인지기능에 영향을 줍니다.

나이가 들수록 여자에서 호발하며,
신체증상 호소가 많습니다.

3-04. 다음 중 노년기 우울장애에 관한 설명으로 옳은 조합은?

> 가. 성인기에 비해 자살률이 더 낮다.
>
> 나. 나이가 들수록 여성에서 더 많이 발병한다.
>
> 다. 성인기 우울증에 비해 재발이 더 적다.
>
> 라. 신체증상을 호소하는 경우가 많다.

① 가, 나, 다   ② 가, 다

③ 나, 라   ④ 라

⑤ 가, 나, 다, 라

정신과적 응급
Psychiatric Emergency

공병훈 박주호 고미애 김우정

Chapter

XXIX

Introduction

▶ 한국에 자살 환자는 매우 많습니다. 응급실이나 정신과에서 폭력이 발생하는 경우도 많습니다. 응급실에서 자살이나 자해, 폭력 위험이 있는 환자를 만났을 때 어떻게 대처하면 좋을 것인지 생각하면서 공부합니다.

▶ 자살의 위험성에 대해서는 의도 및 계획에 대해 직접적으로 물어보는 것이 핵심입니다.

1. 자살(Suicide)

1) 역학

(1) 자살률

인간의 10대 사망 원인의 하나, OECD 소속 국가 중 한국의 경우 2003년을 기준으로 11년째 자살률 1위다.

• 한국의 자살 현황(통계청 자료)

① 성별에 따른 10만 명당 자살자 수: 남성 > 여성, 자살기도자 수: 여성 > 남성

② 자살시도는 청년층과 여자, 자살성공은 노년층과 남자에서 많음

③ 연령에 따른 10만 명당 자살자 수: 30~50대 연령층은 증가, 이외 연령층은 감소(2013년) / 전 연령에서 감소하였으며, 특히 60세 이상이 가장 많이 감소함(2017년; 국가차원의 자살예방사업의 효과로 추정).

2) 자살과 문화

(1) 연령대별 사망 원인에 있어서 자살의 순위가 다르다.

　: 10~30대에 가장 높고, 40~50대에서 두 번째 높다.

(2) 기혼자가 가장 자살률이 낮고, 결혼했다가 혼자된 사람이 가장 높다.

(3) 무직자가 자살률이 높다.

(4) <u>봄이 다른 계절에 비해 자살률이 다소 높다.</u>

3) 정신장애와 자살 행위

자살 시행한 사람 중 95%에서 정신장애를 갖고 있었으며 우울장애(80%), 조현병(10%), 치매 및 섬망(5%)의 분포를 보였다.

(1) 우울장애: 자살과 가장 관련 깊은 질환이며, 자살 60~70%가 자살 당시 심각한 우울증을 앓고 있었던 것으로 나타난다. 우울 초기, 회복기에 더 자살하며, 충동성과 연관되어 있다.

(2) 양극성장애: 우울증 상태 > 조증 상태

(3) 조현병: 전체 환자 중 10%, 청소년기&초기 성인기, 발병 후 수년 내

(4) 알코올 관련 장애: 15%가 자살. 80%가 남자, 대부분 기분장애(특히 우울장애) 동반
심리사회적 지지체계 약하거나, 내과적 질병 심하거나, 실직 상태, 혼자 살 경우 자살률이 높음

(5) 물질 남용 환자: 자살률 높음 / 헤로인 의존의 경우 일반인의 20배

(6) 성격장애: 반사회적 성격장애의 경우 약 5%

4) 원인

(1) 자살의 생물학적 원인

세로토닌과 가장 밀접하게 연관되어 있다.

(2) 스트레스-취약성 모형

'위험 요인'과 '방어 요인'의 불균형

① 위험요인

자살 성향, 스트레스, 급성 방아쇠 인자(이별, 상실, 갈등, 경제적 문제, 고민, 부정적인 생활사건, 충격적인 생활사건, 질병의 악화, 자기애적 상처 등)

② 방어요인
- 첫째, 삶을 긍정적으로 바라본다.
- 둘째, 가정이 화목하고 인간관계가 원만하며 의사소통이 원활하다.
- 셋째, 매사에 적극성을 띤다.
- 넷째, 생활 습관이 바람직하다.

5) 위험 요인

(1) 자살 기도 과거력

이전의 자살 기도는 자살의 위험이 증가했다는 것을 알려주는 가장 좋은 지표이며, 첫 번째 자살 기도 후 3개월 내에 가장 높다.

표 29-1. 자살자와 자살 시도자의 특징 비교

	자살자	자살 시도자
성	남	여
연령	30~40대 > 50~60대	30~40대 > 10~20대
직업	정신노동자	육체노동자, 주부
자살이유	질병	가정불화, 경제위기
자살계획	신중히 계획하여 실행	계획 없이 충동적으로 실행
과거 시도한 경험	두 번 이상 또는 없음	없음
위험도(방법)	높음(목맴, 투신)	낮음(음독, 예기 손상)
구조 가능도	낮음(요청 없음)	높음(즉각 요청함)

* 위 표는 신경정신의학 3판에 따른 것으로, 최근 2017년도 통계청 자료에 따르면, 70세 이상, 50대, 40대 순으로 자살사망자 수가 많은 것으로 나타났습니다. 자살에 대한 세부적인 통계결과는 매년 변동되므로 아래 표의 자살위험요인을 중점적으로 알고 계시면 됩니다.

(2) 자해(self-mutilation)

① 자살에 가까운, 자기 파괴의 한 형태를 말하며, 주로 20대, 젊은 여성에서(여자 : 남자 = 3 : 1) 시도가 많다.

- 정신역동학적: 자신이나 함입된 대상을 처벌하고자 하는 무의식적인 욕구에서 생긴 공격적인 충동을 잘못 다룸으로써 나타난 국소화된 자기 파괴로 이해할 수 있음

② 정신건강의학과 입원 환자의 약 4%, 구강 물질 남용 환자의 30%, 주사 물질 남용 환자의 10% 자해한 경험이 있다.

- 방법: 예리한 면도날, 칼, 유리 조각으로 자신의 손목, 팔, 허벅지, 다리 등을 섬세하게 긋고 얼굴, 복부, 유방을 긋는 일은 드묾

(3) 자살 위험 요인 기출

1. 45세 이상
2. 알코올 의존
3. 격한 분노나 흥분을 잘하며 폭력을 자주 행사
4. 자살 기도 경험
5. 남자
6. 어려울 때 남의 도움을 받기 원치 않음
7. 장기간 지속되는 우울증
8. 정신과 입원치료 받은 적
9. 최근에 물질적으로 큰 손해, 중요한 사람과 이별한 경험
10. 우울증
11. 신체적 질병(특히 신부전증, 폐기종)이 있음
12. 실직, 직장에서 은퇴
13. 배우자와 사별하거나 이혼함 또는 독신

6) 평가

(1) 자살생각 평가

① 환자가 우울증상을 보이면, 자살 의도나 사고에 관하여 직접적으로 물어보아야 한다.

② 정신의학적 병력 청취, 정신상태 검사, 우울증상 유무, 자살 의도나 계획 유무, 기도할 것인지, 자살 기도를 되풀이할 것인지 등을 물어본다.

③ 자살과 관계 깊은 정보에 관심을 쏟거나, 장래 계획이 없다고 말하거나, 개인 소유물을 남에게 주거나, 유언을 하거나, 최근에 물질적으로 큰 손해를 보았거나, 중요한 사람을 잃었다면 더욱 주의 깊게 경청한다.

7) 예방 및 처치

입원시킬 것인지의 여부는 사회적 지지 체계가 없는 경우, 과거에 충동적으로 행동한 경우, 자살계획이 뚜렷한 경우 등을 고려하여 결정한다.

2. 폭력(Violence)

1) 폭력의 정의

어떤 사람이 자기의 욕구나 의사를 상대에게 강요하기 위해서 억압하고 구속하는 행위이다.

2) 폭력의 분류와 특징

(1) 정신질환자의 난폭 행동

(2) 가정폭력

(3) 아동학대 및 노인학대

(4) 학교폭력

(5) 성폭력

3) 원인

(1) 생물학적 요인

① 남성호르몬인 테스토스테론의 증가와 세로토닌의 결핍에 기인한 충동성과 공격성의 증가

② 낮은 지능에 따른 자기 조절 능력의 저하와 문제파악 및 해결능력의 저하 등이 연관성이 있다고 알려져 있다.

(2) 유전적 요인

성염색체 이상, 특히 XXY 염색체 이상이 공격성과 연관성이 보고되었다. 쌍생아 연구에서도 공격성 발현에 유전적 원인이 있음이 보고된 바 있다.

(3) 신경해부학적 요인

① 변연계 중 특히 편도와 시상하부는 '분노와 투쟁 반응'을 조절한다고 알려져 있다.

② 전두엽은 충동적 행동발현 등에 대한 억제를 담당하여, 이상시 폭력적 행동 제어에 문제가 발생할 수 있다.

(4) 발달적 요인

① 양육방식에 문제가 있는 부모에게서 자란 아동에게 폭력적 행동이 많다.

② 부모가 물질 남용, 반사회성 성격장애, 충동조절장애, 우울증, 피해 망상적 사고 등 정신병리를 가진 경우, 알코올 중독자 아버지의 가정 내 폭력이 가장 흔한 위험 요인이다.

4) 위험요인

(1) 폭력과 인구사회학적 요인

① 과거에 폭력 행위가 있었던 경우(가장 높은 예측 인자)

② 10대 후반~20대 초반, 정신질환에 이환 되지 않은 일반 남성, 낮은 사회경제적 계층, 낮은 지적 수준과 교육 수준, 거주와 직업의 불안정, 주변 이웃 등 사회적 관계망의 빈곤, 인구가 과밀한 도시 지역, 음주력, 아동기에 학대받은 경험 등

(2) 폭력과 정신질환

① 정신질환이 있는 모든 환자에서 난폭한 행동문제가 발생하는 것은 아니다.

② 정신질환이 동반된 환자에서 폭력행동의 예측요인은 아래와 같다.

- 최근의 현저한 스트레스 경험(이혼, 실직 등), 충동조절능력이 약할 때
- 언어 행동적 위협 등 적대적 행동을 보이는 경우
- 무기로 이용될 수 있는 물건의 휴대, 정신운동의 항진이 지속적으로 있을 때, 술, 약물 등 물질사용장애가 동반되는 경우
- 정신병환자의 편집적 양상, 공격을 지시하는 내용의 환청 등이 있는 경우

5) 평가

인구 사회학적 요인과 같은 교정할 수 없는 위험요인과 현재 정신질환의 이환, 위험한 무기 소지 등 교정할 수 있는 위험요인을 구분하여 평가한다.

(1) 폭력이 임박하였음을 알려주는 신체 징후: 현재 불안, 빈호흡, 빈맥 등 증가된 자율신경계증상

(2) 폭력성의 수준을 예측하는 척도나 외상 및 스트레스와 관련된 장애와 증상에 대한 평가척도 등을 사용해 볼 수 있다.

6) 예방 및 치료

(1) 훈련된 보조 요원의 도움을 받아 가능한 환자를 다치지 않게 하면서 무장해제하게 한다.

(2) 무장하지 않았다면 환자가 대항하지 못할 정도로 주위 사람들의 도움이 충분하거나 환자를 압도할 만한 위엄이 있을 경우에 환자에게 접근한다.

(3) 환자를 안전한 환경에서 보호한다.

(4) 성급하게 약물 투여를 시도하기보다는 우선 환자 스스로가 행동을 조절하게 한다. 원인이 밝혀지기 전까지는 가능한 약물 투여를 늦춘다(두부손상으로 갑자기 흥분된 환자: 약물 투여가 임상적 양상을 혼동시킬 우려).

(5) 항불안제, 항정신병약물

① 할로페리돌(haloperidol) 근육주사: 보통 할로페리돌 5~10 mg IM

② Diazepam (5~10 mg)이나 lorazepam (2~4 mg)을 2분에 걸쳐 서서히 정맥 주사 → 호흡 정지가 일어나지 않도록 각별히 주의한다.

(6) 아동학대

① 아동학대에 신고: 아동복지법에 명시, 학대가 의심되는 아동을 발견 혹은 진료하게 된 의료진은 아동학대예방센터(1391)에 신고해야 할 의무가 있다. 해당 센터에서는 피해아동의 구제를 위한 격리보호 및 가정 복귀 등 사후관리를 담당한다.

② 아동의 정신적 문제에 대해 포괄적인 접근: 아동의 진술능력에 대한 신빙성의 평가 + 현재 가족들의 대처 방법에 대한 평가 아동과 아동을 돌볼 능력이 있는 가족들과 치료적 유대관계 맺는 것이 무엇보다 중요하다.

③ 치료: 학대 피해 아동과 가족 및 가해자가 가진 신체적, 정신적 후유증이나 문제에 대해 직접 개입한다. 놀이정신치료, 약물치료 등을 활용할 수 있다.

(7) 노인학대

① 심리적 치료 및 약물치료를 병행한다. 인지기능저하 등이 의심될 때 진술에 대한 신뢰성을 반드시 확인한다.

② 필요한 경우, 민법상 법적 후견인 제도의 활용을 통한 지원체계에 대해 숙지하여야 한다.

7) 격리 및 강박 실력

(1) 격리

제한된 공간에서 일정 시간 동안 환자의 행동을 제한하는 것이다.

(2) 강박

자신에게나 다른 사람들에게 너무 위험스러워서 어떠한 방법으로도 통제할 수 없는 위협일 때 사용한다.

약물 치료를 받을 때 일시적으로 또는 오랫동안 약물을 사용할 수 없다면 강박될 수 있다. 보통 환자들은 강박을 통해 제지된 후에 평정을 되찾는다.

(3) 적용기준

① 자해 혹은 타해의 위험이 있는 환자를 보호할 목적으로 시행한다.

② 치료 프로그램이나 병실환경을 심각하게 훼손할 우려가 있는 경우

③ 환자의 동의하에 행동요법의 한 부분으로써 사용할 수 있다.

④ 환자가 받는 과도한 자극을 줄여줄 필요가 있는 경우: 격리

⑤ 환자가 스스로 충동을 조절할 수 없다고 느껴, 격리 또는 강박을 요구하는 경우

(4) 적용시의 원칙

① 주치의 또는 당직의사의 지시에 따라 시행하고 해제하여야 한다.

② 격리 또는 강박 시행전과 시행 후에 그 이유를 환자 또는 보호자나 그 가족에게 설명한다.

③ 환자는 타인에게 인격이 보호되는 장소로써 외부 창을 통해 관찰이 가능한 조용하고 안전한 환경에서 실시한다.

④ 치료진이나 병동편의 및 처벌을 목적으로 격리나 강박을 시행해서는 안 된다.

⑤ 치료자가 단독으로 격리나 강박을 시행하려고 해서는 안 되며, 안전을 위해 적절한 수의 치료진 2~3명이 있어야 한다.

⑥ 격리 또는 강박 후 간호사는 자주 환자의 상태를 확인해야 하며, 간호일지에 강박 또는 격리를 시행한 이유, 당시의 환자상태, 방법(보호복, 억제대 2Point, 4Point, 보호조끼)에 대해 자세히 기록한다. 환자 상태에 이상이 있을 시 즉시 주치의 또는 당직의에 보고하도록 한다.

⑦ 강박 조치한 환자에게는 1시간마다 vital sign(호흡, 혈압, 맥박 등)을 점검하고, 최소 2시간마다 팔다리를 움직여 주어야 한다.

⑧ 수시로 혈액순환, 심한 발한(땀흘림)을 확인하여 자세변동을 시행하며, 대소변을 보게 하고, 적절하게 음료수를 공급하여야 한다.

⑨ 환자상태가 안정되어 위험성이 없어졌다고 판단되면, 간호사는 즉시 주치의(또는 당직의사)에게 보고하고 그 지시에 따라 강박 또는 격리를 해제하고 신체의 불편유무를 확인한다.

⑩ 양 팔목과 발목에 강박대를 착용시킬 때는 혈액이 원활하게 순환될 수 있도록 손가락 하나 정도의 공간을 확보하며, 가슴벨트는 등뒤에서부터 양 겨드랑이 사이로 빼서 고정시키고 불편하지 않는가 확인하고 관찰한다.

1-01. 32세 여자가 자살을 기도하여 응급실에 왔다. 8년 전에 결혼을 하였고, 3년 전부터 통신사 콜센터에서 근무를 시작하였으며, 1년 전에도 자살을 기도한 적이 있다. 직장에서 회식 때만 술을 마셨고, 담배는 피우지 않았다. 이 사람의 가장 심각한 자살 위험 요인은?

① 성별 　　　　　　② 결혼상태
③ 직업 　　　　　　④ 과거 자살시도
⑤ 음주력

〈해설〉

과거 자살시도는 자살의 위험요소의 중요한 원인 중 하나입니다.
① 남성이 자살위험 요인
② 미혼 > 기혼
③ 무직 > 재직
⑤ 알코올사용장애 수준의 음주 섭취는 자살의 위험인자

1-02. 35세 여자가 1년 전, 사망한 딸의 기일을 앞두고 우울감이 심해지고 잠을 못 자서 병원에 왔다. "사흘 후에 딸을 만나러 갈 거예요, 목을 맬 장소도 봐두었어요"라며 우울하고 멍한 표정으로 이야기했다. 가족에게는 비밀로 해 달라고 부탁하면서 며칠 잠만 잘 수 있게 해달라고 했다. 입원치료를 권유했으나 거부하였다. 우선적인 조치는?

① 정신분석 　　　　② 수면제 처방
③ 가족에게 연락 　　④ 심리적 부검 실시
⑤ 반복두개경유자기자극술 시행

자살위험이 있는 환자는 환자의 의사가 거부적이더라도 치료자는 가족에게 알릴 의무가 있습니다.

정답　1-1 ④　1-2 ③

〈해설〉

1-03. 평소 부부 금실이 좋았던 72세 여자가 교통사고로 사망한 남편의 첫 번째 기일에 자살하였다. 자살의 원인으로 추정되는 것은?

① 보복적 포기
② 이타형 자살
③ 망상에 의한 죽음
④ 죽은 자와의 재결합
⑤ 지배를 획득하는 수단

- 자살의 심리학적 동기
- 자살자가 죽음과 그 결과에 대해 품는 환상
- 흔한 환상: 죽은 자와의 결합, 복수, 권력 장악, 지배, 징벌, 용서, 희생 혹은 회복
- 탈출 혹은 지속적인 수면, 구원, 재탄생, 새로운 삶에 대한 소원 등

2-01. 25세 남자가 가족들에 의해 손이 묶인 채로 응급실을 방문하였다. 하루 전부터 방에 혼자 있으면서 아무것도 먹지 않다가 자신을 죽이려고 가족들이 모의한다며 몽둥이를 휘둘렀다고 한다. 응급실에서도 가족들을 죽여야 한다며 난폭하게 굴었다. 이 환자에 대한 조치로 옳은 것은?

나. 밀폐된 공간에서의 면담은 치료진의 안전을 해칠 수 있습니다.

라. 환자 상태가 안정되었다고 판단되었을 때 순차적으로 강박을 해지해야 합니다.

> 가. 가족들로부터 최대한 많은 정보를 얻는다.
> 나. 밀폐된 공간에서 환자와 단둘이 면담한다.
> 다. 어떠한 상황에서도 폭력은 허용되지 않음을 알린다.
> 라. 환자를 안심시키기 위해 결박을 풀고 면담한다.

① 가, 나, 다
② 가, 다
③ 나, 라
④ 라
⑤ 가, 나, 다, 라

정답   1-3 ④   2-1 ②

정신사회적 치료
Psychosocial Treatment

박주호 오진욱 고미애 홍민하

Chapter

XXX

Introduction

▶ 정신사회적 치료란 생물학적인 치료와 대비되는 용어입니다. 이 단원에서는 정신치료(psychotherapy)에 대해 배우고, 그 이외에 인지치료 및 행동치료 등 다양한 치료를 공부합니다.

▶ 정신치료는 크게 정신분석과 정신분석적 정신치료로 구분하고, 정신분석적 정신치료의 경우 표현적 정신치료, 지지적 정신치료 등으로 분류합니다. 인지행동치료는 인지치료와 행동치료가 결합된 형태를 말합니다. 각 치료의 특징과 적응증, 주로 사용하는 기법의 차이 등을 공부하면 됩니다.

1. 정신분석(Psychoanalysis)

1) 19세기 말 프로이트(Sigmund Freud)의 신경증(neurosis)에 대한 치료법으로 관심이 대두되었다. 인간의 마음이 어떻게 작동하고 있는지 연구하는 학문이다.

2) 프로이트는 당시 환자를 하루에 한 시간씩 매일 카우치(소파)에 눕게 하고 환자 마음속에 떠오르는 이야기를 아무 여과 없이 얘기하도록 독려하였다. → 자유연상(free association)

3) 환자의 문제를 과거 어린 시절에 경험한 정신적 상처가 억압되어 무의식적 갈등이 만들어져서 마음과 몸에 이상이 생긴 것으로 보고, 환자의 무의식을 의식화하여 내면의 억압된 성욕이나 공격성의 내용을 확인시키고 자기 문제의 핵심을 통찰하도록 하는 치료이다.

4) 안정적이어서 스트레스를 견딜 수 있고 의지가 있는 경우에 적용할 수 있다.

5) 조현병, 기분장애의 경우에는 시행하지 않는다.

2. 정신분석에서 일어나는 과정 및 기법(Psychoanalytic process and Techniques)

1) 전이(Transference) `기출`

환자가 소아시절에 부모나 부모 대행자에게 경험하였던 사랑과 미움의 감정 또는 욕구, 방어 내지 소아신경증이 치료 현장에서 반복되어 나타나는 현상이다.

Ex) 환자가 치료자의 모습에서 환자가 생각하는 이상적인 아버지의 모습이라고 생각하는 것

"제 이야기를 잘 들어주는 선생님은 과거에는 경험해본 적이 없다"

(1) 환자는 치료자를 어릴 때의 아버지처럼 느끼고 의존하기도 하고 요구하기도 한다.

(2) 전이가 발생하는 데 관여하는 주요 방어기제: 전치(displacement), 투사(projection), 투사적 동일시(projective identification)

2) 저항(Resistance)

환자가 치료 중 자신의 무의식적 갈등이나 감정을 드러내지 않으려 하는 것이다.

Ex) 치료시간에 자꾸 지각하는 것, 치료자를 무조건 맞다고 동의하는 것, 자유연상이 차단

(1) 저항을 인식하고, 그 원인에 대해 탐색하는 것이 중요하다.

(2) 신경증적 방어기제의 대표는 억압(repression). 불편하고 해결되지 않은 무의식적 갈등을 무의식적으로 억누르는 것이다. (참고: 의식적으로 자제하는 억제(suppression)와는 다름) 환자가 저항을 보일 때, 들여다보기 불편한 자기 내면을 자꾸 들여다보게 해서 이를 피하고자 하는 무의식적 행동을 자신이 보이고 있다는 것을 환자가 깨닫게 도와주는 것이 정신분석에서 중요한 치료과정이다.

3) 해석(Interpretation)

치료자가 자신이 파악한 전이와 저항, 정신기제, 무의식의 내용 등의 의미를 환자가 이해하게끔 해주는 것. 해석을 받아들이는 과정은 환자 스스로에게 고통스러울 수 있다. 환자가 해석을 받아들일 준비가 어느 정도 되었을 때 시도해야 한다.

Ex) "당신은 어렸을 때 아버지와의 관계에서 혼났던 감정을 이 자리에서도 자주 느끼고 있는 것 같습니다"

4) 역전이(Countertransferene) `기출`

치료자가 환자에게서 과거 중요인물에 대해 가졌던 감정을 느끼는 것을 말한다.

Ex) 치료자는 나이든 환자를 보고 자신의 어머니를 떠올리며 치료에 임함

(1) 프로이트는 역전이가 치료를 방해한다고 이해했으나 현재는 역전이를 분석치료에 유용하게 활용할 수 있는 꼭 필요한 요소로 생각한다.

5) 치료적 동맹(Therapeutic alliance)

성공적인 치료과정을 위하여 참여하는 환자 및 치료자의 현실적인 협력을 의미한다.

6) 훈습(Working through)

실질적인 진정한 변화를 수반하기까지 환자가 해석을 반복적으로 받아들이는 과정, 분석치료의 실효를 거두는 과정이다.

3. 정신분석적 정신치료(Psychoanalytic psychotherapy)

1) 정신분석에서의 전이, 저항을 다루는 것이 치료 이론의 근간이 된다.
2) 목표: 인격에 방어의 부분적 재구성, 전의식과 의식적 갈등의 해결, 현재의 대인관계의 통찰 획득, 대인관계 개선, 증상 감소이다.
3) 다만 정신분석보다 좀더 심한 정신병리를 가지고 있는 환자를 대상으로 하며 현재 환자가 가지고 있는 대인관계 문제를 조금 더 다룬다는 점(here and now)이다.
4) 기본 원리는 정신분석과 같으나 정신분석보다 조건을 다소 완화하고 융통성이 있는 치료기법이다.
5) 표현형 정신치료 및 지지적 정신치료로 구분한다.

(1) 표현형(expressive)

① 정통 정신분석과 유사, 문제에 대한 직면. 명료화 등의 기법을 주로 사용한다.
② 목표: 증상 완화와 제한적 성격 변화(성격구조, 방어 양상의 수정)
③ 자아 방어기제를 효과적으로 보완, 비교적 중립적인 입장이다.
④ 적응증: 신경증, 성격장애 등 어느 정도 좌절을 견딜 수 있는 상태에 효과적, 병전 적응이 높고 대인관계 원만, 유발인자 확실한 급성 발병일수록 좋음

(2) 지지적(supportive)

① 증상완화, 자존심, 자아기능 등의 회복이 우선적인 목표. 전이를 덜 다룬다.
② 치료자가 환자의 의존을 어느 정도 허용해야 하므로 의사의 권위가 효과적이다.
③ 자아기능이 약한 경우나 적응장애, 급성 불안발작 등에 효과적이다.
④ 적응증: 현실검증력 부족, 충동 억제력 부족, 단기간의 지지만이 필요한 경우

표 30-1. 분석적 정신치료와 지지정신치료의 비교

	표현형, 분석, 통찰지향 정신치료	지지형, 관계지향적 정신치료
목표	인격변화 및 방어 재구성 갈등해결, 증상 제거 대상관계 개선	자아 기능 및 대처능력 유지 이전의 평형상태 회복 좋은 적응, 기능유지, 증상감소 환경조절, 입원방지
빈도	주 1~3회	아주 다양, 주 1회 월 1회 등
시간	45~50분	아주 다양 5~90분
장면	마주 보는 면담	마주 보는 면담
치료자 역할	수정된 중립성	중립성 유예, 적극성, 지시노출
선택기준	충분한 동기와 심리적 이해 좋은 대상관계	약간의 동기와 심리적 이해 치료동맹 형성 능력
주기법	제한적 자유연상 직면, 명료화, 해석 제한적 발생적 해석 역동 방어 부분해석 제한적 전이 조장 및 해석 제한된 퇴행 부정적 함축 탐색	자유연상 금기, 주로 지지기법 안심, 환기, 제반응, 지지, 암시 등 발생적 해석 금기 치료동맹과 실제 대상관계 전이욕구 충족 퇴행 없음 긍정적 함축 강조
부가적 치료	필요할 수 있음(약물)	흔히 필요(약물, 가족, 재활, 입원)

4. 정신분석적 정신치료(표현형/지지적)에서 나타나는 기법들

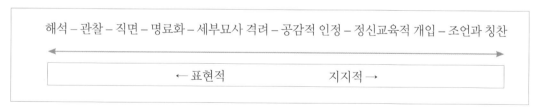

그림 30-1. 개입의 표현–지지 연속선

1) 직면(Confrontation)

환자가 인정하지 않으려거나 피하거나 축소해버리는 행동 양상을 보이며 사고, 감정에 대해 말해주거나 확인시킨다.

2) 명료화(Clarification)

대화내용들에 대해 통합된 관점을 갖도록 하기 위해 환자가 말한 것을 모으고 재구성한다.

3) 세부묘사 격려(Encouragement to elaborate)

환자에게 말하는 것에 대해 더 자세하고 많은 정보를 달라고 요청한다.

4) 공감적 인정(Empathic validation)

치료자가 환자의 내적 상태에 대해 감정이입적, 동정적 동조를 한다.

5) 조언과 칭찬(Advise and praise)

의사가 중립적 입장을 떠나 어떤 행동을 하라고 처방하거나 칭찬함으로써 긍정적 행동을 재강화한다.

6) 환기(Ventilation)

여러 가지 갈등이나 불안, 충동성, 죄악감을 치료자에게 속 시원하게 털어놓게 한다.

7) 제반응(Abreaction)

무의식 속에 억압된 억울한 기억이나 감정을 터뜨려 표현한다. 스트레스나 긴장을 정화 또는 완화, 슬픈 감정, 적개심, 분노 등을 발산한다.

8) 안심시키기(Reassuarance)

의사의 권위로 환자를 안심시킨다.

9) 암시(Suggestion)

겪고 있는 증상이 완화되거나 곧 나을 것이라고 암시하여 치료효과를 얻는 것이다.

5. 단기 정신치료(Brief psychotherapy)

1) 현재 문제나 위기를 다룰 수 있도록 단기간 도와주는 기법이다.
2) 치료자의 적극적이고 집중적인 개입, 환자의 참여도를 높인다.
3) 정신분석적 입장 + 지지적 정신치료 + 행동치료
4) 대체적으로 치료 기간의 제한을 미리 설정한다.
5) 적응증: 강렬한 감정을 견딜 수 있는 능력의 환자 – 적응장애, 신경증적 특징을 가진 성격장애에서 적합
6) 무의식적 갈등의 언어화, 제반응(abreaction), 암시(suggestion) 등을 사용하며, 치료자는 중립적 태도보다는 능동적 역할을 취해야 한다.

6. 인지치료(Cognitive therapy)

1) 현재의 문제를 교정하기 위해 새로운 사고와 행동 방식을 배우는 것이다.

2) 적응증: 주요우울장애, 불안장애(범불안장애, 공황장애), 강박증, 편집성 성격장애, 신체증상장애, 기타 경조증, 전환장애, 자살 행동, 신경성 식욕부진증, 건강염려증

3) 자동사고(automatic thoughts)를 파악하고 인지왜곡(cognitive distortion)을 교정

   Ex) 누군가 인사하지 않고 지나쳤을 때 → "그는 나를 좋아하지 않아" (X)

   → "나를 보지 못한 것 같다" (O)

   인사하지 않고 지나쳤을 때 여러 가지 이유에 대한 가능성을 생각해보는 것

4) 정신병적이 없는 우울증(특히 약물치료에 부분 반응이 있는 경우), 불안장애, 정신신체장애, 물질남용장애에서 적응증

5) 마인드풀니스(mindfulness)기반 인지치료(mindfulness-based cognitive therapy, MBCT)

   (1) Mindfulness 명상을 통해 자신의 생각과 느낌을 알아차리고(aware) 이전처럼 자동적으로 반응하는 대신, 판단 없이 관찰하고 그대로 받아들이는 훈련

   (2) 우울증 환자들의 재발 방지를 위한 프로그램

7. 행동치료(Behavior therapy)

표 30-2. 행동치료의 적응증

질환별 적응증	기법
광장공포증	단계적 노출법과 홍수법
주정 중독, 변태성욕	혐오자극법
신경성 식욕 부진증	먹는 행동 관찰, 사고 대책, 체중기록
신경성 대식증	폭식 발작을 기록, 정동 상태 기록
일반적인 공포증	체계적 탈감작법
조현병	토큰 경제
성기능장애	이완, 탈감작, 단계적 노출을 이용한 성치료
노출성 소변장애	이완 훈련
강박장애	체계적 탈감작법

1) 학습 / 조건화된 장애행동을 비학습화 / 비조건화에 의해 치료. 최근 인지이론과 결합하여 인지행동치료로 발전

2) 공포증, 섭식장애, 알코올의존, 성도착, 성기능장애, A형 성격 등 체계적 탈감작법을 적용 → 세 단계로 진행한다. 첫째, 긴장 이완 후, 둘째, 불안, 공포 등의 자극을 hierarchy(위계)를 나누어 셋째, 낮은 단계부

터 노출한다. 이때 긴장의 이완과 함께 공포자극이 노출되어 상호억제(reciprocal inhibition)를 통해 탈감
작 된다.

3) 혐오요법

Ex) 알코올의존환자에게 디설피람(disulfiram)을 투여한 후 술을 마시게 되면 오심, 홍조 등 불편감을 느
끼게 된다. 성도착증 환자에게 충동을 유발하는 상상 이후 전기 자극을 주는 방법: 환자의 불편감을
유발하여 행동을 줄이도록 한다. 치료 후 재발이 잦다.

(1) 긍정강화 & 부정강화

① 긍정강화: 치료목표를 삼은 행동을 했을 때 보상을 주는 것

Ex) 치료를 잘 따를 때 치료자가 관심을 보이고 칭찬

② 부정강화: 치료목표를 삼은 행동을 했을 때 환자가 겪고 있는 불편함을 덜어주는 것

Ex) 주사를 거부하는 신경성 식욕 부진성 환자가 목표량 이상의 식사를 한 날은 수액 주사 처방 X

(2) 노출치료

① 불안, 공포 등. 노출 치료 후 효과를 높이기 위해 반응차단을 시키는 것

② 단계적 노출 및 한꺼번에 대량 노출시키는 홍수법(flooding)으로 분류

vs. 체계적 탈감작과 비교하면, 노출 전 긴장의 이완이 없다는 점이 특징이다.

(3) 생체되먹임(biofeedback)

근육긴장도, 혈압, 맥박수, 체온, 뇌파 등을 모니터링하면서 이완을 통해 생리기능을 조절하게 하는 방법
이다. 긴장성두통, 편두통, 본태성 고혈압 등의 정신신체장애에서 이용된다.

1-01. 31세 남자가 회사에서 상급자가 계속 자신이 올린 보고서를 집어 던지고 회식자리에서도 자신에게만 술을 주는 등 괴롭힘을 당한 이야기를 하면서 눈물을 흘리며 상급자에 대한 분노를 표현하였다. 이후 불안이 감소하면서 누적된 스트레스가 해소되었다고 한다. 사용된 정신치료의 기법은?

① 안심시킴(reassuarance)
② 환기(ventilation)
③ 제반응(abreaction)
④ 지지(supportive)
⑤ 암시(suggestion)

불편한 상황 및 감정을 상기시키면서 억압된 감정을 터뜨리는 것 → 제반응(abreaction)
환기(ventilation)와 구별해야 되는 점 → 감정적으로 터뜨리는 점보다는 누군가에게 상황을 토로하면서 감정이 속 시원해지는 경험을 하는 것이 point

1-02. 62세 여자를 정신치료 중인 분석가가 환자를 대할 때 10년 전 사망한 어머니 생각이 나면서 마음이 불편하다고 하였다. 환자를 만나기로 한 시간이 다가오면 피하고 싶은 마음까지 든다고 하였다. 이런 현상을 이르는 용어는?

① 전이(transference)
② 저항(resistance)
③ 반동형성(reaction formation)
④ 역전이(countertransference)
⑤ 훈습(working through)

역전이(countertransferene):
치료자가 환자에게서 과거 중요인물에 대해 가졌던 감정을 느낍니다. 치료자는 역전이로 인해 치료가 방해되지 않도록 주의를 기울여야 합니다.

정답   1-1 ③   1-2 ④

1-03. 26세 남자가 정신치료 중 긴장된 표정으로 의사에게 "선생님께서 저를 쳐다보실 때마다 괜히 혼날 것 같은 마음이 들어 불편합니다"라고 말하였다. 이에 대해 의사가 "당신은 어렸을 때 아버지와의 관계에서 경험한 감정을 이 자리에서도 자주 느끼고 있는 것 같습니다"라고 말하였다. 사용한 치료기법은?

① 공감　　　　　　　　② 직면
③ 충고　　　　　　　　④ 해석
⑤ 명료화

해석(interpretation)은 치료자가 자신이 파악한 전이와 저항, 정신기제, 무의식의 내용 등의 의미를 환자가 이해하게끔 해주는 것이며 위 문제에서는 치료자가 환자의 무의식적인 아버지와의 갈등을 현재 치료자와의 관계에서 다시 나타남을 환자에게 이해시켜주기 위해 해석의 기법을 사용하였습니다. 해석을 시도할 경우, 환자가 해석 내용을 어느 정도 받아들일 수 있는 상황에서 시도하는 것이 좋습니다.

1-04. 정신분석 치료방법 중 하나인 자유 연상 과정에서 무의식적 요소가 의식화되는 것이 고통스러워 이를 억압하는 방어기제는 무엇인가?

① 승화　　　　　　　　② 취소
③ 퇴행　　　　　　　　④ 저항
⑤ 반동형성

저항(resistance)은 환자가 치료 중 자신의 무의식적 갈등이나 감정을 드러내지 않으려 하는 것이며 이로 인해 치료시간의 잦은 지각, 자유 연상의 억압 등이 나타납니다.

1-05. 20세 여자 대학생이 고등학교 시절부터 자신과 경쟁관계로 사이가 좋지 않던 친구가 과로로 사망한 후 그 친구에 대한 죄책감으로 괴로워하였다. 정신과적 면담 후 환자는 "다 털어놓고 나니 속이 시원합니다"라고 말하였다. 이에 해당하는 정신사회적 치료방법은?

① 암시(suggestion)

② 직면(confrontation)

③ 해석(interpretation)

④ 명료(clarification)

⑤ 환기(ventilation)

1-06. 다음 중 지지적 정신치료에 관한 설명으로 옳은 것은?

① 환자의 방어기제를 억제시킨다.

② 환자의 무의식을 의식화한다.

③ 치료자가 중립적인 태도를 갖는다.

④ 제반응이 주요 치료기법 중 하나이다.

⑤ 환자는 자유연상을 한다.

〈해설〉

1-07. 다음 정신사회적 치료방법에 대한 설명 중 옳은 것은?

① 정신분석 → "지금 그리고 여기"에서 일어난 문제를 다룬다.

② 단기역동 정신치료 → 환자가 갖고 있는 현실적 심리문제를 다룬다.

③ 지지정신치료 → 전이를 체계적으로 분석한다.

④ 통찰지향정신치료 → 대표적으로 암시와 충고가 이용된다.

⑤ 인지치료 → 과거의 사건으로부터 현재 문제의 원인과 그 해결책을 찾는다.

① 정신분석은 과거 환자가 경험한 정신적 상처를 다룹니다. "지금 그리고 여기"는 정신분석적 정신치료, 단기 정신치료에서 주로 다룹니다.
③ 지지정신치료는 전이, 역전이 보다는 암시, 안심시키기, 확인 등의 기법들로 인해 환자의 의존을 치료적으로 이용합니다.
④ 암시와 충고가 이용되는 것은 지지정신치료에 해당합니다.
⑤ 정신분석 내용입니다.

1-08. 25세 여자가 남자들과 대화하거나 여러 사람 앞에서 발표할 때 심하게 불안하다며 병원에 왔다. 엄한 부모 밑에서 자라 어려서부터 긴장감이 높았고, 4년 전 동아리에서 성추행을 당한 이후 이런 증상이 시작되었는데, 점점 심해져 최근에는 대중 음식점에서도 손이 떨리고 가슴이 두근거려 식사를 할 수 없다고 한다. 2개월 후에는 취업을 위해 면접시험을 보아야 하는데 이번에는 꼭 합격하기를 바란다고 말한다. 치료는?

① 인지행동치료

② 정신분석

③ 감각통합훈련

④ 가족치료

⑤ 성치료

위 문제는 사회불안장애 환자의 case를 설명한 내용입니다. 약물치료뿐만 아니라 행동치료 및 인지치료(인지행동치료)가 환자의 실생활 기능수행에 도움이 될 수 있습니다.

1-09. 40세 남자가 운동을 하면 호흡곤란이 올까 염려된다며 병원에 왔다. 2년 전 운전 중에 갑자기 호흡곤란과 두근거림, 어지러움을 경험한 후 꾸준히 파록세틴을 복용하였다고 한다. 계단을 오르거나 달리기를 하면 다시 숨이 가빠질까 봐 두려운데, 이런 걱정이 지나치다는 것은 안다고 하였다. 최근에는 불안 발작을 경험한 적이 없고 운전도 잘하며 다른 증상은 없다고 하였다. 치료는?

① 참여모델링
② 혐오요법
③ 습관반전훈련
④ 신체감각 노출치료(interoceptive exposure)
⑤ 사회기술훈련

〈해설〉

공황장애를 경험한 환자들에서 다시 과호흡, 심계항진 등 증상이 재발할까봐 걱정(예기불안)하여 일상생활에 문제가 있는 경우 인지행동치료 및 노출치료가 적합할 수 있습니다. incetoceptive exposure의 경우 머리를 흔들다던지, 숨을 참는다던지 하는 방식으로 증상을 유발하여 직접 맞닥뜨리게 함으로써 신체 감각에 대한 내성을 키울 수 있습니다. 이를 통해 환자가 두려워하는 신체 증상과 상황에 노출된 불안반응을 줄일 수 있습니다.

1-10. 52세 남자가 머리가 자주 아프다고 왔다. 6개월 전부터 직장에서 오후가 되면 양쪽 뒷머리와 목이 뻣뻣해지면서 두통이 악화되고, 주말에 쉬면 호전된다고 하였다. 꼼꼼하고 경쟁적인 성격이고 평소 긴장감이 높다고 하였다. 치료는?

① 광치료
② 바이오피드백
③ 심부뇌자극술
④ 미주신경자극술
⑤ 반복두개경유자기자극술

생체되먹임(biofeedback)은 근육긴장도, 혈압, 맥박수, 체온, 뇌파 등을 모니터링하면서 이완을 통해 생리기능을 조절하게 하는 방법입니다.
긴장성두통, 편두통, 본태성 고혈압 등의 정신신체장애에서 이용합니다.
근육이완훈련을 통해 긴장성두통을 완화시킬 수 있습니다.

1-11. 어려서부터 높은 곳을 무서워하는 환자를 낮은 층부터 높은 곳을 향해 순차적으로 올라가도록 함으로써 이를 극복하도록 하는 치료방법을 무엇이라고 하는가?

① 홍수법

② 인지행동치료

③ 체계적 탈감작

④ 단계적 노출

⑤ 행동수정기법

노출치료는 불안, 공포 등. 노출 치료 후 효과를 높이기 위해 반응차단을 시키는 것이며 단계적 노출 및 한꺼번에 대량 노출시키는 홍수법(flooding)으로 분류할 수 있습니다. 체계적 탈감작은 불안, 공포 등의 자극을 hierarchy(위계)를 나누어 상상한 후 긴장이완을 하는 방법이라 노출 요법(in vivo)과는 다른 방법입니다(in vitro).

	노출전이완	hierarchy 설정	노출
홍수법 (flooding)	x	x	o
단계적 노출 (graded exposure)	x	o	o
체계적 탈감작 (systematic desensiti-zation)	o	o	o

1-12. 수액주사를 맞기 두려워하는 신경성 식욕부진증 환자에게 하루 세끼의 식사를 제대로 할 경우 그 날 수액주사를 처방하지 않았다. 이에 해당하는 행동치료요법은?

① 체계적 탈감작요법

② 부정강화

③ 혐오요법

④ 긍정강화

⑤ 학습

부정강화는 치료목표로 삼은 행동을 했을 때 환자가 겪는 불편감, 불쾌감을 덜어주는 방법으로 위 문제는 부정강화의 대표 예시입니다.

다른 예시로, 평소 잔디를 깎지 않으면 잔소리를 듣는 학생이 엄마에게 잔소리 듣는 것을 피하기 위해 잔디를 깎는 행동이 늘어나는 경우 부정강화에 해당합니다.

정답   1-11 ④   1-12 ②

약물치료 및 물리적 치료법

Pharmacological and Physical Treatments

최인영 박주호 고미애 김우정

Chapter

XXXI

Introduction

▶ 최근 정신과의 주류 분야로서 매우 중요합니다. 약물의 이름을 항정신병약물, 항우울제, 기분안
정제, 항불안제 계열 약물 등 각 분류별로 알아두어야 합니다. 학생 수준에서는 각 약물의 일차
적 적응증, 약물의 흔한 혹은 특징적인 부작용, 위험한 부작용에 대해 초점을 맞추어 공부합시다.

1. 약물치료의 일반적 지침

1) 약물치료와 진단 및 증상의 관계

(1) 약물 치료에서 정확한 진단과 증상의 평가 및 치료 목표의 설정이 중요하다. 구체적인 약물 선택과 사용
방법은 증상에 초점을 맞추어 이루어진다(symptom-focused).

(2) 신체 의학에서 진단과 치료의 지표로써 각종 검사 수치를 이용하듯이, 정신약물치료에서도 증상과 기능
의 변화를 평가하는 표준화된 각종 정신병리 평가 척도를 이용하는 것이 바람직하다.

2) 약물 선택

(1) 다른 약물과 마찬가지로 정신과 약물의 선택과 사용에는 약물의 위험편익비(risk-benefit ratio), 비용-효과
분석(cost-effectiveness)은 물론 국가의 규제와 같은 의료환경을 고려한다.

(2) 특히 정신과 약물 선택에는 약물 남용, 신체적 건강 상태, 다른 정신질환의 공존 여부, 이전에 사용했던
약물의 효과와 부작용 여부 등에 주의하고 환자 개인의 의견을 최대한 반영한다.

(3) 약물 치료의 진행과정에서도 증상의 경과에 따라서 약물의 종류와 제형의 변경, 투약 기간과 용량의 조
절이 필요하다.

2. 약물의 작용

1) 약동학(인체가 약물을 어떻게 다루는가)

약물의 흡수/분포/대사/배출

2) 약력학(약물이 인체에 어떤 영향을 미치는가)

(1) 약물이 작용 부위(수용체)에 도달한 이후부터 최종적인 효과를 나타내기까지의 과정을 연구한다.

(2) 약물이 작용하는 수용체의 기능, 작용제(agonist), 길항제(antagonist), 약물의 효력(potency), 효능(efficacy), 내성(tolerance), 의존성(dependence) 등을 기본적으로 알아야 한다.

3) 약력학적 상호작용

유사한 효과를 내는 약물을 병용하면 효과가 강화되어 치료효과가 커질 수도 있지만, 부작용이 심해질 수 있는 반면에 서로 반대 효과의 약물은 병용하면 각 약물의 효과가 약화된다.

3. 항정신병약물(Antipsychotics)

항정신병약물(antipsychotic drug)은 환각, 망상, 사고장애와 같은 다양한 정신병증상에 효과가 있어 주로 조현병의 주된 치료제로 사용되나 최근에는 기분증상에도 효과가 있다고 알려져 기분장애, 기질성 정신장애 등 사용범위가 넓어지고 있다.

1) 항정신병약물의 분류

(1) 정형 항정신병약물(typical antipsychotics, 제1세대 항정신병약물)

① chlorpromazine, haloperidol 등

② 치료효과와 부작용은 주로 도파민-2 수용체의 차단과 관련이 있다고 알려져 있다.

③ 고역가약물(할로페리돌)/저역가약물(클로르프로마진)으로 나눌 수 있다(부작용 특성이 서로 다르다. 고역가 약물에서는 EPS (추체외로부작용), 저역가 약물은 진정작용 및 항콜린성 부작용이 주로 나타난다).

(2) 비정형 항정신병약물(atypical antipsychotics, 제2세대 항정신병약물)

① clozapine, amisulpride, ziprasidone, risperidone, paliperidone, olanzapine, quetiapine, aripiprazole, blonanserin 등

② 도파민-2 외에 세로토닌-2, NMDA 등 여러 수용체와 관련이 있다.

③ 클로자핀, 올란자핀, 퀘티아핀, 리스페리돈은 도파민 수용체 차단에 비해 세로토닌 차단 작용이 강하여 세로토닌-도파민수용체 차단제(serotonin-dopamine receptor antagonist, SDA)라고 불린다.

④ 다양한 수용체에 작용하기 때문에 정신병적 증상뿐 아니라, 음성증상 및 인지기능 저하에도 부분적으로 효과가 있다.

2) 작용 기전 [기출]

- 정형 항정신병약물은 도파민 수용체를 차단하는 작용이 있다.
- 항정신병약물의 종류에 따라 도파민-2 수용체 결합정도가 다르며 이로 인해 약물마다 치료효과와 부작용이 다르게 나타난다.

(1) 중변연계(mesolimbic): 항정신병약물의 치료효과
(2) 중피질계(mesocortical): 음성증상악화, 인지기능장애 유발
(3) 흑질-선조체(nigro-striatal): EPS(추체외로부작용; extrapyramidal symptoms)
(4) 결절-누두체(tubero-infundibular): 프로락틴 호르몬 분비 증가로 무월경, 유즙분비 등 유발

세로토닌-2 수용체는 도파민과 함께 항정신병약물의 치료에 관여하는 중요한 수용체로 알려져 있다. 세로토닌-2A의 수용체 차단의 비율이 높은 것이 비정형 항정신병약물의 특징으로 거론된다.

도파민과 세로토닌 외에 글루탐산염(glutamate), 시그마(sigma) 결합 부위, 기타 신경전달물질 및 수용체에 대한 작용도 항정신병약물의 작용 기전으로 거론된다.

3) 용법

(1) 적응증

① 조현병, 단기반응성 또는 정신병, 망상장애, 조현정동장애, 조증, 정신병적 증상을 동반한 우울증
② 지나친 흥분, 초조, 망상, 환각 등의 증상을 보이는 기질성 정신병
③ 틱장애와 같은 운동장애
④ 섬망 등에서 행동, 수면 조절 목적으로 사용됨

(2) 효능

① 항정신병약물을 복용하면 먼저 진정 작용이 나타난다.
② 흥분, 초조, 불안, 불면 등의 증상은 1주 이내 대부분 호전된다.
③ 망상, 환청과 같은 정신병적 증상은 보통 2주부터 의미 있는 호전을 보이며 4~6주에 걸쳐 50% 이상의 증상 호전을 기대할 수 있다.

(3) 약물의 선택

과거 약물에 대한 효과, 부작용에 대한 민감도, 약물에 대한 순응도, 동반된 내과적 질환, 약물 비용, 환자가 선호하는 약물 제형 등을 고려한다.

① 저역가 약물

초조, 불안, 불면증 등의 증상으로 강한 진정작용이 필요한 경우

② 고역가 약물

지나친 진정작용이나 심혈관계 부작용 또는 항콜린성 부작용이 문제될 경우에 선택한다.

③ 정형 항정신병약물

고역가일수록 신경학적 부작용 심하지만, 심혈관계 및 항콜린성 부작용과 진정 작용은 상대적으로 적다.

④ 비정형 항정신병약물

정형 항정신병약물에 비해 추체외로 부작용 등의 신경학적 부작용이 현저히 적지만, 비만이나 당뇨와 같은 대사 질환의 비율이 높은 경향이 있다. 음성증상 및 우울증상에 대해 좀더 나은 효과를 기할 수 있는 점, 인지기능 부작용이 적을 가능성이 있어 최근에는 정형 항정신병약물에 비해 일차 약물로 권장된다.

(4) 부작용과 독성

표 31-1. 항정신병약물의 부작용

신경학적부작용	추체외로증상(파킨슨증후군, 급성근육긴장이상증, 급성좌불안석증) 지연성 운동장애, 항정신병약물 악성증후군
비신경학적부작용	진정작용, 항콜린부작용, 기립성저혈압, 고프로락틴혈증, 대사장애 및 체중 증가, 심혈관 질환

① 추체외로 부작용(extrapyramidal symptoms, EPS) 기출

흑질 선조체 도파민 경로의 도파민-2 수용체에 대한 길항작용 때문에 나타나는 것으로 알려져 있다. 수용체 점유율이 80% 이상일 때 추체외로 부작용이 나타남. 용량이 높거나, 고역가 정형 항정신병약물을 사용할수록 잘 발생한다.

i) 파킨슨증후군

- 발생시기: 주로 약물 시작 또는 증량 후 수 일에서 수 주 후 발생한다.
- 임상양상: 진전(tremor), 근육강직(rigidity), 운동완만(bradykinesia), 안면 무표정(masked face), 침 흘림(drooling), 가속 보행(festinating gait) 등으로 나타난다. 느린 동작과 무표정은 조현병의 음성증상 또는 우울증에서도 관찰되므로 감별이 필요함
- 치료: 약 용량을 줄이거나 EPS가 적은 비정형 항정신병약물로 교체하는 것이 좋으며, 항파킨슨 약물을 병용해서 사용할 수 있음. 트리헥실페니딜(trihexyphenidyl) 5~15 mg, 벤즈트로핀(benztropine) 1~6 mg 같은 항콜린성약제가 흔히 사용되며, 아만타딘(amantadine) 100~300 mg 이나 도파민 효현제인 브로모크립틴(bromocriptine) 5~25 mg 이 사용되기도 함

ii) 급성 근육긴장이상증(acute dystonia)

- 발생시기: 정형 항정신병약물 투약 후 약 10% 정도에서 발생하며, 약물투여 48시간 이내에 발생하며 3~5일 내에 90%가 발생한다고 알려짐
- 기전: 약물투여 후 머리, 목, 입술, 혀, 몸통, 팔다리 등 일부 신체 근육의 긴장도가 갑자기 간헐적 또는 지속적으로 증가되어 발생
- 임상양상: 갑자기 목이 굳어지면서 돌아가거나(사경증, torticollis), 팔다리가 뒤틀리는 경우, 혀가 굳어져 입 밖으로 내밀게 되거나, 안구가 위로 올라가 눈을 위로 치켜 뜨게 되는 안구운동발작(oculogyric crisis)
- 치료: 벤조디아제핀(로라제팜, 다이아제팜 주사), 벤즈트로핀과 같은 항콜린성약물을 사용한다. 급성 근육긴장이상증은 대부분 수 일에서 수 주 이내 내성이 생기므로 약물투여를 중단할 필요는 없음

iii) 좌불안석증(akathisia)

- 발생시기: 정형 항정신병약물 사용 시 25% 정도에서 나타나며, 비정형 항정신병약물 사용 시에는 그 빈도가 더 낮다고 알려짐
- 임상양상: 움직이고자 하는 강한 욕구 또는 충동으로 인한 내적인 불편감을 느끼고 주관적인 불쾌감을 호소, 발을 구르거나, 양다리를 꼬았다 폈다 하는 등 가만히 있기 힘들어 함
- 치료: 좌불안석증은 내성이 생기지 않아 약물을 계속 복용해도 지속되는 경향이 있으며 약의 순응도를 감소시키는 주요 원인 중 하나. 항정신병약물을 감량 또는 변경, propranolol같은 베타-아드레날린 수용체 차단제나 벤조디아제핀 약물 등의 병용투여가 치료에 도움이 될 수 있으며, 항콜린성약물은 좌불안석증에 그리 도움이 되지 않는 것으로 알려짐

② 지연성 이상운동(tardive dyskinesia, TD) 기출

- 발생시기: 항정신병약물을 장기간 사용할 때 나타나며, 유병률은 15~30% 정도로 정형 항정신병약물 사용 시 매년 5% 정도의 환자에서 나타나는 것으로 알려짐
- 기전: 명확히 알려져 있지 않으나, 도파민-2 수용체가 지나치게 민감(supersensitive) 상향조절(upregulation)되는 것과 관련이 있을 것으로 생각됨
- 임상양상: 혀가 벌레같이 움직이는 현상, 혀를 전후방 또는 전후방 또는 좌우로 움직이기, 반복해서 볼을 부풀리거나 입술 오므리기, 입맛을 다시거나 껌을 씹는 듯한 저작 행동, 턱 주위의 불수의적 운동이 가장 흔히 나타나는 증상이다. 손발을 갑자기 움직이는 등 무도성 운동증상(choreic movement)이 나타나거나 알약 돌리는 운동(pill-rolling), 피아노 치는 것 같은 손동작, 사지나 몸이 뒤틀리는 증상을 보이기도 함
- 치료: 발생하면 비가역적이라고 알려져 있지만 발생 초기에 적절한 조치를 하면 호전될 수 있으며, 약물을 중단하면 1~2년 내 회복이 되며 50%에서 증상이 완화됨. 뚜렷한 치료방법이 없어 일단 발견되면 약물 감량이나 중단을 고려하는 것이 좋으며, 정형 항정신병약물을 사용 중이라면 감량하거나 중단하고 비정형 향정신병약물과 함께 벤조디아제핀, 프로프라놀, 테트라베나진(tetrabenazine), 멜라

토닌(melatonin), 비타민E나 은행나무잎 추출액과 같은 추가약제가 효과 있다는 보고도 있음

- 한편, 지연성 이상운동이 발생한 경우에는 클로자핀이 비교적 안전하게 사용될 수 있고, 퀘티아핀도 유용할 것으로 보인다. 기출

③ 항정신병약물 악성 증후군(neuroleptic malignant syndrome, NMS)
- 흔히 발생하지는 않지만 치명적일 수 있어 응급을 요하는 부작용
- 발생률은 정형 항정신병약물 사용 환자의 1% 미만이지만 사망률은 5~30% 정도
- 임상양상: 고열, 심한 근육 강직, 자율신경계이상(불안정한 혈압, 발한, 빈맥) 또는 의식수준의 변화, 구음장애, 운동불능증, 초조, 섬망, 혼수상태, WBC (>15,000 이상), CK 상승(>300 이상), 급성 신부전이 발생할 수 있음
- 위험인자: 고역가 정형항정신병약물의 사용, 빠른 약물 증량, 기질성 뇌 질환, 알코올 오남용, 파킨슨병, 탈수
- 치료: 치료약물을 중단하고 생체징후를 관찰하며 수액을 공급하고 체온을 내리는 대증적 치료를 하는 것이 원칙이다. 근육이완제인 단트롤렌(dantrolene), 도파민수용체 효현제, 브로모크립틴 등을 사용해 볼 수 있음

④ 비신경학적 부작용
 i) 진정작용
  가장 초기에 나타나는 부작용, 저역가 약물, 클로자핀, 퀘티아핀 사용하는 경우 잘 발생함. 주로 히스타민 수용체가 차단되어 발생하며 아드레날린, 도파민 수용체 차단도 진정작용 발생에 영향을 주며 약물의 용량을 감소시키거나, 저녁에 한번 투여하거나, 진정효과가 적은 약물로 교체하는 것이 진정의 강도를 낮추는 데 효과적임
 ii) 항콜린성 부작용
  대뇌 피질과 소화기, 눈물샘 등에 분포한 콜린 수용체 중 무스카린 수용체가 차단되어 발생한다. 주로 입이 마르고, 물체가 선명하지 않게 보이고, 배뇨장애, 변비 등이 생긴다. 심하면 혼돈상태, 환각, 빈맥, 고열 및 혼수와 같은 항콜린 독성(anticholinergic toxicity)이 나타날 수 있다.
 iii) 기립성 저혈압
  약물사용 초기 수 일 이내에 나타나기 때문에 알파-아드레날린 수용체 차단작용으로 발생하며, 저역가 약물과 클로자핀, 퀘티아핀에서 흔히 나타난다.
  체위변동을 천천히 하도록 교육하고, 고역가 정형항정신병약물이나, 기립성 부작용이 적은 비정형 항정신병약물을 사용하는 것이 도움이 된다.
 iv) 혈액 부작용
- 클로자핀을 복용하는 환자 중 백혈구감소증 유병률 2.7%, 무과립구증(granulocyte<500)의 유병률이 0.8%이다. 기출
- 클로자핀에 의한 백혈구 감소현상은 주로 약물 투여 초기인 8~12주 이내에 나타나기 때문에 발열,

인후통증의 감염증상을 주의 깊게 관찰하면서 정기적으로 혈액 검사를 해야 한다.

- 무과립구증이 발생하면 사용하던 약물을 중단하고, 감수성 있는 항생제를 투여하고, 격리하여 2차 감염을 방지하여 패혈증과 같은 합병증을 막아야 한다.

v) 고프로락틴혈증(hyperprolactinemia)

- 결절 누두체 경로의 도파민-2 수용체가 차단되면서 혈중 프로락틴 농도가 상승하여 발생한다.
- 지속적인 혈청 프로락틴 상승, 유즙분비 증가, 무월경, 성기능 이상을 초래한다. 기출
- 고프로락틴 혈증이 확인될 경우 프로락틴 상승작용이 낮은 항정신병 약물로 교체를 고려할 수 있다 (클로자핀, 올란자핀, 쿼티아핀, 아리피프라졸, 지프라시돈과 같은 약물들은 혈중 프로락틴 농도를 거의 변화시키지 않거나 정상범위내에서 약간 상승시키는 것으로 알려져 있다).

vi) 대사장애 및 체중 증가

- 항정신병약물로 인한 세로토닌-2C 수용체 길항작용, 히스타민-1 수용체 길항작용, 고프로락틴혈 증 등으로 발생한다.
- 조현병 환자는 체중증가, 당뇨병뿐만 아니라 다른 대사장애질환인 고혈압, 고지혈증 등도 많이 가 지고 있다.
- 대사장애 위험도가 낮은 대표적 약물로는 지프라시돈, 아리피프라졸을 들 수 있다. 실력

vii) 심혈관 질환

항정신병 약물에 의한 부정맥은 주로 심장 내 포타슘 통로가 차단되어 QT 간격이 증가되어 발생한다. 그러나 실제 통상적인 치료용량에서 부정맥 발생률은 매우 낮다.

4. 기분안정제(Mood Stabilizers)

기분안정제: 정의는 현재까지 정확히 수립되어 있지 않지만, 급성 조증, 급성 우울증의 치료에 효과가 있어 야 하고 조증과 우울증의 재발과 발생을 예방할 수 있어야 한다.

1) 기분 안정제 분류

(1) 전통적 기분안정제

리튬(급성조증삽화, 유지 치료, 자살률 감소), 발프로산(조증), 카바마제핀

(2) 새로운 항경련제

라모트리진(조증, 우울, 혼재성 삽화의 유지 치료), 가바펜틴, 토피라메이트, 옥스카르바제핀, 가바펜틴

(3) 항정신병약물

클로자핀, 올란자핀, 쿼티아핀, 아리피프라졸, 지프라시돈, 루라시돈

(4) 보조적 기분안정제

벤조디아제핀, 칼슘통로차단제

2) 약의 선택

(1) lithium

① 양극성장애의 조증, 우울삽화의 치료와 예방에 효과적이다. 조현병, 우울증이 부가요법으로도 사용된다. 리튬을 투여하는 목적은 급성기증상의 완화 및 완전한 관해를 목표로 한다. 또한 재발방지를 위하여 유지기 치료를 반드시 시행하여야 한다.

② 용법

- 대개 300 mg 을 하루 2~3회로 나누어 투여하기 시작하여, 급성기에는 900~1,800 mg 까지, 유지기에는 600~1,200 mg 투여한다. 혈중 농도: 급성기에는 1.0~1.5 mEq/L, 유지기에는 0.6~1.2 mEq/L를 유지한다.
- 리튬의 경우 치료 용량과 독성 용량 사이의 범위가 매우 좁으므로, 혈중 약물 농도를 반드시 모니터링하고 용량을 조절하여 독성작용을 방지하여야 한다. 기출
- 부작용 - 혈액검사, 소변검사, 전해질검사, 신기능 검사(BUN/Cr)를 측정해야 한다. 심전도검사, 신장 및 갑상선기능검사를 반드시 시행한다. 기출

표 31-2. 리튬의 혈중 농도에 따른 독성 작용 기출

리튬 혈중농도	혈중농도에 따른 독성작용
경증(1.5~2.0 mEq/L)	구역, 구토, 구갈, 운동실조, 어지러움, 안구 진탕, 흥분, 초조, 근육 이완
중등도(2.0~2.5 mEq/L)	거식, 지속적인 구역과 구토, 시력혼탁, 이명, 근긴장성 운동, 병적 과반사, 경련, 섬망, 현기, 심전도변화, 의식혼탁, 혼수
고도(>2.5 mEq/L)	전신발작, 소변감소, 신장부전, 사망

(2) 항경련제

① valproic acid

- 양극성장애에서 급성 조증의 치료 및 예방에 효과적이다.
- 급속 순환성, 불쾌성 혹은 조증, 정신병증상을 동반하는 경우, 일반적 신체적 질환에 의한 조증, 리튬치료에 반응이 없는 조증에도 사용할 수 있다.
- 보통 일일 용량 750 mg 으로 시작하여 3일마다 250 mg 씩 증량한다. 일일 2회 분복투여가 가장 적절하다.
- 최소 유효치료농도는 45 ug/mL 이상이다. 농도 50~100 ug/mL 에 맞추어 용량을 조절한다.
- 부작용: 전혈 검사, 간효소검사를 실시해야 한다. 구역, 식욕의 감소, 구토, 설사 및 진전, 진정, 체중증가, 탈모(아연이나 셀레늄 처방하면 효과), 혈소판감소증, 다낭성 난소 증후군 등과 연관이 있다고

알려짐

② carbamazepine

- 조증 치료에 리튬과 발프로에이트를 사용하여도 효과가 없는 경우에 주로 사용된다.
- 양극성장애의 유지 및 예방치료에 도움이 된다. 항우울 효과는 항조증 효과에 비해 떨어지는 것으로 생각된다.
- 초기 200 mg 을 하루 두 차례 투여하며 혈중농도가 8~10 mEq/L 될 때까지 3~5일 간격으로 일일 200 mg 씩 증량한다.
- 부작용: 진정, 복시, 어지러움, 운동실조와 혈액학적 부작용(무과립구증, 재생불량성 빈혈, WBC <3,000 혹은 neutrophil<1,500이면 투약 중지)과 연관이 있음
- 약물상호작용: CYP450 3A4 효소 억제제(fluoxetine 등)의 병용투여는 약물 혈중농도 저하를 일으키며 항정신병약물, 벤조디아제핀, 발프로에이트 등의 혈중농도를 감소시킴

③ lamotrigine

- 양극성장애 유지치료에서 우울 삽화의 재발 예방에 효과적이라는 것이 최초로 입증된 약물이다. 단독요법으로만으로도 양극성 우울증 삽화의 재발을 지연시키는데 효과적이다. 양극성 우울증 치료, 급속 순환형 양극성장애의 치료에도 효과적이다. 일일 용량 100~200 mg 이 사용된다.
- 첫 2주 동안 일일 25 mg 으로 시작, 3주차에 50 mg 으로 증량, 5주차에 100 mg, 6주차 200 mg 투여한다.
- 부작용: 두통, 구역, 어지러움이 있다. 피부발진이 특징적인 부작용이다. 피부발진은 0.3%로 드물지만 박리성 피부염과 같은 부작용이 나타날 수 있기 때문에 주의가 필요함(국내 연구결과에 따르면 약 12% 정도에서 발진이 발생한다고 알려짐)
- Stevens-Johnson 증후군: 첫 6주 이내 생길 수 있고 고용량, 급속한 증량, 또는 valphoric acid 동시투여 시 발생 위험 증가 실력

5. 항우울제(Antidepressants)

1) 약물의 분류

(1) 주요우울장애의 치료는 크게 생물학적 그리고 심리적 치료로 나누어 볼 수 있는데, 최근에는 뇌신경과학/분자신경생물학 등 정신의학적 질환의 병인론을 탐구하는 학문들의 현저한 발달로 인하여 새로운 약물들의 개발이 용이해졌다.

(2) 신경전달물질에 대한 항우울제의 작용 기전에 따라 항우울제의 계열을 분류한다.

2) 약물선택

(1) 항우울제간 약물학적 성상의 차이에 따른 특정증상들에 대한 효능의 차이 및 이상반응에 대한 차이가 일부 있을 수 있다.

(2) 개별 항우울제 간 주요우울장애의 치료에 대한 전반 효능의 차이는 없으며 약물학적 특성에 따른 일부 증상들에 대한 효과와 이상반응 발현에 따른 차이가 있다고 볼 수 있다.

(3) 항우울제 일차 선택 시 목표증상, 약물의 부작용, 임상의의 경험, 과거약물 치료반응도, 가족의 약물치료반응도, 환자의 경제적인 상태, 공존하는 내외과적인 질환 등을 고려하여 가장 적절한 약물을 선택하여야 한다.

3) 1세대 항우울제

(1) TCA (tricyclics & tetracyclics, 삼환계 항우울제)

① 세로토닌과 노르에피네프린의 재흡수를 연접부에서 차단하여 항우울효과를 보이지만, 이외에 히스타민, 무스카린, 아세틸콜린 수용체에도 차단효과를 나타낸다.

② 이미프라민, 아미트리프틸린, 클로미프라민 등이 있다.

③ TCA의 경우 다양한 신체증상 특히 통증을 동반하는 질환의 치료에도 효과적인 것으로 알려져 있다.

(2) MAOI (monoamine oxidase inhibitor, 단가아민 산화효소억제제)

① phenelzine, selegiline, tranylcypromine, isocarboxazid 등이 있다.

② MAOI는 비정형우울장애의 치료에 있어서 TCA보다 효과적인 것으로 보고되고 있다.

(3) 부작용

① TCA

항히스타민 및 항콜린성 작용을 보이므로 진정, 식욕증가, 체중증가, 구갈, 변비, 배뇨곤란, 시력장애, 발기부전 등의 부작용이 흔하다. 심혈관계부작용 높다. 기출 양극성 우울증 환자에 투여되는 경우 조증을 쉽게 유발할 수 있다.

② MAOI

티라민을 함유한 치즈, 와인과 같은 음식물을 섭취할 때는 고혈압의 위험이 높으므로 이 음식들은 피해야 한다. 기립성 저혈압의 위험이 있다. MAOI는 SSRI와 같이 사용될 경우 위험성을 내포하고 있으므로 가급적 병용 투여하지 말아야 한다(세로토닌 증후군 발생 가능).

4) SSRI (Selective serotonin reuptake inhibitor, 선택적 세로토닌 재흡수 억제제)

대표적인 항우울제로 fluoxetine, sertraline, escitalopram, paroxetine, fluvoxamine 등이 있다.

(1) 종류

① fluoxetine

가장 처음으로 개발된 SSRI로, 가장 반감기가 길다. 우울장애, 강박장애, 섭식장애, 공황장애의 치료에 공인되었다. 일일 용량 20~80 mg 이 사용됨. 에너지증가효과와 식욕저하, 항 거식작용-젊은 연령층에 유리하다. 소아청소년에게도 비교적 안전하게 처방할 수 있다. 실력

② sertraline

우울장애, 강박장애, 공황장애, 외상후스트레스장애, 월경전불쾌장애, 사회불안장애의 치료에 공인되었다. 이 약물은 진정작용이 적다. 내과적 동반 질환이 있는 환자에게 안전한 약물로 고령의 환자들에 적합하다.

③ paroxetine

우울장애, 강박장애, 공황장애, 사회불안장애, 외상후스트레스장애, 범불안장애의 치료에 공인되었다. 불안증상을 가진 환자에 선호되는 항우울제이다.

④ escitalopram

우울장애와 범불안장애의 치료에 공인되었다. 일일 용량으로 10~20 mg이 주로 사용된다. 이 약물은 SSRI 중 가장 세로토닌 수용체에 선택적 작용을 하며 약물 순응도 및 약물 상호작용 면에서 유리하다.

(2) 부작용

- 공통적인 부작용들로는 위장관계부작용들이 가장 흔함. 대개 약물을 투여하고 치료 초반 일주일 이내에 가장 많이 발생하지만 시간이 경과하면 자연적으로 소실된다.
- 두통, 불면, 체중증가, 발한, 신경과민, 불안, 초조 등이 동반될 수 있다.

① 항우울제 중단 증후군(discontinuation syndrome) 실력

- 대부분의 항우울제들의 경우 일정시간 사용하다가 갑자기 중단하는 경우 약물 중단과 관련한 여러 불편한 이상 반응들이 약 20% 정도의 환자들에서 발생할 수 있다.
- 우울증상 악화, 신체증상(발한, 감각이상, 두통, 불면, 진전, 근긴장, 현훈 등)
- 반감기가 짧은 항우울제들의 경우(paroxetine) 이러한 증상들이 심하게 나타난다. 일반적으로는 약한 정도로 약 1~2주까지 지속될 수 있다.
- 기존의 항우울제를 재사용하면 하루 이내에 대부분 회복된다.

② 세로토닌 증후군

- 두 가지 이상의 세로토닌성 항우울제를 병용 투여하는 경우(SSRI와 세로토닌성 약물인 MAOI, tra-zodone 등) 세로토닌 증후군이 발생할 수 있다. 증상으로는 고열, 발한, 빈맥, 정신착란, 초조, 불안, 근

육경련, 횡문근 융해, 파종성 혈관내 응고 등이 동반된다.

- 특정한 치료 방법은 없다. 약물중단, 지지적 치료, nitroglycerin, cyproheptadine, dantrolene, benzodiazepine 투약 등 대증적 치료를 하여야 한다. 기출

③ 성욕감퇴
- SSRI 관련 가장 흔한 성기능장애는 <u>성욕 감소, 사정지연이다.</u>
- bupropion으로 교체 사용시 성기능장애는 초래하지 않으며, SSRI로 초래된 성기능장애를 완화시키는 효과가 있다. 혹은 sildenafil을 추가해 볼 수 있다. 실력

5) NDRI (Norepinephrine-dopamine reuptake inhibitor, 노르에피네프린-도파민 재흡수 억제제)

(1) 종류

① bupropion

노르에피네프린 재흡수 억제작용으로 항우울효과가 있다. 우울장애와 계절성 우울장애의 치료에 공인되어 있으며, 일일 용량으로 300 mg이 제시되어 있다. 중추신경계 자극효과가 있어 정신운동지체, 피곤, 집중력 저하 등의 증상 동반 우울장애환자에게 권유된다. 조증 유발이 적은 편으로 양극성장애 치료에 유리하다.

(2) 부작용

항콜린성 부작용이 없고 심혈관계에 작용이 적은 편으로 <u>성기능장애의 발생 위험도 낮다. 다른 항우울제 치료도중 성기능장애가 나타나는 경우 유용하게 사용할 수 있는 항우울제다. 고용량에서는 경련이 발생할 수 있으므로 유의</u>해야 한다.

6) SNRI (Serotonin-norepinephrine reuptake inhibitor, 세로토닌-노르에피네프린 재흡수 억제제)

용량에 따라 소량에서는 세로토닌, 중등도 용량에서는 노르에피네프린, 고용량에서는 도파민 재흡수를 억제한다고 알려져 있다.

(1) 종류

① venlafaxine

우울장애, 공황장애, 사회불안장애, 범불안장애의 치료에 공인되어 있다. 치료저항성 우울증에, 심한 우울장애에 효과적인 약물로 알려져 있다. 일일용량 75~375 mg이 권장된다. 다른 약물과는 다르게 CYP 450 효소계로 대사되지 않아 미미한 약물상호작용을 갖는다.

② desvenlafaxine

Venlafaxine의 활성 대사 산물로 기존 약물의 성상을 보완하여 후속 약물로 개발되었다.

③ duloxetine

주요우울장애의 치료에 공인되어 있다. 우울장애, 범불안장애, 당뇨성 말초신경병증 및 섬유근통증후군의 치료에 공인되어 있다. 일일 용량으로 30~120 mg 이 주로 사용된다.

(2) 부작용

① venlafaxine

항콜린성 부작용이 매우 적다. 주의할 부작용으로 고혈압의 발현이 있어 이전 고혈압병력이 있거나 현기증이 있는 경우 유의해야 한다.

② duloxetine

혈압 상승은 없는 것으로 알려져 있으나, venlafaxine에 비해 위장관계 부작용이 더 흔하다.

7) NaSSA (Noradrenalin and specific serotonergic antidepresscuts) : Mirtazapine

- SSRI와 다른 작용기전을 가지면서 항우울효과를 보인다.
- 해마와 대뇌피질의 신경 시냅스에서 세로토닌의 재흡수를 촉진시키며 시냅스 후 수용체에는 거의 작용이 없다.
- 주요우울장애의 치료에 공인되어 있다. 일일용량 15~45 mg 이 주로 사용된다. 소화기계 부작용, 성기능장애, 오심, 구토 등이 적다는 장점이 있다.
- 강력한 항히스타민작용이 있어 체중증가나 진정작용에 주의한다.

8) Trazodone

- 트라조돈은 세로토닌-2 수용체 차단작용이 강력하여 강한 진정작용이 있어서 최근에는 우울증상의 치료보다는 불면증의 치료에 오히려 많이 사용된다.
- 기립성 저혈압, 진정작용을 나타낸다. 항콜린성 작용이 없다.

6. 항불안제와 수면제(Anxiolytics and Hypnotics)

1) 벤조디아제핀 계열(Benzodiazepine)

벤조디아제핀 계열은 항불안제 혹은 진정-수면제로 분류가 되고 급성 불안, 흥분상태를 조절하기 위한 일차 선택 약물로 널리 사용되고 있다. 심리적 의존성, 신체적 의존의 위험성이 있으므로 장기간 사용에 대해서는 신중하게 고려해야 한다. diazepam, lorazepam, alprazolam, triazolam 등의 약물이 있다.

(1) 작용 기전

GABA 수용체 효현제이다. GABA의 중추신경 억제성기능을 강화시켜 항불안효과, 항경련효과, 근이완 효과 등을 나타낸다.

(2) 용법과 용량

① 일반적으로 반감기, 효과가 나타나는 시점, 대사 과정, 역가의 차이를 고려하여 선택하게 된다. 대사경 로도 치료약물을 선택하고자 할 때 중요한 요소로 작용한다. 디아제팜은 간에서 대사가 되지만 로라제 팜과 옥사제팜은 간기능에 크게 의존하지 않는 경로로 대사가 된다. 기출

② 뇌 질환을 가진 환자나 고령의 환자에서는 작용시간이 짧고 활성화된 대사산물이 적은 벤조디아제핀 을 선택하는 것이 바람직하다.

(3) 적응증

① 불안장애

치료초기에 불안증상을 빠르게 감소시키기 위해 벤조디아제핀 약물을 사용하는 경우도 있다.

② 공황장애

치료초기에 SSRI와 함께 투여하게 되며 증상이 어느 정도 안정화되면 서서히 감량하는 것이 권장된다.

③ 강박장애와 외상후스트레스장애

hyperarousal state를 경감시키기 위해서 사용한다.

④ 기분장애

- 알프라졸람은 항우울효과가 있는 것으로 알려져 있다.
- 양극성장애 환자들에서는 클로나제팜이 리튬의 보조치료제로 이용될 수 있으며 조증삽화기간도 줄 일 수 있다고 한다.

⑤ 정좌불능증

propranolol과 같은 베타차단제가 일차치료 선택약물이지만, 빠르게 증상을 개선시키기 위해 벤조디아 제핀 제제도 자주 이용된다.

⑥ 불면증

- 단기간의 수면 조절을 위한 가장 흔하게 사용되는 방법은 벤조디아제핀 약물치료이다.
- 장기간 사용하는 것은 심리적 의존 및 신체적 의존을 초래할 가능성이 많아서 유의해야 한다.

⑦ 기타질환
- 알코올 금단증상조절과 해독에 유용하다.
- 경련성 질환의 조절을 위해 사용된다.

(4) 부작용

① 진정작용과 수행기능의 저하

낮 시간 동안의 졸리움은 약물의 반감기와 용량에 따라 결정이 된다. 수행능력(performance ability)의 저하가 관찰되는데 복용초기에는 운전을 하거나 위험한 신체적 활동, 혹은 위험한 기계를 다루는 일은 가급적 피하는 것을 권장한다.

② 남용, 의존 그리고 금단증상
- 알프라졸람과 트리아졸람과 같은 단기 작용 벤조디아제핀약물은 장기 작용 벤조디아제핀보다 남용의 가능성이 높으며 일반적인 치료용량보다 높은 용량을 복용하거나 장기간 복용할 때 신체적 의존성이 나타날 수 있다.
- 금단증상 및 징후: 빈맥, 혈압상승, 근 경련, 불안, 불면, 공황발작, 기억력과 집중력의 저하, 환각
- 반동 불안: 벤조디아제핀을 복용하다가 중단하였을 때 치료시작 전보다 더 강렬하게 나타나는 불안 증상과 징후. **기출**

금단증상을 방지하면서 약물을 감량하고자 할 때: 일반적으로 2~3개월 정도 벤조디아제핀 약물을 복용하였던 경우라면 매주 10% 정도씩 용량을 감량하는 것이 추천된다. 반감기가 짧은 약물을 반감기가 긴 벤조디아제핀 약물로 교체하면서 감량하는 방법이 도움이 될 수 있으며 인지행동치료와 정신치료를 병행하는 것이 바람직하다.

③ 기억장애 및 탈억제작용 **기출**
- 전향성 기억상실을 초래할 수 있다.
- 어떤 경우에는 벤조디아제핀 약물이 진정작용을 일으키는 것이 아니라 오히려 행동의 탈 억제(disinhibition)를 초래하여 공격적인 행동을 유발하는 경우가 있다.
- 노인환자, 뇌 손상 환자, 혹은 반사회적이나 경계성 성격장애 환자에게 이러한 탈 억제 반응이 나타날 수 있으므로 처방에 주의를 기울여야 한다.

7. 정신자극제(Psychostimulant)

정신자극제는 의욕, 기분, 에너지, 각성상태를 증가시키며 에피네프린의 생리적 효과와 비슷한 작용을 한다. 교감신경흥분제라고 부르기도 한다. 중추신경계 자극효과를 가지며 자극 정도와 효과가 나타나는 시간에 따라 자극제와 비자극제로 구분된다.

• 자극제: 메틸페니데이트(methylphenidate), 암페타민, 리스덱사암페타민
• 비자극제: 아토목세틴(atomoxetine), 클로니딘(clonidine), 모다피닐(modafinil)

1) 치료 적응증

(1) ADHD(주의력결핍 과잉행동장애)

1차 선택약물로 약 75%에서 효과를 나타낸다.

(2) 기면병(narcolepsy)와 과다수면(hypersomnolence)

수면발작 및 과다수면상태를 호전시킨다.

(3) 우울장애

치료저항성우울증 치료 시 항우울제와 병합요법으로 사용할 수 있다. 항우울제 치료에 심한 부작용을 호소하는 노인환자, 후천성 면역결핍 증후군과 같은 내과적 질환을 가진 환자, 아편계 약물 장기사용으로 의식장애가 동반된 환자에게 사용이 가능하다. 무의욕증이나 무기력증이 특징인 우울증에도 도움이 된다.

(4) 두부외상으로 인한 뇌병증(encephalopathy)

인지능력, 동기, 운동능력, 각성도를 개선한다.

(5) 비만

내성이 쉽게 생기고 오남용의 위험성이 높다.

2) 부작용

암페타민계 약물은 복통, 불안, 좌불안석증, 빈맥, 부정맥, 불쾌감을 일으킬 수 있다.

8. 인지기능 개선제(Cognitive enhancer)

1) 기억을 비롯한 인지기능을 개선시키는 약물에 대한 연구가 활발히 진행되고 있으나, 아직까지는 임상적으로 특별한 효과를 나타내는 것은 아니다.
2) 지금까지 개발되고 있는 약물들을 포함해서 현재 사용되고 있는 약물들은 알츠하이머병의 진행을 약간 늦출 수 있거나 알츠하이머병에 의해 동반되는 증상들을 치료하기 위해 개발된 것이다.
3) 중추성 콜린신경전달의 장해가 인지 감퇴의 심각도와 관련이 있다.
4) 아세틸콜린을 증가시키는 방법
① 아세틸콜린이 합성되기 전단계 물질인 아세틸콜린 전구 물질을 사용한다.

② 신경세포에 저장되어 있는 아세틸콜린의 분비를 촉진시킨다.

③ 일단 합성된 아세틸콜린이 활동성이 없는 물질로 분해되는 것을 막는다.

④ 아세틸콜린 작용 부위인 아세틸콜린 무스카린 수용체를 대신 자극한다.

5) 인지기능 개선제의 분류 `기출`

콜린성 약물	아세틸콜린 전구물질	콜린 레시틴 아세틸-엘-카르니틴 콜린알포세레이트
	아세틸콜린분해효소 억제제 Acetylcholinesterase inhibitor (AChEI)	Donepezil (도네페질) Rivastigmine (리바스티그민) Galantamine (갈란타민)
비콜린성 약물	NMDA 수용체 길항제	Memantine (메만틴)
	Anti-oxidants Anti-inflammatory drugs 지질저하제 에스트로겐	

9. 전기경련요법(Electroconvulsive therapy, ECT)

• 최초의 뇌자극치료법인 전기경련요법은 전기 자극을 통해 인위적으로 긴장간대발작(tonic clonic seizure)을 유발한다.

• 환자의 두피에 전극을 부착한 후 치료효과를 얻을 수 있을 정도의 충분한 교류전류를 흘린다. 목표는 발작을 유발하는 것이다.

1) 적응증 `기출`

다양한 정신과적 혹은 신경과적 장애에서 전기경련요법이 사용되나, 대부분 우울증, 양극성장애와 같은 기분장애들에 사용된다. 특이증상이 심하거나 정신병적 증상을 동반한 우울증에 효과적이다. 이외에도 조증, 조현정동장애, 긴장형 조현병, 항정신병약물 악성 증후군, 파킨슨증, 조절되지 않는 간질환자들에게 효과가 있다.

1-01. 43세 여자가 2주 전부터 자꾸 젖이 흘러나온다며 병원에 왔다. 성욕이 감소하였고, 3개월 때 생리가 없었다. 국정원이 달에서 내려온 자신을 감시한다고 해서 6개월 전부터 정신건강의학과에서 약물치료를 받고 있다. 필요한 검사는?

① 간 기능검사　　　　　② 갑상선 기능 검사
③ 혈청 검사　　　　　　④ 복용약물농도검사
⑤ 혈청 프로락틴 검사

〈해설〉
항정신병제 약물 복용 시 고프로락틴혈증이 발생할 수 있습니다. 지속적인 혈청 프로락틴 상승, 유즙분비 증가, 무월경, 성기능 이상 초래 등의 임상증상을 보입니다.

1-02. 2개월 간 리스페리돈 복용 후 손을 떨고, 움직임이 굳어지고, 종종 걸음을 걷는 증상을 보였다. 이 증상을 일으킨 pathway는?

① nigrostriatal pathway
② mesolimbic pathway
③ mesocortical pathway
④ spinothalamic pathway
⑤ tubuloinfundibular pathway

EPS증상과 연관 있는 pathway는 ① nigrostriatal pathway입니다.
중변연계(mesolimbic): 항정신병약물 치료효과
중피질계(mesocortical): 음성증상악화, 인지기능장애 유발
흑질선조체(nigro-striatal): EPS(추체외로부작용) 기출
결절 누두체(tubero-infundibular): 프로락틴 호르몬 분비 증가로 인한 무월경 등의 부작용

정답　　1-1 ⑤　1-2 ①

1-03. 30세 남자가 자기도 모르게 반복적으로 입맛을 다시고 혀를 날름거리는 증상으로 내원하였다. 1분에 한 번 정도 몸을 크게 흔들거나 뒤트는 것이 관찰되었다. 10년 전부터 정신분열병으로 risperidone을 복용 중이었다. 증상 개선을 위해 사용할 약제는 무엇인가?

① 피모자이드(pimozide)

② 클로자핀(clozapine)

③ 할로페리돌(haloperidol)

④ 퍼페나진(perphenazine)

⑤ 클로르프로마진(chlorpromazine)

1-04. 항정신병약물 중 부작용으로 무과립구증이 발생할 수 있어 정기적인 CBC 검사가 필요한 것은?

① clozapine

② haloperidol

③ chlorpromazine

④ olanzapine

⑤ risperidone

1-05. 다음 중 장기간 항 정신병 약물을 복용할 경우 발생할 수 있는 부
작용으로 가장 심각한 것은?

① 지연성 운동장애　　② 신장 기능의 약화

③ 신체적 약물 의존성　　④ 기억력장애

⑤ 감각기능저하

2-01. 46세 남자가 잘 걷지 못하고 말이 어둔하며 의식저하를 보여 응
급실로 내원하였다. 검진 소견 상 안구진탕을 보이고, DTR이 항
진되어 있었다. 양극성징애로 치료받고 있던 환자로서 방에서
다수의 빈 약봉지가 발견되었다. 복용이 의심되는 약은?

① lithium　　② diazepam

③ fluoxetine　　④ valproic acid

⑤ fluvoxamine

2-02. 5년 전부터 양극성장애로 리튬을 복용 중인 30세 여자가 식욕부진에도 불구하고 체중이 증가하고 추위를 잘 타며 무기력을 호소하여 병원에 왔다. 다음 중 이 환자에게 필요한 검사는?

가. 덱사메타손 억제 검사	나. 갑상선 기능검사
다. 혈정 마그네슘 검사	라. 혈청 리튬 농도 측정

① 가, 나, 다　　　　② 라
③ 가, 다　　　　　④ 나, 라
⑤ 가, 나, 라

〈해설〉
리튬 복용 시 약물 농도 측정과 혈액검사, 소변검사, 전해질검사, 신기능검사를 해야 합니다.
심전도검사, 신장 및 갑상선 기능검사는 주기적으로 시행하는 것이 중요합니다.

3-01. complete AV block으로 치료를 받고 있는 35세 여자가 최근 심한 우울감과 식욕 저하 및 불면증으로 병원에 왔다. 이 환자에게 가장 적합한 항우울제는?

① alprazolam　　　　② fluoxetine
③ doxepin　　　　　④ imipramine
⑤ propranolol

심장질환을 앓고 있어서 TCA계열을 배제하면 항우울제 중 fluoxetine이 가장 적합합니다.

3-02. 48세 여자가 주 전부터 발열, 발한, 안절부절못함, 딸림, 홍조 경직, 설사, 졸림증상이 있어 응급실에 왔다. X년 전부터 플루옥세틴, 할로페리돌, 리튬을 복용하다가 주 전부터 우울증상이 심해져 파록세틴을 추가로 복용 중이었다. 응급실에서 측정한 혈중 리튬 농도는 1.2 meq/L 이었다. 진단은?

① 정좌불능증   ② 파킨슨증
③ 리튬독성   ④ 항콜린성 섬망
⑤ 세로토닌 증후군

4-01. 2개월 전 두부 외상력이 있는 39세 남자가 불면증으로 내원하였다. 불안하고 잠을 못 잔다고 하여 diazepam 20 mg 을 복용하기 시작하였다. 복용 후 이틀째부터 잠을 더 못 자고 쉽게 흥분하며 불안해하고 공격적 행동을 보였다. 이 상태는?

① 심리의존(psychological dependence)
② 탈억제(disinhibition)
③ 강화(reinforcement)
④ 신체의존(physical dependence)
⑤ 내성(tolerance)

어떤 경우에는 벤조디아제핀 약물이 진정작용을 일으키는 것이 아니라 오히려 행동의 탈억제(disinhibition)을 초래하여 공격적인 행동을 유발하는 경우가 있습니다.
잠을 더 못 자고 쉽게 흥분하는 모습의 ② 탈억제 상태입니다.

정답   2-2 ④   3-1 ②   3-2 ⑤   4-1 ②

4-02. 상복부 통증과 체중감소를 주소로 입원하여 검사를 받고 있는 70세 남자가 불안과 초조 등의 증상을 보여 정신과에 의뢰되었다. 신체검진 상 황달 소견을 보였고 간 기능 검사도 이상소견을 보였다. 정신상태검사에서 지남력과 인지기능은 모두 정상이었다. 이 환자의 불안증상을 완화시키기 위해 가장 적합한 약물은?

① chlordiazepoxide   ② flurazepam

③ lorazepam   ④ diazepam

⑤ chlorpromazine

〈해설〉

디아제팜은 간에서 대사가 되지만 로라제팜과 옥사제팜은 간 기능에 크게 의존하지 않는 경로로 대사가 되기 때문에 간 기능 이상 소견 있는 환자에서 항불안제를 고를 때는 ③ Lorazepam이 가장 적당합니다.

4-03. 벤조디아제핀 계열 약물 중 고용량을 장기간 사용 도중 중단하였을 때, 반동불안과 같은 금단증상을 보일 가능성이 가장 높은 것은?

① buspirone   ② alprazolam

③ chlordiazepoxide   ④ diazepam

⑤ clonazepam

반동 불안 즉 벤조디아제핀을 복용하다가 중단하였을 때 치료시작 전보다 더 강렬하게 나타나는 불안증상과 징후를 말합니다.

알프라졸람과 트리아졸람과 같은 단기 작용 벤조디아제핀 약물은 장기 작용 벤조디아제핀보다 남용의 가능성이 높으며 일반적인 치료용량보다 높은 용량을 복용하거나 장기간 복용할 때 신체적 의존성이 나타날 수 있습니다.

5-01. 다음 중 전기경련요법이 효과적인 것으로 조합된 것은?

가. 우울증	나. 급성조증
다. 약물치료 저항성 강박장애	라. 긴장형 정신분열병

① 가, 나, 다　　　　② 가, 다

③ 나, 라　　　　　④ 라

⑤ 가, 나, 다, 라

〈해설〉

우울증, 양극성장애와 같은 기분 장애들, 특이증상이 심하거나 정신병적 증상을 동반한 우울증 이외에도 조증, 조현정동장애, 긴장형 조현병, 항정신병약물 악성 증후군, 파킨슨증, 조절되지 않는 간질환자들에게 효과적입니다.

정신과 영역에서의 법적인 문제들

Forensic Psychiatry and Ethics in Psychiatry

오진욱 박주호 고미애 김우정

Chapter

XXXII

Introduction

▶ 정신과에서는 환자의 입원 관련 문제와 정신질환으로 인한 범죄 관련성 등으로 인해 법적인 문제를 다루어야 하는 경우가 있습니다. 특히 입원 형식과 관련된 기본적인 내용을 알아두는 것이 중요합니다.

▶ 한편 최근 정신과 영역에서는 윤리적인 문제가 심도있게 논의되고 있습니다. 진료에 있어서 가장 기본인 비밀유지 등에 대해서도 알아두십시오.

1. 정신질환과 범죄

정신질환자들의 범죄율이 일반인들이나 대중매체에서 집중 보도하는 것처럼 매우 높은 것이 아니라는 견해가 많다. 그들의 범죄 원인에 대한 가설은 ① 사회이탈과 경제상태의 추락, ② 질병, 특히 망상으로 인해 폭력이 발생한다는 두 가지가 있다. 정신질환자에 의한 폭력의 절대 위험은 낮으나, 활동성 증상이 있는 정신질환과 물질남용이 공존하는 경우 폭력의 위험이 높아진다. 정신질환에 의한 범죄의 리스크가 사회경제적 상태나 폭력전과 만큼의 위험인자는 아닌 것이다.

1) 형법상 범죄 성립요건 실력

정신질환에 대한 과학적 이해가 생겨나면서 도덕적 측면이 중요시된다. 선악과 옳고 그름을 판단할 수 있느냐가 중요한 잣대가 된다.

범죄행위가 유죄가 되기 위해서는 불법적인 행위와 동시에 범행의도(mens rea)를 가지고 그 행위를 해야 한다.

(1) 맥노튼 법칙(M' Naughten rules)

1843년부터 영국에서 적용되어 온 법칙이다. 당시 수상이 자신을 해하려고 한다는 피해망상에 시달리던 맥노튼은 수상으로 오인한 수상의 비서를 살해하여 살인죄로 기소되었지만, 정신이상 상태로 인하여 무죄판결을 받았다. 범행 당시 정신질환으로 인해 자신의 행위의 본질(nature)과 성질(quality)을 모른다면, 또는 안다고 해도 그 행위가 나쁜 것(법적으로의 뜻)이란 사실을 모른다면 죄를 물을 수 없다는 것이다.

(2) 억제불능 충동판단기준(irresistible impulse test)

범죄행위의 옳고 그름을 알고 있었다고 해도, 정신질환으로 인해 자신의 불법적 행위를 조절할 수 없을 경우, 즉 의사결정능력이 없는 경우에도 형사책임능력이 없다고 하는 법이다.

(3) 미국 모범형법전(american law institute model penal code, ALI)

범행 당시 정신질환이나 정신적 결함의 결과로 자신의 행위에 대한 위법성을 판단할 수 있는 능력이 결여되었거나, 자신의 행위를 법의 요구에 따르게 하는 능력이 없다면 면책된다는 법칙이다. 그러나 반복적인 범죄행위나 반사회적행위를 행하는 비정상성은 포함하지 않는다.

2) 한국의 형법상 책임능력

맥노튼법칙의 인지능력결여자와 억제불능 충동판단기준의 의사결정능력이 없는 자를 면책하며, 이런 능력이 부족한 자는 형을 경감하여 미국의 모범형법전과 유사하다.

3) 정신감정

법원의 법률적 판단에 앞서 피고인의 정신상태와 책임요건에 대해 평가하여 증언하는 것으로 감정인은 책임능력과 관련되어 나름대로 의견을 제시할 수 있지만 심신상실 상태(책임능력) 여부는 법관의 법률적, 규범적 판단에 의한다.

정신감정기간은 1개월 정도이며, 면밀한 정신의학적 개인면담, 신경기능, 방사선, 임상심리, 임상병리 등의 각종 검사 등을 시행하여, 정신질환의 진단, 범행 시 심신상실 여부 등에 대한 평가한다.

4) 정신질환 범죄자의 치료

우리나라의 경우 치료감호법상의 치료감호제도를 시행한다.

(1) 치료감호법

치료감호법은 심신장애 상태, 마약류·알코올 및 기타 약물중독 상태, 정신성적 장애가 있는 상태에서 범죄행위를 한 자로서 재범의 위험성이 있고 특수한 교육·개선 및 치료가 필요하다고 인정되는 자에 대해 적절한 보호와 치료를 함으로서 재범을 방지하고 사회복귀를 촉진하고자 제정된 법이다.

(2) 보호관찰

피치료감호자에 대한 치료감호가 종료되었을 때 피치료감호자가 치료감호시설 외에서 치료받도록 법정대리인 등에게 위탁되었을 때 보호관찰이 시작되며 그 기간은 3년이다.

치료감호소 출소자들은 정신건강증진센터에 등록하여 상담, 사회복귀훈련 등 정신보건 서비스를 받을 수 있다.

2. 민법상 책임능력(성년후견제도)

1) 책임능력(Competence)
법에 의해 보장된 자신의 권리를 행사할 수 있는 능력으로 몇 가지 선택 중에서 자신에게 유리한 것을 선택할 수 있는 능력을 말하는 법적 용어이다.

정신질환 등으로 자신의 권리를 사용할 수 없는 경우를 책임무능력(incompetence)이라고 한다.

2) 성년후견제도
피성년후견인의 행위능력을 제한하기 위한 것이 아니라 법률행위 능력을 성년후견인이 보충함으로써, 고령자, 장애인, 정신적 판단능력이 결여된 자 등을 보호하고, 고령자의 자기결정권을 존중하려는 목적이 있다.

3. 정신건강의학과의 신체감정 실력

정신건강의학과 의사들은 법원, 손해보험사, 근로복지공단 등으로부터 신경정신분야의 질병 여부와 근로능력 평가 등을 요구받고 신체감정이나 후유장애 진단서를 작성해야 한다. 정신 및 행동의 후유장애의 평가 시 유의사항은 아래와 같다.

1) 정신 및 행동에 관한 후유장애의 평가는 정신건강의학과 전문의가 평가해야 한다.
2) 신경정신계통의 장애가 발생한 경우 장애평가는 환자의 증상이 고정되었다고 판단되는 시점에 시행한다.
3) 평가의 객관적 근거를 제시하여야 한다.
4) 국제질병분류표(ICD)에 근거한 진단명을 기재해야 하며, 장애평가기준은 맥브라이드(McBride)장애평가표, 산업재해 보상법의 신체장해 등급표, 국가배상법의 장애등급표, 손해보험사·생명보험사 공통 후유장애분류표 등을 사용한다.
5) 후유장애로 인정되는 정신 및 행동장애란 사고와 인과관계가 입증된 경우에 한한다.
6) 장애 인정기간으로 영구장애 및 한시장애를 적용할 수 있다.
7) 노동능력 상실률의 평가는 일상생활 기능, 사회적 기능, 직업적 기능을 사고 전의 능력과 비교한다.
8) 맥브라이드는 노동능력 상실률의 적용시 직업을 고려하여 결정하도록 한다.
9) 치료기간 및 치료비 산정은 합리적인 의학적 판단에 의해야 한다.
10) 현 사고와의 인과관계 및 기여도는 객관적 자료를 참고하여 산출해야 한다.
11) 개호는 일상생활 및 기본적 사회생활이 심하게 제한되는 경우인 생명 유지·위생관리 및 건강유지, 자해 및 타해, 사고의 방지 등을 위한 타인의 도움이 필요한 경우에 적용될 수 있다.

12) 여명은 생명표를 이용하여 어떤 연령의 사람이 앞으로 평균 몇 년이나 살 수 있을지를 산출한 기댓값, 곧 평균여명을 말한다.

4. 정신보건법(정신건강증진 및 정신질환자 복지서비스 지원에 관한 법률)

정신보건법의 핵심내용은, 정신질환자들의 권익 보호 및 양질의 치료를 받도록 하기 위함이며, 자살 및 타해의 위험이 있는 정신질환자들의 강제 입원에 대한 규정이다. 특히 헌법상 보장되는 인간의 자율권을 제한하고 강제입원 시키는 법적 조항이 인권침해 여부로 논란이 많았다.

새로 개정된 정신보건법에서는 정신질환자의 정의를 "망상, 환각, 사고나 기분의 장애 등으로 인하여 독립적으로 일상생활을 영위하는 데 중대한 제약이 있는 사람"으로 한다. 비자의입원 요건이 강화, 개정 후, 입원필요성과 자·타해 위험의 두 가지 조건 모두 있을 경우에 강제입원이 가능하다. 또한 2주간 진단입원제도를 신설하여 소속을 달리하는 2명 이상의 정신과 전문의들의 일치된 소견으로 입원치료를 결정하도록 하였다. 현실적인 문제들로 인해 재개정이 준비 중이나 재개정 전에는 현행법을 충실히 공부해야 한다.

1) 입원방법 실력

(1) 자의입원(41조)

(2) 동의입원(42조)

정신질환자는 보호의무자의 동의를 받아 입원할 수 있다. 퇴원 신청 시 지체 없이 퇴원을 시켜야 하며 보호의무자의 동의를 받지 않은 경우 정신과전문의 진단 결과 및 치료나 보호의 필요성이 있다고 인정되는 경우에 한정하여 퇴원 신청을 받을 때부터 72시간까지 퇴원을 거부할 수 있다. 그 기간 동안 보호의무자에 의한 입원이나 자치단체장에 의한 입원으로 전환할 수 있다.

(3) 보호의무자에 의한 입원(43조)

보호의무자 2명 이상(보호의무자가 1명만 있는 경우에는 1명)이 신청한 경우, 정신과전문의가 입원이 필요하다고 진단한 경우에만 입원시킬 수 있다. 또 정신질환자에 대해 지속적 입원이 필요하다는 서로 다른 정신의료기관에 속한 2인 이상의 정신과전문의 등의 일치된 소견이 있는 경우에만 입원을 지속할 수 있다.

(4) 특별자치시장·특별자치도지사·시장·군수·구청장(이하 자치단체장)에 의한 입원(44조)

정신과전문의 또는 정신건강전문요원은 정신질환으로 자신 또는 타인에게 해를 끼칠 위험이 있다고 의심되는 사람을 발견 시 자치단체장에 신청하여 위험성이 있어 정확한 진단이 필요하다고 인정한 경우 2주 범위에서 입원하게 할 수 있다.

(5) 응급입원(50조)

정신질환자로 추정되는 사람으로서 자신이나 타인에게 해를 끼칠 위험이 큰 사람을 발견한 사람은 상황 급박으로 인해 41조부터 44조까지의 규정에 따른 입원을 할 시간적 여유가 없는 경우, 의사와 경찰관의 동의를 받아 정신의료기관에 3일 이내의 응급입원을 의뢰할 수 있다.

2) 입원적합성심사위원회

입원 등에 대한 적합성 여부를 심사한다.

3) 정신건강심의위원회

(1) 광역정신보건심의위원회: 정신건강증진시설에 대한 감독, 재심사의 청구 등을 시행한다.

(2) 기초정신건강심의위원회: 입원 등 기간 연장, 퇴원 등 또는 처우개선의 심사 청구, 외래치료 명령 등을 시행한다.

5. 비밀보장

모든 국민은 헌법(제17조), 개인정보보호법(2011년) 등에 이해 사생활의 비밀보장에 대해 법률로 보호받는다. 의사의 경우는 이 법률 외에도 의료법 제19조(비밀누설금지), 21조(기록열람 등)에서 엄격하게 비밀보장에 대한 의무를 부여받고 있다.

> **TIP** 비밀보장과 특권에 대한 제한(limitations)과 예외(exceptions)가 있다. 기출
> ① 환자 자신에 의하거나 혹은 합당한 동의를 구한 경우
> ② 법원의 명령 및 소송
> ③ 공익과 관련한 경우
> ④ 위험한 환자와 경고·보호의 의무

6. 의료과실

1) 의료사고란?

"환자가 의료인한테 의료서비스를 제공받음으로써 생긴 예상하지 못한 나쁜 결과"로 정의한다.

2) 의료과실 혹은 의료과오(Malpractice)란?

"의사가 진료행위를 함에 있어서 당시의 의료수준에 비추어 일반적인 의사에게 요구되는 주의의무를 위반한 것"

의료과실을 판단하는 데 있어 가장 중요한 기준은 1. 주의의무 위반 2. 의학 상식 3. 설명의무의 세 가지 요소다.

7. 연구윤리

연구윤리 중요성이 인정되기 시작한 것은 제2차 세계대전이 끝난 후 나치 독일에 협력했던 의사 및 과학자들의 인체실험에 대한 뉘른베르크 전범재판을 통해서이다.

실험 대상이 되는 사람의 자발적인 동의(voluntary consent)는 필수적이며 '충분한 설명에 의한 동의(informed consent)'가 중요하다.

1) 주요 개념들 실력

(1) 최소한의 위험(minimal risk)

위험이 없거나 거의 없는 연구 외에도 일상생활에서 만나게 되는 위험과 같은 정도의 위험에 노출되는 연구를 최소위험연구라고 지칭한다.

(2) 아동의 동의/승낙(assent)

① 국내에서는 약사법 시행규칙 제32조 제4호에 의해, 시험담당자는 피험자가 동의능력이 없을 경우 법정대리인의 동의를 받아 시험을 수행할 수 있도록 하고 있다.

② 아동의 발달 상태를 고려해 6~7세 이상부터는 아동 피험자에게도 이해할 수 있는 언어와 용어로 짧은 문장의 설명문을 제공해 승낙을 받는 것을 권장한다.

③ 12세 이상 아동 피험자에게도 동의서를 제공하여 부모나 법적 대리인과 함께 동의를 받는 등의 적절한 보호 장치가 구비되어 있는지를 검토해야 한다.

(3) 사전동의(informed consent)

인간 존엄성 사상에 근거하여 환자의 자기 결정권과 알 권리를 존중하는 환자의 권리이다. 3개 주요 구성 조건은 진실의 제시, 충분한 이해, 자발성이다.

(4) 연구심의위원회(IRB)

연구심의위원회(institutional review board, IRB)는 피험자의 권리와 복지 보호의 보증을 위해 인간 피험자가 참여하는 연구에 대해 검토하고 시작을 승인하고 주기적으로 확인하기 위해 시험기관이 공식적으로 지정한 심사위원회나 단체이다.

(5) 임상시험관리기준(good clinical practice, GCP)

GCP는 사람을 대상으로 하는 임상시험을 설계, 수행, 기록 및 보고하는 데 관한 국제적으로 통용되는 윤리적, 과학적 기준을 뜻한다.

8. 저술윤리

- 저술윤리 혹은 출판윤리(publication ethics)란 "연구윤리의 한 분야로서 주로 연구자의 연구 성과를 널리 확산하기 위해 논문 작성 및 게재를 하는 과정에서 연구자가 알고 실천해야 할 윤리"
- 대한의학학술지 편집인협의회에서 발표한 의학논문 출판윤리 가이드라인이다.
- 출판진실성(publication integrity)원리는 3가지 목표 ① 과학적 지식의 정확성 담보, ② 연구 참여자의 권리와 복지 보호, ③ 지적재산권 보호를 달성하기 위해 고안되었다.

사례 예시 / 기출 문제

1-01. 정신과 영역에서 환자의 기밀유지(confidentiality)를 지켜야 하는 경우는?

① 환자가 살인 가능성이 높은 경우

② 환자가 자살 가능성이 높은 경우

③ 환자가 비행기 조종사인데 심한 판단의 장애를 보이는 경우

④ 환자를 치료하는 다른 치료진과 검사, 치료 결과 등을 토론하는 경우

⑤ 환자가 정신과에 입원한 사실이 있는 경우

〈해설〉

위험한 환자에 대해 경고 또는 보호가 필요할 경우(①, ②), 공익과 관련된 경우(③), 법원의 명령이 있는 경우, 환자에게 동의를 구한 경우는 기밀유지의 예외가 가능합니다.

정답 1-1 ⑤

지역사회정신의학

Community Psychiatry

오진욱 박주호 고미애 김우정

Chapter

XXXIII

Introduction

▶ 지역사회정신의학이란 병원이 아닌 지역사회의 다양한 시설, 기관에서 정신질환자들을 치료하고 관리하는 학문입니다. 최근 들어 우리나라에서도 지역사회정신의학의 관심이 높아지고 있습니다. 환자를 병원에 장기간 입원시키기 보다는 지역사회에서 치료하고 관리하는 것이 바람직하다는 흐름이 있습니다. 지역사회정신의학의 개념과 역사적인 흐름에 대해 알아 두는 것이 좋습니다.

▶ 지역사회정신의학은 정신과 의사뿐 아니라 임상심리사, 사회복지사, 간호사 등 다양한 정신보건 전문인력이 협력하는 체계입니다. 이때 정신과 의사에게는 전체적인 계획을 짜고 각 지역간의 업무를 조정하고 소통을 돕는 리더로서의 역할이 요구됩니다.

1. 역사적 고찰

미국을 중심으로 하는 지역사회정신의학의 역사를 알아보면 만성 정신질환을 앓고 있는 환자의 치료와 관리에 대한 정책은 크게 세 번의 개혁을 거친다.

1) 18세기 도덕치료(Moral therapy)에 기초하여 요양소가 도입

가축보다 더 못한 취급을 받던 환자를 불쌍한 인간으로 대하였다.

2) 19세기 말 정신위생운동(Mental hygiene therapy)

정신병원이 설립. 정신질환자를 불쌍한 인간이 아닌 병을 앓는 환자로 받아들이기 시작하였다.

3) 20세기 중반 지역사회 정신보건운동(Community mental health movement)

정신병원에 있던 환자들이 사회로 나와 시역사회에서 생활, 환자에서 시민으로 전환되있다.

2. 지역사회 정신보건 운동

20세기 중반 서구에서 시작되었고, 만성 정신질환자들을 병원이 아닌 지역사회에서 치료하고 관리하기 시작하였다.

1) 주요 계기 실력
(1) 첫째, 최초의 항정신병약물인 클로르프로마진이 개발되면서 증상의 관리가 가능해진 것이 지역사회 정신보건운동의 계기가 되었다.
(2) 둘째, 군 정신의학(military psychiatry)이 보고한 성공적 치료 사례 – 조기 진단과 중재, 환자가 살고 있는 집에서 가능한 가까운 장소에서 치료를 해야 한다는 주요 개념에 영향을 주었다.

3. 시설에서 지역 사회로의 변화

1955년 미국 연방정부는 정신질환자도 인간으로 누려야 할 절대적인 권리가 있고, 사회는 그들의 요구를 법적으로 보장해야 한다. 입원보다는 지역사회에서 치료할 수 있는 대안을 찾아야 한다는 전제하에 위원회를 구성하였다.

1961년 다음과 같은 내용을 발표하였다.

첫째, 지역사회에서 생활하는 정신건강의학과 환자들에게 그들이 필요로 하는 진료를 제공한다.

둘째, 정신보건서비스 체계의 핵심 의무는 심한 정신질환 환자를 치료한다.

셋째, 국민은 정신보건시설을 언제라도 이용할 수 있어야 한다.

넷째, 대규모 정신병원은 각 지역사회에 위치한 작은 시설로 대체한다.

다섯째, 지역사회에 기초한 외래 진료와 재활 서비스를 확장한다.

지역사회 정신보건운동이 진행되면서 정신병원에 입원해 있던 환자들이 퇴원하여 지역사회로 나오게 되었는데 이것을 탈원화(deinstitutionalization)라고 한다.

4. 기본개념

거주 인구수와 행정구역을 고려해, 정신의료 서비스를 받는 구역들로 나누고, 국가와 지방자치단체가 각 구역별로 필요한 서비스를 제공하는 것이다.

정신건강증진센터가 가장 중심에 위치해 해당 환자들에게 서비스를 제공하고, 때로는 중재하는 역할을 한다. 입원이 필요하면 정신병원에 의뢰하여 치료를 받게 하고, 주거시설 제공, 일자리 연계, 친구들이 필요하다면 클럽하우스에 의뢰를 해 준다.

5. 원칙

1) 지역적 책임성과 진료 이용의 균등성

모든 국민들이 공평하게 그리고 쉽게 정신보건서비스를 이용할 수 있도록 국토 전역을 정의된 서비스 구역으로 나눈다.

2) 지역사회 주민의 참여와 통제

정신의료서비스를 이용하는 사람들은 반드시 지역사회 정신건강증진센터의 계획 입안과 실행, 평가 과정에 필수적으로 참여해야 한다.

3) 포괄적인 서비스와 진료의 연속성

24시간 가동되는 응급 서비스, 입원환자 서비스, 부분입원 서비스, 외래환자 서비스, 지역사회 자문과 교육을 통한 예방 서비스 등이다.

이후 1975년 연방의회에서 일곱개의 추가적인 서비스가 포함된 수정안이 통과되었다. 추가 서비스들은 소아, 알코올중독환자, 약물 중독환자, 노인, 입원 전 검사, 과도기적 주거시설 서비스, 재활과 관리서비스 등이다.

4) 전문가적 평등주의

진료 이용면에서 사회계층 간의 차별을 금지하였다. 지역주민들이 정신보건 서비스의 행정과 실행에 개입하도록 하고, 치료 과정에 환자를 참여시킨다. 전문가들로 구성된 치료팀을 구성하며, 각 전문가의 역할을 균등하게 배분한다.

6. 서비스

지역사회정신의학서비스 역시 만성 정신질환자의 치료와 재활에 초점을 둔다.

만성 정신질환자란, 진단명, 사회적 및 직업적 기능수준, 증상과 장애의 지속기간 에서 모두 심한 사람으로 평가되는 사람, 즉 심한 정신질환(조현병, 재발이 잦은 정동장애, 망상 정신병, 기타 정신병)을 지속적으로 앓고 있으면서, 위생문제, 대인관계, 직장, 학교, 사회생활에서 문제를 보이며 동시에 장기간 병원치료나 정신건강의학과 치료가 필요한 사람이라고 정의할 수 있다.

7. 지역사회 정신건강복지센터

1) 임무

(1) 우선순위 환자들을 대상으로 정신건강서비스와 사회지지서비스를 지속적으로 제공한다. 한 인간으로서 존엄성을 지닌 채 만족스러운 삶을 보낼 수 있도록 돕는 것이다.

(2) 여러 분야 전문가를 대상으로 지역사회정신의학에 대한 교육과 훈련 시행하고 인근 대학병원 정신건강의학과와 연계하여 효과적인 치료 프로그램 개발 및 임상연구 진행한다.

2) 대상

지역을 관할하는 정신보건국에서 정한 자격기준을 충족시키는 환자

3) 서비스 내용

통상적으로 제공하는 서비스는 정신약물치료, 개인 정신치료, 집단치료, 부부치료, 가족치료, 사례관리, 위기중재, 직업재활, 거주 프로그램 등이 있으며, 지역별 특성에 따라 시행한다.

4) 서비스 제공 원칙 `실력`

포괄적 서비스를 연속성 있게 제공하는 것을 원칙으로 한다.

(1) 포괄성이란?

진단, 증상평가, 기능평가, 적극적 원조 및 가정방문, 위기중재 및 안정, 입원, 재활, 약물치료, 직업재활, 클럽하우스, 낮치료 프로그램, 건강유지, 응급 피난처, 거주시설, 자조모임, 사례관리 등을 포함한다.

(2) 연속성이란?

각 환자를 일관성 있게 치료하며 치료팀 내에서 필요한 자문을 구할 수 있다. 그 외 서비스 제공 원칙으로는 환자 중심주의, 개별화된 서비스, 지지망 구축, 책임성, 주기적 평가 교육과 훈련, 연구 등이 있다.

5) 기타 특화된 서비스

(1) 소아청소년 서비스

지역사회 소아정신건강의학과 의사들이 자주 다루는 문제들은 정신장애, 발달학적 장애, 성적 학대, 폭력에 의한 외상후스트레스장애, 물질남용, 동성애, 폭력행동, 자살, 성폭행 등이 있다.

(2) 노숙자의 정신건강관리

노숙자들 중 정신질환을 앓고 있는 환자 발견 시 구호활동, 노숙 상태에 머물러 있게 하면서 치료와 서비스 제공하기, 주거시설로 옮겨가는 것을 지원하는 것 등이 있다.

(3) 폭력의 희생자들

가정폭력, 아동학대, 노인학대, 강간, 아동 성적학대에 대해 적극적으로 개입한다.

8. 우리나라 지역사회정신보건의 현황

1) 전체 정신보건 현황

2000년대 들어 전체 병상 수는 계속 증가하고 있는데, 종합병원 정신과의 비중이 줄어든 반면 사립정신병원과 사회복귀시설은 늘어나고 있다.

2) 광역정신건강증진센터 주요사업

자살예방사업, 중증정신질환관리사업, 아동청소년정신건강증진사업 등이 있다.

3) 기초정신건강증진센터 주요사업

중증정신질환 조기개입, 개별 환자에 대한 치료서비스계획수립 및 제공, 위기개입서비스, 치료 및 복지에 대한 포괄 서비스, 지역사회연계망 구축 등이 있다.

4) 중증정신질환관리

(1) 중증정신질환 조기개입체계 구축

중증정신질환의 조기발견과 조기개입을 통한 만성화 예방 및 회복 촉진 도모

(2) 환자 개별적 서비스 계획의 수립과 제공

중증정신질환자의 욕구에 기반한 개별적 서비스 계획 수립 및 제공

(3) 위기개입 서비스 제공 및 위기대응체계 구축

중증정신질환자의 증상과 연관된 자해 및 타해 위험상황에 대한 위기개입 서비스, 중증정신질환자 위기개입을 위한 대응체계 구축

(4) 포괄적 서비스 제공과 지역사회 네트워크 구축

중증정신질환자의 다양한 서비스 요구도 충족을 위해 사례관리 과정에서 다양한 지역유관기관과의 긴밀한 협력체계 구축

(5) 긴급지원 대상자 발굴

센터 이용 대상자가 생계곤란 등의 위기상황에 처한 경우 시군구에 신고하여 긴급지원 등 복지서비스를 받을 수 있도록 조치

9. 자살예방 및 정신건강증진

1) 인식개선 사업

2) 고위험군 조기발견 및 치료연계 사업: 아동청소년, 성인 및 노인 정신건강, 중독 등

3) 정신건강상담전화 운영

4) 아동청소년 정신건강증진

(1) 사업대상

지역 내 18세 이하 아동 및 청소년, 지역사회 내 취약계층 아동청소년(북한이탈주민, 다문화가정, 한부모가정, 청소년 쉼터, 조손가정 등), 아동청소년 정신건강 관계자(부모, 교사, 시설 종사자 등)

(2) 사업내용

지역사회 현황 파악 및 연계체계 구축, 교육 및 홍보, 정신건강문제 조기발견 및 사후관리 서비스

(3) 사례관리(개인상담, 집단프로그램 등)

① 대상 및 기본 원칙
- 대상: 심층사정평가를 통해 정신보건서비스(사례관리 및 정신의료기관 연계 등)가 필요하다고 확인된 대상자
- 증상이나 어려움의 악화 여부에 대해 지속적 개입을 통해 관리, 증상 악화 시 적절한 치료연계가 이루어질 수 있도록 한다.

② 수행 방법 및 내용
사업요원이 시설(학교)을 방문, 대상 아동청소년을 정신건강증진센터로 내소시켜 개별상담, 집단 프로그램 등 사례관리서비스를 제공하며 전화관리, 가정방문, 지역사회 방문 등도 실시한다.

5) 중독관리통합지원센터

중독환자들을 위해 고안된 동기강화훈련, 인지행동치료 그리고 자조집단의 12단계 치료촉진프로그램 등을 시행하며, 가족교육을 포함한 가족개입프로그램을 제공하기도 한다.

알코올사용장애뿐만 아니라 마약, 니코틴과 같은 물질 중독 그리고 도박이나 인터넷 게임 등의 행위 중독에 이르기까지 전반적인 중독 문제를 지역사회에서 관리하기 위해 알코올상담센터가 중독관리통합지원센터로 전환되었다.

10. 우리나라 지역사회정신보건의 미래방향과 제한점

1) 한계와 제한점

우리나라는 아직 환자들의 장기입원 방지와 탈수용화(deinstitutionalization) 정책이 명확히 국가 정책으로 천명되지 못하는 상태로 소극적으로 시행 중에 있다. 지역사회정신보건사업은, 단지 열악한 정신보건 현실을 보완하는 정도의 기능만을 수행 중이다.

최근 중증정신질환에 대한 기본적인 서비스 제공이 아직 확고히 자리잡지 못한 상태에서 일반 국민들의 정신건강에 대한 요구 증가, 한정된 예산과 인력으로 인한 실무자들의 업무 과중 및 사기저하 등의 문제와 전문 인력의 수도권 집중으로 인한 지역적 편차가 큰 점도 한계점이다.

2) 미래의 해결과제와 발전방향

(1) 정신장애인도 차별 없이 다른 신체질환과 같은 수준의 동등한 치료 권리를 누려야 한다.

(2) 장기입원을 방지하며 지역사회에서 다학제 치료팀에 의한 치료와 사례관리를 우선적으로 고려해야 한다.

(3) 삶의 주기에 따른 국가정신건강관리체계를 적극 도입해야 한다.

(4) 정책 수립을 위한 연구기관이 설립되어야 한다.

(5) 중앙정부 주도에서 벗어나 지방정부마다 정신보건에 대한 행정관리체계를 확립해야 한다.

1-01. 다음의 설명 중 옳은 것을 모두 고르시오.

> 가. 어느 한 병원이 특정 지역 주민의 정신보건을 책임지는 것이 효과적이다.
>
> 나. 임산부의 산전관리, 영아 건강관리는 1차 예방에 속한다.
>
> 다. 기업체에서 정기적인 건강검진을 통해 정신장애를 조기 발견하는 것은 2차 예방에 속한다.
>
> 라. 정신장애로 사회적 기능 상실이 발생하는 것을 방지하기 위한 재활치료는 3차 예방에 속한다.

① 가, 나, 다   ② 가, 다

③ 나, 라   ④ 라

⑤ 가, 나, 다, 라

〈해설〉

예방의학 비중이 큰 문제입니다.

1차 예방: 정신건강증진 – 발생률 감소 목적

2차 예방: 조기진단 및 조기치료– 유병률 감소 목적

3차 예방: 재활치료 – 기능 상실 방지 목적

문화정신의학
Cultural Psychiatry

오진욱 박주호 고미애 김우정

Chapter

XXXIV

Introduction

▶ 문화정신의학이란 문화가 정신의학적인 평가, 진단, 치료 등에 어떻게 영향을 끼치는가를 연구하고 임상에 적용하는 학문입니다.

▶ 일부 정신질환에 대한 인식은 사회마다 다르고, 특정 사회에서만 관찰되는 정신질환이 있기도 합니다. 특정 문화권에 따라 정신질환에 대한 이해가 다를 수 있는 점을 이해하는 것이 중요합니다.

1. 개론

1) 진료와의 연관

현재 대부분 정신의학적 평가와 진단은 구체적인 생물학적 지표(biological marker)를 근거로 이루어지지 않고 있다. 환자증상에 대한 평가와 진단은 의사의 주관적인 관찰과 해석에 의해 이루어지는데, 문화적 배경이 그 해석에 큰 영향을 끼치게 된다.

2) 질병에 대한 해석 및 치료결정과의 연관

환자의 증상을 사회문화적으로 '정상 범위' 안에 있다고 '해석'하면 환자는 치료자에게 오지 않게 된다. 또한 정신과 의사가 판단한 진단을 받아들일지의 여부 역시 환자와 주변 사람들의 '문화적 해석'에 의해 결정되는 경우가 많다(예를 들어, 정신과 의사는 환자의 환청을 '조현병 상태'라고 진단했지만, 주변 사람들은 '종교적 열심으로 인한 신의 계시' 라고 해석을 한다면 환자는 치료를 받지 않게 될 것이다.).

3) 사회정의와 연관

환자에 대한 진단 및 치료는 정신과 의사에게 익숙한 문화적 배경을 가진 환자들에 대한 진단과 치료와 달라질 수 있다.

4) 증상 형성 및 표현과의 연관

서구 문화권은 환자가 감정을 표현하는 전통을 갖고 있어 우울 상태를 이야기할 때, 우울하고 자살충동을 느낀다고 말할 수 있지만, 감정을 주로 신체적 상태로 표현하는 전통을 가진 비서구권 환자는 우울한 상태를 가슴과 배의 통증으로 표현한다.

2. 문화적 차이에 대한 정신의학적 이해와 접근

1) 문화적 차이의 종류

(1) 문화의 거시적 차이

인종, 민족, 언어, 국가 등의 차이로 인해 생기는 문화적 차이. 세계적으로 이민, 난민, 경제적 이주자 등이 발생하면서 서로 다른 문화권의 사람들이 함께 살아가게 되는 일이 발생한다.

(2) 문화의 미시적 차이

인종, 민족, 언어, 국가 등은 동일하면서도 사회경제적 수준, 성별, 연령, 종교, 교육 수준 등의 차이로 인해 생기는 문화적 차이이다.

Ex) 30대 대도시 출신 남성 정신과 의사 vs. 80대 무학으로 평생 섬에서 거주해 온 환자(진료 시 세심한 주의 필요)

2) 문화적 역량이란?

문화적 차이에 따른 과제를 다루기 위한 능력이다.

첫째, 치료자가 환자와 문화적으로 다를 수 있다는 것을 인정하고 차이를 존중한다.

둘째, 지속적으로 자신의 문화적 배경 특성을 평가하고, 자신을 객관적으로 보려고 노력한다.

셋째, 환자의 다양한 배경 문화들에 대해 이해를 늘리기 위해 노력이라고 볼 수 있다.

3) 문화적 겸손

문화적 역량을 갖추기 위해 기본적으로 필요로 되는 치료자의 태도이며

첫째, 문화적인 자기성찰과 자기비판

둘째, 환자 중심 면담을 통해, 서로 존중하는 파트너십을 발전

셋째, 문화적 차이의 존재와 중요성을 탐색하는 기술 개발

넷째, 타 문화권에 대한 약간의 지식과 경험으로, 그들을 일반화하지 않는 것이다.

3. 이주민, 난민에 대한 문화정신의학적 지원

이주민들이 가진 전통문화와 새로운 정착지 주류문화가 서로 다름으로 인해 발생하는 현상이다.

1) 문화변용(Acculturation)의 유형
문화변용이란? 한 문화에 속한 사람이 다른 문화를 만나 대응하는 양상을 말한다.

(1) 거부(rejection)
자신의 고유문화 정체성을 유지하고, 새로 거주하게 된 지역 문화의 가치나 사회 행동 패턴에 흡수되는 것에 저항한다.

(2) 통합(integration)
고유 전통문화를 유지하면서 새로운 타 문화도 받아들이는 것이다.

(3) 동화(assimilation)
원래 속하였던 문화 특성은 포기하고 새로운 타 문화(주류문화)에 편입하는 것이다.

(4) 주변화(marginalization)
고유 전통문화에 대한 거부, 또는 점진적인 상실을 하면서, 동시에 새로운 타 문화의 가치와 행동규범도 거부하거나 그것으로부터 소외되는 것이다.

표 34-1. 문화변용의 유형

	기존 문화 유지	새로운 문화 수용
거부	O	X
통합	O	O
동화	X	O
주변화	X	X

2) 이주민, 난민의 정신건강 평가
(1) 이주 시기에 대한 고려
① 이주 전, 이주 과정, 이주 후의 상황을 모두 고려한다.
② 이주 전 국가와 사회의 정치경제상황, 그로 인한 심리적 트라우마 경험, 이주에 의한 기존 사회적 네트워크 상실, 이주에 대한 최종 결정을 했던 사람, 자발성 여부, 삶의 주요 사건 등에 대한 평가가 필요하다.

(2) 문화와 언어에 대한 고려

표현 방식에서 매우 적극적인 문화권 환자와, 소극적인 환자는 같은 정신병리적 상태를 가졌다 할지라도, 전혀 다른 양상을 보일 수 있다는 것을 인식할 필요가 있다.

(3) 문화변용에 대한 고려

같은 문화권 출신 이주민이라 할지라도, 개개인의 문화변용 유형과 정도에 따라 환자와 보호자들의 태도, 말, 행동 등이 다 다를 수 있다.

3) 이주민, 난민들에 대한 정신건강서비스가 가져야 할 조건들

(1) 그들을 위한 정신건강 서비스가 존재한다는 것을 알 수 있도록 홍보한다.

(2) 쉽게 접근할 수 있어야 한다.

(3) 언어적, 문화적으로 의사소통 하여야 한다.

(4) 편견 없이 존중되면서 치료받아야 한다.

4) 소수 집단에 대한 정신건강 서비스에서 있는 흔한 문제들

(1) 소수집단 안에서는 높은 유병률을 보이는 문제가 있을 수 있는데, 이것이 의사들에게 간과될 수 있다.

(2) 소수집단에 특별히 존재하는 문화에 대한 지식과 경험이 부족할 수 있다.

(3) 문화적 의사소통의 장애 가능성이 크고, 신체적 건강 위험요소에 대한 정보가 불충분하다.

5) 난민들에 대해 더 고려할 사항들

(1) 이주 충격의 정도가 더 심하다.

(2) 난민들에 대한 정신의학적 지원에 한계가 더 많다.

(3) 정신건강 문제는 쉽게 축소되거나 과장될 가능성이 있다.

6) 북한이탈주민과 통일에 대한 정신의학적 관점

북한이탈주민(탈북자)들의 숫자가 지속적으로 증가하는 상황으로 이들을 진료하고 지원하는 것은 의학적인 측면뿐 아니라, 인도적이고 인권적 차원에서도 중요하다.

(1) 진료실에서 고려할 사항들

• 배경적 지식과 이해를 가지고 있어야 한다. 건강상 어려움을 호소하는 용어나 표현 방식에 대한 이해가 필요하다.

• 이들이 정신질환에 대한 강력한 편견을 가지고 있는 것을 고려해야 한다. 정신과 치료 권유를 들으면 "나보고 미쳤다는 것이냐?"라는 부정적 반응을 보일 때가 많다. 적절한 설명 및 대응이 필요하며, 외상후스트레스장애, 자살, 신체화증상, 물질남용 등에 대한 관심을 가져야 한다.

(2) 통일과 정신의학

개인의 정신병리뿐만 아니라, 집단과 사회의 정신병리 현상을 다루는 사회정신의학적 관점을 가지고 통일을 바라볼 필요가 있다.

4. 종교, 영성과 정신의학

1) 종교와 영성의 정의

(1) 종교(religion)

신성하거나 초월적인 존재(신, 절대자 등)에 가까이 가도록 고안된 믿음, 수행, 의식의 조직화된 체계이다.

(2) 영성(spirituality)

① 삶, 의미, 신성하거나 초월적인 존재와의 관계에 대한 궁극적 물음에 답을 구하는 개인적 탐색. 일반적으로 종교보다 더 넓은 개념이다.

② 종교는 한 사회의 전통을 유지하고, 문화적으로 가치 및 의미를 부여하고, 사회적 행동을 하도록 만드는 데 중요한 역할을 한다.

2) 정신의학과 종교와의 관계

정신과 의사들은 환자의 종교, 영성을 다루는 것에 부담을 느낀다. 그 이유는

(1) 종교, 영성은 종교적, 초월적인 문제이고, 정신의학이 다룰 객관적이고 과학적인 내용은 아니라고 판단하기 때문이다.

(2) 종교나 영성에 관한 사항을 의사가 다루게 되면 그것은 의사-환자 관계에 부정적으로 영향을 끼칠 수 있다고 생각한다.

(3) 많은 경우, 의사들은 종교나 영성에 대한 문제를 어떻게 다룰지 교육받거나 훈련받지 못해 이런 주제를 다루는데 부담스러워 한다.

3) 정신의학에서 종교의 중요성

환자를 이해하는데 중요하다. 종교는 환자와 그 주변 사람들의 자아정체성, 삶의 목적, 사고 및 행동방식, 가치의 기준들에 절대적인 영향을 끼친다.

환자의 증상 형성, 치료행위 결정과 선택에도 종교가 영향을 끼치며, 치료자와의 관계 형성을 위해서도 종교는 중요하다.

4) 종교적 이슈를 다루는 정신과 의사의 태도

(1) 환자의 종교를 존중하고 그들의 말을 경청한다.

(2) 종교와 관련된 지식을 가지는 것이 필요하다.

(3) 환자와의 첫 면담에서 종교에 대한 질문을 하고, 그에 대한 대답을 듣는 것이 중요하다.

(4) 성직자 등 주변사람들과의 협력이 중요하다.

(5) 소위 "귀신들림"에 대한 적절한 대처가 필요: 종교에서 소위 "귀신 들렸다"라고 하는 사람들은 흥분, 불안, 환청, 환시 등을 보이며, 이것은 정신질환의 증상과 유사한 면이 많다. 이때 정신의학적으로 중요한 것은 이 사람이 귀신들렸는가 여부를 판단하는 것이 아니라, 그 사람을 신체적, 심리적으로 적절히 보호하는 것이다.

5. 문화적 개념화(Cultural formulation)

1) DSM-5의 문화적 개념화, 즉 정신질환에서 문화의 역할을 평가하는 목적

(1) 다문화적 환경에서 진단 기준의 적용 향상

(2) 고통의 문화적 개념화

(3) 정신사회적 스트레스원과 취약성 및 레질리언스의 문화적 특징

(4) 문화적 차이로 인한 환자, 가족, 임상가와의 관계, 질병 경과, 치료 결과에 미치는 영향 확인

2) 문화적 개념화는 다음 5가지 범주 평가를 포함

(1) 개인의 문화적 정체성

문화적 정체성은 자신이 속한 문화집단과 공유하는 특성을 말하며, 개개인은 이를 통해 자신의 정의한다. 문화적 정체성에 영향을 미치는 요인은 인종, 민족성, 출생국가, 종교, 사회경제상태, 개인의 출신문화와의 동질성 정도가 있다.

(2) 개인 질병의 문화적 설명(고통에 대한 문화적 개념화)

특정 문화집단 내의 개인이 질병증상을 호소하는 방식이며, 문화적 가치에 크게 영향을 받는다.

(3) 정신사회 환경과 기능 수준과 관련된 문화적 요인

사회적 환경을 평가하는 데 가정 역동과 문화적 가치를 이해하는 것은 필수적이다.

(4) 개인과 임상가 관계의 문화적 요소

자신의 문화적 정체성을 이해하는 임상가는 문화적 배경이 다른 환자의 문화적 역동을 예측할 수 있다.

(5) 진단과 치료에 대한 전반적인 문화적 평가

3) 문화적 개념화 면접

위의 5가지 영역 평가를 위해 DSM-5는 문화적 개념화 면접(cultural formulation interview, CFI)이라는 반구조화된 면접 도구를 제시한다. 총 16개 문항이며 4개의 평가 영역으로 구분. ① 문제에 대한 문화적 정의 ② 원인, 맥락, 지지에 대한 문화적 인식 ③ 자기 대처와 과거 도움 추구 행동에 영향을 미치는 문화적 요인들 ④ 현재 도움 추구 행동에 영향을 미치는 문화적 요인들이다.

4) 고통(Distress)에 대한 문화적 개념

(1) 한 문화집단이 괴로움, 행동문제, 불편한 생각과 정서를 경험하고 이해하고 소통하는 방식이다.

(2) 3가지 유형으로 분류되며, 문화적 증후군, 고통에 대한 문화적 표현양식, 문화적 설명 혹은 지각된 원인이다.

5) 진단범주와 문화적 고려

일반적으로 생물학적 요인 보다는 심리적 요소가 주 원인이 되는 정신병리에서 문화적 영향이 크다. 다음은 여러 정신의학적 문제의 문화적 측면이다.

(1) 소아 및 청소년 질환

지역에 따라 ADHD 유병률 차이가 있으며, 아이에 대한 태도나 해석에 문화적 요인이 관여하는 것으로 보인다. 특히 정보제공자를 통한 증상평가는 해당 문화집단에 영향을 받을 수 있다.

(2) 정신병

한 문화권에서 망상을 규정하는 것이 다른 문화권에서는 일반적으로 수용될 수 있다. 고통의 표현이 일부 문화권에서는 정상 환각, 가성환각, 과대평가된 관념 등으로 나타나기도 한다.

(3) 기분장애

잠재적 문화요인이 증상 발현에 영향을 미치나 문화권 간 현저한 증상 차이는 없는 것으로 판단한다. 다만 죄책감이나 자살 경향은 문화권마다 다소의 차이가 존재한다.

(4) 불안장애

불안증상 중 정신적, 신체적증상에 대한 두려움은 문화에 따라 다르고, 유병률 및 병태에 영향을 준다.

(5) 성격장애

개인의 민족적, 문화적, 사회적 배경을 반드시 고려해야 올바른 성격 기능 평가가 가능하다.

(6) 기질적 정신장애

이 경우 문화가 직접적인 원인 요소는 아니며, 인종이나 문화적 배경을 초월하여 유사증상을 표현한다.

(7) 물질남용과 의존

생물학적인 원인이 1차적이나 유병률에 영향을 미치는 문화적 요인이 있다. 예를 들어 음주에 대한 금기적 태도를 취하는 무슬림 사회에서는 알코올 사용량이나 사용 장애의 발생이 적은 반면, 한국이나 일본 같이 음주에 허용적인 사회에서는 알코올 사용 장애의 발생률이 높다.

(8) 식이장애

1960-70년대를 지나며 뚜렷이 증가하였으며 한 사회의 도시화 정도에 비례하여 증가한다.

(9) 강박장애

일부 아시아권(한국, 대만)에서 서구권에 비해 유병률이 낮다는 보고가 있으나, 실제 인종마다 차이가 있는지는 불분명하다. 하지만, 문화마다 공통된 걱정내용이 강박사고나 행동에 발현되는 것은 분명하다. 청결과 순화가 강조되는 힌두문화에서 더러움과 감염에 대한 증상이 많다.

(10) 자살행동

자살률은 나라마다 차이가 있다. 사회 경제적으로 안정된 국가에서는 자살률이 일정하며, 극적인 사회문화적 변화나 정치적 갈등이 있는 나라에서는 상대적으로 변화가 크다.

6. 문화권 증후군

원래 문화권 증후군은 서구의 진단범주와 구별되고 이론적으로 특정 문화권에 고유한 정신질환을 기술하는 데 사용된다. 하지만 많은 문화권 증후군은 여러 가지의 불행과 고통을 설명하는 그 지역의 독특한 방식으로 특정 문화그룹, 지역사회에서 동시에 생기는 비교적 불변의 증상 군락이나 군을 지칭한다.

1) 고통의 문화적 표현양식

한 문화권의 개인들 사이에서 고통을 표현하는 언어 용어, 구, 말하는 방법이며, 고통의 기본 양상을 표현하고 소통하고 이름 짓는 방식이다.

2) 문화적 설명 혹은 지각된 원인

증상, 질병, 고통의 원인에 대한 문화적 설명 모델이며 이 원인에 대한 설명이 민간의 질병개념에 중요한 요소이다.

7. 문화와 치료적 고려

1) 문화와 정신작용제 약물 비순응

약물 비순응에 영향을 미치는 사회문화적 요소로는 진단 및 처방에 관한 의사의 편향, 건강 믿음, 생약과 동시 복용, 식습관, 종교적 믿음 등이 있다.

2) 문화와 정신치료

개인은 문화적 환경을 기반으로, 일상 생활 사건을 경험하고 의미를 부여한다. 정신치료자의 임무는 이런 의미체계를 해독하고, 환자가 이해하고 수용하게끔 도와주는 것이다. 따라서 치료자가 환자의 성장배경을 통해 얻은 문화적 은유, 언어, 설명을 이해하고 이를 이용해 의미와 적응행동을 취하도록 도울 수 있다.

3) 인종정신약물학

(1) 인종 간 약물효과의 차이가 있으며, 백인에 비해 아시아계 환자들에서 소량의 항정신병약물이 필요하다는 보고가 있었다.

(2) 같은 용량의 할로페리돌을 복용한 경우, 아시아계 환자들에서 백인보다 50%가량 혈청 할로페리돌 농도가 높았다는 연구가 있다.

(3) 약동학적으로는 대표적으로 cytochrome P450효소 중 CYP 2D6의 유전적 다형성이 잘 알려져 있다. 그 외 CYP 2C19도 인종 간의 차이가 보고되었고, 20%의 동아시아인, 3~5%의 백인이 이 효소결핍으로 인한 대사불량자이다.